所得税法要説

九訂版

福岡大学商学部教授・商学博士
山内ススム 著

税務経理協会

は　し　が　き

　本書は，初めて所得税法を学習する人々を対象にした専門書である。所得税法はわれわれの日常生活に最も身近な租税である。それにもかかわらず所得税法について，わかりやすく書かれた専門書は少ない。

　そのためか，一般には所得税法は難しいように思われがちである。そこで本書は，経理事務に携わる人や，将来税理士，会計士を志す人々を対象に理解しやすいように書いたものである。

　筆者が実際に税理士試験（国税三法及び会計科目）及び会計士二次試験に合格した経験と，現在大学で教鞭をとっている経験を生かし，難解といわれる所得税法を以下の7段階に分け，しかも税法の条文に忠実にわかりやすく作成した。

1　条文に書かれている【Point】をまず示した。
2　次に《所得税法の条文》を掲げた。
3　その条文を基にした《計算Point》を表示した。
4　さらにその条文に基づく《計算Pattern》を示した。
5　その《計算Point》と《計算Pattern》を理解した後，《例題》を解く。
6　例題の《解答》により，読者の理解の程度を確認する。
7　最後に関連する《実務上のPoint》を示した。これを実務に役立てていただきたい。

　したがって，まず条文の【Point】を読み，その後さらにその条文を読み，条文に応じた《計算Point》《計算Pattern》を覚えた上で，《例題》を解くことにより，条文の理解を深め，所得税法の計算の仕組みが理解できるように書かれた過去にない書である。

　内容については，特殊で複雑な部分はできるだけ避け，図や表をできるだけ多く取り入れた。所得税法を初めて学ぶ人々を対象に，大学で使うテキストないし会計実務に携わる人々の入門書としてできるだけわかりやすく記述した。

また，各項目に対しては，章末に実務においてよく生ずる《**実務上のPoint**》を表示しておいた。これにより，読者は所得税法に興味を覚え，本書により所得税法を初めて学ぶ人々は，所得税法により一層深い理解を示すと考える。本書は『**法人税法要説**』『**相続税法要説**』『**消費税法要説**』と姉妹書であり，税法を学ぶ学生，将来税理士や会計士を目指す人々，会計実務家等にお役に立てれば幸いである。

　本書作成に当たり，私の指導教授である慶応義塾大学商学部教授藤森三男先生，ならびに本書出版に際してお世話になった税務経理協会の鈴木利美氏に深く御礼申し上げます。また原稿の校正をお願いしたわが友である木下彰治氏，玉川好陽氏，福島祐一郎氏の三氏にはひとかたならぬお世話をいただいた。深く御礼申し上げます。

　最後に，私を日々精神的にも経済的にも支えてくれている妻山内佑美，妻の両親である大村　清，大村春子並びに私の両親である山内　榮，山内初乃に，この場をかりて心より感謝する次第である。

平成6年8月29日　大安

山　内　ススム（進）

九訂に当たって

　平成28年度税制改正に合わせて改訂した。八訂版作成にあたり税務経理協会の鈴木利美氏には深く感謝致します。
　また，妻の両親である渡辺常朝，渡辺公子並びに妻山内由実，長女香味に感謝する。妻にお礼をいいたい。

令和3年5月　吉日

著　　者

目　次

第Ⅰ編　通　則

第1章　所得税法の基礎 …………………………………2

第1節　所得税法の特色 ……………………………………2
　【Point 1】
第2節　わが国の所得税法の変遷 …………………………4
　1　所得税の創設期 ………………………………………4
　2　源泉徴収制度の確立 …………………………………4
　3　申告納税制度の導入 …………………………………4
　4　シャウプ税制 …………………………………………4
　5　そ　の　後 ……………………………………………5
　6　税制の問題点 …………………………………………5

第2章　納税義務者と課税所得の範囲 …………6

第1節　納税義務者の区分 …………………………………6
　【Point 2】
第2節　課税所得の範囲 ……………………………………7
第3節　非課税所得と免税所得 ……………………………9
　【Point 3】
　1　非課税所得 ……………………………………………9
　2　免　税　所　得 ………………………………………14
　《計算例題1》 ……………………………………………15
　《計算例題2》 ……………………………………………15
　《計算例題3》 ……………………………………………16

《計算例題4》……………………………………………………17
第4節 所得の帰属（実質所得者課税の原則）………………………19
　1 実質所得者課税の原則………………………………………19
　2 信託財産に係る帰属…………………………………………20
　3 無記名公社債の利子等の帰属………………………………21

第3章 納　税　地 …………………………………………………22
【Point 4】
第1節 原則的納税地 ………………………………………………22
第2節 納税地の特例 ………………………………………………24
　1 選択的納税地…………………………………………………24
　2 死亡した者の納税地…………………………………………24
第3節 源泉徴収に係る所得税の納税地 ……………………………25

第4章 所得税額の計算構造 ………………………………………26
第1節 各種所得の金額の計算（第1段階）………………………26
【Point 5】
第2節 課税標準の計算（第2段階）………………………………28
第3節 課税所得金額の計算（第3段階）…………………………30
第4節 所得税額の計算（第4段階）………………………………31
　1 課税総所得金額又は課税退職所得金額に係る所得税額………31
　2 課税山林所得金額に係る所得税額……………………………31
　3 土地等に係る課税事業所得等の金額に係る所得税額…………31
　4 課税短期譲渡所得金額に係る所得税額………………………32
　5 課税長期譲渡所得金額に係る所得税額………………………32
　6 上場株式等に係る配当所得等の金額に係る所得税額…………32
　7 一般株式等に係る課税譲渡所得等と上場株式等に係る
　　 課税譲渡所得等の金額に係る所得税額………………………33

8　先物取引に係る課税雑所得等の金額に係る所得税額……………33

第Ⅱ編　各種所得の金額の計算

第1章　利子所得……………………………………………………36
　　【Point 6】
　第1節　利子所得の定義と範囲……………………………………37
　第2節　利子所得とならないもの…………………………………39
　第3節　利子所得の金額の計算……………………………………40
　第4節　利子所得の収入金額計上時期……………………………41
　第5節　利子所得の源泉分離課税制度……………………………42
　第6節　利子所得の課税特例………………………………………43
　　1　利子所得に対する源泉徴収と課税の特例…………………43
　　2　確定申告を要しない利子所得（申告不要の利子所得）の特例……46
　　3　申告分離課税の特例…………………………………………46
　第7節　同族会社が発行した社債の利子…………………………51
　第8節　非課税となる利子所得……………………………………52
　　《計算Point》…………………………………………………………53
　　《計算Pattern》………………………………………………………56
　　《計算例題1》………………………………………………………58
　　《計算例題2》………………………………………………………59
　　《計算例題3》………………………………………………………60
　　《計算例題4》………………………………………………………61
　　《計算例題5》………………………………………………………62
　　《実務上のPoint》……………………………………………………63
　第9節　国外公社債等の課税方法…………………………………65
　　1　国外で発行された公社債の利子が国外で支払われるが，
　　　国内の支払取扱者を経由して支払われる場合……………65

　　　　《計算Pattern 1》……………………………………………66
　　　　《計算Pattern 2》……………………………………………67
　　　　《計算Pattern 3》……………………………………………68
　　2　国外で発行された公社債の利子が国外で支払われるときに，
　　　　国内の利子の支払取扱者を経由しないで支払われる場合……………68
　　　　《計算Pattern 1》……………………………………………70
　　　　《計算Pattern 2》……………………………………………71

第2章　配当所得……………………………………………72

【Point 7】
第1節　配当所得の定義と範囲……………………………………72
　　1　配 当 所 得……………………………………………………72
　　2　みなし配当……………………………………………………76
第2節　配当所得の金額の計算……………………………………79
　　1　収 入 金 額……………………………………………………79
　　2　配当等の収入金額計上時期………………………………………80
　　3　株式などを取得するための負債の利子……………………………81
第3節　配当所得の課税制度………………………………………82
　　1　配当所得に対する源泉徴収税率…………………………………82
　　2　確定申告を要しない配当所得……………………………………83
　　3　私募公社債等運用投資信託等の配当所得の源泉分離………………85
　　4　申告分離課税制度………………………………………………86
　　5　特定口座制度──源泉徴収選択口座内上場株式等の配当等
　　　　の所得計算……………………………………………………89
　　6　特定口座制度──源泉徴収選択口座における上場株式等の
　　　　配当等の源泉徴収の特例…………………………………………91
　　7　非課税口座制度（ＮＩＳＡ）……………………………………92
　　8　未成年者の非課税口座制度（ジュニアＮＩＳＡ）…………………96

第4節　非課税となる配当所得 …………………………………………104
　《計算Point》………………………………………………………………104
　《計算Pattern 1 》…………………………………………………………108
　《計算Pattern 2 》…………………………………………………………110
　《計算Pattern 3 》…………………………………………………………111
　《計算例題 1 》……………………………………………………………112
　《計算例題 2 》……………………………………………………………113
　《計算例題 3 》……………………………………………………………115
　《計算例題 4 》……………………………………………………………116
　《計算例題 5 》……………………………………………………………118
　《計算例題 6 》……………………………………………………………120
　《計算例題 7 》……………………………………………………………121
　《計算例題 8 》……………………………………………………………124
　《実務上のPoint》…………………………………………………………126
第5節　国外配当の課税制度 ………………………………………………127
　1　源泉徴収税額 …………………………………………………………127
　2　国外配当等の課税方法 ………………………………………………128
　《計算Pattern 1 》…………………………………………………………128
　《計算Pattern 2 》…………………………………………………………129
　《計算Pattern 3 》…………………………………………………………130
　《計算Pattern 4 》…………………………………………………………130

第3章　給与所得 ……………………………………………………132
【Point 8 】
第1節　給与所得の定義と範囲 ……………………………………………133
第2節　非課税とされる給与 ………………………………………………135
第3節　給与所得者等の経済的利益 ………………………………………137
　1　給与所得者等の経済的利益の額 ……………………………………137

	2	給与所得者等の経済的利益の非課税額 …………………………137
第4節		**給与所得の金額の計算** ……………………………………………139
	1	給与所得の収入金額 ……………………………………………139
	2	給与所得の収入金額計上時期 …………………………………139
	3	給与所得控除額 …………………………………………………140
	4	給与所得者の特定支出の控除の特例 …………………………142
第5節		**給与所得と源泉徴収** ………………………………………………145
	1	所得税の源泉徴収 ………………………………………………145
	2	年 末 調 整 ………………………………………………………146
第6節		**給与所得の確定申告** ………………………………………………147
第7節		**ストック・オプション課税** ………………………………………149
	1	原則・税制非適格オプション …………………………………149
	2	特例・税制適格オプション ……………………………………150
		《計算Point》……………………………………………………158
		《計算Pattern 1 》………………………………………………158
		《計算Pattern 2 》………………………………………………160
		《計算Pattern 3 》………………………………………………160
		《計算例題 1 》…………………………………………………161
		《計算例題 2 》…………………………………………………162
		《計算例題 3 》…………………………………………………163
		《計算例題 4 》…………………………………………………164
		《計算例題 5 》…………………………………………………166
		《計算例題 6 》…………………………………………………167
		《実務上のPoint》………………………………………………169
第8節		**家内労働者等の所得計算** …………………………………………171
		《計算Pattern》…………………………………………………171

第4章　退職所得 ……172

【Point 9】

第1節　退職所得の定義と範囲 ……173

第2節　非課税とされる退職手当等 ……175

第3節　退職所得の金額の計算 ……176

　1　退職所得の収入金額 ……178

　2　退職所得の収入金額計上時期 ……178

　3　退職所得控除額 ……179

　4　勤続年数 ……179

　《勤続年数の計算Pattern》……180

第4節　退職所得に対する課税 ……182

　1　課税標準としての退職所得 ……182

　2　退職所得と源泉徴収 ……182

　3　退職所得の確定申告 ……183

　《計算Point》……183

　《計算Pattern》……184

　《計算例題1》……186

　《計算例題2》……187

　《計算例題3》……188

　《計算例題4》……190

　《計算例題5》……191

　《実務上のPoint》……194

第5章　一時所得 ……195

【Point 10】

第1節　一時所得の定義と範囲 ……196

第2節　非課税とされるもの ……199

第3節　一時所得の金額の計算 ……201

		1	一時所得の総収入金額 …………………………………201

    1　一時所得の総収入金額 ……………………………………………201
    2　一時所得の収入金額計上時期 ……………………………………201
    3　収入を得るために支出した金額 …………………………………202
 第4節　一時所得に対する課税 ……………………………………………203
    1　半 額 課 税 …………………………………………………………203
    2　損 益 通 算 …………………………………………………………203
    3　源 泉 徴 収 …………………………………………………………203
    4　予定納税基準額 ……………………………………………………204
    5　一時払養老保険・一時払損害保険の差益に基づく一時所得 ……204
 第5節　生命保険契約等に基づく一時金 …………………………………205
    《計算Point》……………………………………………………………206
    《計算Pattern》…………………………………………………………208
    《計算例題1》…………………………………………………………208
    《計算例題2》…………………………………………………………209
    《計算例題3》…………………………………………………………209
    《計算例題4》…………………………………………………………210
    《計算例題5》…………………………………………………………211
    《計算例題6》…………………………………………………………212
    《実務上のPoint》………………………………………………………213

第6章　山 林 所 得 ……………………………………………………215
 【Point 11】
 第1節　山林所得の定義と範囲 ……………………………………………216
 第2節　山林所得の金額の計算 ……………………………………………217
    1　山林所得の総収入金額 ……………………………………………217
    2　山林所得の収入金額計上時期 ……………………………………217
    3　必 要 経 費 …………………………………………………………218
    4　山林所得の特別控除額 ……………………………………………219

第3節　森林計画特別控除 …………………………………………220
第4節　山林所得に対する課税と五分五乗方式 …………………221
　　《計算Point》………………………………………………………221
　　《計算Pattern》……………………………………………………222
　　《計算例題》………………………………………………………222
　　《実務上のPoint》…………………………………………………223

第7章　不動産所得 ……………………………………………224
【Point 12】
第1節　不動産所得の定義と範囲 …………………………………225
　　1　不動産等の意義 ………………………………………………225
　　2　不動産等の貸付業の所得 ……………………………………226
　　3　賃貸に伴って受ける権利金，更新料 ………………………226
　　4　事業所得に該当するもの ……………………………………227
第2節　不動産所得の金額の計算 …………………………………229
　　1　不動産所得の総収入金額 ……………………………………229
　　2　不動産所得の収入金額計上時期 ……………………………229
　　3　不動産所得の必要経費 ………………………………………231
　　4　不動産所得の青色申告 ………………………………………234
　　5　資　産　損　失 ………………………………………………234
第3節　不動産所得に対する課税 …………………………………237
　　《計算Point》………………………………………………………237
　　《計算Pattern》……………………………………………………239
　　《計算例題1》……………………………………………………240
　　《計算例題2》……………………………………………………242
　　《計算例題3》……………………………………………………243
　　《計算例題4》……………………………………………………245
　　《計算例題5》……………………………………………………247

《実務上のPoint》……249

第8章　事業所得……250

【Point 13】

第1節　事業所得の定義と範囲……250

第2節　事業所得の金額の計算……253

第3節　事業所得に対する課税……258

《計算Point》……258

《計算Pattern》……261

《計算例題1》……261

《計算例題2》……266

《実務上のPoint》……269

第9章　譲渡所得……270

【Point 14】

第1節　譲渡所得の定義と範囲……271

第2節　譲渡所得の区分……272

1　分離課税される譲渡所得と総合課税される譲渡所得……272

2　分離課税される土地建物等の譲渡所得の長期譲渡所得と短期譲渡所得の区分……272

3　総合課税される譲渡所得の長期譲渡所得と短期譲渡所得の区分……275

4　みなし譲渡（時価課税）……276

《計算例題》……278

第3節　譲渡所得の金額の計算……279

1　分離課税される土地建物等の譲渡所得の金額……279

2　総合課税される譲渡所得の金額……279

3　生活に通常必要でない資産の損失……280

《計算Pattern》	282
第4節　譲渡所得の総収入金額	283
第5節　譲渡所得の収入金額計上時期	284
第6節　譲渡所得の取得費	285
第7節　譲渡所得の譲渡費用	292
第8節　譲渡所得の非課税	293
第9節　保証債務の履行のため資産の譲渡があった場合において，その求償権が行使不能となった場合の譲渡所得の非課税措置	294
第10節　再生計画に基づく取締役等の私財提供に係る譲渡所得の非課税措置	295
第11節　資産の譲渡代金が回収不能となった場合等	297
第12節　内　部　通　算	298
《計算Point》	302
《計算Pattern》	303
《計算例題1》	303
《計算例題2》	305
《計算例題3》	307
《計算例題4》	309
《計算例題5》	312
《計算例題6》	314
第13節　譲渡所得の課税の特例	318
第14節　有価証券の譲渡による所得	319
1　上場株式等を譲渡した場合の譲渡所得等の申告分離課税	321
《計算Pattern 1》	322
《計算Pattern 2》	327
2　一般株式等に係る譲渡所得等（非上場株式等に係る譲渡所得等）の申告分離課税	327
《計算Pattern》	328

3　ゴルフ会員権に類する株式等の譲渡 …………………………332
　　　4　非課税となる有価証券の譲渡 …………………………………332
　　　5　特定口座内保管上場株式等の譲渡と所得区分特例 …………333
　　　6　割引債の償還差益 ………………………………………………339
　　《計算Pattern》………………………………………………………339
　　　7　土地等の譲渡に類似する事業譲渡類似の株式の譲渡の特例 …339
　　　8　特定管理株式等が価値を失った場合 …………………………342
　　　9　先物取引に係る課税関係 ………………………………………343
　　《計算Pattern》………………………………………………………346
　　　10　エンジェル税制（特定中小会社が発行した株式への特例）………347
　　《計算Pattern》………………………………………………………353
　　《計算例題１》………………………………………………………354
　　《計算例題２》………………………………………………………356
　　《計算例題３》………………………………………………………359
　　《計算例題４》………………………………………………………361
　第15節　借地権の設定等 ………………………………………………364
　　　1　借地権の設定等による所得 ……………………………………364
　　　2　借地権の設定等の対価に係る取得費 …………………………364
　　《実務上のPoint》……………………………………………………365
　第16節　外貨建取引の換算 ……………………………………………367

第10章　雑　所　得 …………………………………………………368
　【Point 15】
　第１節　雑所得の定義と範囲 …………………………………………368
　第２節　雑所得の金額の計算 …………………………………………371
　第３節　雑所得の非課税 ………………………………………………372
　第４節　公的年金所得者の確定申告不要 ……………………………373
　第５節　公的年金等の所得金額・公的年金等控除額 ………………374

1	公的年金控除額	374
2	所得金額調整控除額	375

第6節　雑所得の総収入金額 …………………………………376
第7節　雑所得の収入金額計上時期 …………………………377
第8節　雑所得の必要経費 ……………………………………378
　　1　原　　則 …………………………………………………378
　　2　山林に係る雑所得の必要経費 …………………………378
　　3　生命保険契約等に基づく年金に係る雑所得の必要経費 …………378
　　4　雑所得の資産損失 ………………………………………379
　　5　家内労働者等の雑所得に係る必要経費 ………………379
第9節　生命保険契約に基づく年金 …………………………380
第10節　雑所得の源泉徴収 ……………………………………384
　　1　原 稿 料 等 ………………………………………………384
　　2　公的年金等 ………………………………………………384
　　3　生命保険契約等に基づく年金 …………………………384
第11節　雑所得の源泉分離課税 ………………………………386
　　1　割引債の償還差益に対する分離課税 …………………386
　　2　定期積金の給付補てん金等 ……………………………386
第12節　仮想通貨（暗号資産）取引 …………………………387
　　1　仮想通貨の所得区分 ……………………………………387
　　2　仮想通貨の必要経費 ……………………………………387
　　3　仮想通貨の取得価額 ……………………………………388
　　4　仮想通貨の所得 …………………………………………388
　　《計算Point》 …………………………………………………391
　　《計算Pattern》 ………………………………………………393
　　《計算例題1》 …………………………………………………394
　　《計算例題2》 …………………………………………………397
　　《計算例題3》 …………………………………………………398

《計算例題 4 》……………………………………………………399
《計算例題 5 》……………………………………………………400
《実務上のPoint》………………………………………………401

第Ⅲ編　収入金額の計算

第 1 章　収入金額の計算原則……………………………404
1　収入金額の意義 ………………………………………………404
2　金銭以外の物又は権利その他経済的な利益の評価 …………404

第 2 章　保険金，損害賠償金等を受け取った場合…………405
【Point 16】
《計算Point》………………………………………………………406
《計算例題 1 》……………………………………………………407
《計算例題 2 》……………………………………………………408

第 3 章　棚卸資産等を自家消費等をした場合 ……………409
【Point 17】
第 1 節　棚卸資産等を家事消費等した場合 …………………410
第 2 節　無償又は低額で資産を譲渡した場合 …………………411
《計算Point》………………………………………………………412
《計算Pattern》……………………………………………………412
《計算例題 1 》……………………………………………………413
《計算例題 2 》……………………………………………………414
《計算例題 3 》……………………………………………………415
《実務上のPoint》………………………………………………417

第Ⅳ編　必要経費の計算

第1章　必要経費の通則 …………………………………………………420
 1　一般の必要経費 ………………………………………………420
 2　山林に係る必要経費 …………………………………………421
 《実務上のPoint》 ………………………………………………423

第2章　家事関連費・租税公課等 ……………………………………424
 【Point 18】
 第1節　家事上の経費及び家事関連費 ………………………424
 第2節　租　税　公　課 …………………………………………427
 第3節　罰金，科料，過料 ………………………………………429
 第4節　損害賠償金の支出 ………………………………………430
  《計算Point》 …………………………………………………430
  《計算例題1》 …………………………………………………433
  《計算例題2》 …………………………………………………434
  《実務上のPoint》 ……………………………………………435
 第5節　消　費　税 ………………………………………………436
  1　税込経理方式と税抜経理方式 ……………………………436
  2　控除対象外消費税等 ………………………………………438
  《計算例題1》 …………………………………………………439
  《計算例題2》 …………………………………………………440
  《計算例題3》 …………………………………………………441

第3章　資産の評価 ………………………………………………………443
 【Point 19】
 第1節　棚卸資産の評価 …………………………………………443
  1　棚卸資産の範囲 ……………………………………………444

2　棚卸資産の評価の方法 ……………………………………444
　　3　棚卸資産の取得価額 ………………………………………447
　《計算Point》………………………………………………………453
　《計算Pattern》……………………………………………………454
　《計算例題1》………………………………………………………454
　《計算例題2》………………………………………………………455
　《計算例題3》………………………………………………………456
　《計算例題4》………………………………………………………458
第2節　有価証券の評価 ……………………………………………460
　　1　有価証券の範囲 ……………………………………………460
　　2　事業所得の基因となる有価証券の評価方法 ……………461
　　3　有価証券の評価方法の選定及び届出 ……………………461
　　4　届出がない場合等の法定評価方法 ………………………461
　　5　評価方法の変更 ……………………………………………461
　　6　有価証券の取得価額 ………………………………………462

第4章　資産の償却 ……………………………………………464
第1節　減価償却資産の償却費 ……………………………………464
　【Point 20】
　　1　減価償却資産の範囲 ………………………………………465
　　2　少額の減価償却資産の取得価額の必要経費算入 ………466
　　3　一括償却資産の必要経費算入 ……………………………466
　　4　青色申告者の取得価額30万円未満の減価償却資産の
　　　　必要経費算入 ………………………………………………468
　　5　減価償却資産の償却の方法 ………………………………468
　　6　減価償却方法の選定及び届出 ……………………………476
　　7　選定できる償却の方法 ……………………………………477
　　8　届出がなかった場合 ………………………………………478

9　減価償却方法の変更 …………………………………………478
　　10　減価償却資産の取得価額 ……………………………………478
　　11　減価償却資産の耐用年数，償却率及び残存価額 …………480
　　12　減価償却資産の減価償却費の計算 …………………………484
　　13　非業務用資産の業務用に転用した場合の減価償却費の特例 ……487
　　《計算Point》………………………………………………………488
　　《計算例題》………………………………………………………493
　第2節　繰延資産の償却 …………………………………………………495
　　【Point 21】
　　1　繰延資産の範囲 ………………………………………………495
　　2　繰延資産の償却費の計算 ……………………………………496
　　3　少額の繰延資産となる費用の必要経費算入の特例 ………498
　　《計算例題》………………………………………………………499

第5章　引　当　金 ……………………………………………………501
　第1節　貸倒引当金 ………………………………………………………501
　　【Point 22】
　　1　個別に評価する貸金に対する貸倒引当金 …………………503
　　2　一括して評価する貸金に対する貸倒引当金 ………………506
　　《計算Point》………………………………………………………509
　　《計算Pattern》……………………………………………………509
　　《計算例題1》……………………………………………………511
　　《計算例題2》……………………………………………………511
　　《計算例題3》……………………………………………………512
　　《計算例題4》……………………………………………………513
　第2節　貸倒損失 …………………………………………………………516
　　1　事業の遂行上生じた売掛金，貸付金等に準ずる債権 ……516
　　2　貸倒損失の金額 ………………………………………………517

第3節　個人事業者に係る事業再生税制 …………………………………521
第4節　退職給与引当金 ……………………………………………………522
　【Point 23】
　　1　退職給与引当金勘定繰入額の必要経費算入 ……………………522
　　2　退職給与引当金の繰入限度額 ……………………………………523
　　《計算例題》……………………………………………………………524
　　3　使用人が退職し退職金を支払った場合 …………………………525
　　4　申告書の記載要件 …………………………………………………526

第6章　生計を一にする親族が受ける事業上の対価 ……527
　【Point 24】
　第1節　原　　則 …………………………………………………………528
　第2節　例　　外 …………………………………………………………530
　　1　青色専従者給与額の必要経費算入 ………………………………530
　　2　事業専従者控除額の必要経費算入 ………………………………532
　　《計算例題》……………………………………………………………534
　　《実務上のPoint》………………………………………………………537

第7章　青色申告特別控除 ……………………………………………538
　【Point 25】
　第1節　一般の青色申告者 ………………………………………………539
　　《計算Pattern》…………………………………………………………539
　第2節　特定の青色申告者 ………………………………………………540
　　《計算Pattern》…………………………………………………………541

第Ⅴ編　収入及び費用の帰属時期の特例

第1節　延払条件付販売等に係る収入及び費用の帰属時期 …………544
　《計算Pattern》………………………………………………………545
第2節　長期工事の請負に係る収入及び費用の帰属時期 ……………547
　《計算Point》…………………………………………………………550
　《計算Pattern 1 》……………………………………………………550
　《計算Pattern 2 》……………………………………………………551
　《計算例題 1 》………………………………………………………551
　《計算例題 2 》………………………………………………………553
第3節　青色小規模事業者の収入及び費用の帰属時期 ………………556
　1　青色小規模事業者の要件 ………………………………………556
　2　現金主義の例外 …………………………………………………556

第Ⅵ編　課税標準

第1章　課税標準の計算 …………………………………………560

第2章　損益通算 …………………………………………………563
【Point 26】
第1節　損益通算の意義 …………………………………………………563
第2節　損益通算の順序 …………………………………………………567
　《計算Point》…………………………………………………………571
　《計算Pattern》………………………………………………………572
　《計算例題》…………………………………………………………572
　《計算Point》…………………………………………………………574
　《計算Pattern》………………………………………………………575
　《計算Point》…………………………………………………………577

《計算Pattern》……………………………………………………578
　　《計算例題》……………………………………………………579

第3章　純損失及び雑損失の繰越控除 ……………………582
　【Point 27】
　第1節　純損失の繰越控除 ……………………………………582
　　《計算Pattern》……………………………………………………586
　　《計算例題》……………………………………………………587
　第2節　雑損失の繰越控除 ……………………………………589
　　《計算Pattern》……………………………………………………592
　　《計算例題》……………………………………………………593
　第3節　居住用財産の買換え等の場合の譲渡損失の繰越控除 ……595
　　《計算Pattern》……………………………………………………598
　第4節　特定居住用財産の譲渡損失の繰越控除 ……………599
　　《計算Pattern》……………………………………………………601
　第5節　上場株式等の譲渡損失の繰越控除 …………………602
　　1　上場株式等の譲渡損失の繰越控除の特例 ……………602
　　《計算Pattern》……………………………………………………604
　　2　特定株式の譲渡損失の繰越控除 ………………………605
　第6節　先物取引による損失の繰越控除 ……………………607

第Ⅶ編　所得控除

第1章　所得控除 …………………………………………610
　第1節　所得控除の意義 ………………………………………610
　第2節　所得控除の順序 ………………………………………611
　　《計算Pattern》……………………………………………………611

第2章	雑損控除	613
第3章	医療費控除	621
	《計算例題》	624
第4章	社会保険料控除	631
第5章	小規模企業共済等掛金控除	634
第6章	生命保険料控除	636
	《計算例題》	644
第7章	地震保険料控除	646
第8章	寄付金控除	650
第9章	障害者控除	657
第10章	寡婦控除・ひとり親控除	660
第11章	勤労学生控除	663
第12章	配偶者控除	665
第13章	配偶者特別控除	668
第14章	扶養控除	670

第15章　基 礎 控 除 …………………………………………………674
　《所得控除すべての計算Pointと計算Pattern》 …………………675
　《計算例題１》 ……………………………………………………687
　《計算例題２》 ……………………………………………………689
　《計算例題３》 ……………………………………………………692
　《実務上のPoint》 ………………………………………………695

第Ⅷ編　税 額 計 算

第１章　税額計算の通則 …………………………………………698
第１節　税額計算の仕組み …………………………………………698
第２節　課税総所得金額に対する税額，課税退職所得金額に対する税額及び課税山林所得金額に対する税額 ………………700
　１　課税総所得金額に対する税額の計算 …………………………700
　２　上場株式等に係る課税配当所得等の金額に対する税額の計算 …700
　３　課税退職所得金額に対する税額の計算 ………………………701
　４　課税山林所得金額に対する税額の計算 ………………………701
　５　課税短期譲渡所得金額に対する税額の計算 …………………702
　６　課税長期譲渡所得金額に対する税額の計算 …………………702
　７　一般株式等に係る課税譲渡所得等の金額に対する税額の計算 …702
　８　上場株式等に係る課税譲渡所得等の金額に対する税額の計算 …702
　９　先物取引に係る雑所得等の税額の計算 ………………………702
第３節　土地建物等の譲渡所得の税額計算の特例 …………………703
　１　課税短期譲渡所得金額に対する税額の計算 …………………703
　２　課税長期譲渡所得金額に対する税額の計算 …………………703
　《計算例題》 ………………………………………………………705
　《実務上のPoint》 ………………………………………………711
第４節　譲渡所得の特別控除に関する特例 …………………………714

1　居住用財産の譲渡の特別控除 …………………………………714
　　　2　居住用財産の譲渡 ………………………………………………714
　　　3　適用除外 …………………………………………………………715
　　　《計算Point》……………………………………………………………716
　　　《計算例題》……………………………………………………………717
　第5節　平均課税制度 ……………………………………………………………723
　　　1　変動所得及び臨時所得の意義 …………………………………723
　　　2　適用判定 …………………………………………………………724
　　　《税額計算Point》………………………………………………………724
　　　《計算Pattern》…………………………………………………………724
　第6節　開業医師の所得の計算 …………………………………………………725
　　　1　開業医師の事業所得の算定 ……………………………………725
　　　2　医師の実額経費 …………………………………………………726
　　　3　医師の概算経費 …………………………………………………727
　　　4　開業医師の青色申告特別控除 …………………………………728
　　　《計算Pattern》…………………………………………………………729
　　　《計算例題》……………………………………………………………730

第2章　税額控除 ……………………………………………………………733

【Point 28】
　第1節　配当控除 …………………………………………………………………733
　　　《計算Pattern 1 》………………………………………………………739
　　　《計算Pattern 2 》………………………………………………………739
　　　《計算例題》……………………………………………………………740
　第2節　一般の住宅借入金等特別控除 …………………………………………744
　　　1　控除対象となる住宅要件 ………………………………………749
　　　2　控除額の対象となる借入金等の範囲 …………………………751
　　　3　住宅借入金等特別控除の適用要件 ……………………………752

《計算Pattern》……………………………………………………………755
　　　《計算例題》……………………………………………………………756
　　　《実務上のPoint》………………………………………………………758
第3節　認定長期優良住宅・認定低炭素住宅の住宅借入金等特別控除 …760
第4節　特定の増改築等（特定断熱改修工事・省エネ改修工事）に
　　　係る住宅借入金等特別控除 …………………………………………762
第5節　特定居住者の増改築等（バリアフリー改修工事）住宅借入
　　　金等特別控除 …………………………………………………………764
第6節　認定長期優良住宅・低炭素住宅新築等特別控除 …………………766
第7節　既存住宅の耐震改修に係る特別控除 ………………………………768
第8節　特定居住者の既存住宅の住宅改修工事等（バリアフリー
　　　改修・省エネ改修工事）の特別控除 ………………………………770
第9節　特定居住者以外の居住者の既存住宅の一般断熱改修工事等
　　　（省エネ改修工事）の特別控除………………………………………772
第10節　政党等寄附金の所得税額の特別控除 ………………………………774
　　　《計算例題1》…………………………………………………………776
　　　《計算例題2》…………………………………………………………777
第11節　公益社団法人等寄附金特別控除 ……………………………………779
第12節　認定特定非営利活動法人等への寄附金（認定ＮＰＯ法人等）の
　　　所得税額の特別控除 …………………………………………………781
第13節　外国税額控除 …………………………………………………………783
　　1　外国税額控除の意義 …………………………………………………783
　　2　控除対象外国所得税の範囲 …………………………………………783
　　3　控除限度額 ……………………………………………………………783
　　《計算Pattern》……………………………………………………………784
　　《計算例題1》……………………………………………………………784
　　《計算例題2》……………………………………………………………785
　　4　国外公社債等の利子等 ………………………………………………787

5	控除対象外国税額の繰越控除	788

第14節　復興特別所得税 …………………………………………………789

　1　復興特別所得税 …………………………………………………789

　《計算Pattern》 ………………………………………………………789

　2　源泉徴収特別税 …………………………………………………790

第Ⅸ編　所得税の申告

第1章　予定納税制度 …………………………………………………792

第1節　予定納税の通知 ………………………………………………792
第2節　予定納税額の減額 ……………………………………………795
　1　予定納税額の減額承認申請 ……………………………………795
　2　減額承認申請に対する処分 ……………………………………795
　3　申告納税見積額 …………………………………………………796
　4　減額の承認があった場合の予定納税額 ………………………796
　5　災害減免法による減額承認申請の特例 ………………………797

第2章　確定申告 ………………………………………………………798

【Point 29】

第1節　確定申告の意義 ………………………………………………798
第2節　確定所得申告 …………………………………………………800
第3節　還付等を受けるための申告 …………………………………805
第4節　確定損失申告 …………………………………………………806
第5節　死亡又は出国の場合の確定申告 ……………………………808
第6節　期限後申告 ……………………………………………………810

第3章　修正申告と更正の請求 …………………………………811
【Point 30】
第1節　修正申告の通則 …………………………………………812
第2節　更正の請求の通則 ………………………………………813

第4章　更正及び決定 ………………………………………………814
第1節　更正の通則 ………………………………………………814
第2節　決定の通則 ………………………………………………815
第3節　再更正の通則 ……………………………………………816
第4節　所得税等の税務調査 ……………………………………818
1　所得税等に関する調査に係る質問検査権等 ………………818
2　納税義務者に対する調査の事前通知等 ……………………818
3　事前通知を要しない場合 ……………………………………819
4　調査終了の通知 ………………………………………………819
5　当該職員の団体に対する諮問及び官公署等への協力要請 ………820
6　身分証明書の携帯等 …………………………………………820

第5章　所得税の納付 ………………………………………………821
第1節　一般の確定申告による納付 ……………………………821
第2節　延　　納 …………………………………………………822
1　延納の要件 ……………………………………………………822
2　利子税の納付 …………………………………………………822
第3節　還　　付 …………………………………………………823
1　所得税の還付 …………………………………………………823
2　純損失の繰戻しによる還付 …………………………………823
第4節　国外転出をする場合の特例 ……………………………825
1　国外転出の場合の特例 ………………………………………825
2　特例の対象者 …………………………………………………825

		3	納税の猶予 ……………………………………………826
	第5節	財産債務調書と国外財産調書 …………………………827
		1	財産債務調書 ……………………………………………827
		2	国外財産調書 ……………………………………………827

第Ⅹ編　青色申告制度

第1章　青色申告制度の趣旨 ……………………………830
【Point 31】

第2章　青色申告の要件 …………………………………831
第1節　青色申告の承認申請 ……………………………831
第2節　備付帳簿 …………………………………………832
 1　帳簿書類 ……………………………………………832
 2　帳簿書類についての指示 …………………………833
 3　添付書類 ……………………………………………833

第3章　青色申告の承認申請に対する処分 ……………834
第1節　承認等の通知 ……………………………………834
第2節　承認申請の却下 …………………………………835
第3節　みなす承認 ………………………………………836

第4章　青色申告の承認の取消し・取りやめ …………837
第1節　承認の取消し ……………………………………837
第2節　承認の取消しの通知 ……………………………838
第3節　青色申告の取りやめ等 …………………………839

第5章　青色申告の特典 ……………………………………840
第1節　所得計算上の特典 ………………………………840
1. 青色専従者給与額の必要経費算入 …………………840
2. 各種引当金・準備金 ……………………………………840
3. 棚卸資産の評価 …………………………………………840
4. 減価償却資産に関する減価償却費等の特例 …………841
5. 家事関連費の必要経費算入 ……………………………841
6. 現金主義による所得計算の特例 ………………………841
7. 青色申告特別控除 ………………………………………842

第2節　手続上の特典 ……………………………………843
1. 更正の制限 ………………………………………………843
2. 更正の理由の附記 ………………………………………843

第3節　純損失の繰越し・繰戻しの特典 ………………844
第4節　税額控除の特典 …………………………………845
《例　題》 …………………………………………………846
《実務上のPoint》 ………………………………………846

第XI編　源泉徴収

第1章　源泉徴収制度の趣旨 …………………………………850
【Point 32】

第2章　源泉徴収される所得 …………………………………851
第1節　利子所得及び配当所得に対する源泉徴収 ……851
1. 源泉徴収義務 ……………………………………………851
2. 源泉徴収税額 ……………………………………………851
3. 源泉徴収の不適用 ………………………………………852

第2節　給与所得に対する源泉徴収 ……………………854

	1	源泉徴収義務 …………………………………………………………854
	2	源泉徴収税額 …………………………………………………………854
	3	年末調整 ………………………………………………………………855
	4	給与所得者の源泉徴収に関する申告 ………………………………856

第3節 退職所得に対する源泉徴収 ……………………………………………859
  1 源泉徴収義務 …………………………………………………………859
  2 退職所得の受給に関する申告書 ……………………………………859
  3 源泉徴収税額 …………………………………………………………859

第4節 報酬，料金，給付補塡金等に対する源泉徴収 ………………………862
  1 源泉徴収義務 …………………………………………………………862
  2 源泉徴収税額 …………………………………………………………862
  《計算Pattern》 …………………………………………………………866
  《実務上のPoint》 ………………………………………………………866

第XII編 不服申立てと訴訟

第1章 異議申立て ……………………………………………………………868

第2章 審査請求 ………………………………………………………………871

第XIII編 総合問題

……………………………………………………………………878

凡　例

1　本書は，令和3年4月1日現在の法令による。
2　【略語例】

通法	国税通則法
法	所得税法
令	所得税法施行令
規	所得税法施行規則
基	所得税基本通達
法法	法人税法
措法	租税特別措置法
措令	租税特別措置法施行令
措規	租税特別措置法施行規則
措通	租税特別措置法関連通達
耐用令	減価償却資産の耐用年数等に関する省令
耐達	耐用年数の適用等に関する取扱通達
民	民法
商	商法

3　【引　用　例】

　　法2②一　⇨所得税法第2条第2項第1号
　　基5－1　⇨所得税基本通達5－1

第Ⅰ編

通　　則

第1章 所得税法の基礎

第1節 所得税法の特色

【Point 1】

> わが国の所得税法の特色として，**①申告納税制度**，**②所得による担税力の差異**を考慮し10種類に分類された所得，**③人的事情**を考慮した所得控除，**④累進税率**等が挙げられる。

所得税法の特色として，以下のものが挙げられる。

(1) **申告納税制度**を基本とし，かつ源泉徴収制度も併用している。

(2) 所得税法では，**所得を10種類に分類**して計算するとともに総合課税方式をとっており，所得の種類による担税力の差異等を考慮して，所得の金額の計算方法，損益通算，税金の計算方法等が異なっている。これは**性格の異なる所得間の負担の公平**を図ろうとするものである。

　例えば，所得が勤労による所得と資産から生じた所得とでは，税金の負担能力に差がある。また，その所得が長期間にわたって発生したか一時に発生したかによっても同様である。したがって，所得の発生形態に応じて最も公平な税負担を実現するため，個人の所得を発生形態別に区分し，その区分した所得の種類に応じて，所得の計算，税金の計算方法を変える必要があるのである。

(3) **納税者の人的事情**も，課税所得金額の計算上，考慮されている。個人や

その家族の生活の事情によって，税金の負担能力も異なるからである。

例えば，基礎控除，配偶者控除，扶養控除をはじめとする各種所得控除の制度が設けられ，各個人の所定事情への配慮等がなされている。

(4) 所得が大きくなるにつれて税負担能力が異なるため，所得税法は所得の大きさによって，税率が累進的に大きくなる仕組みの**累進税率**をとっている。ただし，租税特別措置法において分離課税の土地建物等の譲渡所得等については比例税率が適用される。このようにわが国は総合課税を原則とし，税率は累進税率である。

(5) 所得税は，個人が1月1日から12月31日までに得た収入に対して課税される**暦年課税方式**をとっている。

(6) 所得税の課税方法としては，以下の3つの方式がある。

① **総合課税**とは，各種所得を合計し税額を計算する課税方式である。給与所得，不動産所得，事業所得等がある。

② **申告分離課税**とは，土地建物等の譲渡所得，株式等の譲渡所得，先物取引に係る雑所得等に使用されるが，他の所得から分離して計算するため，所定の用紙を使用して税務署に申告し，税金を支払う課税方式である。税金の申告を別の用紙に記載するため申告分離課税という。

③ **源泉分離課税**とは，利子や配当等を支払う金融機関等が，税金を計算し，源泉徴収（支払時に天引すること）して，納税者のかわりに税金を支払う課税方式である。源泉徴収のみで課税関係が終了するため源泉分離課税という。

上記のように，所得税法は，さまざまな事情を配慮しているきめこまかい法律といえる。

〈図表1－1〉所得税の課税方法

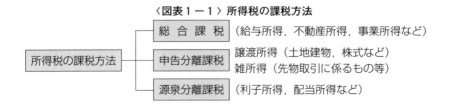

第2節　わが国の所得税法の変遷

1　所得税の創設期

わが国の所得税は，明治20年に創設されたので，現在まで100年ぐらい経過したことになる。この時の所得税は，年所得300円以上の個人を納税義務者とし，所得額に応じて1％から3％まで5段階の累進税率を適用して課税するものであった。したがって，所得税は，富裕税的性格を持っていた。

大正年間に所得税の増税を行い，所得税が直接税収入の中心を占め，酒税と並んで租税の中心となったといえる。

2　源泉徴収制度の確立

昭和15年の税制改革では，所得税を大きく分類所得税と総合所得税に分けた。前者の分類所得税には，不動産所得，事業所得，勤労所得など6所得に分類し，それぞれ異なる税率（比例税率）を定めて各種所得間の均衡を図った。後者の総合所得税では，所得5,000円以上の所得者に対しては総合所得税によって累進税を課した。この結果，所得税課税中心主義の税制が確立した。源泉徴収制度といわれる徴収制度ができたのも，この昭和15年である。配当所得のほか，勤労所得にも源泉徴収課税を行った。

3　申告納税制度の導入

昭和22年に，申告納税制度の導入がされた。また，この改正は分類所得税，総合所得税を合算して超過累進税率を適用するというものであった。

4　シャウプ税制

戦後シャウプ使節団の勧告が行われた。この勧告の骨子は，第1に独立の地方税財源を設けたこと，第2に直接税を租税体系の中心におくことにあった。そして，所得税については**水平的公平**（所得が同じであれば，同じ課税がなされな

ければならない），**垂直的公平原則**（所得が高いほど税負担率が高くならなければならない）が打ち出された。

さらに所得税法は，昭和22年に導入された申告納税制度を推進するために，青色申告制度を導入した。

5 その後

昭和27年には，所得税については，基礎控除と扶養控除を引き上げた。配当所得に対する源泉徴収を復活させた。そして，退職所得課税を軽減した。

昭和40年には，税法を理解しやすくするため，本法のほか政省令を通じた全文改正が実施された。

6 税制の問題点

戦後の税制では，所得税減税が税制改正の一つの中心的課題となってきた。しかし問題点がいくつかある。

一つは，高齢者の増加に伴う社会保障支出の増大が考えられる。その財源確保のためには増税が必要であり，所得税，法人税等の直接税と間接税である消費税とのバランスが重要な問題である。

また，税金の捕捉率から**クロヨン**（九・六・四）（サラリーマン90％・営業所得者60％・農業所得者40％）とか**トーゴーサン**（十・五・三）（サラリーマン100％・営業所得者50％・農業所得者30％）とかいわれ，税の公平性に問題を残している。

納税義務者と課税所得の範囲

第1節 納税義務者の区分

【Point 2】

> 所得税法では納税義務者の区分に応じ，個人では課税所得の範囲，法人では源泉所得税の納税義務の範囲が異なる。

　所得税法では，まず納税義務者を**個人である納税義務者**，**法人である納税義務者**に分けている。

　前者の個人である納税義務者は，**居住者**（国内に住所を有するか，又は現在まで引き続いて1年以上居所を有する個人をいう）と**非居住者**（居住者以外の個人をいう）に区分される。そのうち居住者は，さらに**非永住者**と**非永住者以外の居住者**に区分される。

　後者の**法人である納税義務者**は，さらに国内に本店又は主たる事業所を有する**内国法人**とそれ以外の**外国法人**に区分される。

第2節 課税所得の範囲

第1節の区分により課税所得の範囲は，以下のように異なる。

(1) **個人である納税義務者**

〈図表2-1〉課税所得の範囲

		定　　義	課税所得の範囲
居住者	非永住者以外の居住者	国内に住所を有するか，又は現在まで引き続き1年以上居所を有する個人（居住者）のうち，非永住者以外の人	国の内外で生じたすべての所得
	非永住者	居住者のうち，日本の国籍を有しておらず，かつ過去10年以内において，国内に住所又は居所を有していた期間の合計が5年以下の期間である個人	国内源泉所得（国内での事業又は国内に所在する資産から生ずる所得などをいう）及びこれ以外の所得で国内で支払われ，又は国外から送金された所得
非居住者		居住者以外の個人	国内源泉所得

(注) ① 「**住所**」とは，各人の生活の本拠をいう。
　　② 「**居所**」とは，住所以外の場所で**相当期間継続**して居住している場所をいう。ただし，生活の本拠という程度に至らないものをいう。
　　③ 「**国内源泉所得**」とは，国内での事業，国内資産の運用，譲渡，賃貸による所得，国内で行う弁護士等の所得，国内にある営業所の預貯金利子等である。また国内勤務に基づく給料も含まれる。国外勤務に基づく給料は含まれない。

(2) **法人である納税義務者**

〈図表2－2〉法人である納税義務者

	定　義	納　税　義　務
内国法人	日本国内に本店又は主たる事務所を有する法人	国内において支払われる①利子所得になる利子等，②配当所得になる配当等，③定期積金の給付補てん金，④相互掛金の給付補てん金，⑤抵当証券の利息，⑥金貯蓄口座等の利益，⑦外貨建定期預金の差益，⑧保険期間が5年以下等の一時払養老保険，一時払損害保険等の差益，⑨懸賞金付預貯金等の懸賞金，⑩匿名組合契約等に基づく利益の分配，⑪馬主が受ける競馬の賞金で金銭で支払われるもの，⑫割引債の償還差益，⑬国外公社債の利子，国外株式の配当等で国内の支払の取扱者を通じて支払を受けるものについて，源泉徴収の方法により所得税が課税される（法5③，7①四，174，措法3の3，9の2，41の9，41の12②）。
外国法人	内国法人以外の法人	国内源泉所得（法161）のうち，「国内事業又は国内にある資産から生ずる所得および給与の報酬」以外のもの（①～⑫）①任意組合の配当，②土地等，建物等の譲渡対価，③人的役務の提供事業の対価，④不動産等，船舶，航空機等の貸付けによる対価，⑤利子等，⑥配当等，⑦貸付金の利子，⑧工業所有権，著作権等の使用料の対価又は譲渡の対価，⑨広告宣伝のための賞金，⑩生命保険契約等に基づく年金，⑪給付補てん金，利息等，⑫匿名組合契約の利益分と懸賞金付預貯金等の懸賞金，割引債の償還差益について，源泉徴収により所得税が課税される（法5④，7五，措法41の12）。

第3節 非課税所得と免税所得

【Point 3】

> 非課税所得とは，社会政策，担税力の考慮，二重課税の排除などの理由から設けられているものである。
>
> これに対し，免税所得とは，本来課税される性質のものでありながら国の政策を推進するため，事業活動を奨励するという見地から特に所得税を免除されるものである。

1 非課税所得

(1) **資産の譲渡による所得の非課税の代表例**

資産の譲渡による所得で次に掲げるものは，所得税が課されない。

なお，非課税とされる所得で譲渡損が生じた場合には，その譲渡損はなかったものとされる（法9②）。

① **生活用動産の譲渡による所得**

自己又はその配偶者その他の親族が生活の用に供する**家具，じゅう器，衣服**，その他の生活に通常必要な動産（ただし次に掲げる貴金属等については1個又は1組の価額が**30万円を超えるものを除く**）の譲渡による所得（法9①九，令25）。家具等については，原則として30万円を超えていても非課税とされる生活必需品であるからである。

(注)　「**生活に通常必要な動産**」とは，一般に日常生活を営むために必要とされる動産をいう。したがって，生活の用に供する動産のなかでも，主として趣味，娯楽，教養又は鑑賞の目的で所有するものは含まれない。

貴金属等とは，生活に通常必要な動産のうち以下に掲げるものいう（令25）。

(イ)　貴金属，貴石，半貴石，真珠及びこれらの製品，べっこう製品，さんご製品，こはく製品，ぞうげ製品並びに七宝製品

(ロ)　書画，こっとう及び美術工芸品

② **強制換価手続による資産の譲渡による所得**

資力を喪失して債務を弁済することが著しく困難な状況にある者が滞納処分，強制執行，担保権の実行としての競売及び破産手続（これに準ずる代物弁済等令第26条に定めるものを含む）により，譲渡所得の基因となる資産及び山林（継続売買に係るものを除く）を譲渡した場合の所得（法9①十，令26）。

③ **相続税の物納による資産の譲渡による所得**（措法40の3）

相続税の納付のための財産を物納したことによる資産の譲渡による譲渡所得又は山林所得。

(2) **損害賠償金，損害保険金，慰謝料の非課税の代表例**

以下に掲げる保険金，損害賠償金などについては，所得税を課税しない（法9①十七，令30）。

なお，その取得する者の所得の計算上必要経費に算入される。例えば，修繕費等を補てんするための金額は，課税する。

① 損害保険契約に基づく保険金及び生命保険契約に基づく給付金で**身体の傷害**に基因して支払を受けるもの並びに心身に加えられた損害につき支払を受ける慰謝料その他の損害賠償金（その損害により勤務又は業務に従事することができなかったことによる給与や収益の補償として受けるものを含む）

② 損害保険契約に基づく保険金及び損害保険契約に準ずる共済契約に基づく共済金（満期返戻金や解約返戻金を除く）で**資産に受けた損害**に対して支払を受けるもの並びに不法行為その他突発的な事故により資産に加えられた損害につき支払を受ける損害賠償金（棚卸資産などに加えられた損害に対する保険金又は損害賠償金で業務の遂行により生ずべき収入金額に代わるものを除く）

③ **心身又は資産**に加えられた損害につき支払を受ける**相当な見舞金**（棚卸資産などに加えられた損害に対する見舞金で業務の遂行により生ずべき収入金額に代わる性質を有するもの及び役務の対価たる性質を有するものを除く）

(注) ① 不動産所得，事業所得，山林所得又は雑所得を生ずべき業務を行う者が受ける次の損害賠償金は，これらの所得の収入金額とされる（令94①）。
　(イ) 棚卸資産（これに準ずる資産を含む），山林，工業所有権（これに準ずるものを含む）又は著作権（出版権，著作隣接権などを含む）につき損害を受

けたことにより取得する損害賠償金（山林に係るものは，損失額を超える部分の金額に限る）
　㈣　その業務の休止，転換，廃止等の事由によりその業務の収益の補償として取得する損害賠償金
②　業務用固定資産の損害額又は生活に通常必要でない資産及び山林の災害，盗難，横領による損害を補てんするものとして取得した損害賠償金は，これらの損失の金額の計算上控除される（法51①・③・④，62）。したがって，計算上控除される部分は，実質的には課税されたことと同じ結果となる。
③　所得控除額の計算上控除される損害賠償金
　㈠　雑損控除の対象となる資産の災害，盗難，横領による損害額を補てんするものとして取得した損害賠償金は，雑損控除額の計算上控除される（法72）。
　㈣　医療費控除の対象とされる医療費を補てんするものとして取得する損害

〈図表2－3〉　損害賠償金等を取得した場合の課税関係

取得原因				課税・非課税	具体例
損害賠償金等	債務不履行により受ける損害賠償金等			課税（法36）	違約金，遅延利息
	必要経費に算入される金銭を補てんするために受ける損害賠償金等			課税（令30本文かっこ内）	従業員の給料，一時借店舗の賃借料その他通常の維持管理費用
	身体の傷害又は心身に加えられた損害につき受ける損害賠償金等	給与又は収益の補償（業務に従事できなかったことに基因するものに限る）		非課税（令30一かっこ内）	給与所得者が加害者から受ける給与の補償料
					事業所得者が加害者から受ける収益の補償料
		慰謝料その他精神的補償料など		非課税（令30一）	示談金，慰謝料
		見舞金		非課税（令30三）	いわゆる災害見舞金で相当なもの
	資産の損害につき受ける損害賠償金等	棚卸資産など収入金額に代わる性質を有するもの		課税（令94①一）	棚卸資産の火災保険金，特許権の侵害による補償金
		店舗，車両などの固定資産	収益の補償	課税（令94①二）	復旧期間中の休業補償金（販売機の破損などによりその期間の補償として取得するもの）
			資産の損害そのものの補償　補償を約したもの	課税（令95）	収用等による漁業権，水利権等が消滅することにより受ける補償金
			資産の損害そのものの補償　突発的なもの	非課税（令30二）	店舗の損害により受ける損害賠償金，火災保険
		見舞金		非課税（令30三）	いわゆる災害見舞金で相当なもの

賠償金は医療費控除額の計算上控除される（法73）。

(3) **公社債等の譲渡等による所得**

以下の所得には，課税されない（措法37の14，37の15）。

① **公社債**（新株予約権付社債その他の債券を除く）の**受益権，公社債投資信託，**貸付信託の受益権及び公社債等運用投資信託の受益権，特定目的信託の社債的受益権，同一発行法人の特定の種類株式と他の株式との株式交換，特定子会社の株式の特定親会社の株式交換又は移転交換による所得で平成27年12月31日までに譲渡したことによる所得

② **非課税口座内上場株式等**（平成26年から平成35年までの間に非課税口座開設書を提出して取得したもので，その提出の日からその日の属する年の12月31日までの間に取得する上場株式等の取得の対価の合計額が100万円以下であるもの。平成28年1月1日以後に設定される非課税管理勘定に係るものは120万円以下であるもの）**等を譲渡**したことによる所得（非課税口座開設届出書を提出した年の1月1日から5年以内に生じたものに限る）

(**注**) 有価証券の譲渡による所得は，上記の非課税のもの以外は，課税される。

(4) **給与所得で非課税の代表例**

① **給与所得者の出張旅費，転勤旅費**

給与所得者が，勤務する場所を離れて職務を行うために旅行した場合（**出張旅費**），就職，転任，退職に伴って転居のために旅行した場合（**転勤旅費**），又は死亡により退職した者の遺族がそのために転居するため旅行をした場合に支給される旅費で，その旅行について通常必要なものは，その性質が実費弁償的なものであることから課税されない（法9①四）。

② **給与所得者の通勤手当**

給与所得者のうち通勤者が，通勤のための費用に充てるものとして支給を受ける通勤手当のうち，一般の通勤者に通常必要であると認められる一定額（交通機関や有料道路の利用者に支給する通勤手当や通勤用定期乗車券は**月額最高150,000円**）以下の金額は課税されない（令20の2）。

(5) その他の非課税とされる所得のうち主なもの
① オープン型の証券投資信託の契約に基づいて収益調整金のみに係る収益として分配される特別分配金（法9①十一，令27）
② 文化功労者年金又はノーベル賞として授与される金品，学術又は芸術に関する表彰や奨励のために国，地方公共団体又は財務大臣の指定する団体，基金から交付される金品及び外国，国際機関，国際団体などから交付されるこれらに類する金品で財務大臣の指定するもの（法9①十三）
③ 学資に充てるため給付される金品（給与その他対価の性質を持つものを除く）又は扶養義務者相互間で扶養義務を履行するため給付される金品
④ 相続，遺贈又は個人からの贈与による所得（法9①十六）
⑤ 公職選挙法の適用を受ける選挙（衆議院議員，参議院議員並びに地方公共団体の議会の議員及び長の選挙）に係る公職の候補者が，選挙運動に関し法人から贈与を受けた金品などで同法第189条の規定による報告がなされたもの（法9①十八）
⑥ 年利1％以下の当座預金の利子（法9①一，令18）
⑦ 小学校，中学校，高等学校の児童又は生徒のいわゆる子供銀行の預貯金の利子（法9①二，令19）
⑧ 障害者等の少額預金の利子等
　遺族基礎年金を受ける妻，寡婦年金を受ける寡婦及び身体障害者（身体障害者手帳の交付を受けているもの）など特定の者（障害者等）が非課税の手続をとった次に掲げる利子等で本人等の確認を受けたもの（障害者等）に係るもの（法10，措法4）
　(イ) 元本350万円以下の郵便貯金の利子
　(ロ) 元本350万円以下の少額預金等の利子等
　(ハ) 元本350万円以下の少額公債の利子
⑨ 上記のほか，租税特別措置法その他の法律によって所得税が課されないものがある。
　(イ) 勤労者財産形成住宅貯蓄及び勤労者財産形成年金貯蓄（両方の貯蓄で元

本550万円）に係る利子又は収益の分配金で少額貯蓄非課税制度に準ずる手続をとっているものに係る利子又は収益の分配金（措法4の2，4の3）
- (ロ) 納税準備金の利子（租税目的以外に支出されたものに係る利子を除く）（措法5）
- (ハ) 納税貯蓄組合預金の利子（元本10万円を超える部分に係る利子を除く）（納税貯蓄組合法8）
- (ニ) 健康保険などの保険給付
- (ホ) 雇用保険の失業給付
- (ヘ) 生活保護のための給付，児童福祉のための支給金品など
- (ト) 身体障害者の福祉のための支給金品
- (チ) 当せん金付証票（宝くじなど）の当せん金品など（当せん金付証票法13）

2 免 税 所 得

以下の所得は所得税が免除されるが，適用を受けるには一定の手続により申告しなければならない（措法25）。

・ **農家が飼育した肉用牛を家畜市場，中央卸売市場，農協，農協連合会などに売却することによる所得又は生後1年未満の肉用牛を指定農協等に委託して売却した場合**において，その売却した肉用牛が全て免税対象飼育牛であり，かつ，その売却した肉用牛の頭数の合計が2,000頭（平成24年分以後は1,500頭）以内であるときは，その免税対象飼育牛の売却により生じた事業所得に対して所得税の免除が受けられる（措法25，措令17）。

つまり，**免税所得**は，算出税額の段階で免除されるから，雑損控除，医療費控除，寄付金控除又は事業専従者控除などの足切計算，限度額計算の基礎に含められる。

なお，**非課税所得**と**免税所得**の実質上の差異は，算出税額の基礎となる課税所得金額に算入されるかされないかにある。最初から課税所得金額に算入されないのが，**非課税所得**であり，課税所得金額の段階で算入されるが，あとの算

出税額の段階で免除されるのが**免税所得**である。

《計算例題1》

次の所得のうち，所得税法において非課税とされるものは×印を，課税の対象となるものはその所得の種類を［　　　　　］内に記入しなさい。

1　適格退職年金契約に基づいて支給を受ける退職一時金
　　　　　　　　　　　　　　　　　　　　…………［　　　　］
2　退職に伴い転居するために受け取った旅行費用としての支度金
　　（通常必要とされる範囲内のものである）…………［　　　　］
3　商品運送中の事故による商品の損害について受け取った保険金
　　　　　　　　　　　　　　　　　　　　…………［　　　　］
4　学校債の利子収入………………………………………［　　　　］
5　日常生活に使用していた時価10万円のタンスの売却収入
　　　　　　　　　　　　　　　　　　　　…………［　　　　］

（税務検定）

《解　答》

1　退職所得　　2　×　　3　事業所得　　4　雑所得　　5　×

《計算例題2》

次に掲げる所得について，非課税所得と課税所得に分類し，番号で答えなさい。

(1)　給与所得者が，その使用者から支給される出張旅費の実費
(2)　給与所得者の通勤手当（月額19,500円）
(3)　土地の貸付けによる所得
(4)　文化功労者年金

(5) 勤労者財産形成貯蓄の元本550万円までの部分に係る利子（一定の手続をしたもの）
(6) 高等学校の生徒が学校長の指導を受けて預入れをした預貯金の利子
(7) 勤務先から受けた給料
(8) 机，いす等の製造業から生じた所得
(9) 証券投資信託の収益の分配金
(10) 納税準備預金の利子（納税目的以外で引き出したものはない）

《解答欄》

非 課 税 所 得	課 税 所 得

(税務検定)

《解 答》

非 課 税 所 得	課 税 所 得
1，2，4，5，6，10	3，7，8，9

《計算例題3》

次に掲げる所得は，種々の趣旨に基づいて非課税所得とされている。その趣旨として適切なものを選び，その記号を解答欄に記入しなさい。

〈語　群〉
　ア　給与所得者の出張旅費
　イ　勤労者財産形成貯蓄の利子
　ウ　傷病者や遺族の受ける恩給及び年金
　エ　少額預金（元本350万円以下のもの）の利子

〈趣　旨〉
　a．実費弁償的性格に基づくもの
　b．社会保障，担税力の配慮に基づくもの
　c．顕著な功績を讃え，研究の奨励に基づくもの
　d．貯蓄奨励に基づくもの
　e．勤労者の財産形成の促進に基づくもの

《解答欄》

ア	イ	ウ	エ

（税務検定）

《解　答》

ア	イ	ウ	エ
a	e	b	d

《計算例題 4 》

次に掲げる語群の所得は，種々の理由に基づいて非課税所得とされている。その理由として適切なものを選び，解答欄に記号で答えなさい。

〈語　群〉
　ア　文化功労者年金
　イ　相続によって取得した資産
　ウ　ノーベル賞の金品
　エ　郵便貯金の利子（預入限度を超える部分に係る利子は除く）
　オ　出張旅費
　カ　勤労者財産形成貯蓄の利子（一定の手続をしたもの）

キ　納税準備預金の利子
ク　傷病者や遺族の受ける恩給及び年金
ケ　通勤手当のうち一定額
コ　元本合計額が350万円以下の預金の利子（一定の手続をしたもの）

〈理　由〉

(1)　社会政策的配慮に基づくもの
(2)　少額不追求及び貯蓄奨励政策に基づくもの
(3)　実費弁償的性格に基づくもの
(4)　公益的な目的に基づくもの
(5)　二重課税の防止に基づくもの

《解答欄》

ア	イ	ウ	エ	オ	カ	キ	ク	ケ	コ

(税務検定)

《解　答》

ア	イ	ウ	エ	オ	カ	キ	ク	ケ	コ
4	5	4	2	3	2	1	1	3	2

第4節 所得の帰属（実質所得者課税の原則）

　所得税法には，税法の解釈適用における公平負担の原則から導かれる基本原理として，**実質課税の原則**がある。すなわち，経済的実質に即して課税関係を把握しようとする原則である。

　所得税法は，**実質所得者課税**の原則として明文の規定を所得税法第12条に置いている。この実質所得者課税の原則は，既述した実質課税の原則を所得の帰属者について適用したものである。

　また，所得税法は，この実質所得者課税の原則の適用例として，信託財産に帰せられる収入及び支出について受益者課税の原則を明らかにしている（法13）。

　さらに，無記名公社債の利子等の帰属についても，租税回避行為を防止するため，実質所得者課税の原則に対する特別規定を設定している（法14）。

1　実質所得者課税の原則

　資産又は事業から生ずる収益の法律上帰属するとみられる者が単なる名義人であって，その収益を享受せず，その者以外の者がその収益を享受する場合には，その収益は，これを享受する者に帰属するものとして，所得税法が適用される（法12）。すなわち，**所得の帰属**は名義又は法形式によらず，**実質**によることを定めたものである。

　収益を享受する者の具体的な判定は，以下が挙げられる。

(1) 資産から生ずる収益を享受する者が誰であるかは，その収益の基因となる資産の**真実の権利者**が誰であるかにより判定すべきであるが，それが明らかでない場合には，その資産の名義者が真実の権利者であるものと推定する（基12-1）。

(2) 事業から生ずる収益を享受する者が誰であるかは，その**事業を経営していると認められる者**が誰であるかにより判定するものとし，生計を一にす

る親族間の事業の経営をしていると認められる者が誰であるか明らかでない場合には，その事業に要する資金の調達その他その事業の**経営方針につき支配的影響力を有すると認められる者**を実質的にその事業を経営していると認められる者とし，その支配的影響力を有すると認められる者が誰であるか明らかでない場合には，原則として，生計を主宰していると認められる者をもってその事業を経営していると認められる者とする（基12-2～12-5）。

《所得税法の判例研究》ちょっと気楽にコーヒーブレイク（実質所得者の判定）

複数の法人の名称で行っていた中古外車販売に係る所得を，X個人に帰属するものと認定し，Y税務署長が更正処分を行った事例がある。

横浜地裁（平成19年5月30日判決）では，各法人はXによって全面的に営業及び人事等は支配され決定されていた。

また，売上金等の管理も原告Xの意を受けた個人が管理していた。

決済・帳簿等についても，各法人には仕訳帳，決算報告書が作成されておらず，税務署への法人設立届出書の提出，法人税申告は行われている。

以上のような本文のもと，「各法人等はそれらの活動により収益が帰属するものとしての実体を欠くものであって，これらの収益を享受しておらず，中古外車販売等は，原告Xが経営していたものと認めるのが相当であるとし，所得は原告に帰属するもの」と判示した。

2 信託財産に係る帰属

信託の受益者（受益者としての権利を現に有するものに限る）は，その信託財産に属する資産及び負債を有するものとみなし，かつ，その信託財産に帰せられる収益及び費用はその受益者の収益及び費用とみなして，所得税法を課税する。

ただし，集団投資信託，法人課税信託等の信託財産に属する資産及び負債並びにその信託財産に帰せられる収益及び費用については，この限りではない（法13①）。

3　無記名公社債の利子等の帰属

無記名公社債の利札等は，元本と切り離されて，独立して売買の対象とされ，公社債の利子等はその利札等の所持人に支払われる。したがって，元本の所有者は，その利払期前にその利札等を売却することにより，合法的に利子等に対する課税を回避することができる。このような租税回避行為を防止するため，無記名の公社債，無記名の株式等又は無記名の貸付信託もしくは特定受益証券発行信託の受益証券について，その元本の所有者以外の者が利子，利益もしくは利息の配当又は収益の分配の支払を受ける場合には，その利子等については，その元本の所有者が支払を受けるものとみなして，所得税法の規定を適用する（法14①）。

この場合，利子等の生ずる期間中にその元本の所有者に異動があったときは，最後の所有者をその利子等の支払を受ける者とみなす（法14②）。

納 税 地

【Point 4】

　納税義務者が申告，納付等をする納税地は，原則として国内に住居を有している場合にはその住所地が**納税地**となる。

　納税地は，納税義務者（源泉徴収義務者を含む）が税法に基づく申告，申請，請求及び納付などをする場合の官庁を定める基準となる場所であると同時に，税務官庁が納税義務者又は源泉徴収義務者に対して，更正，決定，賦課決定又は承認等の処分を行う場合の税務官庁を定める基準となる場所である。

第1節 原則的納税地

　所得税の納税地は，納税義務者が以下に掲げる場合のいずれに該当するかに応じ，それぞれ次に掲げる場所である（法15，令53，54）。
　① 国内に住所を有する場合………その住所地
　② 国内に住所を有せず，居所を有する場合………その居所地

③ 国内に住所及び居所を有しない場合
　(イ) 国内に恒久的施設を有する非居住者の場合………**国内において行う事業に係る事務所，事業所その他これに準ずるものの所在地**
　(ロ) 国内に住所又は居所を有していた者が，国内に住所も居所も有しないこととなった場合で，国内に恒久的施設を有せず，しかも，その前の納税地に，その者の親族その他の特殊関係者が，引き続き，又はその者に代わって居住しているとき………**その前に納税地とされていた場所**
　(ハ) (イ)，(ロ)以外で，国内にある不動産，不動産上の権利，採石権の貸付け又は租鉱権の設定による対価を受けるとき………**その資産の所在地**

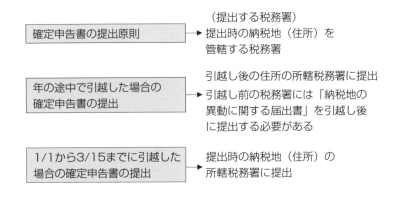

第2節 納税地の特例

1 選択的納税地

　国内に住所のほか居所を有する納税義務者又は国内に住所もしくは居所のほか**事業場等を有する納税義務者**は，納税地の指定を受けている場合を除き，**住所地と居所地の所在地の税務署長**又は住所地もしくは居所地と事業場等の所在地の税務署長に対し，一定の事項を記載した書類を提出することにより，その居所地又は事業場等の所在地を納税地とすることができる（法16①～⑤）。

2 死亡した者の納税地

　納税義務者が死亡した場合には，その死亡した者の所得税の納税地は，その相続人の所得税の納税地によらず，その死亡当時におけるその死亡した者の所得税の納税地とする（法16⑥）。

第3節 源泉徴収に係る所得税の納税地

　源泉徴収に係る所得税の納税地は，源泉徴収の対象となる**所得の支払をする者の事務所，事業所等**で，その支払事務を取り扱うもののその支払の日における所在地である。ただし，国内公社債の利子，内国法人が支払う利益の配当等については，その支払をする者のその支払をする日における本店又は主たる事務所の所在地等である（法17，令55）。

第4章 所得税額の計算構造

第1節 各種所得の金額の計算（第1段階）

【Point 5】

> 所得税額の計算は，大きく①**各種所得の金額の計算**，②**課税標準の計算**，③**課税所得金額の計算**，④**所得税額の計算**（納付税額の計算）という4段階に分けられる。

まず，一暦年に生じた所得を所得の発生源泉別に，①**利子所得**，②**配当所得**，③**不動産所得**，④**事業所得**，⑤**給与所得**，⑥**退職所得**，⑦**山林所得**，⑧**譲渡所得**（短期譲渡所得と長期譲渡所得に区分する），⑨**一時所得**，⑩**雑所得**の10種類の所得（各種所得という）に区分し，それぞれの所得ごとに所得の金額を計算する。

このように所得を10種類に区分する理由は，担税力の調整と計算の簡便化などを図るためである。

〈図表4−1〉 10種類の所得の計算Pattern

(1) 利 子 所 得……　収入金額 ＝ 利子所得の金額
(2) 配 当 所 得……　収入金額 － 負債の利子 ＝ 配当所得の金額
(3) 不動産所得……　総収入金額 － 必要経費 ＝ 不動産所得の金額
(4) 事 業 所 得……　総収入金額 － 必要経費 ＝ 事業所得の金額
(5) 給 与 所 得……　収入金額 － 給与所得控除額 ＝ 給与所得の金額
(6) 退 職 所 得……（収入金額 － 退職所得控除額）× $\frac{1}{2}$ ＝ 退職所得の金額
(7) 山 林 所 得……　総収入金額 － 必要経費 － 特別控除額 ＝ 山林所得の金額
(8) 譲 渡 所 得……　総収入金額 －（取得費 ＋ 譲渡費用）－ 特別控除額
　　　　　　　　　　　　　　　　　　　　　　　　　　　　＝ 譲渡所得の金額

　　（注）　土地建物等の譲渡所得及び株式等の譲渡所得は，この特別控除額の適用はない。

(9) 一 時 所 得……　総収入金額 － 支出額 － 特別控除額 ＝ 一時所得の金額
(10) 雑 所 得……次の①の金額＋次の②の金額＝雑所得の金額
　① 公的年金等の収入金額 － 公的年金等控除額
　② ①以外の雑所得の総収入金額 － 必要経費

(1) 利子所得…預貯金・公社債等の利子
(2) 配当所得…株式や出資の配当等
(3) 不動産所得…不動産の貸付
(4) 事業所得…農業，小売業，製造業，サービス業
(5) 給与所得…給料・賞与等
(6) 退職所得…退職金・一時恩給等
(7) 山林所得…山林や立木の売却
(8) 譲渡所得…土地建物等の売却，株式の売却，絵画ゴルフ会員権等の売却
(9) 一時所得…生命保険の満期一時金，受け取った立退料，クイズ番組での賞金等
(10) 雑所得…公的年金及び上記9つ以外のもの

第2節 課税標準の計算（第2段階）

第1節による各種所得の金額に基づき，以下の課税標準を計算する。

(1) **総所得金額**とは，次の①と②に掲げる各種所得の金額の合計額である（法22）。

① 利子所得の金額，配当所得の金額，不動産所得の金額，事業所得の金額，給与所得の金額，短期保有資産の譲渡所得の金額及び雑所得の金額の合計額

② 長期保有資産の譲渡所得の金額及び一時所得の金額の合計額の2分の1に相当する金額

(2) **上場株式等に係る配当所得の金額**とは，上場株式等の配当等に係る利子所得の金額及び配当所得の金額である。上場株式等の配当等に係る配当所得の金額とは，その年中の上場株式等の配当所得の収入金額から負債の利子を控除した金額に相当する金額である（措法8の4）。

特定譲渡した上場株式等の譲渡損失と損益通算が行われたときは，その損益通算後の残高をいう。さらに，上場株式等の繰越譲渡損失に対して繰越控除が行われたときは，その繰越控除後の残高をいう。

(3) **土地等に係る事業所得等の金額**とは，他の者から取得した土地等でその年1月1日において所有期間が5年以内のもの（その年中に取得したものを含む）の譲渡等（仲介業報酬で特定のものを含む）による事業所得又は雑所得の金額（国又は地方公共団体など特定の法人に対して譲渡したものその他適正価額で譲渡したものなど特定の土地等の譲渡に係るものに該当するものを除く）に相当する金額である（措法28の4，28の5）。

(4) **短期譲渡所得の金額**とは，土地建物等の短期譲渡益に相当する金額である。

(5) **長期譲渡所得の金額**とは，土地建物等の長期譲渡益に相当する金額である。

(6) **一般株式等に係る譲渡所得等の金額**とは，一般株式等の譲渡による事業所得の金額，譲渡所得の金額及び雑所得の金額の合計額である（措法37の10）。

(7) **上場株式等に係る譲渡所得等の金額**とは，上場株式等の譲渡による事業所得の金額，譲渡所得の金額及び雑所得の金額の合計額である。

(8) **先物取引に係る雑所得等の金額**とは，先物取引に係る差金等を決済したことによる所得である。

(9) **山林所得金額**とは，山林所得の金額である。

(10) **退職所得金額**とは，退職所得の金額である。

上記のそれぞれの課税標準（(6)の株式等の譲渡所得等を除く）の計算を行う場合，損益通算及び繰越控除の適用があるときは，これらの適用をする。(6)の株式等の譲渡所得等については，雑損失の繰越控除のみ適用し，損益通算及び純損失の繰越控除の適用をしない。

第3節 課税所得金額の計算（第3段階）

　課税標準に係る所得税額は，直ちに税率を乗じて計算するのではなく，一定の順序により所得控除額を控除し，それぞれ**課税総所得金額，上場株式等に係る課税配当所得の金額，土地等に係る課税事業所得等の金額，課税短期譲渡所得金額**（特別控除の適用がある場合は特別控除後の金額），**課税長期譲渡所得金額**（特別控除後の金額），**一般株式等に係る課税譲渡所得等の金額，上場株式等に係る課税譲渡所得等の金額，先物取引に係る課税雑所得等の金額，課税山林所得金額，課税退職所得金額**（課税所得金額）を求める。

第4節　所得税額の計算（第4段階）

第3節で計算した**課税所得金額**を基として，それぞれに対して以下のように各別に**税率等**を適用して**算出税額**を計算し，その算出税額の合計額からまず**配当控除等**の税額控除を行い，次に**源泉徴収税額**を控除し，**所得税額**（納付税額）を計算する。

1　課税総所得金額又は課税退職所得金額に係る所得税額

課税総所得金額又は課税退職所得金額をそれぞれ法第89条第1項に定める各クラスの金額に区分し，その区分ごとに各税率を適用して計算した金額の合計額である（法89）。

2　課税山林所得金額に係る所得税額

課税山林所得金額の**5分の1**に相当する金額を法第89条第1項に定める各クラスの金額に区分し，その区分ごとに各税率を適用して計算した金額の合計額を5倍した金額である（法89）。

3　土地等に係る課税事業所得等の金額に係る所得税額

個人の不動産業者等が棚卸資産である土地等又は雑所得の基因となる土地等のうち，その年1月1日において所有期間が5年以下であるものを譲渡した場合には，その譲渡に係る事業所得又は雑所得については土地等に係る事業所得等の金額として，他の所得とは総合せず，以下のように計算する。

次の(1)，(2)に掲げる金額のうちいずれか多い金額である（措法28の4，措令19⑤）。

(1)　土地等に係る課税事業所得等の金額に**40%**を乗じて計算した金額
(2)　土地等に係る課税事業所得等の金額とその年の課税総所得金額との合計額を課税総所得金額とみなして　1　の方法により計算した所得税額のう

ち　土地等の課税事業所得等の金額に対応する部分の金額の110％相当額

　この制度は，平成10年1月1日から平成29年12月31日までの間の譲渡については適用しないこととする特例措置が講じられた（措法28の4⑥）。

　そのため平成10年1月1日から平成29年12月31日までの間の土地の譲渡等による事業所得等は，所有期間の長短にかかわらず，一般の事業所得や雑所得と同様に，他の所得と総合して課税されることとなる。

4　課税短期譲渡所得金額に係る所得税額

　土地建物等を短期に譲渡した場合の税額は，次の金額である（措法32，措令21③）。

　課税短期譲渡所得金額に30％を乗じて計算した金額

5　課税長期譲渡所得金額に係る所得税額（措法31～31の3）

(1) 一般の長期譲渡所得

　平成16年1月1日から土地建物等を長期に譲渡したときは，その課税長期譲渡所得金額に15％の税率を乗じて計算した金額

(2) 優良住宅地等のための長期譲渡所得

　その課税長期譲渡所得金額（2,000万円以下のとき）に10％（2,000万円を超える部分は15％）の税率を乗じて計算した金額

(3) 保有期間10年超の居住用財産の長期譲渡所得

　その課税長期譲渡所得金額（6,000万円以下のとき）に10％の税率（6,000万円を超える部分は15％の税率）

6　上場株式等に係る配当所得等の金額に係る所得税額（措法8の4，37の12の2）

　上場株式等に係る課税配当所得等（平成28年以後は，一般利子等以外の利子所得を含む）の金額については，分離課税の適用を受けたものは総所得金額に含めないで，他の所得と区分し，上場株式等に係る課税配当所得等の金額に対して

15％の税率を乗じて計算した金額

7 一般株式等に係る課税譲渡所得等と上場株式等に係る課税譲渡所得等の金額に係る所得税額 (措法37の10, 37の11)

個人が平成28年1月1日以後に株式等を譲渡した場合の譲渡所得等については，これを一般株式等に係る譲渡所得等と上場株式等に係る譲渡所得等に区分し，その区分した譲渡所得等について他の所得と区分して，各々，**一般株式等に係る課税譲渡所得等の金額，上場株式等に係る課税譲渡所得等の金額**に15％の税率を乗じて計算した金額

8 先物取引に係る課税雑所得等の金額に係る所得税額 (措法41の14①)

先物取引（商品先物取引，金融商品先物取引等）に係る課税雑所得の金額に**15％**の税率を乗じて計算した金額

先物取引とは，現物を受け渡しするのではなく，先物市場で決済日前の契約した時に売付けたものは逆に決済期日に買い戻し，決済日前の契約した時に買付けたものは逆に決済期日には売ることで発生する差損益を授受して決済取引を終えるものである。

例えば，決済日前の契約では2,000円で購入する契約をしておき，決済日に差金等決済がなされ，10,000円で転売されると，10,000円－2,000円＝8,000円が差益（差金等決済額）である。これに15％課税される。

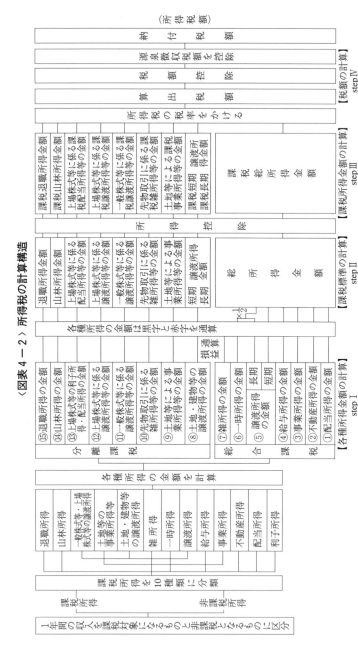

〈図表4-2〉所得税の計算構造

※ 株式等の譲渡所得の金額や土地・建物等の譲渡所得の金額は、他の所得とは通算しない。ただし、居住用の土地・建物等の譲渡所得、他の所得と通算できる。

源泉分離課税とは、利子や配当等を支払う金融機関等が、税金を計算し、源泉徴収して納税者にかわり税金を支払う課税方式である。これにより課税関係は終了する。

申告分離課税とは、土地、建物等の譲渡所得、株式等の譲渡所得等に使用されるが、他の所得から分離して計算するため所定の用紙を使用して、税務署に申告し税金を支払う課税方式である。

総合課税とは、各所得を合計して計算する方法である。

第Ⅱ編
各種所得の金額の計算

第1章 利子所得

【Point 6】

利子所得の金額は，その年中の利子等の収入金額である（法23②）。

（収入金額）＝（利子所得の金額）

収入金額から控除される金額はなく，その年中の収入金額そのものが利子所得の金額となる。

利子所得として，以下のようなものがある。
1　国債・地方債・社債の利子
2　預金及び貯金の利子
3　合同運用信託（貸付信託，金銭信託）の収益分配金
4　公社債投資信託の収益分配金
5　公募公社債等運用投資信託の収益分配金

第1節 利子所得の定義と範囲

利子所得とは，公社債及び預貯金の利子並びに合同運用信託，公社債投資信託及び公募公社債等運用投資信託の収益の分配に係る所得並びに勤労者財産形成貯蓄保険契約等に基づき支払を受ける差益（以下「利子等」という）に係る所得をいう（法23①，措法4の4①）。分離利子公社債の利子は，利子所得とはならない。

(注) ① **公社債**とは，公債（国債，地方債）及び社債（会社以外の法人が特別の法律により発行する債権を含む）をいう（法2①九）。国債，電信電話債権，商工債権などはこれに該当する。

② **分離利子公社債**とは，公社債で元本部分と利子部分とに分離されて，それぞれ独立して取引されるもののうち，その公社債をさす。平成28年1月1日以後に支払を受ける分離利子公社債の利子は，一般株式等の譲渡所得等の収入又は上場株式等に係る譲渡所得等の収入とされる。

③ **預貯金**には，銀行その他の金融機関に対する預金及び貯金のほか，労働基準法などの規定により管理される労働者などの貯蓄金（いわゆる社内預金，勤務先預け金）など特定のものも含まれる（法2①十，令2）。

④ **合同運用信託**とは，信託会社（信託業務を営む金融機関を含む）が引き受けた金銭信託で共同しない多数の委託者の信託財産を合同して運用するものをいう（法2①十一）。信託銀行が行っている貸付信託，合同運用金銭信託はこの典型的なものである。

　貸付信託とは，信託財産を貸付して運用するものであり，**合同運用金銭信託**は，信託財産を貸付けしたり，有価証券に対する投資として運用するものである。

⑤ **公社債投資信託**とは，証券投資信託のうち，その信託財産を**公社債**に対する投資として運用することを目的とするもので，株式又は出資に対する投資として運用しないものをいう（法2①十五）。公社債投資信託の収益の分配に係る所得は利子所得となる。**公募公社債投資信託**と**私募公社債投資信託**がある。

⑥ **公募公社債等運用投資信託**とは，証券投資信託以外の投資信託のうち，信託財産として受け入れた金銭を**公社債等**（公社債，手形，指名金銭債権，合同運用信託をいう）に対して運用するものであり，かつ，その設定に係る受益証券の募集が公募により行われたものをいう（法2①十五の三）。公募公社債等運用投資信託の収益の分配に係る所得は利子所得となる。

⑦ **勤労者財産形成貯蓄保険契約等**とは，勤労者財産形成貯蓄契約，勤労者財産形成年金貯蓄契約又は勤労者財産形成住宅貯蓄契約に係る生命保険もしくは

損害保険,生命共済又は郵便年金に係る契約をいう(措法4の4①)。

利子所得	公社債の利子・預貯金利子 合同運用信託の収益の分配 公社債投資信託の収益の分配 公募公社債等運用信託の収益の分配

第2節 利子所得とならないもの

(1) **学校債，組合債等の利子**は，利子所得に該当せず雑所得となる。
(2) **定期貯金もしくは相互掛金の給付補てん金**も，利子所得に該当せず，雑所得となる。
(3) **貸付金の利子**は，利子所得に該当しない。金融業者の貸付金の利子又は事業所得を生ずべき事業の遂行上生じた貸付金の利子，例えば従業員への貸付金の利子は事業所得になり，その他の貸付金の利子，例えば友人等の貸付金の利子は雑所得となる。

　しかし，**法人の役員等の会社に対する貸付金の利子**は，雑所得となる（基35-1）
(4) **社内預金**は，**従業員のしている社内預金の利子**は利子所得（所得税15％，復興特別所得税0.315％による源泉分離課税）であるが，**従業員の家族の預け金，法人の役員の預け金，退職者の預け金の利子**は雑所得に該当する。
(5) **国税・地方税の還付加算金**も雑所得となる。

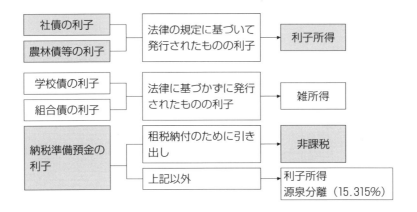

第3節 利子所得の金額の計算

利子所得の金額は，その年中の**利子等の収入金額**である（法23②）。

この場合の収入金額は，その年中に収入すべき利子等の金額（金銭以外の物又は権利その他経済的な利益をもって収入する場合には，その金銭以外の物又は権利その他の経済的な利益の価額）をいう（法36①・②）。

> 利子等の収入金額＝利子所得の金額

第4節 利子所得の収入金額計上時期

　この収入金額の収入すべき時期は，①**無記名の公社債の利子又は無記名の貸付信託**，もしくは**無記名の公社債投資信託の受益証券に係る収益の分配**については，その年において**実際に支払を受けた日**による（法36③）。②金融商品取引業者等から交付を受けた源泉徴収口座内利子等は，その交付を受けた日（平成28年1月1日以後適用）。③**それ以外のものは，原則的には収入すべきことが確定した日による**。具体的には，以下に掲げる日が収入すべきことが確定した日となる（基36-2）。

(1) **定期預（貯）金の利子**
　　(イ) 契約期間の満了後に支払を受ける利子……①満了までの期間に係る利子は，満了の日，②満了後の期間に係る利子は，その支払を受けた日
　　(ロ) 契約期間の満了前に，既経過期間に対応して支払（又は元本繰入れ）の特約のある利子……支払（又は元本繰入れ）を受ける日
　　(ハ) 契約期間の満了前に解約されたものの利子……解約の日
(2) **普通預（貯）金の利子**……①約定により支払（又は元本繰入れ）を受ける日，②ただし，中途で解約されたものは，その解約の日
(3) **通知預（貯）金の利子**……払出しの日
(4) **公社債投資信託，公募公社債等運用投資信託又は合同運用信託の収益の分配金**……①信託期間中のものは，収益計算期間の満了日，②信託の終了又は一部解約によるものは，その終了又は解約の日
(5) **公社債の利子**……支払開始と定められた日

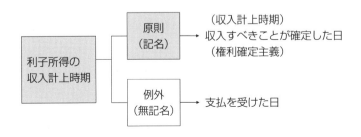

第5節 利子所得の源泉分離課税制度

　利子等のうち平成28年1月1日以後に支払を受ける一般利子等については，その支払の際，その支払を受けるべき金額に対して15.315％の税率（所得税15％，復興特別所得税15％×2.1％＝0.315％）により所得税が源泉徴収され，その源泉徴収された税額だけですべて所得税の課税関係が終了し，総所得金額に含めない（措法3，3の3）。平成28年1月1日以後に支払を受ける一般公社債等の利子は，従来どおり20％（所得税15％，住民税5％）の源泉分離課税である。

　（注1）　源泉分離課税が適用される個人が支払を受ける利子等についての所得税の15％源泉徴収の際に，15％の所得税額とあわせて地方税の特別徴収として支払金額の5％相当額が差し引かれる（地方税法71の6，71の26）。したがって，合計20％の税額が源泉徴収され，手取額は支払金額の80％相当額となる。所得税法では，利子所得の金額は，他の所得と合算し，総所得金額を構成するのが原則である（法22）。しかし，租税特別措置法で，分離課税制度が採用されており，源泉徴収された税額だけで課税関係が終了し，総所得金額に含まれない（措法3）。

　（注2）　平成25年1月1日から平成49年12月31日までの間に支払を受ける利子等については，所得税の源泉徴収税額15％の2.1％の復興特別所得税が源泉徴収される（復興財源確保法28）。ほか，住民税5％の特別徴収がある。
　　　　15％(所得税)＋15％×2.1％(復興特別所得税)＝15.315％（所得税及び復興特別所得税の源泉徴収税額）

第6節 利子所得の課税特例
（平成28年1月1日以後）

1 利子所得に対する源泉徴収と課税の特例

(1) 一般利子等に対する源泉徴収と源泉分離課税の特例

　平成28年1月1日以後に支払を受ける利子等で，以下に掲げるもの以外のもの，すなわち以下のA上場株式等の利子にもB特定公社債以外の公社債利子で，利子の支払法人が同族会社のときにその株主が受ける利子にも該当しないもの（**一般利子等**という），預貯金，その他の一般利子に係る利子所得については，他の所得と区分し，その支払を受けるべき金額（国外で課せられた外国所得税額を含む金額）に対し，その支払に際し，所得税15％，復興特別所得税0.315％の税率により所得税額（外国所得税額があるときは，その外国所得税額を控除した税額）を源泉徴収し，**源泉分離課税**の方法により課税する。このとき，外国税額控除（法95）の適用上は，その外国所得税額はないものとされる（措法3，3の3）。
一般利子等には，特定公社債以外の公社債利子，預貯金の利子，合同運用信託の収益の分配，私募公社債投資信託の収益の分配等がある。

同族会社が発行した社債利子で株主が受ける利子（総合課税のケース）

Ⅰ 各種所得の金額の計算		
利 子 所 得 総 合	△△△	少人数私募債　△△△
Ⅱ 課税標準の計算		
総 所 得 金 額	△△△	
合 計	×××	
Ⅳ 課税所得金額の計算		
課 税 総 所 得 金 額	×××	×××（1000円未満切捨）
Ⅴ 納付税額の計算		
算 出 税 額	×××	課総　課税総所得金額 ×超過累進税率
所得税及び復興特別所得税の源泉徴収税額	×××	利子等の収入金額 ×15.315％ ＝ ×××

A 【上場株式等の利子等（上場株式等の利子等とは，以下の①から⑪までの利子等をいう。なお，②から⑪を特定公社債という）】

① 公募公社債投資信託の収益の分配，公募公社債等運用投資信託の収益の分配等		上場株式等
② **国債及び地方債**	特定公社債	
③ 外国又はその地方公共団体が発行し，又は保証する債券		
④ 会社以外の法人が特別の法律により発行する債券（外国法人に係るもの並びに投資法人債，短期投資法人債，資産流動化法に定める特定社債及び特定短期社債を除く）		
⑤ 公社債で取得勧誘募集により行われたもの		
⑥ 社債のうち，その発行の日前９月以内（外国法人にあっては12月以内）に有価証券報告書等を内閣総理大臣に提出している法人が発行するもの		
⑦ 金融商品取引所（これに類するもので外国の法令に基づき設立されたものを含む）において公表された公社債情報に基づき発行する公社債で，その発行の際に作成される目論見書に，その公社債がその公社債情報に基づき発行されるものである旨の記載のあるもの		
⑧ 国外において発行された公社債で，以下に掲げるもの（**外国の公社債**） 　㋑ 金融商品取引法に定める有価証券の売出し（売付け勧誘等に該当するものに限る）に応じて取得した「売出し公社債」で，その取得の時から引き続きその有価証券の売出しをした金融商品取引業者等の営業所において保管の委託がされているもの 　㋺ 金融商品取引法に定める売付け勧誘等に応じて取得した公社債（売出し公社債を除く）で，その取得の日前９か月以内（外国法人にあっては12か月以内）に有価証券報告書等を提出している会社が発行したもの（その取得の時から引き続きその売付け勧誘等をした金融商品取引業者等の営業所において保管の委託がされているものに限る）（**金融商品取引所で上場されている会社の発行する公社債**）		
⑨ 外国法人が発行し，又は保証する債券で特定のもの		
⑩ 銀行業もしくは第一種金融商品取引業を行う者（第一種少額電子募集取扱業者を除く）もしくは外国の法令に準拠してその国において銀行業もしくは金融商品取引業を行う法人（銀行等という）又は次に掲げる者が発行した社債（その取得をした者が実質的に多数でないものを除く） 　㋑ 銀行等がその発行済株式又は出資の全部を直接又は間接に保有する関係（完全支配関係）にある法人 　㋺ 親法人（銀行等の発行済株式又は出資の全部を直接又は間接に保有する関係のある法人をいう）が完全支配の関係にあるその銀行等以外の法人		
⑪ **平成27年12月31日以前に発行された公社債**（その発行時に同族会社に該当する会社が発行したものを除く）		

利子所得　一般利子等（源泉分離のケース）

Ⅰ 各種所得の金額の計算		
利子所得 上場分離（源泉分離）	××× (△△△)	特定公債 □ ÷0.84685(0.79685)＝××× 預貯金 □ ÷0.84685(0.79685)＝△△△（源泉分離）
Ⅱ 課税標準の計算		
上場株式等に係る配当所得等の金額	×××	

（注1）　障害者等の郵便貯金の利子，障害者等の少額預貯金の利子，障害者等の少額公債の利子は，非課税。

（注2）　所得税15％，復興特別所得税0.315％，住民税5％が控除されている金額の場合は，0.79685である。所得税と復興特別所得税のみ控除されている場合は，0.84685である。

（注3）　源泉分離課税の場合は，所得税及び復興特別所得税の源泉徴収額の精算はない。

　Ｂ　[特定公社債以外の公社債利子で，利子の支払法人が同族会社のときに，その株主が受ける利子]（総合課税）

特定公社債（　1　Ａの上場株式等の利子等の中の②〜⑪までの公社債）**以外の公社債の利子**で，その支払確定日において判定の基礎となる株式として選定した場合に，その公社債の利子の支払をした法人が同族会社に該当することとなる時におけるその**株主が支払を受ける利子**等

(2)　**上場株式等の利子等に対する源泉徴収と課税の特例**

　平成28年1月1日以後に支払を受ける利子等で，上記Ａの**上場株式等の利子等**①から⑪及びＢの**特定公社債以外の公社債の利子**等（未公開の私募債の利子等でその支払をした同族会社の特定同族会社等が受ける利子等）については，その支払を受けるべき金額（上場株式等の利子等①から⑪である場合には，国外で課せられた外国所得税があるときは，その外国所得税額を控除した金額）に対し，その支払に際し，100分の15の税率により所得税を源泉徴収し，Ａの①から⑪については，他の所得と区分して，**申告分離課税の方法**により課税（措法3，3の3，8の4）し，Ｂの**特定公社債以外の公社債の利子**で特定同族株主が受ける利子等に係る利子所得については，**総合課税の方法**により課税する（措法22，措法3，3の3）。

(注) 利子所得については，上記の15％の所得税と併せて支払金額の５％の地方税（合計で20％の税額）の源泉徴収が行われる（地方税法23，71の６，71の26）。このほか，平成25年１月１日から平成49年12月31日までの間に支払を受ける利子等については，所得税の源泉徴収税額の2.1％の復興特別所得税額が源泉徴収される（復興特別所得税法28）。

2 確定申告を要しない利子所得（申告不要の利子所得）の特例

平成28年１月１日以後に支払を受ける利子等に係る利子所得（申告分離課税の対象とされない一般利子等その他特定の利子等に係るものを除く）で，**上場株式等の利子等**である特定公社債の利子，公募公社債投資信託の収益の分配，公募公社債等運用信託の収益の分配については，確定申告の際，選択により，「総所得金額」，「配当控除の額」，「純損失の金額」，所得税法121条に定める「給与所得及び退職所得以外の所得金額」，同法121条に定める「公的年金等に係る雑所得の金額」及び「**申告分離課税の上場株式等の配当所得等の金額**」の計算上，これを除外したところによることができる（措法３の３⑦，８の５，９の２⑤，37の11の６）すなわち，「**利子所得の申告不要制度**」を選択できる。

3 申告分離課税の特例

(1) **申告分離課税（上場株式等の配当等に係る利子所得の金額）**

平成28年１月１日以後に支払を受ける**上場株式等の利子所得**（源泉分離課税の対象とされる一般利子所得等に係るもの（ 1 の(1)）を除く。上場株式等の利子等に係る利子所得という。特定公社債の利子，公募公社債投資信託の収益の分配，公募公社債等運用投資信託の収益の分配，上場新株予約権付社債の利子等）については，他の所得と区分して，その年中に支払を受ける**上場株式等の配当等に係る利子所得の金額**(注)（Ⅱ上場株式等に係る配当所得等の金額は，その年中のⅠ上場株式等の配当等に係る利子所得の金額及びⅠ上場株式等の配当等に係る配当所得の金額との合計額である（Ⅱ課税標準計算上の**上場株式等に係る配当所得等の金額**）。損益通算及び純損失の繰越控除の適用はないものとし，次の(2)の適用及び雑損失の繰越控除の適用がある場合には，その適用後の金額。以下同じ）から所得控除額を控除した金額（**上場株式等に係る課**

税配当所得等の金額という）に対し，**所得税15％，復興特別所得税0.315％の税率**により**所得税を課税**する（措法8の4）。これを**申告分離課税**という。

利子所得　上場株式等の利子等（申告分離，申告不要のケース）

Ⅰ **各種所得の金額の計算**		
利　子　所　得 上　場　分　離 （申　告　不　要）	××× （△△△）	特定公社債 ☐ ÷0.84685(0.79685)＝××× 公募公社債 ☐ ÷0.84685(0.79685)＝△△△　（申告不要）
Ⅱ **課税標準の計算**		
上場株式等に係る 配当所得等の金額	×××	
Ⅳ **課税所得の金額の計算**		
上場株式等に係る課 税配当所得等の金額	×××	×××（1,000円未満切捨）
Ⅴ **納付税額の計算**		
算　出　税　額	×××	課配 ┃上場株式等に係る課税配当所得等の金額┃×15％
所得税及び復興特別 所得税の源泉徴収税額	×××	┃利子等の**収入金額**┃×15.315％＝×××

（注）　申告不要の場合は，所得税及び復興特別所得税の源泉徴収額の精算はない。

(2) 損益通算

その年中のⅡ**課税標準の計算**にある**上場株式等に係る配当所得等の金額**は，その年中のⅠ**上場株式等の配当等**に係る利子所得の金額及びⅡ上場株式等の配当等に係る配当所得の金額の合計額とする。**上場株式等の配当等**[注]に係る配当所得の金額の計算上生じた**損失金額**は，上場株式等の配当等に係る利子所得金額から控除する。

（注）上場株式等の配当等とは，**利子等又は配当等のうち，以下のもの**をいう。

48

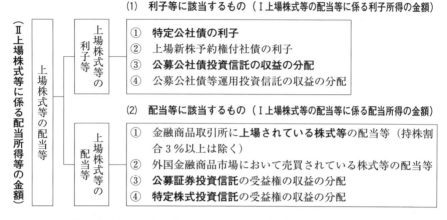

（Ⅱ上場株式等に係る配当所得等の金額）

上場株式等の配当等

上場株式等の利子等

(1) 利子等に該当するもの（Ⅰ上場株式等の配当等に係る利子所得の金額）

① **特定公社債**の利子
② 上場新株予約権付社債の利子
③ **公募公社債投資信託**の収益の分配
④ 公募公社債等運用投資信託の収益の分配

上場株式等の配当等

(2) 配当等に該当するもの（Ⅰ上場株式等の配当等に係る配当所得の金額）

① 金融商品取引所に上場されている**株式等**の配当等（持株割合3％以上は除く）
② 外国金融商品市場において売買されている株式等の配当等
③ **公募証券投資信託**の受益権の収益の分配
④ **特定株式投資信託**の受益権の収益の分配

　上場株式等の配当等に係る利子所得及び配当所得については，他の所得と区分し，上場株式等に係る課税配当所得等の金額に対して，15％の税率により課税される。

（申告分離の表示）

Ⅰ 各種所得の金額の計算		
利　子　所　得 （上　場　分　離）	×××	特定公社債　△△△ 公募公社債投資信託　□□□
配　当　所　得 （上　場　分　離）	○○○	B株式　○○○
Ⅱ 課税標準の計算		
上場株式等に係る 配当所得等の金額		上場株式等の配当等に係る利子所得の金額　××× ＋上場株式等の配当等に係る配当所得の金額　○○○
Ⅳ 課税所得金額の計算		
上場株式等に係る課税 配当所得等の金額		
Ⅴ 納付税額の計算		
算　出　税　額		上場株式等に係る課税配当所得等の金額 ×15％

(3) 上場株式等の譲渡損失との損益通算及び繰越損失の控除

その年中の**上場株式等**に係る**譲渡損失**の金額は，その年分の上場株式等に係る配当所得等の金額を限度として，その年分の上場株式等に係る配当所得等の金額の計算上，控除する（損益通算）。及びその年の前年以前３年以内に生じた**上場株式等の繰越損失**があるときは，これらの損失の金額をその年分の上場株式等に係る譲渡所得等の金額及び上場株式等に係る配当所得等の金額を限度として，その年分の上場株式等に係る譲渡所得等の金額及び**上場株式等に係る配当所得等の金額**から控除する（措法37の12の２①，⑤）。

(注) 1 「**上場株式等**」とは，以下に掲げる株式等をいう（措法37の11②，指令25の９②）。
① 金融商品取引所で上場されている株式等
② 外国金融商品市場において売買されている株式等
③ 公募証券投資信託の受益権
④ 特定株式投資信託の受益権
⑤ 特定公社債
⑥ 上場新株予約権付社債
⑦ 公募特定目的信託の社債的受益権
⑧ 公募公社債投資信託の受益権
⑨ 公募公社債等運用投資信託の受益権等

2 上場株式等の利子等に係る利子所得についても， 2 で述べたように利子所得の申告不要の特例の適用を受けることができる（措法８の５，37の11の６）。

〈図表１－１〉利子所得の課税方法（総まとめ）

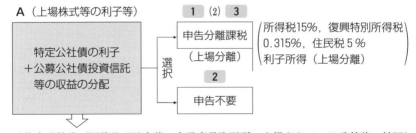

（一般利子等）

| A 上場株式等の利子等にも，
B 特定公社債以外の利子で，利子の支払の法人が同族会社のときに，その株主が受ける利子にも該当しない一般利子等 | → | 1 (1)
源泉分離課税 | （所得税15%，復興特別所得税 0.315%，住民税5%） |

（特定公社債以外の公社債の利子（農林債等の利子）
預貯金の利子
合同運用信託の収益の分配
私募公社債投資信託の収益の分配等）

B （同族会社が発行した社債利子で株主が受ける利子）

| B 特定公社債以外の利子で，利子の支払の法人が同族会社のときに，その同族会社の判定の基準となった株主が受ける利子
（少人数私募債の利子） | → | 1 (2)
総合課税 |

（注）同族会社が発行した社債の利子で，その同族会社の判定の基礎となる株主である法人と特殊の関係のある個人及びその親族等が支払を受けるものを，総合課税の対象とする。
　　　また，当該個人及びその親族等が支払を受けるその同族会社が発行した社債の償還金についても，総合課税の対象とする。令和3年4月1日以後に支払を受けるべき社債の利子及び償還金について適用される。

第7節 同族会社が発行した社債の利子（総合課税）

平成27年12月31日までに支払を受ける一般の公社債の利子等は，20％の源泉分離課税制度であった。ところが平成25年度税制改正で，同族会社が平成28年1月1日以後に発行した社債の利子で，**同族会社の判定会社株主等**（同族会社の判定の基礎となる株主等）がこの社債を持ち支払を受けるものだけは，**総合課税**の対象とされる（同族会社が発行した社債利子の改正）。

同族会社が発行した社債で，その同族会社の判定会社株主が同族会社の社債を持ち支払を受ける利息が総合課税となった理由は，役員等が会社に貸し付けた貸付金に対して受け取った利息と同じ取扱いをしたためである。

(注) 同族会社が発行した社債の利子で，その同族会社の判定の基礎となる株主である法人と特殊の関係のある個人及びその親族等が支払を受けるものを，総合課税の対象とする。
　　また，当該個人及びその親族等が支払を受けるその同族会社が発行した社債の償還金についても，総合課税の対象とする。令和3年4月1日以後に支払を受けるべき社債の利子及び償還金について適用される。

〈図表1－2〉同族会社が発行した社債の利子の取扱い

第8節　非課税となる利子所得

以下の利子等については，所得税は非課税となる。

(1) 遺族基礎年金を受ける妻，寡婦年金を受ける寡婦及び身体障害者（身体障害者手帳の交付を受けているもの）など特定の者が非課税の手続をとった次に掲げるもので，本人等の確認を受けたもの（障害者等）に係る少額預金等の利子等（法9の2,10，措法3の4,4,4の2,4の3）。労働者災害補償保険法の複数事業労働者傷病年金を受けている者，複数事業労働者障害年金を受けている者及び複数事業労働者遺族年金を受けている遺族（妻に限る）を障害者等に対する少額貯蓄非課税制度の対象者に加える。
　　㋑　元本350万円以下の郵便貯金の利子
　　㋺　元本350万円以下の少額預金等の利子等
　　㋩　元本350万円以下の少額公債の利子
(2) 元本550万円以下の勤労者財産形成住宅貯蓄（勤労者財産形成年金貯蓄を含む）の利子（非課税貯蓄申込書の提出など一定の手続をしたものに限る）（措法3の4,4の2），勤労者財産形成年金貯蓄の利子（措法4の3）
(3) 小学校，中学校などの児童又は生徒が学校長の指導を受けて預入れなどしている預貯金（子供銀行）等の利子等（法9①二）
(4) 年率1％以下の当座預金の利子（法9①一，令18）
(5) 納税準備預金の利子（租税目的以外に支出されたものに係る利子を除く）（措法5）
(6) 納税貯蓄組合預金の利子（10万円を超える部分に係る利子を除く）（納税貯蓄組合法8）
(7) 非課税口座内の少額特定公社債等の利子
(8) 特定寄附信託の信託財産について生ずる公社債もしくは預貯金の利子又は合同運用信託の収益の分配（措法4の5）

第Ⅱ編　各種所得の金額の計算　53

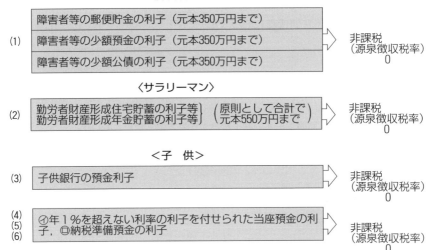

〈図表1－3〉利子所得非課税

《計算Point》

(1) 利子所得となるもの

> ① 公社債（分離利子公社債の利子は除く）の利子（公債→国債，地方債）
>
> 　　　　　　　　　　　　　　　　　　　　（社債→社債，農林債等）
>
> ② 預貯金の利子
>
> ③ 合同運用信託（貸付信託，合同運用金銭信託）の収益分配
>
> ④ 公社債投資信託の収益分配，公募公社債等運用投資信託の収益分配
>
> ⑤ 勤労者財産形成貯蓄保険契約等に基づき支払を受ける差益

(2) 課税しないもの

　① 障害者等の郵便貯金の利子（元本350万円以下）

　② 障害者等の少額預貯金の利子（元本350万円以下）

　③ 障害者等の少額公債の利子（元本350万円以下）

　④ 財形貯金の利子（元本550万円以下）

(3) 課税方法（A上場株式等の利子等にも，B特定公社債以外の利子で，利子の支

払法人が同族会社の時に，その株主が受ける利子にも該当しない**一般利子等の利子所得**）

<u>所得税15％，復興特別所得税込みで15.315％</u>（他住民税5％）の**一律源泉分離**
→申告書に書かなくてよい。
（確定申告せず）

(4) 利子所得の課税方法

〈図表1－4〉利子所得の課税方法（総まとめ）

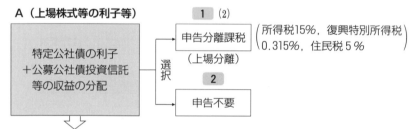

特定公社債（国債及び地方債，金融商品取引所に上場されている公社債，外国の国債及び地方債，平成27年12月31日以前に発行された公社債等）の利子
公募公社債投資信託の収益の分配
公募公社債運用投資信託の収益の分配，上場新株予約権付社債の利子等

（一般利子等）

A上場株式等の利子等にも，
B特定公社債以外の利子で，利子の支払の法人が同族会社のときに，その株主が受ける利子にも該当しない一般利子等

→ 源泉分離課税（所得税15％，復興特別所得税 0.315％，住民税5％）

特定公社債以外の公社債の利子（農林債等の利子）
預貯金の利子
合同運用信託の収益の分配
私募公社債投資信託の収益の分配

（一般利子等）

B（同族会社が発行した社債利子で株主が受ける利子）

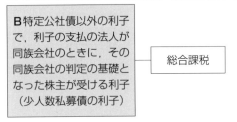

B 特定公社債以外の利子で，利子の支払の法人が同族会社のときに，その同族会社の判定の基礎となった株主が受ける利子（少人数私募債の利子） → 総合課税

(注) 同族会社が発行した社債の利子で，その同族会社の判定の基礎となる株主である法人と特殊の関係のある個人及びその親族等が支払を受けるものを，総合課税の対象とする。

また，当該個人及びその親族等が支払を受けるその同族会社が発行した社債の償還金についても，総合課税の対象とする。

(5) 他の所得となる利子

〈図表1－5〉 他の所得となる利子

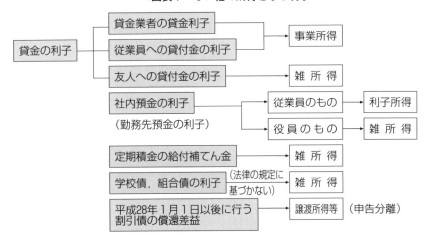

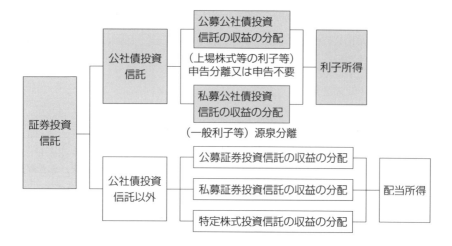

《計算Pattern》

利子所得　一般利子等（源泉分離のケース）

I 各種所得の金額の計算		
利子所得 　上　場　分　離 　（源　泉　分　離）	××× (△△△)	特定公社債 ☐ ÷0.84685(0.79685)＝××× 預　貯　金 ☐ ÷0.84685(0.79685)＝△△△　（源泉分離）
II 課税標準の計算		
上場株式等に係る 　配当所得等の金額	×××	

（注１）　障害者等の郵便貯金の利子，障害者等の少額預貯金の利子，障害者等の少額公債の利子は，非課税。

（注２）　所得税15％，復興特別所得税0.315％，住民税５％が控除されている金額の場合は，0.79685である。所得税と復興特別所得税のみ控除されている場合は，0.84685である。

（注３）　源泉分離課税の場合は，所得税及び復興特別所得税の源泉徴収額の精算はない。

利子所得　上場株式等の利子等（申告分離，申告不要のケース）

Ⅰ 各種所得の金額の計算		
利子所得 上場分離 （申告不要）	××× (△△△)	特定公社債 ⬜ ÷0.84685（0.79685）＝××× 公募公社債 ⬜ ÷0.84685（0.79685）＝△△△　（申告不要）
Ⅱ 課税標準の計算		
上場株式等に係る 配当所得等の金額	×××	
Ⅳ 課税所得の金額の計算		
上場株式等に係る課 税配当所得等の金額	×××	×××（1,000円未満切捨）
Ⅴ 納付税額の計算		
算　出　税　額	×××	課配　上場株式等に係る課税配当所得等の金額 ×15%
所得税及び復興特別 所得税の源泉徴収税額	×××	利子等の収入金額 ×15.315% ＝ ×××

（注） 申告不要の場合は，所得税及び復興特別所得税の源泉徴収額の精算はない。

同族会社が発行した社債利子で株主が受ける利子（総合課税のケース）

Ⅰ 各種所得の金額の計算		
利子所得 総　　　　　合	△△△	少人数私募債　△△△
Ⅱ 課税標準の計算		
総　所　得　金　額	△△△	
合　　　計	×××	
Ⅳ 課税所得金額の計算		
課　税　総　所　得　金　額	×××	×××（1000円未満切捨）
Ⅴ 納付税額の計算		
算　出　税　額	×××	課総　課税総所得金額 ×超過累進税率
所得税及び復興特別 所得税の源泉徴収税額	×××	利子等の収入金額 ×15.315% ＝ ×××

《計算例題1》利子所得の分類

利子所得に該当するものに○をつけなさい。

① 学校債の利子　② 普通預金の利子
③ 公募公社債投資信託の収益の分配　④ 国債の利子
⑤ 地方債の利子　⑥ 建設利息
⑦ 農業協同組合債の利子　⑧ オープン型証券投資信託の収益の分配
⑨ 合同運用信託の収益の分配　⑩ 勤務先預け金の利子（従業員）
⑪ 割引債の償還差金　⑫ 定期積金の給付補てん金
⑬ 私募公社債投資信託の収益の分配　⑭ 友人に貸した貸付金の利子
⑮ 金融業者の貸付金の利子　⑯ 納税準備預金の利子
⑰ 郵便貯金の利子　⑱ 相互保険会社の基金利息
⑲ 農林債等の利子　⑳ ユニット型証券投資信託の収益の分配
㉑ 勤務先預り金の利子（代表取締役）　㉒ 銀行預金（定期）の利子
㉓ 銀行預金（普通）の利子

《解答欄》

①		②		③		④		⑤	
⑥		⑦		⑧		⑨		⑩	
⑪		⑫		⑬		⑭		⑮	
⑯		⑰		⑱		⑲		⑳	
㉑		㉒		㉓					

《解　答》

①	×	②	○	③	○	④	○	⑤	○
⑥	×	⑦	×	⑧	×	⑨	○	⑩	○
⑪	×	⑫	×	⑬	○	⑭	×	⑮	×
⑯	○	⑰	○	⑱	×	⑲	○	⑳	×
㉑	×	㉒	○	㉓	○				

① 雑所得　⑥ 配当所得　⑦ 雑所得　⑧ 配当所得　⑪ 譲渡所得等
⑫ 雑所得　⑭ 雑所得　⑮ 事業所得　⑱ 配当所得　⑳ 配当所得
㉑ 雑所得

《計算例題２》利子所得の計算　ケース１（復興特別所得税を含む）

慶応（株）の代表取締役である慶応　進が本年中に受け取った利子は，次のとおりである。利子所得の金額を慶応　進にとって最も有利になるように計算しなさい。以下の金額を除いた課税総所得金額は15,000,000円である。

		収入金額 （税引後）	計算期間満了日 又は支払決議日
1	学校債の利子	64,000	本年　5月5日
2	勤務先預金の利子	100,000	6月30日
3	定期預金の利子	79,685	8月11日
4	合同運用信託の収益の分配	159,370	10月5日
5	私募公社債投資信託の収益の分配	557,795	11月5日

収入金額は，源泉所得税（15％）と住民税（5％）と復興特別所得税（0.315％）を控除後の金額である。

《解答欄》

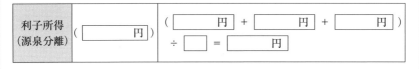

《解　答》

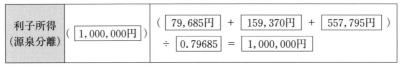

（注）学校債の利子，勤務先預金の利子（代表取締役）は，雑所得。

《計算例題3》利子所得の計算　ケース2（復興特別所得税を含む）

　福大太郎（66歳障害者）が本年において支払を受けた利子は，次の資料のとおりであった。利子所得の収入金額（税引前）を計算しなさい。

〈資　料〉

	利子収入の種類	支払を受けた利子収入	備　考
1	A信託銀行の合同運用信託の収益の分配	159,370円（税引後の手取額）	源泉分離課税の選択
2	B銀行の定期預金の利子	239,055円（税引後の手取額）	源泉分離課税の選択
3	C信託銀行の金銭信託の収益の分配	140,000円	少額貯蓄課税の申告をしている
4	D郵便貯金の利子	100,000円	申告をしている法定限度額以下
5	E農林債の利子	557,795円（税引後の手取額）	源泉分離課税の選択

　利子収入は，源泉所得税（15％）と住民税（5％）と復興特別所得税（0.315％）控除後の金額である。

《解答欄》

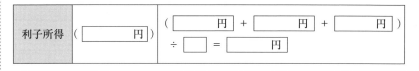

《解　答》

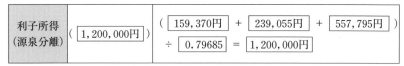

　（注）　太郎は障害者なので，少額貯蓄非課税の申告をしているC信託銀行の金銭信託の収益の分配と郵便貯金の利子は，非課税。

《計算例題4》

次の資料により,福大太郎の本年分の利子所得の金額を計算しなさい。

なお,源泉徴収の対象となるものについては,すべて所得税及び復興特別所得税の源泉徴収税額控除前の金額である。申告不要にできるものは,申告不要を適用するものとする。

〈資　料〉
- (1) 預貯金　　　　　　　　　　　　　　　8,000円
- (2) 合同運用信託の収益の分配　　　　　　10,000円
- (3) 公募公社債投資信託の収益の分配　　　15,000円
- (4) 国債の利子　　　　　　　　　　　　　7,000円

《解答欄》

利子所得 申告不要 （源泉分離）	円 （　　　円）	預貯金　　　　円（　　　） 合同運用　　　円（　　　） 国債　　　円 公募公社債投資信託　　　円

《解　答》

利子所得 申告不要 （源泉分離）	22,000円 （18,000円）	預貯金　8,000円（源泉分離） 合同運用　10,000円（源泉分離） 国債　7,000円（申告不要） 公募公社債投資信託　15,000円（申告不要）

《計算例題５》**上場株式等の配当等に係る配当所得の損失との損益通算**

次の資料により，慶応香味の本年分の利子所得の金額，配当所得の金額及び課税標準を計算しなさい。

利子等及び配当等について，申告分離課税にできるものは申告分離課税とする。

利子及び配当等のすべては，所得税及び復興特別所得税の源泉徴収税額控除前の金額である。

〈資　料〉

(1) 国債の利子　　　　　　　　　　　20,000円

(2) 未上場株式の配当等　　　　　　　140,000円

　この未上場株式は，本年中に負債の利子142,000円を支払っている。

(3) 上場株式の剰余金の配当　　　　　160,000円

　本年中に負債の利子170,000円を支払っている。なお，慶応香味は大口株主ではない。

《解答欄》

Ⅰ 各種所得の金額		
利　子　所　得	［　］円	［　］円
配　当　所　得	［　］円	(1) 収入金額 ［　］円 (2) 元本取得に要した負債の利子 ［　］円 (3) (1)−(2)＝［　］円
	［　］円	(1) 収入金額 ［　］円 (2) 元本取得に要した負債の利子 ［　］円 (3) (1)−(2)＝［　］円
Ⅱ 課税標準の計算 上場株式等に係る配当所得等の金額	5,000	損益通算 ［　］円 ＋ ［　］円 ＝ ［　］円

《解　答》

I 各種所得の金額		
利　子　所　得		上場分離
上　場　分　離	20,000円	国債　20,000円
配　当　所　得		総　合（未上場）
総　　　合	△2,000円	(1)　収入金額　140,000円
上　場　分　離	△10,000円	(2)　元本取得に要した負債の利子　142,000円
		(3)　(1)-(2)=△2,000円
		上場分離（上場）
		(1)　収入金額　160,000円
		(2)　元本取得に要した負債の利子　170,000円
		(3)　(1)-(2)=△10,000円
II 課税標準の計算		損益通算
上場株式等に係る配当所得等の金額	10,000円	（注）　未上場株式に係る配当所得の損失の金額は上場株式等でないため損益通算できない
		△10,000円 ＋ 20,000円 ＝ 10,000円

《実務上のPoint》

(1) 利子所得は，原則として一律20％（所得税15％，住民税5％）で源泉分離される。そして，申告は不要である。

(2) サラリーマンは，専用の財形住宅貯蓄の利子や財形年金貯蓄の利子を活用すると有利となる（元本は原則として550万円までは非課税）。

〈図表1-3〉サラリーマンの利子

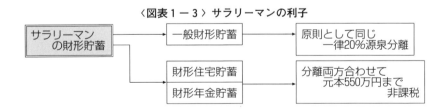

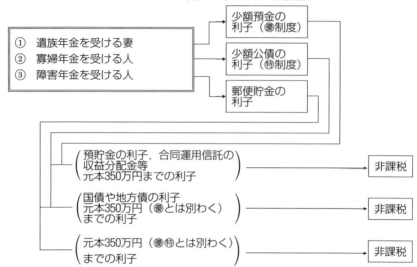

〈図表1-4〉障害者等の利子の非課税

第9節 国外公社債等の課税方法

1 国外で発行された公社債の利子が国外で支払われるが,国内の支払取扱者を経由して支払われる場合

(1) 源 泉 徴 収

　国外において発行された公社債等に係る利子等が国外において支払われるが,居住者は**国内におけるその利子等の支払の取扱者を経由して支払を受けるときには**,その支払取扱者は,その支払の際,所得税及び復興特別所得税を徴収し,徴収日の属する月の翌月10日までに国に納付しなければならない。

　この場合において,国外公社債等の利子等につき支払の際に課される外国所得税の額があるときは,国内において徴収して納付すべき所得税の額は,その収入金額の15％相当額から外国所得税の額を控除した金額である。

　なお,このときに徴収される所得税の2.1％に相当する金額が復興特別所得税の額で,併せて徴収しなければならない。

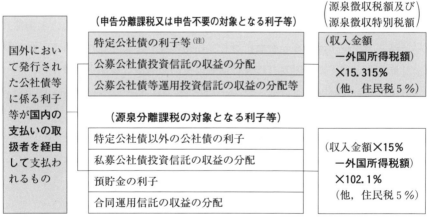

(注) 同族会社が発行した社債の利子で,その同族会社の判定の基礎となった株主等が支払を受けるもの(少人数私募債の利子)は,総合課税となる(措法3①四)。

(2) 源泉分離

対象となる利子等（特定公社債以外の公社債の利子，預貯金の利子，私募公社債投資信託の収益の分配，合同運用信託の収益の分配）については，徴収された所得税及び復興特別所得税の源泉徴収税額だけで課税関係は終了する。

源泉分離課税の場合は，外国税額控除は適用されない。

外国公社債利子で国内の支払取扱者を経由して支払われるケース

《計算Pattern 1 》（源泉徴収税額，源泉徴収特別税額及び住民税特別徴収税額並びに外国所得税額控除後の金額で与えられた場合）（源泉分離）

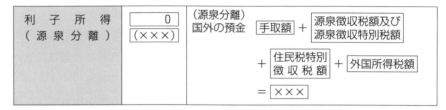

(3) 申告分離課税

対象となる利子等（特定公社債の利子等，公募公社債投資信託の収益の分配，公募公社債等運用投資信託の収益の分配等）については，他の所得と区分し，上場株式等に係る課税配当所得等の金額に対して15％の税率により課税される。納付税額計算において，所得税及び復興特別所得税の源泉徴収税額を精算する。

外国税額控除は適用される。

《計算Pattern 2》（源泉徴収税額，源泉徴収特別税額及び住民税特別徴収税額並びに外国所得税額控除後の金額で与えられた場合）（申告分離課税）

I 各種所得の金額の計算		
利 子 所 得 上 場 分 離	×××	（上場分離） 国外特定公社債 $\boxed{\text{手取額}} \div \boxed{0.84685(0.79685)}$ 　　　　　　　　　　$+ \boxed{\text{外国所得税額}} = \boxed{×××}$
II 課税標準の計算		
上場株式等に係る配当所得等の金額	×××	
IV 課税所得の金額の計算		
上場株式等に係る課税配当所得等の金額	×××	（1,000円未満切捨）
V 納付税額の計算		
算 出 税 額	×××	課配 $\boxed{\text{上場株式等に係る課税配当所得等の金額}} \times \boxed{15\%}$
外 国 税 額 控 除	×××	(1) 控除対象外国所得税額 (2) 控除限度額 (3) (1)≷(2) ∴少ない方
所得税及び復興特別所得税の源泉徴収税額	×××	（利子等の収入金額－外国所得税額）× $\boxed{15.315\%}$ ＝ ×××

(4) 申告不要制度

対象となる利子等（特定公社債の利子等，公募公社債投資信託の収益の分配，公募公社債等運用投資信託の収益の分配等）については，確定申告の際，**その利子所得の金額を除外し，上場株式等に係る配当所得等の金額を計算する申告不要制度を選択することができる。**

したがって，15.315％（所得税15％，復興特別所得税0.315％）の税率により源泉徴収されるだけで**課税関係は終了する。納付税額の計算において，所得税及び復興特別所得税の源泉徴収税額を精算しない。**

外国税額控除は適用されない。

《計算Pattern 3》(源泉徴収税額,源泉徴収特別税額及び住民税特別徴収税額並びに外国所得税額控除後の金額で与えられた場合)(申告不要)

I 各種所得の金額の計算		
利　子　所　得 　上　場　分　離 （申　告　不　要）	××× (△△△)	(上場分離) 国外特定公社債 ×× ÷ 0.84685(0.79685) 　　　　　　　　　　+ 外国所得税額 = ××× (申告不要) 国外特定公社債投資信託 ×× ÷ 0.84685(0.79685) 　　　　　　　　　　+ 外国所得税額 = △△△
II 課税標準の計算		
上場株式等に係る 配当所得等の金額	×××	

2　国外で発行された公社債の利子が国外で支払われるときに，国内の利子の支払取扱者を経由しないで支払われる場合

(1)　源泉徴収されないもの

　国外において発行された公社債等に係る利子等が国外において支払われる場合，居住者が**国内におけるその利子等の支払の取扱者を経由しないで支払を受けるときには，その支払取扱者については源泉徴収義務はない。**

　この場合において，国外公社債等の利子については，支払の際に源泉徴収がされておらず，利子所得として申告分離課税又は総合課税される。

　以下に掲げるものは，源泉徴収の対象とはならない（措通3の3-3，3の3-5）。

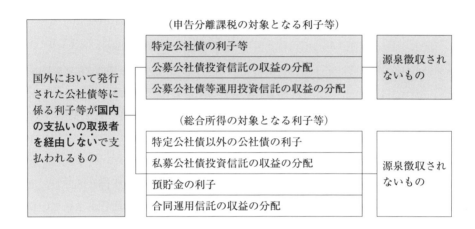

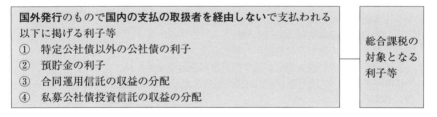

(2) 総合課税 （法22）

　源泉徴収の対象とならない以下の利子等については、**他の所得と合算され**、課税標準の計算上**総所得金額**を構成し、**超過累進税率**により課税される。総合課税の対象となる場合には、**外国税額控除の適用**がある。

《計算Pattern 1》外国公社債等利子等で国内の支払取扱者を経由しないで支払われるケース（総合課税）

| 利子所得
総　合
（上場分離） | ×××
（×××） | 国　内

A 国外の国債
（特定公社債）

B 国外の公社債
（特定公社債以
外の公社債） | ×××÷0.84685＝×××（源泉分離）
　　（0.79685）
手取額 ＋ 源泉徴収税額及び
　　　　源泉徴収特別税額
住民税特別
徴収税額 ＋ 外国所得税額 ＝ ×××
（上場分離）←国内支払者を経由
手取額 ＋ 外国所得税額 ＝ ×××
（総合課税）←国内支払者を経由しない |

(3) **申告分離課税**

　源泉徴収の対象とならない以下の利子等については，他の所得と区分し，上場株式等に係る課税配当所得金額に対して課税される。源泉徴収がされていないため，所得税及び復興特別所得税の源泉徴収税額の精算は行われない。申告分離で課税の対象となる国外特定公社債等の利子に対して，外国税額控除の適用がある。

① 　**国外発行のもので国内の支払の取扱者を経由しないで支払われる以下に掲げる利子等** 　(イ) 特定公社債の利子 　(ロ) 上場新株予約権付社債の利子 　(ハ) 公募公社債投資信託の収益の分配 　(ニ) 公募公社債等運用投資信託の収益の分配 ② 　国内発行のもので設立協定により源泉徴収義務が免除されている利子等（アジア開発銀行債，国際復興開発銀行（世界銀行）債に係る利子等） ┤ 申告分離課税の対象となる利子等

《計算Pattern 2》外国公社債等利子等で国内の支払取扱者を経由しないで支払われるケース（申告分離）

利子所得 上場分離	×××	国外特定公社債 手取額 + 外国所得税額 = ××× アジア開発銀行債 ×××

配当所得

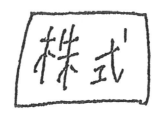

【Point 7】

配当所得の金額は，次の算式により計算する（法24②）。

収入金額－株式などを取得するための負債の利子＝配当所得の金額

第1節 配当所得の定義と範囲

1 配当所得

　配当所得とは，法人（公益法人等及び人格のない社団等を除く）から受ける①剰余金の配当（株式又は出資に係るものに限る。資本剰余金の額の減少に伴うもの等を除く），②利益の配当，③協同組合等からの剰余金の分配（出資に係るものに限る），④相互保険会社の支払う基金利息，⑤金銭の分配（出資総額の減少に伴う金銭の分配を除く）並びに⑥投資信託（公社債投資信託及び公募公社債等運用投資信託を除く）

の収益の分配及び⑦特定受益証券発行信託の収益の分配（配当等という）に係る所得をいう（法2③，24①）。⑥の投資信託には，⑥イ(i)公募証券投資信託の収益の分配，⑥イ(ii)特定株式投資信託の収益の分配，⑥イ(iii)私募証券投資信託の収益の分配，⑥ロ私募公社債等運用投資信託の収益の分配等が配当所得に含まれる。

- (注) ① 「**剰余金の配当**」とは，株式会社等から株主等が受ける剰余金の配当（投資法人の投資口の配当を含む）で，株式（投資法人の投資口を含む）又は出資（私募公社債等運用信託の受益権及び特定目的信託に係る社債的受益権を含む）に係るものに限る。資本剰余金の減少に伴い支払を受ける剰余金の配当とみなされるものや，会社等の分割型分割で支払を受ける剰余金とみなされるものは除く（法24①）。株式会社からの金銭等の分配や特定目的信託の収益の分配等がある。
  ② 「**利益の配当**」は，持分会社が会社の社員に対して，定款の定め等により分配する利益をいう。
  ③ 「**剰余金の分配**」とは，農業協同組合，漁業協同組合等法人税法第2条第7号に規定する協同組合等が行う剰余金の分配をいう。
  ④ 「**基金利息**」とは，相互保険会社が保険業法第64条第1項の規定により支払う基金利息をいう。相互保険会社の基金は会社の設立に当たって設立者等が払い込む資本金に類するものである。
  ⑤ 「**金銭の分配**」とは，投資信託及び投資法人法137条に定める金銭の分配をいう（法24①）。
  ⑥ 「**投資信託**」とは，信託財産を主に株等の有価証券や不動産等の特定資産に対する投資として運用することを目的とするもので，「投資信託及び投資法人に関する法律」に基づいて設定される。なお，投資信託には，**証券投資信託**（公社債投資信託を除く）と**証券投資信託以外の投資信託**（公募公社債等運用投資信託を除く）とがある。
    イ 「**公社債投資信託以外の証券投資信託**」とは，証券投資信託のうち，その信託財産を株式などに対する投資として運用することを目的とするもので，公債又は社債に対する投資として運用しないものをいう。いわゆる株式投信と呼ばれているものである。これには運用形態によって，**オープン型**（元本の追加信託をすることできる）の公募証券投資信託，**ユニット型**（元本の追加はできない）の公募証券投資信託がある。具体的には，公社債投資信託以外の証券投資信託の収益の分配として，次のものがあり配当所得となる。
      (i) 「公募証券投資信託の収益の分配」
      (ii) 「特定株式投資信託の収益の分配」
      (iii) 「私募証券投資信託の収益の分配」

「**公募証券投資信託**」とは，不特定の多数の人々に受益証券を取得させることを目的とする。

「**私募証券投資信託**」とは，特定の少数の人々に受益証券を取得させることを目的とする。

「**特定株式投資信託**」とは，証券投資信託のなかで，信託財産を特定銘柄の株式にのみ投資として運用することを目的とするもので，その受益証券が証券取引所に上場され，特定の株価指数に連動して運用する。その運用は，株式売買よりも収益の分配が主のため，配当として課税される。

「**公募証券投資信託**」には，「**特定株式投資信託**」が含まれる。しかし通常，特定株式投資信託を除いた公募証券投資信託を指すことが多い。

ロ 「**証券投資信託以外の投資信託の収益の分配（公募公社債等運用投資信託を除く）は，私募公社債等運用投資信託の収益の分配**」であり，配当所得となる。なお，**公募公社債等運用投資信託及び公社債投資信託の収益の分配金は**，利子所得となる。

⑦ 「**特定受益証券発行信託**」とは，信託法に規定する受益証券発行信託のうち，信託事務の実施につき，税務署長の承認を受けた法人が引き受けた信託である等，法人税法第2条第1項第29号のハの要件に該当するもの（法2①十五の五）。受託者段階では課税せずに，受益者が収益の分配を受けたときに課税される。なお，受益証券発行信託の収益の分配は配当所得に該当する。

イ 受託者が税務署長の承認を受けた法人であること。

ロ 信託に係る未分配利益の額が，信託の元本総額の1,000分の25相当額以下であること。

ハ 各計算期間が1年以下であること。

⑧ 「**特定目的信託**」とは，「資産の流動化に関する法律」により設定されたもので，資産の流動化を目的として，信託契約の締結時に委託者が有する信託の受益権を分割することで，複数の者に取得させることを目的とする（資産流動化法2）。特定目的信託の収益の分配は，配当所得となる。これは，信託法（平成18年）施行日前に支払を受けるべき配当等について適用された。

⑨ 「**信託**」とは，金銭や土地などの財産を信頼できる他の人に委託してその運用管理を依頼することをいう。

（合同運用信託）

「**合同運用信託**」とは，信託会社（信託業務を兼営する銀行を含む）が引受けた金銭信託で，共同しない多数の委託者の信託財産を合同して運用するものをいう。通常の金銭信託（毎月1万円等）や貸付信託（まとまった金を預ける）が，これに該当する。「**貸付信託**」とは，信託財産を貸付に運用するものをいう。

合同運用信託では，通常は元本及び一定歩合の利益を信託会社が保証する代わりに，一定歩合を超える利益があっても分配される利益は保証された一定歩合に限られるという。実質は長期性預金である。　∴利子所得

委託者が実質的に多数でない信託は，合同運用信託から除く（法2①十一）。

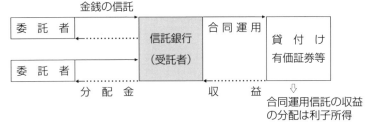

（証券投資信託）

　証券投資信託とは，投資信託のうち信託財産を委託者の指図に基づいて株式を主体とする特定の有価証券に対する投資として運用することを目的とする信託をいう。

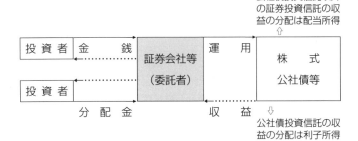

（公社債投資信託）

　公社債投資信託とは，証券投資信託のうちその信託財産を公社債に対する投資として運用することを目的とするもの。

⑩　**投資法人**とは，資産を不動産や有価証券等に投資して運用するために設立した社団をいう。投資法人のうち，投資口の募集が不特定多数の者に対して行われ，中途払戻しができるものを「**特定投資法人**」という。それ以外の投資法人が，**私募投資法人**である。

⑪　**公社債等運用投資信託**とは，証券投資信託以外の投資信託のうち，信託財産として受け入れた金銭を公社債等（公社債，手形，指定金銭債権等）に対して運用するものをいう（法2①十五の二）。公社債等運用投資信託の募集が公募によるものを「**公募公社債等運用投資信託**」という。公募のものの収益の分配金は，**利子所得**とされる（法2①十五の三）。

⑫　**私募公社債等運用投資信託の受益権**及び私募特定目的信託の**社債的受益権の収益の分配**に係る配当所得は，源泉分離課税（所得税15％，復興特別所得税0.315％，地方税5％）とされる（措法8の2）。

〈図表2－1〉投資信託と所得

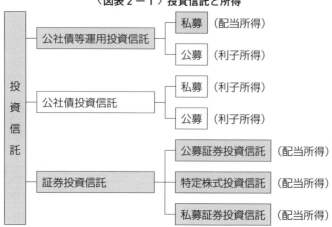

2　みなし配当

次に掲げる金額は，所得税法上，法人から受ける利益の配当又は剰余金の分配の額とみなされ，配当所得（**みなし配当**）となる。

株主等が法人から次に掲げる事由により，交付を受ける金銭その他の財産の額が，その法人の資本金の金額（資本金及び資本剰余金の合計額）又は連結個別資本金等の金額のうち，その交付の基因となった株式又は出資に係る部分を超える場合のその超過額（法25①，61）

① 合併（合併法人の株式のみの交付で適格合併を除く）

② 分割型分割（分配が分割承継法人又は分割承継法人の株式のみで適格分割型分割を除く）

③ 法人の資本の払戻し（資本剰余金の額の減少を伴う剰余金の払戻しに限る。そのうち，分割型分割による以外のもの及び出資等減少分配をいう）又は法人の解散による残余財産の分配

④ 株式発行会社の自己株式又は出資の取得（金融商品取引所の開設する市場における購入による取得及び特定の種類株式の株式交換による株式の取得を除く）

⑤ 法人の出資の消却，法人の出資の払戻し，法人からの社員の退社又は脱

退による持分の払戻し

⑥ 法人の組織変更（組織変更した法人の株式又は出資以外の資産を交付した場合に限る）

金銭の交付を受けない場合（利益積立金の資本組入れ等）のみなし配当規定は，平成13年度の改正で廃止された。

〈合併の場合におけるみなし配当の計算〉

$$\boxed{交付金銭等の額} - \frac{資本金等の額}{発行済株式総数} \times \boxed{所有株式数}$$

資本金等の額＝資本金＋資本積立金

〈分割型分割（適格分割型分割を除く）の場合におけるみなし配当の計算〉

$$\boxed{交付金銭等の額} - \frac{分割法人の分割資本金等の額}{分割法人の発行済株式総数} \times \boxed{分割法人の所有株式数}$$

〈図表2－2〉信託の種類と所得

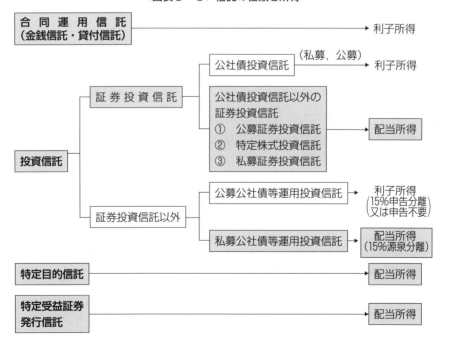

〈図表2－3〉配当所得

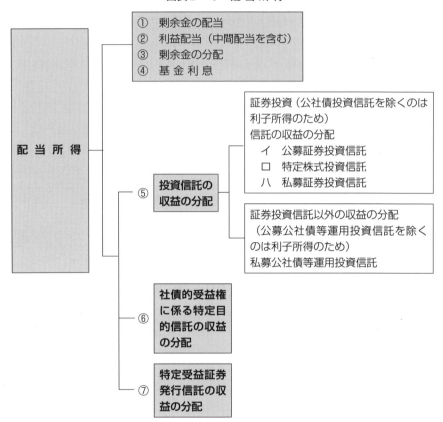

(注) 私募公社債等運用投資信託の受益権の収益の分配及び社債的受益権の収益の分配に係る配当所得は，源泉分離課税（所得税15％，地方税5％）とする（措法8の2）。

第 2 節　配当所得の金額の計算

配当所得の金額は，その年中に収入すべき配当等の金額である。

ただし，株式その他配当所得を生ずべき**元本を取得するために要した負債の利子**（事業所得，雑所得又は株式等の譲渡所得の基因となった有価証券を取得するために要した負債の利子を除く）がある場合には，その収入金額からその負債の利子を控除した金額である（法24②，措法37の10⑥二）。負債の利子は，その負債によって購入した株式等の配当等からだけでなく，他の株式等の配当等からも控除できる。

> （収入金額）－（負債の利子の合計額）＝（配当所得の金額）
> 　　　　　　　　　　↓
> 株式を保有していた期間に対応する株を購入するための借入金利子

上場株式等の配当等について，分離課税の適用を受ける場合，配当所得の金額の計算は**上場株式等の配当等**と**その他の株式等**（例えば，未公開株式など）の配当等とに**区分して**，各別に**上場株式等の配当所得の金額**と**その他の株式等の配当所得の金額**を計算する（措法8の4）。

その他の株式等（未公開株式等）の配当所得の損失の金額が生じていても，上場株式等の配当所得について**分離課税の適用**を受ける場合は，その未公開株式等の配当所得の損失の金額と分離課税の適用を受ける上場株式等の配当所得の金額とは差引計算をしない（措法8の4）。

1　収入金額

配当所得の収入金額は，その年中に**収入すべき配当等の金額**（金銭以外の物又は権利その他の経済的な利益をもって収入する場合には，その金銭以外の物又は権利その他の経済的な利益の価額）である（法36①・②）。

2 配当等の収入金額計上時期 (基通36-4)

(1) **無記名の株式**（私募公社債等運用投資信託の受益権及び社債的受益権を含む）の**剰余金の配当**又は**無記名の投資信託の受益権**もしくは**特定受益証券発行信託の受益権に係る収益の分配金**については、**実際に支払を受けた時**の収入金額とされる（法14①）。金融商品取引業者等から交付を受けた**源泉徴収選択口座内配当等**については、その交付を受けた日の収入金額とされる（措法37の12）。

(2) **配当等**（利益の配当、剰余金の配当、剰余金の分配、基金利息）の収入金額の計上の時期は、配当等について定めたその効力が生じる日（効力を定めていない場合には、株主総会その他正当な権限を有する機関の決議があった日）による（基通36-4）。

〈図表2-4〉収入金額と収入計上時期（法36①・③、基通36-4）

	収入金額	計上時期
原則 権利確定主義 （記名） 剰余金配当、利益の配当、剰余金分配	収入すべき金額 （収入すべきことが確定した日に収益計上）	定めた効力を生ずる日
		効力を生ずる日を定めていないときは、支払についての**株主総会等の決議のあった日**
例外 現金主義 （無記名） 無記名の株式（私募公社債等運用投資信託の受益権及び社債的受益権を含む）の剰余金の配当 無記名の投資信託もしくは特定受益証券発行信託の受益権に係る収益の分配 源泉徴収選択口座内配当	支払を受けた金額	実際に**支払を受けた日**
投資信託及び 特定受益証券発行信託 権利確定主義	収入すべき金額 （収入すべきことが確定した日に収益計上）	信託期間中のものは収益**計算期間満了の日**、信託の終了や一部解約によるものは、その終了又は解約の日

(3) **投資信託及び特定受益証券発行信託の収益の分配**の収入金額の計上の時期は，①信託期間中のものは，**収益計算満了の日**，②信託の終了又は一部解約によるものは，その**終了又は解約の日**とする。

3 株式などを取得するための負債の利子

配当所得の収入金額から控除する**元本の取得のために要した負債の利子**（借入金で株を買い，支払った利子）の額は，その年中における**元本の所有期間に対応する金額**による（令58①）。

$$\text{その年中に支払った負債の利子} \times \frac{\text{その負債により取得した株式等の保有月数}}{12} \quad \begin{pmatrix}\text{1か月未満の端数は} \\ \text{1か月として計算する}\end{pmatrix}$$

なお，負債によって取得した株式等を保有している限り，上記の算式によって計算した負債利子の額は，他の株式等から生ずる配当収入からも控除することができる。また，無配の株式に係る負債の利子は，他の株式等に係る配当等からも控除できる。

分離課税となる配当所得の元本を取得するために要した負債の利子は，収入金額から控除できない。

また，確定申告をしない**申告不要となる配当所得**の元本を取得するための負債の利子も，収入金額から差し引くことはできない。

同一銘柄の株式等を取得するために要した負債の利子は，同一銘柄の株式等の配当等のなかに，総合課税されるものと，申告不要を選択したものとがあるときには，下記の算式により負債の利子のうち，総合課税の配当等に係る部分について収入金額から控除する。

$$\begin{pmatrix}\text{同一銘柄の株式等の取得に要した負債の利子で，配当のなかに総合課税されるものと申告不要のものがある}\end{pmatrix} = \begin{pmatrix}\text{同一銘柄の株式等の取得に要した負債利子で年中に支払う総額}\end{pmatrix} \times \frac{\text{分母のうち総合課税の配当等の収入金額（税引前）}}{\text{その株式等で年中に収入すべき日が到来した配当収入合計額（税引前）}}$$

第3節 配当所得の課税制度

　上場株式等の配当（平成26年1月からは**15%**の所得税の源泉徴収税率，15%×2.1%＝0.315%の復興源泉徴収特別所得税の源泉徴収税率），公募証券投資信託の収益分配金（平成26年1月からは15%の所得税の源泉徴収税率，15%×2.1%＝0.315%の復興源泉徴収特別所得税の源泉徴収税率），上場株式等の譲渡益（平成26年1月からは15%の所得税の源泉徴収税率）についても，源泉徴収のみで課税が完了する仕組が導入された。

　これは，将来の利子・配当・株式譲渡益に対する課税の一体化を視野に入れたものである。

1　配当所得に対する源泉徴収税率（措法9の3，法181，182，復興財源確保法28①・②）

配当所得に対する源泉徴収税率は，以下の区分により行われている。

① 原則として支払を受ける一定の配当等については，所得税の源泉徴収税率を所得税**20%**（復興特別所得税込みで20%**所得税**＋20%×2.1%**復興特別所得税**＝**20.42%**）にする（未上場株式の配当，個人の大口株主の上場株式等の配当，私募証券投資信託（未上場），剰余金の分配，特定投資法人以外の投資法人投資口（未上場）の配当など）。

② **上場株式等の配当等**（金融商品取引所で上場されている株式の配当等（持株割合が3%未満，公募証券投資信託の受益権の収益の分配，特定株式投資信託の受益権の収益の分配，外国金融商品市場で売買されている株式等の配当等）に係る源泉徴収税率は，所得税**15%**（復興特別所得税込みで15%**所得税**＋15%×2.1%**復興特別所得税＝15.315%**）（住民税5%）の税率を適用する（措法9の3，附則68）（図表2－4）。

　このように**上場株式等の配当**については，申告不要も選択できる。

```
┌─────────────────────────────────────────────┐
│ 1  金融商品取引所に上場されている上場株式の配 │   《上場株式等の配当所得》
│    当（個人の大口株主（株主等所有割合が3％以上）│
│    を除く）                                    │
│ 2  店頭売買登録銘柄として登録された株式の配当 │   源泉徴収所得税        15％
│    （個人の大口株主を除く）                    │   源泉徴収復興特別所得税
│ 3  公募証券投資信託の収益の分配               │                       0.315％
│ 4  特定株式投資信託の収益の分配               │   住民税               5％
│ 5  特定投資法人の投資口及び上場投資法人投資   │
│    口（注）の配当等                            │
│ 6  外国金融商品市場で売買されている株式等     │
│ 7  公募特定受益証券発行信託に係る配当所得     │
│ 8  公募社債的受益者に係る配当所得             │
└─────────────────────────────────────────────┘
```

（注）持株割合，出資割合が3％未満の配当等

```
┌─────────────────────────┐
│ 未上場株式等の配当       │    《未上場株式等の配当所得》
│ 上場株式等の配当（大口株主）│   源泉徴収所得税        20％
│ 私募証券投資信託（未上場）の収益│ 源泉徴収復興特別所得税 0.42％
│ の分配等                │    住民税               0％
└─────────────────────────┘
```

③　私募公社債等運用投資信託及び社債的受益権に係る特定目的信託の配当等については，源泉徴収所得税率は15％（源泉徴収特別所得税率0.315％）を適用する。支払の際15.315％の税率により源泉徴収され，それだけで課税関係が終了する源泉分離課税となる（措法8の2）。

（注）　上記①②③の中で源泉徴収される所得税額が15％（復興特別所得税込みで15％＋15％×2.1％＝15.315％）のときは，地方税は5％が源泉徴収される。
　　　平成26年1月1日から平成49年12月31日までの期間に支払われる配当等については，所得税の源泉徴収税額の2.1％の復興特別所得税が源泉徴収される（復興財源確保法28）。

2　確定申告を要しない配当所得　（申告不要制度）

　法人から支払を受ける配当等（私募公社債等運用信託及び社債的受益権に係る特定目的信託の収益の分配で，源泉分離課税の適用があるものを除く）で以下に掲げるものについては，確定申告の際，総所得金額に算入しないことを選択することがで

きる（措法8の5）。これを**申告不要**という。つまり，総合課税と申告不要を選択できる。

申告不要の対象となるのは，以下のものである（措法8の5）。

① 内国法人から支払を受ける**上場株式等の配当（個人の大口株主）や上場していない株式等の配当（未上場株式等の配当）**等（②から⑨を除く，未上場株式等の配当等とは，金融商品取引所に上場されていない株式等の配当等，私募証券投資信託の受益権の収益の分配等をいう）で，その内国法人から1銘柄につき1回に支払を受けるべき金額が**10万円**（配当計算期間1年未満のときは10万円に配当金等の計算期間の月数を乗じてこれを12で除して計算した金額）**以下である**もの（少額配当）

② 内国法人から支払を受ける**上場株式等**の配当で個人の**大口株主等が，内国法人から支払を受けるもの以外のもの**（③から⑤を除く）（上限なし）

③ **公募証券投資信託**（公社債投資信託以外の証券投資信託で公募で募集したもの，特定株式投資信託を除く）**の収益の分配**に係る配当等（上限なし）

④ **特定株式投資信託の収益の分配**に係る配当等（上限なし）

⑤ **特定投資法人から支払を受けるべき投資口の配当等**（上限なし）

⑥ 公募特定受益証券発行信託に係る配当所得

⑦ 公募社債的受益権に係る配当所得

⑧ 店頭売買銘柄として登録された株式又は出資に係る配当所得

⑨ 外国金融市場で売買されている株式等に係る配当所得

（注1） **大口株主等**とは，内国法人の発行済株式の総数等の**3％以上**に相当する株式で少額配当のとき，申告不要の適用がある。

（注2） ②でいう上場株式等の範囲は，上場株式等を譲渡した場合の譲渡所得等の課税特例（軽減税率）の上場株式と同じである。

（注3） 「**特定投資法人**」とは，投資口（株式）の募集が不特定多数の人を対象とするもので，中途払戻しが認められる投資法人である。それ以外の投資法人は私募投資法人である。

「**投資法人**」とは，資産を主として特定資産（不動産や有価証券等）に投資して運用するために設立した社団である。「投資口」とは，投資法人の社員の地位で均等に細分化されたものをいう。この投資口は株式に含まれる。

（注4） 外国法人から支払を受ける配当等について，1回に支払を受ける金額が10

万円以下であるか否かは、収入金額から外国所得税額を控除した残額により判定する（措法8の3，9の2）。

また、**申告不要の対象とならない配当等**は、以下の①から⑥のものである（措令4の3①）。これは、源泉分離となるものと国外で支払われているものである。

① **私募公社債等運用投資信託**及び**社債的受益権に係る特定目的信託**（措置法第8条の2第1項）の収益の分配に**係る配当等**（申告分離をとった場合）
② 国内において発行された投資信託又は特定目的信託の受益証券（**社債的受益証券**）の収益の分配に係る配当（**国外**で支払われるものに限る）等
③ **国外**私募公社債等運用信託等の配当等
④ 措置法第8条の3第2項の**国外**投資信託等の配当等
⑤ 国内において発行された国内株式に係る配当で、**国外**において支払われるものに限る。
⑥ 措置法第9条の2第1項の**国外**株式の配当等（国内の支払取扱者を経由するもの及び国内に恒久的施設を有する非居住者が支払を受けるものを除く）

3 私募公社債等運用投資信託等の配当所得の源泉分離（源泉分離課税の特例）

居住者又は国内に恒久的施設を有する非居住者が、平成16年1月1日以後に国内で支払を受けるべき次の受益証券の収益の分配に係る配当（**私募公社債等運用信託の収益の分配と私募特定目的信託の社債的受益権の収益の分配**）等については、他の所得とは分離して支払を受けるべき金額に対し、15％の税率（復興特別所得税込みで15％（所得税）＋15％×2.1％（復興特別所得税）＝15.315％、地方税5％）による所得税の源泉徴収がなされ、それだけで課税関係が終了する**源泉分離課税**がとられる（措法8の2①）。

公募社債の受益権に係る配当等は、申告分離課税の方法により課税される。

（注）① 「**公募証券投資信託**」とは、公社債投資信託以外の証券投資信託で、不特定の多くの人々に受益証券を取得させることを目的とし、その設定に係る受益証

券の募集が金融商品取引法第2条第3項に規定する勧誘のうち同項第1号に掲げる一定の公募の場合に該当するもの（その受益証券の国外における募集にあっては，その勧誘に相当するもの）として一定の方法により行われた証券投資信託をいう。特定株式投資信託を除く。

② 「**私募証券投資信託**」とは，証券投資信託のなかでも特定の少数の人々に受益証券を取得させることを目的としているものをいう。

③ 「**特定株式投資信託**」とは，信託財産を特定の銘柄の株式のみに対する投資として運用することを目的とする証券投資信託のうち，その受益証券が証券取引所（金融商品取引所）に**上場**されているもので，特定の株価指数に連動して運用すること等一定の要件を満たすものをいう（特定の株価指数として東証株価指数，日経平均株価等が定められている）。特定株式投資信託は，その運用は株式の売買よりも収益の分配がほとんどであり，株式の配当を意味するため，株式の配当として課税される。

④ 「**社債的受益権に係る特定目的信託**」とは，その信託契約に資産流動化法第230条1項第4号に掲げる条件が付されている特定目的信託の同号に規定するあらかじめ定められた金額の分配を受ける種類の受益権に係る受益証券をいう（措令2，措規2の3）。

4 申告分離課税制度

支払を受ける以下の**上場株式等の配当等に係る配当所得**（大口株主の配当所得は含まれない）に対しては，その者の選択により，総合課税に代えて他の所得から区分して，その年中に支払を受ける**上場株式等に係る配当所得の金額**（平成28年以後にその年中に上場株式等の配当等に係る利子所得の金額がある場合は，利子所得の金額との合計額，損益通算及び純損失の繰越控除の適用はないものとする。また，上場株式等の譲渡損失との損益通算及び繰越損失の控除の適用及び雑損失の繰越控除の適用がある場合は適用後の金額）から所得控除額を控除した金額（**上場株式等に係る課税配当所得の金額**）に対して15％の所得税率，復興特別所得税率0.315％の税率により所得税の課税を受けることができる（措法8の4）。これを**申告分離課税**という。上場株式等の配当所得については，総合課税か申告分離を選択しなければならない。

ただし，上場株式等の配当所得に対しては，　2　の申告不要の適用を受けることもできる。さらに，上場株式等の配当所得に対して総合課税の方法により申告している場合には，この申告分離課税は適用されない。

《上場株式等の配当所得》

> 1　金融商品取引所に上場されている上場株式の配当（個人の大口株主（株主等所有割合が３％以上）を除く）
> 2　店頭売買登録銘柄として登録された株式の配当（個人の大口株主を除く）
> 3　公募証券投資信託の収益の分配
> 4　特定株式投資信託の収益の分配
> 5　特定投資法人の投資口及び上場投資法人投資口(注)の配当等
> 6　外国金融商品市場で売買されている株式等
> 7　公募特定受益証券発行信託に係る配当等
> 6　公募社債的受益権に係る配当等

（注）持株割合，出資割合が３％未満の配当等

　上記のように，**上場株式等に係る配当所得に対して申告分離課税**の適用を受ける場合は，その年中に特定譲渡した上場株式等に係る譲渡損失及びその年の前年以前３年以内に生じた特定譲渡した上場株式等の繰越損失がある場合，申告を要件として，その年中の上場株式等に係る配当所得の金額の範囲内で，その年分の上場株式等に係る配当所得の金額から，その年の**上場株式等の譲渡損失**の金額，前年以前の３年以内に生じたその特定譲渡した**上場株式等の繰越損失の金額**という順に控除できる（措法37の12の２①・⑤）。上場株式等に係る配当所得に対して総合課税の適用を受ける場合は，上場株式等の譲渡損と損益通算はできない。

　平成28年１月１日から，**上場株式等の譲渡損失及び配当所得**（申告分離適用）との損益通算の対象に，**特定公社債等の利子所得及び特定公社債等の譲渡所得等**をプラスした。これらの**所得間の損益通算**ができることになる。

　平成28年１月１日以後に特定公社債等の譲渡により生じた損失金額のうち，その年に上記の所得間の損益通算をしても控除しきれない損失については，翌年以後３年間にわたり，特定公社債等の利子所得等及び譲渡所得等並びに上場株式等の配当所得（申告分離適用）及び譲渡所得等から**繰越控除**できる。

（申告分離のみ）

```
┌─────────────────────┐         ┌──────────────────────────────────┐
│ 上場株式等に係る譲渡損失 │  ⇒    │ 上場株式等の**申告分離**で計算した**配当所得** │
└─────────────────────┘         │ の金額と**損益通算**できる（総合課税を選択 │
                                 │ したときは損益通算できない）。        │
                                 └──────────────────────────────────┘
損益通算できる対象に
┌──────────────────────────────────────────┐
│ 平成28年1月1日以後に支払を受ける**特定公社債等の利** │
│ **子所得等**及び平成28年1月1日以後の譲渡による**特定公**  ◄
│ **社債等の譲渡所得等**を加える。                     │
└──────────────────────────────────────────┘
```

〈図表2－5〉配当課税制度

	種　　類	課税方法	源泉税率	平成26年1月～
①	イ　上場株式等の剰余金配当 　　（個人の大口株主を除く（注1）） ロ　特定株式投資信託の収益の分配 　　私募証券投資信託（上場投信）の収益の分配	総合課税 又は申告不要 又は申告分離 （上限なし） 申告分離のみ上場株式の譲渡損失と損益通算可	所得税 住民税	15% (15.315%) 5%
②	イ　上場株式等の剰余金配当 　　（個人の大口株主） ロ　未上場株式の配当等 ハ　私募証券投資信託受益権の収益の分配（未上場投信） ニ　剰余金の分配 ホ　特定投資法人の投資口以外の投資法人の投資口の配当（未上場） ヘ　特定受益証券発行信託（未上場等）	総合課税 又は申告不要 （1銘柄1回 10万円以下） （少額配当） （注2，3）	所得税 住民税	20% (20.42%) 0%
③	イ　公募証券投資信託の収益の分配（特定株式投資信託を除く） ロ　特定投資法人の投資口の配当等 ハ　上場投資法人投資口の配当	総合課税 又は申告不要 又は申告分離 （上限なし）	所得税 住民税	15% (15.315%) 5%

（注1）　大口株主とは，内国法人の発行済株式の総数等の3％以上に相当する株式等を有する者である。
（注2）　少額配当は，配当計算期間が1年未満のときは10万円に配当金等の計算期間の月数を乗じて，これを12か月で除して計算する。
（注3）　配当計算期間とは，当該配当等の直前に，法人から支払を受けた配当等の支払基準日の翌日から，その法人から支払を受ける当該配当等の支払基準日まで

の期間である。12か月を超えるものは12か月とする。1か月未満の端数は1か月とする。
(注4) 平成26年1月1日から支払われるべき配当等については，表にある所得税源泉税率の2.1％の復興特別所得税が源泉徴収される。（ ）の％は，復興特別所得税を含む。
(注5) 総合課税と申告分離課税を選択したときは，その配当所得は，扶養控除等の判定の基礎となる合計所得金額に含まれる。

5 特定口座制度――源泉徴収選択口座内上場株式等の配当等の所得計算

源泉徴収選択口座を有する居住者が**源泉徴収選択口座内配当等受入開始届出書**の提出をした場合は，**源泉徴収選択口座内の上場株式等の配当等に係る配当所得の金額**は他の配当等に係る利子所得の金額及び配当所得の金額と区分して配当所得の金額を計算する（措法37の11の6①・②）。この金融商品取引業者等（証券会社等）と締結した上場株式配当受託委任契約に基づき源泉徴収選択口座内に受け入れられた上場株式等の配当等のことを**源泉徴収選択口座内配当等**という。

この計算は，平成22年1月1日以後支払を受ける**上場株式等の配当等**に適用する（平成20年措法附則46）。平成28年分以後は，**上場株式等の配当等の範囲**に，**特定公社債，公募公社債投資信託等**が加えられた。

〈図表2－6〉源泉徴収選択特定口座制度の仕組

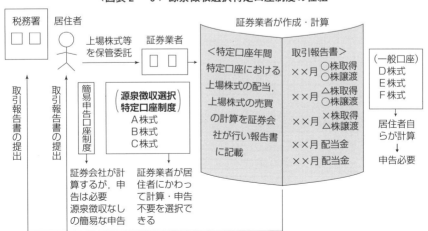

(注) ① 「**特定口座**」とは,居住者が金融商品取引業者等の営業所に「**特定口座開設届出書**」を提出して,金融商品取引業者等との間で締結した上場株式等保管委託契約等に基づき設定された上場株式等の保管の委託に係る口座をいう(措法37の11の3③一)。

(注) ② 「**特定口座年間取引報告書**」は金融商品取引業者等が作成するもので,特定口座において処理された上場株式等の譲渡又は上場株式等の配当等を計算し,記載した報告書である。一通は特定口座を開設する証券取引業者等の営業所の所在地の所轄税務署長に提出し,もう一通はその特定口座を開設した居住者に交付しなければならない(措法37の11の3⑦,措規18の13の5)。

《特定口座年間取引報告書》

6 特定口座制度——源泉徴収選択口座内における上場株式等の配当等の源泉徴収の特例

(1) 居住者等と上場株式配当等受領委任契約に基づき，源泉徴収選択口座において，上場株式等の配当等の交付をする金融商品取引業者等は，この交付の際，交付金の15％の源泉所得税及び0.315％の源泉復興特別所得税の税率で計算した金額の所得税を源泉徴収し，徴収した日の属する年の翌年の1月10日までに国に納付する（措法9の3の2，37の11の6，平成20年措法附則33）。

(2) その年に源泉徴収選択口座内に**上場株式等の譲渡につき譲渡損失が生じている場合**（**特定口座内保管上場株式等の譲渡**による事業所得の金額，譲渡所得の金額及び雑所得の金額の計算上生じた損失金額）は，源泉徴収選択口座内配当等と，その上場株式等に係る譲渡損失を損益通算し，損益通算後の上場株式等の配当等に対して，源泉徴収すべき所得税額は，以下の算式で再計算した金額とする（措法37の11の6，平成22年分以後適用）。

〈上場株式等に係る譲渡損失がないときの源泉徴収所得税〉

$$\boxed{源泉徴収選択口座内配当等} \times 15.315\%$$

（平成26年以後：源泉所得税15％，源泉復興特別所得税0.315％　他に住民税5％の特別徴収がある）

〈源泉徴収選択特定口座内の上場株式等に係る譲渡損失があるときの源泉徴収所得税〉

$$\left(\boxed{源泉徴収選択口座内配当等の額の総額} - \boxed{その源泉徴収口座内における上場株式等に係る譲渡損失の額}\right) \times 15.315\%$$

（損益通算した後の金額を配当等とみなし源泉徴収）

（平成26年以後：源泉所得税15％，源泉復興特別所得税0.315％　他に住民税5％の特別徴収がある）

この場合，金融商品取引業者等が，上場株式等の配当等の交付の際に，既に源泉徴収した所得税額が上記の計算式で再計算した金額を超えるときは，その超える金額は還付される（措法37の11の6）。

(3) 配当等の申告不要制度の特例

　源泉徴収選択口座内の配当等についての**申告不要制度**は，源泉徴収選択口座ごとに選択できる（措法8の5①・④，9の3の2④，37の11の6⑨・⑩）。

　源泉徴収選択口座において，源泉徴収選択口座内配当等と損益通算をした上場株式等に係る譲渡損失がある場合，特定口座内保管上場株式等に係る譲渡所得等の**申告不要制度**の適用を受けない場合には，源泉徴収選択口座内配当等に係る利子所得の金額及び配当所得の金額に対しては，配当所得金額について，**申告不要制度**の規定（措法8の5）は適用されない。

〈図表2－7〉源泉徴収選択特定口座内配当と課税方法

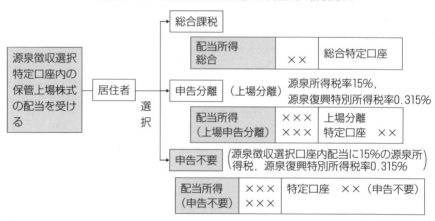

7　非課税口座制度（NISA）

(1) 配当所得の非課税措置

　個人（20歳以上（2023年1月1日以後は18歳以上）である者に限る）が**非課税口座**（平成26年1月から平成35年12月までの10年間に金融商品取引業者等の営業所長に非課税口座届出書を提出して開設したものに限る）を開設し非課税管理勘定を設け，非課税管理勘定を設けた日の年の1月1日から5年を経過する日までの間に支払を受けるべきその**非課税口座**内に係る**非課税口座内上場株式等**（非課税口座内**上場株式等**には，金融商品取引所に上場されている株式等，公募証券投資信託の受益権，

特定株式の受益権，外国金融商品市場で売買されている株式等がある）**に係る配当所得**及び譲渡所得については非課税とする。平成28年1月1日以後に非課税口座内に設けられる非課税管理勘定については，非課税管理勘定に受け入れることができる上場株式等の取得対価の額の合計額が毎年120万円に引き上げられた。非課税とされる期間は最長5年なので，5年間で600万円が非課税対象投資額となる（措法9の8）。

(2) **譲渡所得及び配当所得の非課税措置**

居住者が非課税口座に非課税管理勘定を設けた日の属する年の1月1日から5年内に，その非課税口座に係る非課税口座内上場株式等の金融商品取引業者等への売委託等により譲渡した場合には，他の株式等の譲渡による譲渡所得等の金額とは区分し，**非課税口座内上場株式等に係る**譲渡所得等については，所得税及び住民税を課さない。

非課税口座内上場株式等の譲渡による損失金額は，ないものとする。

住居者が非課税口座に非課税管理勘定を設けた日の属する年の1月1日から5年内に支払を受けるべき非課税口座内上場株式等の配当等がある場合は，所得税及び住民税は課さない。

(3) **非課税口座**

「**非課税口座**」とは，居住者等（その年1月1日において満20歳以上である者に限る）が，上記(1)・(2)の非課税の適用を受けるため，金融商品取引業者等の営業所に対し，その者が最初に非課税口座を開設しようとする年の前年10月1日から開設年の9月30日までに，その者の氏名，住所等を記載した**非課税口座開設届出書**に**非課税口座開設確認書**を添付して提出することにより各年において設定された上場株式等の振替記載等に係る口座（1人につき**1年1口座に限る**）をいう。

(4) **新NISA**

一般NISAは，現行の口座開設可能期間（令和5年12月31日）の終了により，終了にあわせて新たな制度に改組される（「新しいNISA」），つみたてNISAとの選択により適用することができるようになった。

新・NISAの仕組みは，2階建てとなり，原則として，**1階部分**（特定累積投資勘定）を設定した場合のみ，**2階部分**（特定非課税管理勘定）を設定することができる。現行の一般NISAの利用者や，投資経験者が2階部分で上場株式のみに投資する場合は，金融証券取引業者等への届出により，2階部分のみの口座開設が可能となる予定である。

1階部分の投資対象は，つみたてNISAと同様となり，定期的かつ継続的な買付契約による投資が必要となる。投資上限は年間20万円となり，5年間で最大100万円となる。終了後は，つみたてNISAへ移行できる。

2階部分の投資対象は，現行の一般NISAの投資対象のうち，安定的な資産形成に不向きと考えられる高レバレッジ投資信託が除外される。投資上限は年間102万円となり，5年間で最大510万円となる。

つみたてNISA（非課税累積投資契約に係る非課税措置）の口座開設可能期間が，令和24年12月31日まで5年間延長される。

(5) 非課税口座を開設する金融機関の変更

平成27年1月1日以後，すでに非課税口座を開設している居住者等が，その非課税口座以外の非課税口座へ非課税管理口座を設けようとする場合には，その非課税口座にその非課税管理口座が設けられる日の属する年の前年10月1日から同日後1年を経過する日までの間に，金融商品取引業者等の営業所の長に，金融商品取引業者等変更届出書（変更届出書という）を提出しなければならない。この場合において，すでにその非課税管理勘定に上場株式等の受入れをしているときは，その変更届出書は受理されない。

変更届出書の提出があった場合において，その変更届出書に係る非課税管理勘定がすでに設けられているときは，その非課税管理勘定は変更届出書の提出があった日に廃止される。また，次の(6)の再設定手続による場合を除き，変更届出書の提出があった日の属する年の翌年以後の非課税管理勘定設定期間の各年においては，その非課税管理勘定が設けられていた非課税口座には，新たに非課税管理勘定を設けることはできない。

(6) 非課税口座の再開設又は非課税管理勘定の再設定の手続

　平成27年1月1日以後，非課税口座の再設定をしようとする居住者等は，非課税口座開設届出書に廃止通知書（上記(5)の非課税管理勘定廃止通知書又は非課税口座廃止通知書をいう）を添付して再開設しようとする年の前年10月1日から同日後1年を経過する日までの間に，その金融商品取引業者等の営業所の長に提出しなければならない。

　すでに非課税口座を開設している居住者等が非課税管理勘定の再設定をしようとする場合には，再設定をしようとする年の前年10月1日から同日以後1年を経過する日までの間に，廃止通知書をその金融商品取引業者等の営業所の長に提出しなければならない。

(7) 海外移転者への対応

　平成31年度税制改正大綱によれば，NISA口座保有者が海外転勤等により一時的に出国する場合等，日本を離れている間であっても引き続きNISA口座を利用できるように整備される。

　具体的には，非課税口座を開設している居住者等が一時的な出国により居住者等に該当しないこととなる場合の特例措置として，居住者等が出国の前日までに「継続適用届出書」を金融機関へ提出したときは，出国から「帰国届出書の提出日」と「継続適用届書の提出日から5年経過日の属する年末」のいずれかの早い日までの間は，居住者等とみなされて，特例措置の適用を受けることが可能となる。

(8) 成人年齢引下げへの対応

　成人年齢を20歳から18歳へ引き下げることとする民法改正が，令和4年（2022年）4月1日から施行されることに対応し，NISA口座を開設することができる年齢要件が，その年1月1日において18歳以上（改正前：20歳以上）へ引き下げられる。

　また，ジュニアNISAについても，未成年者口座の開設並びに非課税管理勘定及び継続管理勘定の設定をすることができる年齢要件が，その年1月1日において18歳未満（改正前：20歳未満）へ引き下げられる。

[NISA制度の利用年齢]

制度		改正前	改正後
NISA	一般NISA	20歳以上	18歳以上
	つみたてNISA	20歳以上	18歳以上
ジュニアNISA		20歳未満	18歳未満

（日本証券業協会資料）

8 未成年者の非課税口座制度（ジュニアNISA）

ジュニアNISA制度は，高齢者の所有する金融資産を若年層に移し，若年層の投資を拡大する目的で創設された制度である。

(1) 非課税措置の概要

平成28年1月1日以後に，金融商品取引業者等の営業所に未成年者口座を開設している居住者又は（国内に）恒久的施設を有する非居住者（居住者等という）が，次に掲げる未成年者口座内上場株式等の区分に応じ，それぞれ次に定める期間内に支払を受けるべきその**未成年者口座内上場株式等の配当等**（その金融商品取引業者等が支払の取扱者であるものに限る）がある場合の配当所得及びその期間内に売委託等の方法により譲渡したその**未成年者口座内上場株式等の譲渡所得等**については，所得税は課されない（措法9の9①，37の14の2①）。

① 非課税管理勘定に係る未成年者口座内上場株式等

未成年者口座に非課税管理勘定を設けた日から同日の属する年の1月1日以後5年を経過する日までの期間

② 継続管理勘定に係る未成年者口座内上場株式等

未成年者口座に継続管理勘定を設けた日からその未成年者口座を開設した者がその年1月1日において20歳である年の前年12月31日までの期間

〈図表2－8〉未成年者非課税口座制度（ジュニアNISA）

ジュニアNISA	対象	20歳未満の人が開設 ジュニアNISA口座内の上場株式等の配当，譲渡益
	年間投資上限	80万円
	非課税期間	5年間
	非課税投資 総額上限	400万円（80万円×5年）（年間80万円まで）

（注）① 「**非課税管理勘定**」は，平成28年から令和5年までの各年（その未成年者口座を開設している者が，その年1月1日において20歳未満である年及び出生した日の属する年に限る）に設けることができることとし，**毎年80万円を上限**に新たに取得した上場株式等及び同一の未成年者口座の他の非課税管理勘定から移管される上場株式等を受け入れることができる（措法37の14の2⑤二ロ，三）。非課税管理勘定の設定期間（平成28年から令和5年まで）を延長せずに終了することとし，令和6年1月1日以後は課税未成年者口座及び未成年者口座内の上場株式等及び金銭の全額について源泉徴収を行わずに払い出すことができる。

② 「**継続管理勘定**」は，令和6年から令和10年までの各年（その未成年者口座を開設している者が，その年1月1日において20歳未満である年に限る）に設けることができることとし，**毎年80万円を上限**に，同一の未成年者口座の非課税管理勘定から移管される上場株式等を受け入れることができる（措法37の14の2⑤二ハ，四）。

③ 上記の①・②の80万円を上限に，新たに取得した上場株式等についてはその取得対価の額により，非課税管理勘定から移管される上場株式等についてはその**移管の時の価額（時価）**により判定する。

④ 「**未成年者口座**」とは，居住者等（その年1月1日において20歳未満である年及びその年に出生した者に限る）が，本特例の適用を受けるため，金融商品取引業者等の営業所の長に対し，その者の氏名，住所及び個人番号等を記載した未成年者口座開設届出書に未成年者非課税適用確認書又は未成年者口座廃止通知書を添付して提出することにより平成28年から平成35年までの間に開設した口座（1人につき1口座に限る）をいう（措法37の14の2⑤一）。

未成年者口座で管理されている上場株式等につき支払を受ける配当等及びその上場株式等を譲渡した場合におけるその譲渡の対価に係る金銭その他の資産については，一定のものを除き，**課税未成年者口座**において管理されなければならない（措法37の14の2⑤二ヘ(3)）。

⑤ 「**課税未成年者口座**」とは，居住者等が未成年者口座を開設している金融商

品取引業者等の営業所（その金融商品取引業者等の関連会社の営業所を含む）に開設した特定口座，預貯金口座又は預り金の管理口座をいう（措法37の14の2⑤五）。

(2) ジュニアNISAの終了等

① 終　了

ジュニアNISA（未成年者口座内の少額上場株式等に係る配当所得及び譲渡所得等の非課税措置）は，令和5年12月31日の期限で終了となる。

② 払出制限の解除

ジュニアNISAの終了にあわせ，令和6年1月1日以後は，課税未成年者口座及び未成年者口座内の上場株式等及び金銭の全額について，源泉徴収を行わずに払い出すことができる。

③ 提出書類の電子化

以下に掲げる書類については，電磁的方法により，これらの書類に記載すべき事項を記録した電磁的記録を提供できる。

(イ)　未成年者口座廃止届出書

(ロ)　出国移管依頼書

(ハ)　未成年者口座を開設している者の帰国に係る届出書

(ニ)　未成年者出国届出書

(ホ)　未成年者口座移管依頼書

(ヘ)　未成年者口座開設者死亡届出書

非課税口座制度（NISA）

<table>
<tr><td rowspan="4">非課税口座制度NISA</td><td>対　象</td><td>対象者はその年1月1日おいて20歳以上の者
非課税口座内の上場株式等（上場されている株式等，公募証券投資信託の受益権，特定株式投資信託の受益権，金融商品取引所に上場されている株式等）に係る配当所得及び譲渡所得等は非課税</td></tr>
<tr><td>（非課税口座を開講できる期間）
非課税投資期間</td><td>10年間（平成26年1月から令和5年12月）</td></tr>
<tr><td>非課税期間</td><td>（最長5年間）</td></tr>
<tr><td>非課税投資総額上限</td><td>120万円×5年間＝600万円（年間120万円まで）</td></tr>
</table>

非課税口座（新NISA）

<table>
<tr><td rowspan="7">非課税口座制度新NISA</td><td colspan="2">非課税投資期間</td><td>令和6年1月～令和10年12月</td></tr>
<tr><td rowspan="3">1階部分</td><td colspan="2">特定累積投資勘定（仮名）（定期的かつ継続的な買付契約）</td></tr>
<tr><td>投資対象</td><td>公募等株式投資信託（つみたてNISAと同じ）</td></tr>
<tr><td>投資上限</td><td>年20万円（5年間で100万円限度）</td></tr>
<tr><td rowspan="3">2階部分</td><td colspan="2">特定非課税管理勘定（仮名）
（原則として1階部分の口座開設が必要）</td></tr>
<tr><td>投資対象</td><td>一定の上場株式等
（一般NISAから高いレバレッジ投資信託等を除外）</td></tr>
<tr><td>投資上限</td><td>年102万円（5年間で510万円）</td></tr>
</table>

(参考) つみたてNISA (5年間延長)

令和5年末までにNISA利用をスタートすれば，20年間運用ができる。ただし，新NISAとの選択である。

つみたてNISA	非課税期間	20年間
	非課税投資上限	年40万円（20年間で800万円限度）
	投資対象商品	積立・分散投資に適した一定の公募株式投資信託等
	口座開設可能期間	平成30年1月1日から令和24年（2042年）まで

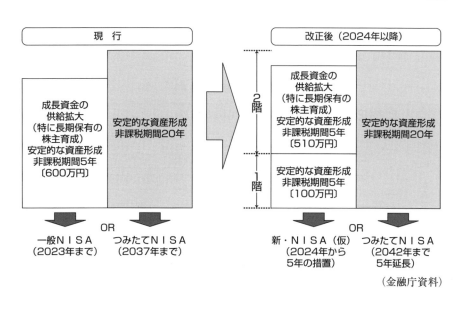

（金融庁資料）

〈図表2－9〉配当所得の課税方法（平成26年～）

種　　　類		源泉税率	金額判定	課税方法
剰余金の配当 利益の配当 剰余金の分配 基　金　利　息	②上場株式等の剰余金配当 （大口株主を除く） （注1）	（所得税） 15％ (15.315％) （住民税） 5％	上限なし	申告不要 ｝選択 総合課税 申告分離 （申告分離のみ上場株式の譲渡損失と損益通算可） （注3）
	①上　記　以　外 （大口株主が所有する上場株式） 未　上　場　株　式 剰　余　金　の　分　配 基　金　利　息	（所得税） 20％ (20.42％) （住民税） 0％	1銘柄1回 10万円以下 （配当計算期間が1年の場合） （少額配当） （注2）	申告不要 ｝選択 総合課税
			上記以外	総　合　課　税
証券投資信託の収益の分配	③公募証券投資信託の収益の分配 ④特定株式投資信託の収益の分配	（所得税） 15％ (15.315％) （住民税） 5％	上限なし	申告不要 ｝選択 総合課税 申告分離
	①私募証券投資信託受益権の収益の分配（未上場等投信）	（所得税） 20％ (20.42％) （住民税） 0％	1銘柄1回 10万円以下 配当計算期間が1年の場合 （少額配当）	総合課税 ｝選択 申告不要
			上記以外	総　合　課　税

（注1）　**大口株主**とは，持株割合が3％以上の株主をいう。
　　　　平成26年4月からは15％（所得税），5％（住民税）となる。
　　　　平成26年1月1日から支払われるべき配当等については，表にある所得税の源泉税率の2.1％の復興特別所得税が源泉徴収される。
　　　　（　）の％は復興特別所得税を含んでいる。
（注2）　**少額配当**は，配当計算期間が1年未満のときは，10万円に配当計算期間の月数を乗じて，これを12か月で乗じて計算した金額以下のときに，申告不要にできる。

$$10万円 \times \frac{配当計算期間の月数（1か月未満切上）}{12か月}$$

(注3) 配当所得を申告分離を選べば，上場株式の譲渡損失と損益通算ができる。配当控除はできない。
(注4) 総合課税が有利な人（申告有利な人）上場株式の配当は
　　　課税される課税所得金額が695万以下の人
　　　課税総税率20％－配控10％＝10％＜源泉徴収15％
　　　→　申告した方が有利
(注5) 上場株式等以外の少額配当は，課税所得額900万円未満で税率が23％の人は基本的に申告した方が得
　　　課税総税率23％－配控10％＝13％＜源泉税20％
　　　→　申告した方が有利
(注6) 上場株式等の配当は，課税所得額が900万円超1,000万未満の場合，
　　　課税総税率33％－配控10％＝23％＞源泉税15％
　　　→　申告しない方が有利　→　申告分離か申告不要が得
(注7) 総合課税と申告分離課税を選択したときは，その配当所得は，扶養控除等の判定の基礎となる所得金額に含める。
(注4)(注5)(注6)は，所得税のみで判定した。住民税も考慮すると若干異なる。

26年1月1日～

種　　類	源泉税率	金額判定	課税方法
私募公社債等運用投資信託の受益権及び私募特定目的信託の社債的受益権の収益の分配	（所得税） 15％（15.315％） （住民税） 5％		配当所得 （源泉分離）
公募公社債等運用投資信託の収益の分配	（所得税） 15％（15.315％） （住民税） 5％		利子所得 （申告分離） （申告不要）
特定投資法人投資口の配当 上場投資法人投資口の配当	（所得税） 15％（15.315％） （住民税） 5％	上限なし	配当所得 申告不要 総合課税　｝選択 申告分離
投資法人投資口（未上場）の配当	（所得税） 20％（20.42％） （住民税） 0％	1銘柄1回10万円以下配当計算期間が1年の場合（少額配当）	配当所得 申告不要　｝選択 総合課税

特定受益証券発行信託の収益の分配	上場等投信	（所得税） 15%（15.315%） （住民税） 5%	上限なし	配当所得 申告不要 総合課税　選択 申告分離
	未上場投信	（所得税） 20% （住民税） 0%	1銘柄1回 10万円以下 配当計算期間 が1年の場合 （少額配当）	配当所得 申告不要 総合課税　選択
私募証券投資信託の収益の分配 （上場等投信）		（所得税） 15%（15.315%） （住民税） 5%	上限なし	配当所得 申告不要 総合課税　選択 申告分離

（注1）　（　）の％は，復興特別所得税を含んでいる。
（注2）　公募特定目的信託の社債的受益権の収益の分配は，申告分離課税又は申告不要。

第4節 非課税となる配当所得

次に掲げる配当等は，非課税となる。

(1) オープン型の公募証券投資信託に係る収益調整金のうち元本払戻しに相当する**特別分配金**（令27）（元本払戻しに相当するため）
(2) 障害者等が非課税貯蓄申込書の提出等の手続をした元本350万円以下の公募公社債等運用投資信託の配当等（措法3の4）

(注) 特別分配金とは，収益の調整金のことで，オープン型証券投資信託に追加信託する者と，当初から受益者であった者との公平を保つための調整金であり元本払戻しに当たるため非課税とされている。新規に追加信託で購入する者は，元本に相当する部分と，当初の加入者が，いままで実現してきた収益に対応する部分（収益の調整金）を支払う。その後に収益の分配がされた時に，収益の調整金に当たる特別分配金が含まれていた場合は，購入時に支払った収益の調整金が戻ってきたのに過ぎず，元本払戻しに当たるため非課税とされている。

《計算Point》
1 配当所得となるもの

剰余金の配当，利益の配当，中間配当，剰余金の分配，基金利息，証券投資信託の収益の分配（公社債投資信託は除く，公社債投資信託以外の証券投資信託の収益の分配であり，具体的には，①公募証券投資信託の収益の分配，②特定株式投資信託の収益の分配，③私募証券投資信託の収益の分配がある），証券投資信託以外の投資信託の収益の分配（公募公社債等運用投資信託を除くもので，私募公社債等運用投資信託の収益の分配等がある），特定受益証券発行信託の収益の分配。

2 課税しないもの

(1) オープン型の公募証券投資信託の収益の分配のうちの特別分配金
(2) 元本350万円以下の老人等の証券投資信託の収益の分配
(3) 元本550万円以下の勤労者財産形成住宅貯蓄の収益の分配

⇒ 非課税

3 課税時期

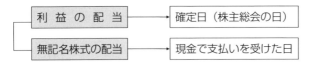

4 配当所得の課税方法

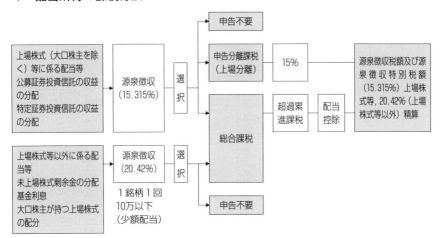

〈図表2－10〉配当所得の課税方法（平成26年～）

種　類		源泉税率	金額判定	課税方法
剰余金の配当 利益の配当 剰余金の分配 基金利息	②上場株式等の剰余金配当 （大口株主を除く）	（所得税） 15％ (15.315％) （住民税） 5％	上限なし	申告不要　］ 総合課税　　選択 申告分離　］ （申告分離のみ上場株式の譲渡損失と損益通算可）
	①上記以外 （大口株主が持つ上場株式） 未上場株式の配当等 剰余金の分配 基金利息	（所得税） 20％ (20.42％) （住民税） 0％	1銘柄1回 10万円以下 配当計算期間が1年の場合 （少額配当）	申告不要　］選択 総合課税　］
			上記以外	総合課税
証券投資信託の収益の分配	③公募証券投資信託の収益の分配 ④特定株式投資信託の収益の分配	（所得税） 15％ (15.315％) （住民税） 5％	上限なし	申告不要　］ 総合課税　　選択 申告分離　］
	①私募証券投資信託の収益の分配 （未上場等投信）	（所得税） 20％ (20.42％) （住民税） 0％	1銘柄1回 10万円以下 配当計算期間が1年の場合 （少額配当）	総合課税　］選択 申告不要　］
			上記以外	総合課税

（注1）　**大口株主**とは，持株割合が3％以上の株主をいう。
　　　　平成26年1月からは15％（所得税），5％（住民税）となる。
　　　　平成26年1月1日から支払われるべき配当等については，表にある所得税の源泉税率の2.1％の復興特別所得税が源泉徴収される。
　　　　（　）の％は，復興特別所得税込みの所得税の源泉税率である。
（注2）　**少額配当**は，配当計算期間が1年未満のときは，次の金額以下の配当について申告不要にできる。

$$10万円 \times \frac{配当計算期間の月数（1か月未満切上）}{12か月}$$

（注3）　総合課税と申告分離課税を選択したときは，その配当所得は，扶養控除等の判定の基礎となる所得金額に含める。

種類		源泉税率	金額判定	課税方法
私募公社債等運用投資信託及び私募特定目的信託の社債的受益権収益の分配		(所得税) 15% (15.315%) (住民税) 5%		配当所得 (源泉分離)
公募公社債等運用投資信託の収益の分配		(所得税) 15% (15.315%) (住民税) 5%		利子所得 (申告分離) (申告不要)
特定投資法人投資口の配当 投資法人投資口（上場）の配当		(所得税) 15% (15.315%) (住民税) 5%	上限なし	配当所得 申告不要 総合課税　　選択 申告分離
投資法人投資口（未上場）の配当		(所得税) 20% (20.42%) (住民税) 0%	1銘柄1回10万円以下配当計算期間が1年の場合（少額配当）	配当所得 申告不要　選択 総合課税
特定受益証券発行信託の収益の分配	上場等	(所得税) 15% (15.315%) (住民税) 5%	上限なし	配当所得 申告不要 総合課税　　選択 申告分離
	未上場等	(所得税) 20% (20.42%) (住民税) 0%	1銘柄1回10万円以下配当計算期間が1年の場合（少額配当）	配当所得 申告不要　選択 総合課税
私募証券投資信託の収益の分配（上場等投信）		(所得税) 15% (15.315%) (住民税) 5%	上限なし	配当所得 申告不要　選択 総合課税

（注1） 私募公社債等運用投資信託の受益権に係る収益分配及び社債的受益権の収益の分配に係る配当所得は，源泉分離課税（所得税15％，地方税5％）とする（措法8の2）。

（注2） （図表2－5，2－6）の作成は野水鶴雄『要説所得税法』税務経理協会2012，pp.66－67）を参考にしている。

（注3） （ ）の％は復興特別所得税込みの所得税の源泉税率である。

（注4） 公募特定目的信託の社債的受益権の収益の分配は，申告分離課税又は申告不要。

《計算Pattern 1》上場株式等の申告分離がないケース（復興特別所得税を含む）

I　各種所得金額の計算

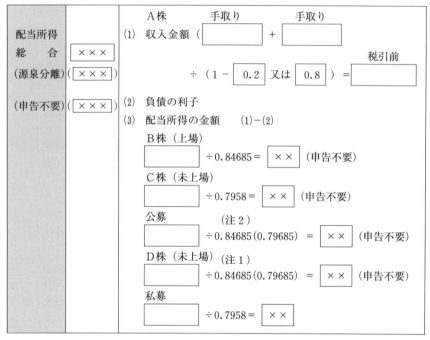

〈配当所得の金額〉

(注1)　上場株式等の配当等に係る源泉徴収税額は15％（所得税），5％（住民税）である。しかし，問題によっては，源泉所得税のみ控除されて出題される場合もある。税引前の出し方は，÷（1－ 0.15 又は 0.85 ）となる。

(注2)　オープン型公募証券投資信託については（ ×× －特別分配金）÷0.85＝
道府県民税（住民税）も合わせて控除しているときは ×× ÷0.8＝

(注3)　復興特別所得税を考慮すると，未上場株式等で源泉徴収税額と復興特別所得税控除後の金額で配当が表示された場合には，0.8のところは100％－20.42％＝79.58＝0.7958となる。 ×× ÷0.7958

上場株式等で源泉徴収税額と復興特別所得税控除後の金額で配当が表示された場合には，0.85のところは100％－15.315％＝84.685％＝0.84685となる。 ×× ÷0.84685

上場株式等で源泉徴収税額，復興特別所得税及び住民税控除後の金額で配当が表示された場合には，100％－15.315％－5％（住民税）＝79.685＝0.79685となる。 ×× ÷0.79685

V　納付税額の計算

源泉徴収税額	×××	配当所得の収入金額×20.42％＝ □
		注（15.315％）

（注）　上場株式等の配当に係る源泉所得税額は15％（復興特別所得税込みで15％＋15％×2.1％＝15.315％）である。申告不要の源泉徴収税額は含まれない。未上場等株式の配当に係る源泉所得税率は20％（復興特別所得税込みで20％＋20％×2.1％＝20.42％）である。

《税引後配当から税引前配当の金額への計算Point》

（上場株式等の配当等）（上場株式等，公募証券投資信託，特定株式投資信託等）

上場株式等の配当等の源泉徴収税額及び源泉徴収特別税額控除後の金額 ÷ 0.84685 ＝ 税引前の配当金額
（住民税を含むと0.79685）

（未上場株式等の配当等）（未上場株式等，私募証券投資信託，大口株主が持つ上場株式，剰余金の分配基金利息等）

未上場株式等の配当等の源泉徴収税額及び源泉徴収特別税額控除後の金額 ÷ 0.7958 ＝ 税引前の配当金額

《所得税及び復興特別所得税の計算Point》

（上場株式等の配当等）

配当所得の収入金額 × 15.315％ ＝ 所得税及び復興特別所得税の源泉徴収税額

（注）　申告分離，総合課税を選択し場合は，源泉徴収税額及び源泉徴収特別税の精算ができる。

（未上場株式等の配当等）

配当所得の収入金額 × 20.42％ ＝ 所得税及び復興特別所得税の源泉徴収税額

（注）　総合課税を選択した場合は，源泉徴収税額及び源泉徴収特別税額の精算ができる。

《計算Pattern 2》上場株式等の申告分離があるケース（復興特別所得税なし）

Ⅰ 各種所得の金額の計算		
配当所得		
総合	×××	＜総合＞
上場申告分離	×××	(1) 収入金額
（申告不要）	×××	A株 [手取り] ÷0.8 = ××× （申告不要）
		B株 [手取り] ÷0.8 = ×××
		(2) 負債の利子
		(3) 配当所得の金額　(1)−(2)= ×××
		＜上場申告分離＞上場
		(1) 収入金額
		C株 [手取り] ÷0.85（0.8）= ×××
		D株 [手取り] ÷0.85（0.8）= ×××
		(2) 負債の利子
		(3) 配当所得の金額　(1)−(2)= ×××
Ⅱ 課税標準の計算		
総所得金額	×××	利所＋配所（総合）＋不所＋事所＋給所＋総短＋雑所
上場株式等に係る配当所得等の金額	×××	＋（総長＋一時所）× $\frac{1}{2}$ = ×××
Ⅳ 課税所得金額の計算		
課税総所得金額	×××	[　　] −所得控除額= ×××（千円未満切捨）
上場株式等に係る課税配当所得等の金額	×××	
Ⅴ 納付税額の計算		
算出税額	×××	(1) 課税総所得金額
		[課税総] ×超過累進税率= ×××
		(2) 課税配当所得金額（上場分離）
		[上場株式等に係る課税配当所得等の金額] ×15%= ×××
配当控除	×××	課税総所得金額≦1,000万円
		∴ [総合課税された配当所得の金額] ×10%= ×××
源泉徴収税額	×××	[総合課税配当等収入] ×20%＋ [申告分離配当等収入] ×15%
		（未上場株式分）　　　　（上場株式分）

《計算Pattern 3》上場株式等の申告分離があるケース（復興特別所得税を含む）

I 各種所得の金額の計算			
配当所得			<非上場>
総合	×××		<総合>
上場申告分離	×××		<判定金額>
（申告不要）	(×××)		$100,000 \times \dfrac{12}{12} = 100,000$ （計算期間1年）

<非上場>
<総合>
<判定金額>
$100,000 \times \dfrac{12}{12} = 100,000$ （計算期間1年）
(1) 収入金額
　　A株 [　] ÷ 0.7958 = [×××]
　　B株 [　] ÷ 0.7958 = [×××]（申不）
(2) 負債の利子　　×××
(3) (1)－(2) = [×××]

<上場申告分離>
(1) 収入金額
　　C株 [　] ÷ 0.84685（0.79685）= [×××]
　　D株 [　] ÷ 0.84685（0.79685）= [×××]
(2) 負債の利子　　[×××]
(3) (1)－(2) = [×××]

摘要	金額	計算過程
II 課税標準の計算		
総所得金額	×××	利＋配(総合)＋不＋事＋給＋総短＋雑＋(総長＋一時)×$\dfrac{1}{2}$
上場株式等に係る配当所得等の金額	×××	＝ [×××]

摘要	金額	計算過程
IV 課税所得金額の計算		
課税総所得金額	×××	[×××] －所得控除額 = [×××]（千円未満切捨）
上場株式等に係る配当所得等の金額	×××	（　〃　）
		（　〃　）
		⋮

摘要	金額	計算過程
V 納付税額の計算		
算出税額	×××	(1) [課税総] ×超過累進税率 = [×××] (2) [上場株式等に係る課税配当所得等の金額] ×15% = [×××]
配当控除	×××	課総等≦1,000万 [総合課税された配当所得の金額] ×10% = [×××]
所得税及び復興特別所得税の源泉徴収税額	×××	[総合課税された配当等の収入金額] ×20.42% ＋ [申告分離課税された配当等の収入金額] ×15.315% （未上場株式分）　　　　（上場株式分） = [×××]

《計算例題1》配当所得の計算（上場株式で大口株主のケース）

福大太郎は、本年度中に次のような配当金を受け取っている。配当所得の金額を計算しなさい。

なお、総合課税を選択するものとする。次に掲げる金額を除外した課税総所得金額は2,000,000円である。なお、株式は上場株式であり、福大太郎は全ての株の大口株主である。全ての配当の計算期間は1年とする。

源泉徴収税率には、所得税、復興特別所得税を考慮している。

収入の種類	支払確定日	手取額	源泉徴収税額	本年対応分負債利子
株式会社からの利益の配当（記名式）	本年 9月30日	79,580円	20,420円（20.42%）	38,000円
株式会社からの利益の配当（記名式）	前年11月30日	95,496円	24,504円（20.42%）	――
株式会社からの利益の配当（記名式）	前年11月30日	127,328円	32,672円（20.42%）	――
株式会社からの利益の配当（記名式）	本年 6月30日	159,160円	40,840円（20.42%）	20,000円
株式会社からの利益の配当（記名式）	本年 9月30日	143,244円	36,756円（20.42%）	12,000円
株式会社からの利益の配当（無記名式）	前年 6月25日	238,740円	61,260円（20.42%）	120,000円

《解答欄》

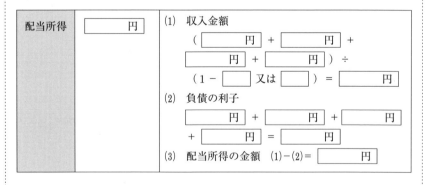

第Ⅱ編　各種所得の金額の計算　113

《解　答》

| 配当所得 | 590,000円 | (1) 収入金額
　　（ 79,580円 ＋ 159,160円 ＋ 143,244円 ＋ 238,740円 ）÷
　　（ 1 － 0.2042 ）又は（ 0.7958 ）
　　＝ 780,000円
(2) 負債の利子
　　 38,000円 ＋ 20,000円 ＋ 12,000円
　　＋ 120,000円 ＝ 190,000円
(3) 配当所得の金額　(1)－(2)＝ 590,000円 |

《計算例題２》配当所得の計算（上場株式で大口株主以外のケース）

　慶応　進には，本年度に以下の配当収入がある。本年の配当所得の金額を計算しなさい。株式は上場株式であり，慶応　進は大口株主ではないとする。なお，本年課税所得金額は10,000,000円とする。

イ　一橋㈱の利益の配当〔318,740円中間配当／159,370円決算配当〕

　　一橋㈱に対する持株割合は２％以下である。20.315％の源泉徴収税等（所得税15％，復興特別所得税0.315％，住民税５％）税引後の金額である。この配当計算期間は６か月である。

ロ　オープン型公募証券投資信託の収益の分配71,748円，これは20.315％（所得税15％，復興特別所得税0.315％，住民税５％を含む）税引後の手取額である。また，特別分配金8,000円が含まれている。なお，イ・ロとも申告不要にできるものは申告不要とする。

　　源泉徴収税率には，所得税15％，復興特別所得税0.315％，住民税５％を考慮している。

《解答欄》

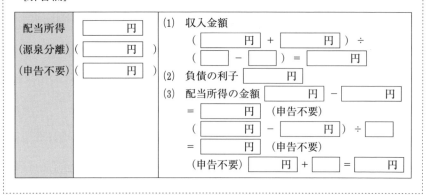

《解答》

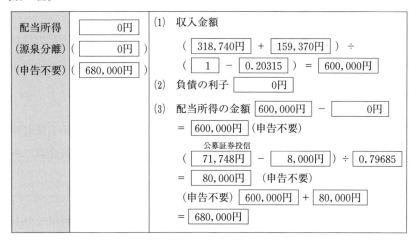

(注) 申告不要と総合課税の選択。

申告不要又は総合課税のどちらかを選択する場合，例として平成28年度は課税所得金額が10,000,000円ならば税率は33％であり，復興特別所得税は33％×2.1％＝0.693％，配当控除は10％を引いても，22.307％であるから，所得税の源泉徴収所得税15％及び復興特別所得税0.315％の方が有利で，申告しない方が得といえる。

《計算例題3》配当所得の計算　ケース3（非上場株式）

青山佑美は，本年に次のような利子・配当の収入があった。本年の配当所得の金額を計算しなさい。

		（手取額）	（源泉徴収税額）
A	公社債投資信託の収益の分配金(公募)	318,740円	81,260円(住民税含)
B	慶応株式会社の株式(未上場)利益配当 （計算期間1年）	596,850円	153,150円
C	公募証券投資信託の収益の分配金	31,874円	8,126円(住民税含)
D	私募証券投資信託の収益の分配金（未上場）（計算期間1年）	119,370円	30,630円
E	特定株式投資信託の収益の分配金	159,370円	40,630円(住民税含)
	慶応株式取得に要した負債利子	（本年対応分）	150,000円

なお，申告不要にできるものは，すべて申告不要とする。

源泉徴収税率には，所得税，復興特別所得税及び住民税を考慮している。

《解答欄》

配当所得	［　　　］円
（源泉分離）	（［　　　］円）
（申告不要）	（［　　　］円）

(1) 収入金額

　　（［　　　］円 ＋ ［　　　］円）÷
　　（［　　　］ − ［　　　］）＝ ［　　　］円

(2) 負債の利子 ［　　　］円

(3) 配当所得の金額 ［　　　］円 − ［　　　］円
　　＝ ［　　　］円
　　（申告不要）［　　　］円 ÷ ［　　　］
　　＝ ［　　　］円
　　（申告不要）［　　　］円 ÷ ［　　　］
　　＝ ［　　　］円

《解 答》

※ 公社債投資信託の収益の分配は、利子所得320,000÷0.8＝400,000（源泉分離）。
公募証券投資信託の収益の分配は申告不要，総合課税又は申告分離となる。源泉所得税15％，源泉住民税５％となる。

《計算例題４》配当所得の計算　ケース４（上場株式で大口株主以外のケース）

慶応　進は，本年中に次のような配当金を受け取っている。次に掲げる金額を除して計算した課税総所得金額は1,000,000円である。上場株式は20.315％（所得税15％，復興特別所得税0.315％，住民税５％）の源泉所得税税引後の金額である。A社の株式は上場株式等である。本年の配当所得の金額を計算しなさい。慶応　進は大口株主ではない。A社の中間配当及び決算配当の配当計算期間は６か月である。

源泉徴収税率には，所得税，復興特別所得税及び住民税を考慮している。

第Ⅱ編　各種所得の金額の計算　117

	支払確定日	手取額	本年対応分負債利子
A社株式の利益配当　中間配当 （記名式）　　　　決算配当	前年 5月 1日 前年10月 5日	80,000円 150,000円	———
A社株式の利益配当　中間配当 （記名式）　　　　決算配当	本年 3月 2日 本年11月20日	239,055円 318,740円	10,000円
C公募証券投資信託の収益の分配 （無記名）	本年10月20日	159,370円	———

《解答欄》

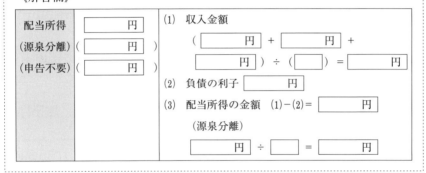

《解　答》

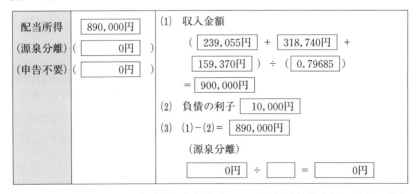

（注）　申告不要に係る配当所得の金額も含めて，課税総所得金額に対する税率（5％），復興特別所得税（5％×2.1％＝0.105％）であり，配当控除10％を引いたら，税率は0％で源泉徴収税率20％（所得税率15％，復興特別所得税0.315％，住民税率5％）よりも低く，総合課税を選択した方が有利。

《計算例題5》配当所得の計算　ケース5

次の資料により，居住者福大太郎（67歳）の本年分の各種所得の金額を解答欄に従って計算しなさい。なお，申告を省略できるものは申告をしないものとする。

〈資料1〉福大太郎の本年分の収入は，次のとおりである。なお，太郎は障害者であり，非課税となるものは非課税の手続きをしており，源泉徴収の適用があるものについては，20.42％税引後（所得税及び復興特別所得税の控除後），私募公社債投資信託の収益の分配は15.315％税引後（所得税及び復興特別所得税）の金額である。

記号	収入の種類	手取額	記号	収入の種類	手取額
ア	A生命保険（相）の基金利息(計算期間1年)	158,960円	カ	納税準備預金の利子（租税納付目的以外に引き出しはない）	30,000円
イ	B生命保険（株）の生命保険契約による年金	500,000円	キ	E信用金庫の出資に係る剰余金分配（計算期間1年）	317,920円
ウ	C生命保険（相）の満期保険金収入（期間20年）	3,470,000円	ク	私募公社債投資信託の収益の分配	33,874円
エ	D高等学校の学校債の利子	16,000円	ケ	G株式会社の剰余金配当（計算期間1年）未上場	238,440円
オ	郵便貯金（元本300万円）の利子	108,000円			

〈資料2〉付記事項は，次のとおりである。

1　(イ)の年金収入に対する本年分の必要経費適正額は270,000円である。

2　(ウ)の手取額のうち，保険金と同時に受け取った280,000円は剰余金の分配である。なお，支払った保険料の総額は1,080,000円であり，全額太郎が負担している。

3　(ケ)のG株式を取得するために要した負債の利子で本年対応分が38,000円ある。

4　G株式会社の株式は，上場株式等には該当しない。

《解答欄》

1 非課税所得に該当するものは，その記号を [　　] 内に記入しなさい。
   [　　　　]

2 源泉分離となるものは，その記号を [　　] 内に記入しなさい。
   [　　]

3 （　　　　）所得の金額　　（　）内には文字を記入すること。
   {（[　　円] ＋ [　　円] ＋ [　　円]）÷
   （1－[0.　　]）} － [　　円] ＝ [　　円]

4 （　　　　）所得の金額
   [　　円] － [　　円] － [　　円] ＝ [　　円]

5 （　　　　）所得の金額
   （[　　円] ＋ [　　円]）－ [　　円] ＝ [　　円]

(税務検定)

《解　答》

1 非課税所得に該当するものは，その記号を [　　] 内に記入しなさい。
   [オ　カ]

2 源泉分離となるものは，その記号を [　　] 内に記入しなさい。
   [ク]

3 （ 配　当 ）所得の金額　　（　）内には文字を記入すること。
   　　　　ア　　　　　　　　キ　　　　　　　　ケ
   {（[158,960円] ＋ [317,920円] ＋ [238,440円]）÷
   　　　　　　　　　　　　　　　負債の利子
   （1－[0.2042]）} － [38,000円] ＝ [862,000円]

4 （ 一　時 ）所得の金額
   　　ウ　　　　　　　資料2の2　　　　特別控除
   [3,470,000円] － [1,080,000円] － [500,000円] ＝ [1,890,000円]

5 （　雑　）所得の金額

　　　　イ　　　　　　エ　　　　　資料2の1
　　　500,000円　＋　16,000円　－　270,000円　＝　246,000円

　※オ……郵便貯金利子は非課税
　　ク……私募公社債投資信託の収益の分配は利子所得で
　　　33,874÷0.84685＝50,000（源泉分離）

《計算例題6》配当所得の計算（住民税が控除されていないケース）

　福大太郎は，次のような配当収入があった。本年分の配当所得の金額を計算しなさい。ただし，申告不要にできるものについては，申告不要とする。次に掲げる金額は，すべて源泉所得税額控除後（所得税及び復興特別所得税の控除後）の金額である。住民税は，控除されていない。

　源泉徴収税率には，復興特別所得税を考慮している。

㈦　西南㈱の利益配当（確定は配当）　423,425円（計算期間1年）
　　　上場株式等であり，持株割合は3％未満である。

㈠　九州㈱からの ｛ 中間配当　31,832円（計算期間6か月）
　　　　　　　　　 確定配当　119,370円（計算期間6か月）

　　　上場株式等ではない。

㈢　特定株式投資信託の収益の分配　　254,055円

㈣　公募証券投資信託の収益の分配　　84,685円

《解答欄》

配当所得	円	（申告不要）	円 ÷
（申告不要）（　円　）		＝	円
		（申告不要）	円 ÷
		＝	円
		（申告不要）	円 ÷
		＝	円
		（申告不要）	円 ÷
		＝	円
		（総合課税）	円 ÷
		＝	円

第Ⅱ編　各種所得の金額の計算　121

《解　答》

配当所得 （申告不要）	150,000円 (940,000円)	九州株 $100,000円 \times \dfrac{6か月}{12か月} = 50,000円 \geqq 40,000円$ ∴申告不要 （申告不要） 31,832円 ÷ 0.7958 　　　　　　= 40,000円 西南株 （申告不要） 423,425円 ÷ 0.84685 　　　　　　= 500,000円 特定株式投資信託 （申告不要） 254,055円 ÷ 0.84685 　　　　　　= 300,000円 公募証券投資信託 （申告不要） 84,685円 ÷ 0.84685 　　　　　　= 100,000円 九州株 $100,000円 \times \dfrac{6か月}{12か月} = 50,000円 < 150,000円$ ∴総合課税 （総合課税） 119,370円 ÷ 0.7958 　　　　　　= 150,000円

《計算例題7》配当所得の計算（上場株式等の申告分離のケース）

　次の資料により，居住者福大太郎の本年分の配当所得の金額を計算しなさい。配当計算期間は全て1年である。上場株式等の配当等には，上場株式等申告分離課税を選択する。上場株式等以外の配当等については，申告不要が可能なものは，申告不要とする。

　源泉徴収税率には，所得税，復興特別所得税及び住民税を考慮している。

収入の種類	手取額	本年対応分負債利子
A社株式（上場）の剰余金配当	79,685円	30,000円
B社株式（未上場）の剰余金配当	23,874円	──
C社株式（未上場）の剰余金配当	159,160円	40,000円
D特定株式投資信託の収益の分配	63,748円	──

《解答欄》

配当所得		(総合)
総　合	☐ 円	(1) 収入金額
上場申告分離	☐ 円	B社株式 ☐ 円 ÷ ☐ = ☐ 円
(申告不要)	(☐ 円)	C社株式 ☐ 円 ÷ ☐ = ☐ 円
		(2) 負債の利子 ☐ 円
		(3) 配当所得の金額 (1)−(2)= ☐ 円
		(上場株式等申告分離)
		(1) 収入金額
		A社株式 ☐ 円 ÷ ☐ = ☐ 円
		D 特定株式投資信託 ☐ 円 ÷ ☐ = ☐ 円
		(2) 負債の利子 ☐ 円
		(3) 配当所得の金額 (1)−(2)= ☐ 円

《解 答》

配当所得		
総 合	160,000円	
上場申告分離	150,000円	
(申告不要)	(30,000円)	

(総合)
B社株式
$$100,000円 \times \frac{12}{12か月} = 100,000円 \geqq 30,000円$$
∴申告不要

(1) 収入金額
　B社株式 23,874円 ÷ 0.7958
　　　＝ 30,000円
　　　　（申告不要）
　C社株式 159,160円 ÷ 0.7958
　　　＝ 200,000円
(2) 負債の利子 40,000円
(3) 配当所得の金額 (1)－(2)＝ 160,000円

(上場株式等申告分離)
(1) 収入金額
　A社株式 79,685円 ÷ 0.79685
　　　＝ 100,000円
　D
　特定株式
　投資信託 63,748円 ÷ 0.79685
　　　＝ 80,000円
(2) 負債の利子 30,000円
(3) 配当所得の金額 (1)－(2)＝ 150,000円

《参考》源泉徴収税額の計算　200,000円×20％＋150,000円×15％＝62,500円

《計算例題8》配当所得の計算（復興特別所得税を含む）

以下の資料に基づき，居住者慶応　進の本年分の配当所得の金額及び本年分の源泉徴収税額及び源泉徴収特別税額を計算しなさい。

上場株式等の配当等については申告分離課税を選択し，上場株式等以外の配当等については申告不要にできる配当等はすべて申告不要とする。

また，源泉徴収の対象となるもの収入金額は，源泉徴収税額及び源泉徴収特別税額控除後の金額である。住民税は控除していないものとする。なお，配当計算期間は1年である。

	収入金額	負債利子
K公募証券投資信託の収益の分配	169,370円	——
W社株式（未上場株式）の剰余金の配当	15,916円	——
H社株式（上場株式）の剰余金の配当	270,992円	70,000円
A社株式（未上場株式）の剰余金の配当	429,732円	60,000円

《解答欄》

摘　要	金　額	計　算　過　程
Ⅰ 各種所得の金額の計算 　配　当　所　得 　　総　　　合 　　上場申告分離 　　（申告不要）	□円 □円 （　）円	＜総合＞ ＜判定金額＞ 　□円 × 12/12 ＝ □円 (1) 収入金額 　　A社株式 □円 ÷ □ ＝ □円 　　W社株式 □円 ÷ □ ＝ □円 (申不) (2) 元本取得に要した負債の利子 □円 (3) (1)−(2)＝ □円 上場分離 (1) 収入金額（260,000） 　　H社株式 □円 ÷ □ ＝ □円 　　K公募 □円 ÷ □ ＝ □円 (2) 元本取得に要した負債の利子 □円 (3) (1)−(2)＝ □円

摘 要	金 額	計 算 過 程
Ⅴ 納付税額の計算		
所得税及び復興特別所得税の源泉徴収税額	円	円 × % + 円 × % + 円 × % = 円

《解 答》

摘 要	金 額	計 算 過 程
Ⅰ 各種所得の金額の計算		
配 当 所 得		<総合>
総 合	480,000円	<判定金額> 未上場株式の申告不要の判定
上場申告分離	450,000円	$100,000円 \times \dfrac{12}{12} = 100,000円$
（申告不要）	(20,000)円	(1) 収入金額
		A社株式 429,732円 ÷ 0.7958 = 540,000円
		W社株式 15,916円 ÷ 0.7958 = 20,000円
		≦100,000 ∴申告不要
		(2) 元本取得に要した負債の利子 60,000円
		(3) (1)−(2) = 480,000円
		上場分離
		(1) 収入金額
		H社株式 270,992円 ÷ 0.84685 = 320,000円
		K公募 169,370円 ÷ 0.84685 = 200,000円
		(2) 元本取得に要した負債の利子 70,000円
		(3) (1)−(2) = 450,000円

摘 要	金 額	計 算 過 程
Ⅴ 納付税額の計算		
所得税及び復興特別所得税の源泉徴収税額	189,906円	540,000円 × 20.42% + 320,000円 × 15.315% + 200,000円 × 15.315% = 189,906円

《実務上のPoint》
(1) 所得の低い人は，配当金の申告をさせた方が有利である。
　　例えば，Aさん（個人の上場株式の大口株主）の課税総所得が250万円（配当所得加算前）とすると配当収入15万円を加えても，課税総所得金額が330万円を超えず10％の税率なので，源泉徴収税率の15％より低い。そこで，申告すれば源泉税が戻ってくる計算になる。さらに，配当控除の制度があって配当所得の10％も還ってくることになる。なお，総合課税の適用を受ける場合，配当控除も適用されるため，正確には配当控除を差し引き，実質税率を計算し，実質税率と源泉徴収の税率を比較して申告不要とすべきか総合課税とすべきかを判断する。課税総所得金額に対する税率－配当控除率（実質税率）＜15％（源泉徴収税率）のときは，申告をし総合課税を受けた方が有利となる。
(2) 負債の利子を差し引き，配当所得が0になるとき又はマイナスになるときは，源泉徴収税額の精算がある総合課税又は申告分離課税が有利となる。

〈配当所得の総合課税　申告不要，申告分離の選択〉

負債利子を引くことで配当所得がなくなる場合又は損失になるとき	→	申告不要よりも総合課税又は申告分離課税の方が有利

（理由）　総合課税と申告分離は配当所得がなくても，源泉徴収税の精算があるためである

〈配当控除がある場合の総合課税，申告分離の選択の方法〉

上場株式等の配当（大口株主を除く）
（申告分離課税の税率と総合課税の実質税率を比較する）

① 上場株式等に係る配当所得の申告分離課税の税率（15％）
② 総合課税の実質税率

（累進税率）－（配当控除率）＝（実質税率）

195万円以下	5％	＝△5％
195万円超　330万円以下	10％	－10％のとき　＝0％
330万円超　695万円以下	20％	課税総　＝10％
695万円超　900万円以下	23％	9,000万円以下　＝13％
900万円超1,800万円以下	33％	＝23％

③ 実質税率の方が低い時は総合課税を選択
　　申告分離の税率の方が低い時は申告分離を選択する

第5節　国外配当の課税制度

1　源泉徴収税額

　国外において発行された株式等に係る剰余金の配当等が国外において支払われる場合であっても，居住者が**国内におけるその配当等の支払の取扱者を経由して支払を受ける場合には**，その取扱者に対して源泉徴収義務を課している。

　この場合，(1)国外株式の配当等については，外国で課せられた外国税額があるときは，配当等の額からその外国税額を控除した金額に対して，①**上場株式等の配当等**は15％，復興特別所得税は0.315％，②**その他の配当等**は20％の税率を適用した金額が源泉徴収税額，復興特別所得税は0.42％とされ（措法9の2，9の3），②国外私募公社債等運用投資信託及び国外私募社債的受益権に係る特定目的信託の配当等については，外国で課せられた外国税額があるときは，支払金額にその外国税額を加算した金額に対して，15％の税率を適用した税額からその外国税額を控除した残額が源泉徴収税額（いわゆる差額徴収方式）とされ，この場合の外国税額控除の適用上はその外国税額はないものとされる（措法8の2，8の3）。

国外上場株式等の配当等に係る源泉税額の特例

国外上場株式等の配当等	(イ)	金融商品取引所に**上場されている株式等**の配当
	(ロ)	**公募証券投資信託**（特定株式投資信託を除く）の収益の分配
	(ハ)	**特定株式投資信託**の収益の分配
	(ニ)	外国金融商品市場において売買されている株式等の配当等

① 　国外上場株式等の源泉徴収税額及び源泉徴収特別税額（国外配当で国内支払取扱者経由）

　　（ 収入金額 － 外国所得税額 ）×15.315％ ＝ 国内で源泉徴収される税額

② 非上場株式等の国外配当等に係る源泉税額（国外配当で国内支払取扱者経由）

（ 収入金額 － 外国所得税額 ）×20.42％ ＝ 国内で源泉徴収される金額

③ ①②以外のもの（私募公社債等運用投資信託及び私募特定目的信託の社債的受益権の収益の分配）

（ 収入金額 ×15％ － 外国所得税額 ）×102.1％ ＝ 国内で源泉徴収される金額

2 国外配当等の課税方法

(1) 総合課税（法22）

　国外配当等の金額は，原則として他の所得と合算され，課税標準の計算上**総所得金額を構成する（総合課税）**。超過累進税率により課税される。納付税額の計算のときに**源泉徴収税額及び源泉徴収特別税額を差し引いて精算**を行う。

　総合課税は，**外国税額控除の適用はある**。国外配当は，**配当控除の適用はない**。

《計算Pattern 1》 国外配当（総合課税）（上場株式等以外のケース）

Ⅰ 各種所得の金額の計算		
配当所得	×××	<判定金額> $100,000 \times \dfrac{12}{12} = 100,000 <$ ×××　∴10万円超総合課税
総　　合		（注） B外国株 ×× ÷0.7958＋外国所得税額＝ ×××

Ⅴ 納付税額の計算		
所得税及び復興特別所得税の源泉徴収税額	×××	（収入金額－外国所得税額）×20.42％＝ ×××

（注）　国外配当は，配当所得を計算するときに「**源泉徴収税額及び源泉徴収特別税額並びに外国所得税額控除後の金額**」で計算されたときは，税引前の0.7958で割り戻した後で**外国所得税額を加算**する。

(2) **申 告 不 要**（措法8の3⑥，8の5，9の2⑤）

上場株式等の配当等については，金額に関係なく，上場株式以外の配当等（未上場株式等の配当等）は10万円以下（配当計算期間が1年の場合）のときには確定申告の際，その配当所得の金額を除外したところにより，総所得金額を計算することができる（申告不要）。

上場株式等以外の配当等は，20.42％（上場株式等の配当等については15.315％，住民税5％）の税率により源泉徴収され**課税関係が終了する。納付税額の計算のときに，源泉徴収税額及び源泉徴収特別税額を精算しない**。

外国税額控除の適用も配当控除の適用もない。

（注） 申告不要の適用の有無は，支払ごとに判定する。

《計算Pattern 2》 国外配当（申告不要）（上場株式等以外のケース）

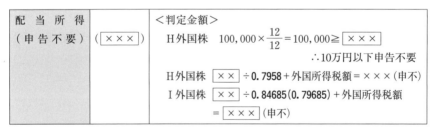

（注） 納付税額を計算するときに申告不要を選択したときは，源泉徴収税額及び源泉徴収特別税額の精算はしない。

(3) **申告分離課税**（措法8の4）

上場株式等の配当等に係る配当所得については，他の所得と区分し，**上場株式等に係る課税配当所得等の金額に対して15％の税率により課税される**（申告

分離課税)。納付税額の計算において，源泉徴収税額及び源泉徴収特別税額を差し引き精算を行う。

申告分離課税を選択した場合には，**外国税額控除の適用はある。国外配当なので，配当控除の適用はない。**

《計算Pattern 3》 国外配当等（申告分離）（上場株式等のケース）

Ⅰ 各種所得の金額の計算 配当所得 上場申告分離	×××	上場分離 A㈱ ×× ÷0.84685＋外国所得税額＝ ×××
Ⅴ 納付税額の計算 算出税額	×××	上場株式に等に係る課税配当所得金額 ××× ×15％＝ ×××
配当控除	0	適用なし
復興特別所得税額	×××	××× ×2.1％＝ ×××
外国税額控除	×××	(1) 控除対象外国所得税額 (2) 控除限度額 (3) (1)と(2) ∴少ない方
所得税及び復興特別所得税の源泉徴収税額	×××	（収入金額－外国所得税額）×15.315％＝ ×××

(4) **源泉分離課税**（措法8の3）

私募公社債等運用投資信託の収益の分配及び私募特定目的信託の社債的受益権の収益の分配は，源泉分離課税とされる。

《計算Pattern 4》 国外配当等（源泉分離）

Ⅰ 各種所得の金額の計算 配当所得 （源泉分離）	×××	源泉分離 国外私募公社債等運用投資信託 手取額 ＋ 源泉徴収税額及び源泉徴収特別税額 ＋ 外国所得税額 ＝ ××× （源泉分離）

〈図表2-11〉国外配当等の課税方法

国外配当等で国内の支払の取扱者を経由して支払われるものに限る。

種　類		源泉税率	金額判定（税引前）	課税方法
剰余金の配当 利益の配当 剰余金の分配 基金利息	未上場株式等	（所得税） （収入金額 －**外国所得税額**） ×20.42% （住民税）0%	10万円以下 （少額配当）	申告不要｜選択 総合課税
			上記以外	総合課税
証券投資信託の収益の分配	上場株式等 公募証券投資信託の収益の分配 特定株式投資信託の収益の分配	（所得税） （収入金額 －**外国所得税額**） ×15.315% （住民税）5%	───	申告不要｜選択 総合課税 申告分離
	私募証券投資信託の収益の分配	（所得税） （収入金額 －**外国所得税額**） ×20.42% （住民税）0%	10万円以下 （少額配当）	申告不要｜選択 総合課税
			上記以外	総合課税
私募公社債等運用投資信託及び私募特定目的信託の社債的受益権の収益の分配		（収入金額×15% －外国所得税額） ×102.1% （住民税）5%	なし	源泉分離

（注1）　配当計算期間が1年未満のときは、申告不要の金額判定は次の算式により計算する。

$$\text{配当等の金額} \leq 10\text{万円} \times \frac{\text{配当計算期間の月数}}{12}$$

（注2）　申告不要の金額10万円以下の判定は、**外国所得税額控除後の金額**をもとに行う。
（注3）　総合課税、申告分離を適用した場合は、**外国税額控除の適用はある**。ただし、申告不要を選択した配当等については、外国税額控除の適用はない。
（注4）　国外配当については、**配当控除の適用はない**。
（注5）　源泉分離課税を選択したときは、外国税額控除の適用はない。
（注6）　配当所得を計算するときは、税引前に戻した後で外国所得税額を加算すること。

給与所得

【Point 8】

給与所得は，原則として次の算式によって計算される（法28②）。

(収入金額) − (給与所得控除額) = (給与所得の金額)

ただし，平成28年分以後は，その年中の特定支出の額の合計額のうち給与所得の控除額の2分の1を超える場合には，以下の算式によって計算される（法57の2①）。

(収入金額) − (給与所得控除額) − (特定支出の額のうち，給与所得の控除額の2分の1を超える部分の金額) = (給与所得の金額)

(超える部分の金額)
特定支出の合計額 − 給与所得の控除額 × $\dfrac{1}{2}$

第1節　給与所得の定義と範囲

給与所得とは，俸給（公務員），給料（ホワイトカラー），賃金（ブルーカラー），歳費（議員）及び賞与並びにこれらの性質を有する給与（以下「給与等」という）に係る所得をいう（法28①）。これらの性質を有する給与には，扶養手当，住宅手当，現物給与等がある。出張手当は非課税である。

なお，事業所得の金額，事業に係る不動産所得の金額又は山林所得の金額の計算上必要経費に算入された青色事業専従者給与の額又は事業専従者控除額は，その青色事業専従者又は事業専従者の給与所得の収入金額とされる（法57①・③）。

《所得税法の判例研究》☕ちょっと気楽にコーヒーブレイク（弁護士顧問料が給与か）

弁護士の顧問料が給与にあたるか否かが争われた事件（最高裁第二小法廷昭和56年4月24日判決）がある。

最高裁は，給与所得とは，雇用契約又はこれに類する原因に基づき使用者の指揮命令に服して提供した労務の対価として使用者から受ける給付をいうものと解すべきであり，ある給付が給与所得に該当するか否かの判断に当たっては，給与支払者との関係において何らかの空間的，時間的な拘束を受け，継続的ないしは断続的に労務又は役務の提供があり，その対価として支給されるものであるかどうかが重視されなければならないと判示し，本件は，勤務時間・場所の定めはなく業務に格別な拘束はなく事業所得に当たるとした。

この最高裁の給与所得の定義を先例として，その後の判決においても使用されている（ストック・オプション事件控訴審判決（東京高裁平成16年2月19日判決，東京地裁平成15年8月26日判決））。

令和 3 年分　給与所得の源泉徴収票

支払を受ける者	※区分				
	住所	港区田町0-0		(役職名)	
				氏名 (フリガナ) フクダイ ススム　福大 進	

種別	支払金額	給与所得控除後の金額（調整控除後）	所得控除の額の合計額	源泉徴収税額
給料	6,900,000	5,110,000	2,225,326	181,200

(源泉)控除対象配偶者の有無		配偶者(特別)控除の額	控除対象扶養親族の数（配偶者を除く。）						16歳未満扶養親族の数	障害者の数（本人を除く。）		非居住者である親族の数
有	従有	老人	特定		老人		その他			特別	その他	
○							1					

社会保険料等の金額	生命保険料の控除額	地震保険料の控除額	住宅借入金等特別控除の額
685,326	50,000		

(摘要)

生命保険料の金額の内訳	新生命保険料の金額		旧生命保険料の金額		介護医療保険料の金額		新個人年金保険料の金額		旧個人年金保険料の金額	
住宅借入金等特別控除の額の内訳	住宅借入金等特別控除適用数		居住開始年月日(1回目)	年　月　日	住宅借入金等特別控除区分(1回目)		住宅借入金等年末残高(1回目)			
	住宅借入金等特別控除可能額		居住開始年月日(2回目)	年　月　日	住宅借入金等特別控除区分(2回目)		住宅借入金等年末残高(2回目)			

(源泉・特別)控除対象配偶者	(フリガナ)	フクダイ ユミ	区分		配偶者の合計所得		国民年金保険料等の金額		旧長期損害保険料の金額	
	氏名	福大由実					基礎控除の額		所得金額調整控除額	
	個人番号									

控除対象扶養親族		(フリガナ)	フクダイ カミ	区分		16歳未満の扶養親族		(フリガナ)		区分
	1	氏名	福大香味				1	氏名		
		個人番号						個人番号		
	2	(フリガナ)		区分			2	(フリガナ)		区分
		氏名						氏名		
		個人番号						個人番号		
	3	(フリガナ)		区分			3	(フリガナ)		区分
		氏名						氏名		
		個人番号						個人番号		
	4	(フリガナ)		区分			4	(フリガナ)		区分
		氏名						氏名		
		個人番号						個人番号		

未成年者	外国人	死亡退職	災害者	乙欄	本人が障害者		寡婦	ひとり親	勤労学生	中途就・退職				受給者生年月日			
					特別	その他				就職	退職	年	月	日	元号	年	月	日
															昭和	41	9	15

(受給者交付用)

支払者	個人番号又は法人番号	
	住所(居所)又は所在地	ミナトクミタ3-1
	氏名又は名称	アイオウ株式会社　　(電話) 03-XXXX-XXXX

第2節 非課税とされる給与

(1) 給与所得者が勤務する場所を離れてその職務を遂行するための旅費（**出張旅費，出張手当**），又は転任，退職などによる転居のための旅行をした場合に支給される旅費（**転居費用**）で，通常必要と認められるもの（法9①）

(2) 給与所得者が雇主から支給を受ける経済的利益で特定のもの（以下第3節）

(3) **制服**など職務の性質上欠くことができないもの（法9①六）

(4) 社会通念上相当と認められる程度の雇主から受ける**結婚祝金品，見舞金**

(5) 給与所得者が雇主から支給を受ける通勤手当又は通勤用定期乗車券などで，その金額又は価額のうち原則として**月額150,000円**までの部分（令20の2）

　その他，交通用具（自動車，自転車等）の受ける通勤手当は，以下の通勤距離の区分に応じ，非課税の金額が定められている。

　平成24年分以後において，（図表3－1）の②の自家用車等の**交通用具で通勤する場合**，課税されない金額として距離に応じて規定された金額（非課税限度額）を超える**通勤手当**は，給与所得と課税される（所令20の2）。

(6) 永年勤続者の記念品等で，記念品の額が，社会通念上相当と認められるもので，10年以上の勤続年数の者を対象とするもの（通36-21）

(7) 創業記念品等で，社会通念上相当と認められ，しかもその価額が1万円以下であるもの（金銭については課税される）（通36-22）

(8) 使用者が業務遂行上の必要に基づき支給する研修費用等（通9-15）

〈図表3−1〉通勤手当の非課税制度

区　　　　　　　分		課税されない金額
① 交通機関又は有料道路を利用している人に支給する通勤手当		1か月当たりの合理的な運賃等の額 （最高限度150,000円）
② 自動車や自転車等の交通用具を使用している人に支給する通勤手当	片道2km未満	（全額課税）
	片道2km以上 　　10km未満	4,100円
	片道10km以上 　　15km未満	6,500円
	片道15km以上 　　25km未満	11,300円
	片道25km以上 　　35km未満	16,100円
	片道35km以上	20,900円
③ 交通機関を利用している人に支給する通勤用定期乗車券		1か月当たりの合理的な運賃等の額 （最高限度150,000円）
④ 交通機関又は有料道路を利用するほか交通用具も使用している人に支給する通勤手当や通勤用定期乗車券		1か月当たりの合理的な運賃等の額と②の金額との合計額（最高限度150,000円）

第3節　給与所得者等の経済的利益

1　給与所得者等の経済的利益の額

　給与等には，役員又は使用人が，使用者からその地位に基づいて支給される「金銭以外の物又は権利その他の経済的な利益」を含むことになっている（法36①・②）。これらを経済的利益といい，実質的には，給与の支給を受けたと同様の経済的効果をもたらすものであり，これを分類すると次のようになる。

① 物品その他の資産の無償又は低価譲受……譲受時の時価と実際支払対価との差額
② 土地，家屋その他の資産の無償又は低価利用……通常支払うべき対価と実際支払対価の差額
③ 金銭の無利子又は低利借入……通常利息と実際支払利息との差額
④ ②，③以外の用役の無償又は低価利用……通常支払うべき対価と実際支払対価との差額
⑤ 債務免除益……免除を受けた利益
⑥ 個人的費用の肩代り……肩代りを受けた金額

2　給与所得者等の経済的利益の非課税額

　給与所得者等が自己の住宅取得の資金に充てるため使用者等から使用人である地位に基づいて平成22年12月31日までに使用者等から借入等をして受ける以下の経済的利益は，非課税とされる（措法29①～③）。この特例は，平成22年12月31日後の新たな使用者等からの借入については廃止される。

(1) 自己の居住用の土地家屋の取得資金に充てるため，勤務先から低利で資金の貸付けを受ける場合で，その経済的利益に係る利息の計算期間に相当する期間又は支払利息の計算期間の末日が平成11年4月1日以後である場合の経済的利益の額。ただし，次の場合には，次に掲げる金額は課税される。

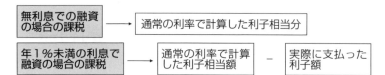

(2) 自己の居住用の土地家屋の取得をするため，金融機関，一定の住宅金融専門会等及び一定の福利厚生会社から借り入れた借入金利子で，平成11年4月1日以後に支払うべきものに充てるために，勤務先から受ける利子補給金の額。ただし，次の場合には，次に掲げる金額は課税される（改正措令附則7②）。

| 従業員の負担する利子が年1％未満となる場合の | → | 通常の金利による利子相当額 | − | 従業員が実質負担することとなる利子額 |

(3) 勤務先からの借入利息については，以下のものが非課税となる（基36-28）。

1．災害，病気により生活資金が必要になったため，勤務先から借り入れた場合の利息
2．勤務先からの借入れにつき，適正な利息（勤務先の会社が金融機関等から借り入れる場合の利息相当）を支払っているとき
3．年5,000円以下の少額の利息

第4節 給与所得の金額の計算

　給与所得の金額は，その年中の**給与等の収入金額**から**給与所得控除額**を控除した残額である（法28②）。なお，特定支出の額が給与所得控除額を超えるときは，その超える金額をその残額から控除することができる（法57の2）。

　　（収入金額）－（給与所得控除額）＝（給与所得の金額）

1　給与所得の収入金額

　給与等の収入金額とは，その年中に**収入すべき給与等の金額**（金銭以外の物又は権利その他経済的な利益をもって収入とする場合には，その金銭以外の物もしくは権利又はその他の経済的利益の価額を含む）をいう（法36②）。

2　給与所得の収入金額計上時期

　給与所得の収入金額の計上時期は，以下に掲げるものはその日となる（基36-9）。
(1) 雇用契約等により支給日の定められているものについては，その支給日，支給日の定められていないものについては，**その支払を受けた日**
(2) **剰余金による役員賞与等**については，その処分について株主総会その他正当な権限のある機関が**決議をした日**。ただし，その決議が役員全員に対して支払う賞与の総額を定めるにとどまり，**各役員に支給する具体的金額を定めていない場合**には，各役員に支給する賞与の金額が**具体的に定められた日**
(3) **給与ベースの改定**が過去にさかのぼって実施された場合において，過去の期間に対応して支給される新旧の給与差額については，**その差額の支給日等**

3　給与所得控除額

給与所得の金額の計算上，収入金額から控除される給与所得控除額は，給与等の収入金額に応じ，以下に掲げる算式により計算した金額である（法28③）。

給与所得控除額（令和2（2020）年以降）

給与所得控除額が次の金額になるとともに所得金額調整控除が適用される。

(1) 給与所得控除額

給与等の収入金額		給与所得控除額
	162.5万円以下	55万円
162.5万円超	180万円以下	収入金額　×40％－10万円
180万円超	360万円以下	収入金額　×30％＋8万円
360万円超	660万円以下	収入金額　×20％＋44万円
660万円超	850万円以下	収入金額　×10％＋110万円
850万円超		195万円

(2) 所得金額調整控除額

給与所得の金額から次の算式で計算した金額を控除する。

区　分	要　件	算　式
介護・子育て世帯の場合	給与収入が850万円超で次のいずれかに該当する者 ①特別障害者 ②23歳未満の扶養親族を有する ③特別障害者である同一生計配偶者又は扶養親族を有する	{給与等の収入金額（注1）－850万円}×10％
給与と年金が両方ある場合	給与所得控除後の給与等と公的年金に係る雑所得があり，その合計金額が10万円超	給与所得控除後の給与等の金額（注2）＋公的年金等に係る雑所得の金額（注2）－10万円

（注）1　1,000万円を限度とする。
　　　2　10万円を限度とする。

《計算Pattern 1》給与収入が850万円を超え，介護・子育て世帯

Ⅰ 各種所得の金額の計算			
給　与　所　得	B	(1) 収入金額A (2) 給与所得控除額 (3) 特定支払控除額 (4) (1)−(2)−(3)＝B	
Ⅱ 課　税　標　準 総　所　得　金　額	○○○	(1) 所得金額調整控除額 　　　　（注） 　① （A−8,500,000）×10% 　　（注）A≧10,000,000　∴　少ない方 　② B−(1)① (2) 損益通算 (3) (利)＋配＋不＋事＋給＋総短＋雑 　　＋(総長＋一時)×$\frac{1}{2}$＝○○○	

《計算Pattern 2》給与と公的年金の雑所得があり，合計10万円超

Ⅰ 各種所得の金額の計算			
給　与　所　得	B	(1) 収入金額A (2) 給与所得控除額 (3) (1)−(2)＝B	
雑　　所　　得	C	(1) 収入金額 (2) 公的年金等控除額 (3) (1)−(2)＝C	
Ⅱ 課　税　標　準 総　所　得　金　額	○○○	(1) 所得金額調整控除額 　B＋C＞100,000　∴　適用あり 　　（注1）（注2） 　① （B＋C）−100,000 　　（注1）B≧100,000　∴　少ない方 　　（注2）C≧100,000　∴　少ない方 　② B−(1)① (2) 損益通算 (3) (利)＋配＋不＋事＋給＋総短＋雑 　　＋(総長＋一時)×$\frac{1}{2}$＝○○○	

4　給与所得者の特定支出の控除の特例

(1)　特定支出控除

　平成28年分以後は，その年中の**特定支出の合計額**が，給与所得控除額の2分の1を超える場合には，給与所得の金額は，その年中の給与所得の収入金額から給与所得控除額及びその超える部分の金額を控除した金額とされる（措57の2①）。

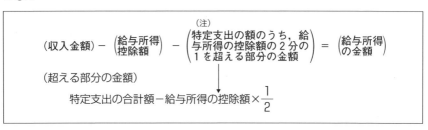

(2)　特定支出の内容

　特定支出とは，次に掲げる支出（その支出につき転居手当や通勤手当等のように給与等の支払者により補てんされる部分があり，かつ，その補てんされる部分につき所得税が課されない場合におけるその補てんされる部分を除く）をいう（法57の2②）。

①　その者の通勤のために必要な交通機関の利用又は交通用具の使用のための支出で，その通勤の経路及び方法がその者の通勤に係る運賃，時間，距離その他の事情に照らして最も経済的かつ合理的であることにつき給与等の支払者により証明がされたもののうち，一般の通勤者につき通常必要であると認められる部分の支出（**通勤費**）

②　転任に伴うものであることにつき給与等の支払者により証明がされた転居のために通常必要であると認められる支出（**転勤に伴う転居費用**）

③　職務の遂行に直接必要な技術又は知識を習得することを目的として受講する研修（人の資格を取得するためのものを除く）であることにつき給与等の支払者により証明がされたもののための支出（**研修費**）

④　人の資格（弁護士，公認会計士，税理士，弁理士などの資格）を取得するための支出で，その支出がその者の職務の遂行に直接必要なものとして給与等

の支払者により証明がされたもの（**職務に直接必要な資格取得費**）

⑤　転任に伴い生計を一にする配偶者との別居を常況とすることとなった場合その他これに類する場合に該当することにつき，給与等の支払者により証明がされた場合におけるその者の勤務する場所又は居所とその配偶者その他の親族が居住する場所との間のその者の旅行に通常要する支出（**単身赴任者の帰宅旅費**）

⑥　勤務必要経費

次に掲げる支出（支出の額の合計額が**65万円を超える場合**には，**65万円までの支出に限る**）でその支出が職務の遂行に直接必要なものとして給与所得の支払者により証明されたもの（**勤務必要経費**）

㋑　書籍，定期刊行物その他の図書で職務に関連するもの（**図書費**）

㋺　交際費，接待費その他の費用で，給与等の支払者の得意先，仕入先その他の職務上関係のある者に対する接待，供応，贈答その他これらに類する行為のための支出（**交際費等**）

㋩　制服，事務服，作業服及び給与等の支払者より勤務場所において着用することが必要とされる衣服を購入するための支出（**衣服代**）

（注）　特定支出に当たるものでも，給与の支払者から補てんされており，給与収入の非課税の取扱いがなされている金額については，特定支出の合計額には含まれないので，注意を要する。

《所得税法の判例研究》☕ちょっとコーヒーブレイク（日本フィル事件）

日本フィルに所属するバイオリニストのバイオリンの自己負担額が事業所得の必要経費にできないか争われた事件（東京地裁昭和43年4月25日判決）がある。

事業所得か給与所得かが争点となった。「提供される労務の内容自体が事業経営者のそれと異ならず，かつ，精神的，独創的なもの，あるいは特殊高度な技能を要するもので，労務内容が本人によるある程度の自主性が認められる場合であっても，その労務が雇用契約等に基づき，他人の指揮命令の下に提供され，その対価として得られた報酬もしくはこれに準ずるものである限り，給与所得に該当すると判示された。

原告は，音楽演奏家のように必要経費が給与所得控除額を超える職業の者は給与所得とみるべきでないと主張する。しかし，所得税法は所得の発生態様ないしは性質のいかんによって所得の種類を分類しているものであり，必要経費の多寡を所得分類の基準としたものとは解されず，給与所得に当たらないとすることはできない，と判示した。

結果，原告の日本フィルからの所得が給与所得とされ，バイオリンの自己負担額は控除できる旨の定めがない以上，必要経費にできないと判示した。

(3) **適 用 要 件**

上記の特例は，確定申告書にその適用を受ける旨及び特定支出の額の合計額の記載があり，かつ，それぞれの特定支出に関する明細書及びそれぞれの証明書の添付がある場合に限り，適用される（法57の2③）。

なお，その確定申告書を提出する場合には，特定支出の事業及び支出した金額を証する書類をその確定申告書に添付し，又はその確定申告書の提出の際に提出しなければならない（法57の2④）。

第5節 給与所得と源泉徴収

　給与所得の源泉徴収の仕組みは，大別して，①給与等の支払の際，その都度行われる**所得税の源泉徴収**と，②その年最後の給与支払の際に行われる**源泉徴収税額の過不足額の調整**とに区分される。

1 所得税の源泉徴収

(1) 源泉徴収義務

　居住者に対し国内で給与等の支払をする者は，その支払の際，その給与等について所得税を徴収し，原則としてその**徴収の日の属する月の翌月10日**までに国に納付しなければならない（法183①）。

　ただし，次の場合は，それぞれ次のように取り扱われる。

　① 法人の利益処分による賞与で支払確定日から1年経過日まで支払がされない場合は，その1年経過日に支払があったものとみなして所得税の源泉徴収を行う（法183②）。

　② 災害により居住用資産に甚大な被害を受けた居住者で一定要件に該当する場合には，災害減免法による所得税の源泉徴収の猶予又は還付を受けることができる（災害減免法3）。

　③ 常時2人以下の家事使用人のみに対して給与の支払をする者の場合は，その給与等について所得税の源泉徴収を要しない（法184）。

(2) 給与等の源泉徴収の方法

① 賞与以外の給与等の所得税の源泉徴収

　月給，旬給，週給，日給等の別，給与所得者の扶養控除等申告書の提出の有無，その申告書に記載されている控除対象配偶者，扶養親族などの人的事情等を基として所得税法別表第二，第三により求めた所得税額を源泉徴収する（法185）。

② 賞与の所得税の源泉徴収

前月の給与の支払の有無，給与所得者の扶養控除等申告書の提出の有無，その申告書に記載されている控除対象配偶者，扶養親族などの人的事情等を基として所得税法別表第四により求めた率を賞与の金額に乗じて計算した金額を源泉徴収する（法186）。

2 年末調整

給与所得者の扶養控除等申告書を提出した居住者で，その年の給与等の金額が**2,000万円以下**である者（その後その年の12月31日までに給与等の支払者に扶養控除等申告書を提出すると見込まれる者を除く）については，その年最後に給与等の支払をする際，年末調整により，その年の源泉徴収された給与等の所得税の過不足額の調整が図られる。

なお，過不足額の調整は，次のように行われる（法190）。

給与所得者が提出した「給与所得者の扶養控除等申告書」，「給与所得者の配偶者特別控除申告書」，「給与所得者の保険料控除申告書」，「住宅取得等特別控除申告書」を基としてその年最後の給与等の支払時の現況により，計算した課税給与所得金額に対する税額とすでにその年に源泉徴収された給与等の所得税額とを比較し，**過不足額**があるときは，その**超過額**は，その年最後に給与等の支払をする際に徴収すべき所得税額に充当し，その**不足額**は，徴収して国に納付する。

(注) 常時10人未満の使用人を使用する給与等の支払者は，納税地の所轄税務署長の承認を受けた場合には，源泉徴収した所得税額の納期を1月から6月まで支払った給与等，退職手当，報酬料金等に係る源泉徴収税額については，その年の7月10日，7月から12月まで支払ったこれらの所得に係る源泉徴収税額については，その翌年の1月10日（その年の12月20日まで「納期限の特例に関する届出書」を提出している者は，原則として翌年以後の各年は1月20日）の2回とすることができる（法216）。

第6節　給与所得の確定申告

　居住者は，その年分の課税標準から所得控除額を控除した金額に税率を適用して計算した所得税の額が配当控除額及び年末調整住宅取得等特別控除額を超える場合は，原則として確定申告を要するが，給与所得者でその年中に支払を受けるべき給与等の金額が**2,000万円以下**であるものは，次のいずれかに該当する場合には，確定申告を要しない（法121①，措法41の2④）。

　ただし，①不動産その他の資産を，その給与所得に係る給与等の支払者の事業の用に供することにより，その対価の支払を受ける場合，②給与等の源泉徴収につき災害減免法の適用を受け，源泉徴収税額の還付又は猶予を受けている場合には，次のいずれかに該当する場合であっても確定申告を要する（法121①，所令243，災害減免法3⑤）。

(1) 一の給与等の支払者から給与等の支払を受け，かつ，その給与等の全部について，所得税を徴収される場合で，かつ，その年分の給与所得及び退職所得以外の所得の金額が**20万円以下**であるとき

(2) 二以上の給与等の支払者から給与等の支払を受け，かつ，その給与等の全部について所得税を徴収された場合で，かつ，次の①又は②に該当するとき
　① 従たる給与等の支払者から支払を受けるその年分の給与等の金額と，給与所得及び退職所得以外の所得金額との合計額が**20万円以下**であるとき
　② ①に該当する場合を除き，すべてのその年分の給与等の金額が**150万円**と，各種所得控除額（雑損控除額，医療費控除額，寄付金控除額及び基礎控除額を除く）との合計額以下で，かつ，その年分の給与所得及び退職所得以外の所得金額が**20万円以下**であるとき
　　（注）　従たる給与等とは，給与所得者の扶養控除等申告書を提出していない勤務先から支払を受ける給与等（主たる給与等以外の給与等）をいう。

確定申告しなければならない時とは？	① 給与収入が2,000万円超えるとき ② 副収入（給与所得及び退職所得以外の所得金額）が20万円超えるとき ③ 2か所から給与を受けているとき

第7節 ストック・オプション課税

ストック・オプション制度は，法人が役員や従業員に対して，あらかじめ定められた価格（**権利行使価額**）で，発行法人の株式を取得することができる権利を付与するものである。その株式価額が上昇すれば，役員や従業員は権利を行使して株式を取得し，売却することで利益を得る。発行法人の業績が向上すれば株価が上昇し，役員や従業員が株を売却すれば，利益を得ることができるため，従業員の勤労意欲を高める制度といえる。

1 原則・税制非適格オプション（令84③，109①三）

税制非適格ストックオプションは，**権利行使したときには，権利行使時の時価**が**権利行使価額**を超える金額が**給与所得等**となる。非適格ストックオプションを**売却した場合には**，譲渡価額と権利行使時の時価との差額が譲渡所得（株式分離）となる。

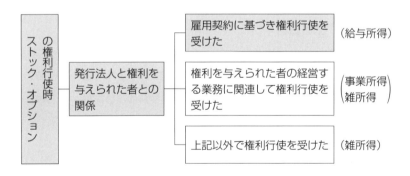

① 権利行使時の給与所得等

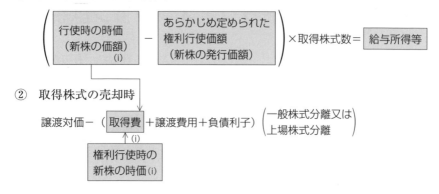

② 取得株式の売却時

譲渡対価－（取得費＋譲渡費用＋負債利子）（一般株式分離又は上場株式分離）
　　　　　　　↑(i)
　　　　権利行使時の
　　　　新株の時価(i)

　税制非適格ストックオプションを権利行使せずに発行法人へ譲渡した場合には，その**譲渡対価の額**から**権利の取得価額**を控除した金額を収入金額とみなして平成26年4月1日以後から給与所得等として，総合課税の対象とすることとなった（法41の2）。

　平成26年度の税制改正は，税制非適格ストックオプションを対象としている。

2　特例・税制適格オプション（措法29の2，措令19の3⑫）

　なお，以下の一定の税制上の適格オプション要件を満たすストックオプション（税制適格ストックオプション）である特定新株予約権は，**権利行使時の**（株式を取得）段階では課税されず，**課税が繰り延べられる**（措法29の2，29の3）。

　株式売却のときに，**譲渡価額**と**権利行使価額**との差額が**譲渡所得**（株式分離）として課税される。

適格オプション（特定新株予約権）の要件（措法29の2①）
① 付与決議の日後2年から10年以内に権利行使をすること
② 権利行使価額の年間の合計額が1,200万円を超えないこと
③ 1株当たりの権利行使価額は，付与契約締結時における1株当たりの時価以上であること
④ 新株予約権等は，譲渡禁止であること
⑤ 権利行使により取得する株式は，その株式会社を通じて証券会社等の営業所に保管の委託等がされること

① 権利行使時

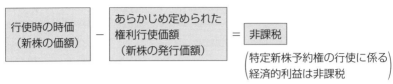

② 取得株式の売却時

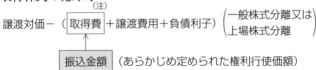

(注) 同一銘柄の株式のなかに②の特例を受けた特定株式と，それ以外の株式がある場合は，各々銘柄が違うものとして取得費を計算。

〈図表3－2〉ストックオプション課税

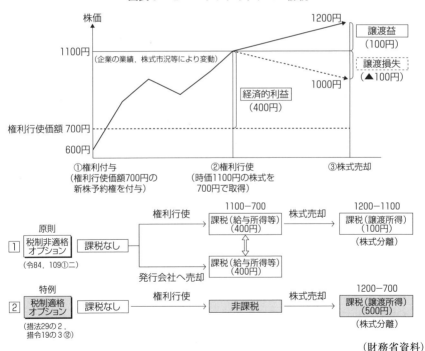

(財務省資料)

《ストック・オプション課税》

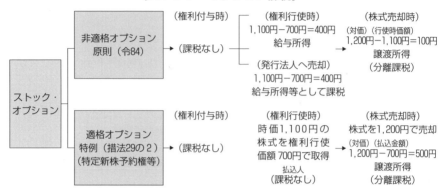

《所得税法の判例研究》 ☕ ちょっと気楽にコーヒーブレイク（ストック・オプション）

　原告が勤務する会社の米国親会社から付与されたストック・オプション（自社又は子会社の従業員，役員等に対して付与する自社株式を一定の期間内に予め定められた権利行使価格で取得できる権利）の権利行使益が一時所得でなく給与所得に当たるとして更正処分を受けた事例がある。

　争点は，自己の勤務する会社の米国親会社から付与されたストック・オプションの権利行使益が給与所得に該当するか否かである。

　最高裁第三小法廷平成17年1月25日判決では，米国親会社は，上告人に対し，付与契約によりストック・オプションを付与し，その約定に従って所定の権利行使価格で株式を取得させたことによって，権利行使益を得させたというものであるから，権利行使益は米国親会社から上告人に与えた給付に当たる。

　また，米国親会社は，上告人が勤務する会社の役員の人事権等を握って支配しているものとみることができ，上告人は米国親会社の統括の下にある子会社である日本の法人の代表取締役として職務を遂行していたということができる。

　米国親会社は，上告人が職務を遂行している，かつ，付与契約を締結し，ストック・オプションを付与したもので権利行使益が職務遂行した対価としての性質を有する経済的利益であることは明らかである。

したがって，権利行使益は，雇用契約又はこれに類する原因に基づき提供された非独立的な労務の対価として米国親会社から給付されたものとして給与所得に当たると判示した。

また，所得税法28条1項に規定する給与所得とは，雇用契約又はこれに類する原因に基づき使用者の指揮命令に服して提供した労務の対価として使用者から受ける給付をいい，給与所得に該当するか否かの判断に当たっては，給与支払者との関係において何らかの空間的，時間的な拘束を受け，継続的に労務又は役務の提供があり，その対価として支給されるものであるか重視されるべきであると解される（最高裁第二小法廷昭和56年4月24日判決）。

この昭和56年判決は，弁護士の顧問料が「給与所得」か「事業所得」かが争われた事案であり，支給者と使用者が一致している事案が前提となっており，この判例は本件においては適切でないとした。

参考に，東京地裁平成15年8月26日の判決は，以下のように判示された。

ストック・オプションを付与する旨の契約は，当然のことながら，それによって従業員等に対して直ちに具体的な権利行使益の発生までを約束するものではなく，実際にストック・オプションを行使することによって当該株式の時価と権利行使価格との差額に相当する含み益が発生するか否かは，当該株式の時価が権利行使価格を上回るか否かによって決定されるものであり，また，具体的にどれだけの額に相当する権利行使益が発生するかは，当該株式の時価が権利行使価格をどの程度上回るかによって定まるものである。

そして，このようなストック・オプションの権利行使による経済的利益の発生の有無及び具体的な利益の額を左右する株式の時価は，当該企業の業績のみならず，企業の将来の収益力，金利，為替，国内外の景気の動向，政治や社会の情勢，投資家の動きなど，多様な要因に基づいて形成されるものであって，多分に偶発的な要素にも左右されるものであり，かつ，絶えず変動するものである。

経済的利益の額が，上記のような諸要因によって形成された株式の時価の変動と原告自身の権利行使の時期に関する判断とに大きく基因するものであるこ

とを捨象し，これをもって米国親会社から原告に対して与えられた経済的利益であると評価することは，相当でないというべきである。

以上から，本件権利行使益は，雇用契約又はこれに類する原因に基づき使用者の指揮命令に服して提供した労務の対価として使用者から受ける給付に当たるとは認められない。

本件権利行使益が給与所得に該当するとの被告の主張は採用できない。

また，本件権利行使益が，本件ストック・オプションに係る親会社の株価の変動及び原告自身の権利行使の時期に関する判断によってその発生の有無及び金額が決定付けられた，偶発的，一時的な性格を有する経済的利益であるから，所得税法34条1項にいう「一時の所得」に該当するものというべきである。

続いて，東京高裁平成16年2月19日の判決は，以下のように判示があった。

米国親会社のストック・オプションは，米国親会社のグループに属する会社の主要な従業員等の過去の精勤に対する報奨としてだけでなく，それらの従業員等の精勤の継続が，勤務先会社の業績の向上，ひいては米国親会社の株価の上昇に貢献し得ること，そしてそれによる権利行使益の発生，増額が被付与者である従業員等の精勤の継続の動機付けにもなるという点に着目して付与されるものであるから，被付与者である従業員等の付与前における労務の提供のみならず，付与時から権利行使時までの間の労務の提供とも不可分の関係にあるものというべきである。

確かに，権利行使益の発生の有無及び額は，ストック・オプション付与後の株価の変動と被付与者の権利行使時期についての判断によって左右されるが，それは，付与契約によって具体的に合意された権利行使の条件，期間，権利行使価格等によって定まる範囲内においてのことであり，そのような範囲内で具体的に確定した権利行使益を被付与者が取得することは，正に，付与会社が付与契約において権利行使時点における株価と権利行使価格との差額相当の経済的利益を被付与者に移転する旨を合意したことの結果であるということができる。ストック・オプションが行使されて株式譲渡契約が成立した時点の法律関係をみれば，それは，会社がその従業員との間で労務提供の対価として株式を

時価より低額で譲渡する旨の契約（本契約）を成立させ，それによって給与の支払があったとされる場合の法律関係と同じであり，譲渡契約が被付与者による予約完結権行使によって成立したものであることやストック・オプションの付与時から権利行使時までの間に株価が変動したことによって，付与会社が権利行使時点における株価と権利行使益との差額相当の経済的利益を被付与者に移転するということに変わりはないのである。

　最高裁昭和56年判決は，指揮命令者と経済的利益の支給者とが一致する事実関係を前提として，事業所得と給与所得の区分について判断したものというべきであるから，最高裁昭和56年判決が指揮命令者と支給者とが一致することが給与所得該当性の不可欠の要件であるということまでも判示したものであると解するのは，相当でないというべきである。

　したがって，指揮命令者以外の者が付与した経済的利益であっても，指揮命令者と支給者とが一致しないことのみを理由として直ちに当該経済的利益の給与所得該当性が否定されるものではなく，雇用契約又はこれに類する原因に基づき使用者の指揮命令に服して提供した労務の対価として支給されたものか否かを検討して，その給付所得該当性を判断すべきである。

　子会社における従業員等の精勤の継続等は，親会社の利益につながり得るという関係にあるのであるから，親会社がそのような利益を認識して子会社における従業員等の労務提供の対価として当該従業員等にストック・オプションを付与することには，十分合理的な理由があるというべきであり，本件付与契約において，親会社である米国親会社が，日本子会社の代表取締役である被控訴人に対し，本件ストック・オプションを付与したのも，被控訴人が日本の子会社に対して継続して提供する労務により米国の親会社が利益を得るとの認識に基づくものということができる。

　したがって，本件ストック・オプションは，被控訴人が日本の子会社に勤務して労務を提供したからこそ付与されたものというべきであり，本件行使益は，被控訴人が日本の子会社に提供した労務の対価として支給されたものとみることができるというべきである。そうすると，被控訴人の労務が日本の子会社に

対して提供されたものであることに着目しても，米国の親会社から支給された本件権利行使益の給与所得該当性を認めることができるというべきである。

《所得税法の判例研究》 ☕ちょっと一息コーヒーブレイク（ストック・オプション加算税）

納税者が勤務先の日本法人の親会社である外国法人から付与されたストック・オプションの権利行使益を一時所得として申告することにつき国税通則法65条4項にいう「正当な理由」が在るとされた事例（最高裁第三小法廷平成18年10月24日判決）がある。

過少申告加算税は，過少申告による納税義務違反の事実があれば，原則としてその違反者に対して課されるものであり，これによって，当初から適正に申告し納税した納税者との間の客観的不公平の実質的な是正を図るとともに，過少申告による納税義務違反の発生を防止し，適正な申告納税の実現を図り，もって納税の実を挙げようとする行政上の措置である。この趣旨に照らせば，過少申告があっても例外的に過少申告加算税が課されない場合として国税通則法65条4項が定めた**「正当な理由があるとみとめられる」場合**とは，**真に納税者の責めに帰することのできない客観的な事情**があり，上記のような過少申告加算税の趣旨に照らしてもなお納税者に過少申告加算税を賦課することが不当又は酷になる場合をいうものと解するのが相当である（最高裁第一小法廷平成18年4月20日判決，最高裁第三小法廷平成18年4月25日判決）。

事実関係等によれば，外国法人である親会社から日本法人である子会社の従業員等に付与されたストック・オプションに係る課税上の取扱いに関しては，現在に至るまで法令上特別の定めは置かれていないところ，**課税庁においては**，上記ストック・オプションの権利行使益の所得税法上の所得区分に関して，かつてはこれを**一時所得として取り扱い**，課税庁の職員が監修等をした**公刊物**でも**その旨の見解が述べられていた**が，平成10年分の所得税の確定申告の時期以降，その取扱いを変更し，給与所得として統一的に取り扱うようになったものである。この所得区分に関する所得税法の解釈問題については，一時所得とす

る見解にも相応の論拠があり，最高裁第三小法廷平成17年1月25日判決によってこれを給与所得とする当審の判断が示されるまでは，下級審の裁判例においてその判断が分かれていたのである。このような問題について，課税庁が従来の取扱いを変更しようとする場合には，法令の改正によることが望ましく，仮に法令の改正によらないとしても，**通達を発する**などして変更後の取扱いを**納税者に周知させ**，これが定着するよう必要な措置を講ずべきものである。ところが，前記事実関係等によれば，課税庁は，上記のとおり課税上の取扱いを変更したにもかかわらず，その変更をした時点では通達によりこれを明示することなく，平成14年6月の所得税基本通達の改正によって初めて変更後の取扱いを通達に明記したというのである。そうであるとすれば，少なくともそれまでの間は，納税者において，外国法人である親会社から日本法人である子会社の従業員等に付与されたストック・オプションの権利行使益が一時所得に当たるものと解し，その見解に従って上記権利行使益を一時所得として申告したとしても，それには無理からぬ面があり，それをもって納税者の主観的な事情に基づく単なる法律解釈の誤りに過ぎないものということはできない。

　以上のような事情の下においては，上告人がストック・オプションの権利行使益が確定申告において，上告人が本件権利行使益を一時所得として申告し，本件権利行使益が給与所得に当たるものとしては税額の計算の基礎とされていなかったことについて，真に上告人の**責めに帰することのできない客観的な事情があり**，過少申告加算税の趣旨に照らしてもなお上告人に過少申告加算税を賦課することは不当又は酷になるというのが相当であるから，国税通則法65条4項にいう**「正当な理由」**があるものというべきである。したがって，過少申告加算税は課されなかった。

《計算Point》

1 給与所得となるもの

　　俸給，　給料，　賃金，　歳費，　賞与
　（公務員）（ホワイトカラー）（ブルーカラー）（議員）

2 課税されない給与等

① 通勤手当（月額150,000円まで）
② 職務上必要な制服
③ 出張旅費，出張手当
④ 見舞金，結婚祝金

　※　超過勤務手当，家族手当，住宅手当，資格手当等は給与の収入金額となる。

3 収入計上時期

〈図表3－3〉給与所得の収入計上時期

《計算Pattern 1》

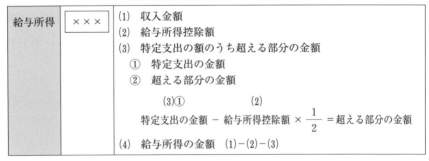

〈給与所得の金額の計算〉平成28年以後

※ 特定支出
　① 通勤費　② 転任に伴う転居費用　③ 研修費　④ 資格取得費
　⑤ 単身赴任者の旅費　⑥ 勤務必要経費（図書費，交際費等，衣服代）

令和2(2020)年以降の給与所得控除額

給与所得控除額が次の金額になるとともに所得金額調整控除が適用される。

(1) 給与所得控除額

給与等の収入金額	給与所得控除額
162.5万円以下	55万円
162.5万円超 180万円以下	収入金額×40%－10万円
180万円超 360万円以下	収入金額×30%＋8万円
360万円超 660万円以下	収入金額×20%＋44万円
660万円超 850万円以下	収入金額×10%＋110万円
850万円超	195万円

(2) 所得金額調整控除

給与所得の金額から次の算式で計算した金額を控除する。

区 分	要 件	算 式
介護・子育て世帯の場合	給与収入が850万円超で次のいずれかに該当する者 ①特別障害者 ②23歳未満の扶養親族を有する ③特別障害者である同一生計配偶者又は扶養親族を有する	{給与等の収入金額－850万円}×10%　(注1)
給与と年金が両方ある場合	給与所得控除後の給与等と公的年金に係る雑所得があり，その合計金額が10万円超	給与所得控除後の給与等の金額(注2)＋公的年金等に係る雑所得の金額(注2)－10万円

(注) 1　1,000万円を限度とする。
(注) 2　10万円を限度とする。

《計算Pattern 2》給与収入が850万円を超え，介護・子育て世帯

Ⅰ 各種所得の金額の計算			
給　与　所　得	B	(1) 収入金額A (2) 給与所得控除額 (3) 特定支払控除額 (4) (1)−(2)−(3)＝B	
Ⅱ 課　税　標　準 　総　所　得　金　額	○○○	(1) 所得金額調整控除額 　　① （A−8,500,000）×10% 　　　　(注) A≧10,000,000 ∴ 少ない方 　　② B−(1)① (2) 損益通算 (3) (利)＋配＋不＋事＋給＋総短＋雑 　　　＋(総長＋一時)×$\frac{1}{2}$＝○○○	

《計算Pattern 3》給与と公的年金の雑所得があり，合計10万円超

Ⅰ 各種所得の金額の計算		
給　与　所　得	B	(1) 収入金額A (2) 給与所得控除額 (3) (1)−(2)＝B
雑　　所　　得	C	(1) 収入金額 (2) 公的年金等控除額 (3) (1)−(2)＝C
Ⅱ 課　税　標　準 　総　所　得　金　額	○○○	(1) 所得金額調整控除額 　　B＋C＞100,000 ∴ 適用あり 　　① （B＋C）−**100,000** 　　　　(注1) B≧100,000 ∴ 少ない方 　　　　(注2) C≧100,000 ∴ 少ない方 　　② B−(1)① (2) 損益通算 (3) (利)＋配＋不＋事＋給＋総短＋雑 　　　＋(総長＋一時)×$\frac{1}{2}$＝○○○

《計算例題１》給与所得の計算　ケース１

福大太郎は，勤務先である福大不動産より，本年中に次のような給料・賞与の支給を受けている。

(1) 基 本 給　　5,200,000円

(2) 通 勤 手 当　　480,000円　　これは１月当たり40,000円実費として支給されたものである。

(3) 出 張 手 当　　500,000円　　これは旅費規程に基づいて計算されたものである。

(4) 扶 養 手 当　　180,000円

(5) 賞　　　与　　2,000,000円

※　資格手当は給与とされる。

なお，年末調整により作成された給与所得の源泉徴収票によると源泉徴収税額は123,800円，社会保険料控除額は482,500円，生命保険料控除額は50,000円である。

(注) 給与所得控除の計算式

給与所得の収入金額		計　算　式
360万円超	660万円以下	収入金額×20％＋44万円
660万円超	850万円以下	収入金額×10％＋110万円
850万円超		195万円

《解答欄》

(1) 収入金額

　　□ 円 ＋ □ 円 ＋ □ 円 ＝ □ 円

(2) 給与所得控除

　　□ 円 × □ ＋ □ 円 ＝ □ 円

(3) 給与所得金額　(1)−(2) ＝ □ 円

《解　答》

(1) 収入金額

　5,200,000円 ＋ 180,000円 ＋ 2,000,000円 ＝ 7,380,000円

(2) 給与所得控除

　7,380,000円 × 10％ ＋ 1,100,000円 ＝ 1,838,000円

(3) 給与所得金額　(1)－(2)＝　5,542,000円

《計算例題2》給与所得の計算　ケース2

　福大太郎は，取締役をしている慶応商事より，本年に次の給料・賞与を得ている。これにより，福大太郎の本年の給与所得の金額を計算しなさい。

1　給　　料　　　4,150,000円

　　　　　　　（源泉徴収税152,000円，社会保険料485,000円控除後の手取額）

2　役員賞与　　　1,105,000円

　この役員賞与は，前年10月の株主総会の決議において具体的支払額が定められたものを本年2月に受け取ったもので，源泉徴収税155,000円控除後の手取である。その他にも，本年10月に株主総会の決議で具体的に支払額が定められた役員賞与が1,200,000円ある。これは，源泉徴収税控除前である。

《解答欄》

(1) 収入金額

　　　円 ＋ 　　　円 ＋ 　　　円 ＋ 　　　円 ＝ 　　　円

(2) 給与所得控除

　　　円 × 　　　 ＋ 　　　円 ＝ 　　　円

(3) 給与所得金額　(1)－(2) ＝ 　　　円

《解　答》

(1) 収入金額

$\boxed{4,150,000円}$ + $\boxed{152,000円}$ + $\boxed{485,000円}$ + $\boxed{1,200,000円}$ = $\boxed{5,987,000円}$

(2) 給与所得控除

$\boxed{5,987,000円}$ × $\boxed{20\%}$ + $\boxed{440,000円}$ = $\boxed{1,637,400円}$

(3) 給与所得金額　(1)-(2)= $\boxed{4,349,600円}$

《計算例題3》給与所得の計算　ケース3（所得金額調整控除あり）

次の資料により，福大太郎の給与所得の金額を計算しなさい。ただし，23歳未満の扶養親族を有する。

　　イ　役員報酬（本年対応分）　　　　9,500,000円

　　ロ　役員賞与（具体的な支給額の確定日は前年12月20日，支払日本年1月）
　　　　　　　　　　　　　　　　　　　2,000,000円

　　ハ　通勤手当（1月～12月分）1,812,000円

《解答欄》

Ⅰ　各種所得金額の計算

(1) 収入金額　$\boxed{}$円 + ($\boxed{}$円 − $\boxed{}$円
　　　　　　　　　　　　　　　× $\boxed{}$) = $\boxed{}$円

(2) 給与所得控除　$\boxed{}$円

(3) 給与所得金額　(1)-(2) = $\boxed{}$円

Ⅱ　課税標準

総所得金額

(1) 所得金額調整控除額

　① ($\boxed{}$円 − $\boxed{}$円) ×10% = $\boxed{}$円
　　　　（注）

　　（注）$\boxed{}$円 <10,000,000円　∴少ない方

② $\boxed{}$円 − $\boxed{}$円 = $\boxed{}$円
   　　　Ⅰ(3)　　　　　　Ⅱ(1)①

(2) 損益通算

(3) （利）＋配＋不＋事＋給＋総短＋（総長＋一時）× $\dfrac{1}{2}$

《解　答》

Ⅰ　各種所得金額の計算

(1) 収入金額　$\boxed{9,500,000円}$ ＋ ($\boxed{1,812,000円}$ − $\boxed{150,000円}$ × $\boxed{12}$) ＝ $\boxed{9,512,000円}$

(2) 給与所得控除　$\boxed{1,950,000円}$

(3) 給与所得金額　(1)−(2) ＝ $\boxed{7,562,000円}$

Ⅱ　課税標準

　総所得金額

(1) 所得金額調整控除額

　　① ($\boxed{9,512,000円}$ − $\boxed{8,500,000円}$) ×10％ ＝ $\boxed{101,200円}$
　　　　　　　　　　　　　　(注)

　　　　　(注) $\boxed{9,512,000円}$ ＜10,000,000円　∴少ない方

　　② $\boxed{7,562,000円}$ − $\boxed{101,200円}$ ＝ $\boxed{7,460,800円}$
　　　　Ⅰ(3)　　　　　　　Ⅱ(1)①

(2) 損益通算

(3) （利）＋配＋不＋事＋給＋総短＋（総長＋一時）× $\dfrac{1}{2}$

《計算例題4》給与所得の計算　ケース4（特定支出あり）

1　慶応　進が一橋株式会社より支払を受けた給料及び賞与の合計額は8,000,000円であった。

2　本年中の特定支出（書面による証明がなされている）の内訳は，次のとおりである。

　(1) 単身赴任のための転居に要した交通費300,000円（普通料金のみ），宿泊費及び身の回り品の運送費200,000円を自己負担している。

(2) 単身赴任先から日本の妻子のもとへの里帰りのための旅費交通費（月4回の割であり，特別料金は含まれていない）の自己負担額1,400,000円を支出している。

(3) 住宅から会社までの通勤費のうち，自己負担したものが170,000円である。この金額は定期乗車券の額を超えてはいない。このうち通勤手当150,000円は，会社から支給されている。

(4) 職務に必要な知識の修得のために直接必要な研修費用の自己負担額400,000円を支出している。

(5) 職務の遂行のために必要な資格を取得するための支出100,000円がかかっている。

《解答欄》

(1) 収入金額 ＿＿＿＿＿ 円

(2) 給与所得控除

＿＿＿＿ 円 × ＿＿＿ ＋ ＿＿＿＿ 円 ＝ ＿＿＿＿ 円

(3) 特定支出の額のうち超える部分の金額

① 特定支出の金額

＿＿＿ 円 ＋ ＿＿＿ 円 ＋ ＿＿＿ 円 ＋（ ＿＿＿ 円 － ＿＿＿ 円） ＋ ＿＿＿ 円 ＋ ＿＿＿ 円 ＝ ＿＿＿ 円

② 超える部分の金額

$\dfrac{①}{＿＿＿ 円} － \dfrac{(2)}{＿＿＿ 円} × \dfrac{1}{2} ＝ ＿＿＿ 円$

(4) 給与所得金額 (1)－(2)－(3)② ＝ ＿＿＿＿ 円

《解　答》

(1) 収入金額　8,000,000円

(2) 給与所得控除

8,000,000円 × 10% ＋ 1,100,000円 ＝ 1,900,000円

(3) 特定支出の額のうち超える部分の金額

① 特定支出の金額

$\boxed{300,000円} + \boxed{200,000円} + \boxed{1,400,000円} + (\boxed{170,000円} - \boxed{150,000円}) + \boxed{400,000円} + \boxed{100,000円} = \boxed{2,420,000円}$

② 超える部分の金額

$\underset{(3)①}{\boxed{2,420,000円}} - \underset{(2)}{\boxed{1,900,000円}} \times \frac{1}{2} = \boxed{1,470,000円}$

(4) 給与所得金額 (1)-(2)-(3)② = $\boxed{4,630,000円}$

《計算例題5》給与所得の経済的利益

東大（株）の使用人のうち同社から資金の貸付けを現在まで受けている者の状況は，以下のとおりである。

各人の給与所得の収入金額となる経済的利益を計算しなさい。

	（借入金額）	約定年利率	（使途）	（借入期間）
慶応　進（使用人）	2,000万円	0％	居住用家屋の取得資金	本年2月1日以降 3年間
明治　清（使用人）	1,000万円	0.3％	居住用家屋の取得資金	前年5月5日以降 9年間
青山佑美（使用人）	600万円	0.5％	居住用家屋の取得資金	前年9月7日以降 8年間
立教春子（使用人）	500万円	3％	居住用家屋の取得資金	前年10月5日以降 2年間
法政初乃（使用人）	700万円	2％	居住用家屋の取得資金	前年以降 10年間

《解　答》

慶応　進　　2,000万円×（1％－0％）×334日／365日＝183,013円

明治　清　　1,000万円×1％－1,000万円×0.3％＝70,000円

青山佑美　　600万円×1％－600万円×0.5％＝30,000円

立教春子　　経済的利益なし

法政初乃　　経済的利益なし

《計算例題6》ストック・オプション課税

居住者福大太郎の本年分の各種所得の金額を計算しなさい。

福大太郎は株式会社K不動産の取締役であり，本年中にK不動産から8,500,000円（支給総額）の役員給与の支給を受けている。

さらに，福大太郎は昨年10月に新株予約権を行使して6,000,000円を払い込んで，K不動産の株式（上場株式等に該当）50株の全株を取得した。この株式を本年9月に8,300,000円で譲渡している。

新株予約権の行使時におけるK不動産株式の1株当たりの価額は96,000円（時価）であり，この新株予約権は，特定新株予約権等（適格オプション）である。

給与所得の収入金額	計　算　式
660万円超　　850万円以下	収入金額×10％＋110万円
850万円超	195万円

《解答欄》

給与所得	□ 円	(1) 収入金額 □ 円
		(注) 特定新株予約権等の行使に係る経済的利益は非課税
		(2) 給与所得控除額
		□ 円 ×10% + □ 円 = □ 円
		(3) (1)−(2) = □ 円
譲渡所得 上場株式分離	□ 円	株式等 譲渡損益 　株分 　　上場（K不動産株式） 　　□ 円 − □ 円 = □ 円

《解 答》

給与所得	6,500,000円	(1) 収入金額　8,500,000円
		(注) 特定新株予約権等の行使に係る経済的利益は非課税
		(2) 給与所得控除額
		8,500,000円 ×10% + 1,100,000円 = 1,950,000円
		(3) (1)−(2) = 6,550,000円
譲渡所得 上場株式分離	2,300,000円	株式等 譲渡損益 　株分 　　上場（K不動産株式） 　　8,300,000円 − 6,000,000円 = 2,300,000円

《実務上のPoint》
(1) 給与所得と間違いやすいものに，次のものがある。原則として，**事業所得の収入金額**となる。
　① 弁護士，税理士等が顧問先の会社などから月極顧問料や決算報酬として支払を受ける金額（税理士事務所や監査法人から使用人又は役員として支払を受けるものは，給与所得となる）
　② プロ野球の選手や競馬の騎手，プロゴルファー，プロレスラー，プロボクサー，プロサッカーの選手，プロテニスの選手等が支払を受ける報酬（各種手当や契約金，賞金を含む）
　③ 外交員，集金人，芸能人が会社などの使用人としての地位に基づかないで（自由職業人として）支払を受ける報酬又は料金（外交員，集金人が固定給と出来高給を併給されるときは，固定給は給与所得となる）
(2) サラリーマンなどの給与所得者は，原則として確定申告は不要である。年末調整が確定申告にとって代わるからである。ただし，①年間給与が2,000万円を超える人，②地代，家賃，原稿料など給与所得以外の所得の合計が年間20万円を超える人，③給与を2か所以上から受け取っていて，従たる給与収入と給与所得以外の所得の合計が20万円を超える人等の人は，申告しなければならない。つまり，サラリーマンのアルバイト所得は，年間20万円以下なら確定申告しなくてもよいというわけである。
(3) アルバイトやサイドビジネスの収入があるときは，所得税の確定申告書の一面の左下の欄にある住民税，事業税に関する事項のところの住民税の徴収方法を，**普通徴収**を選択するならば，勤務先にこれらの収入は知られないですむことができる。住民税の徴収には，普通徴収と特別徴収がある。普通徴収は自らが住民税を納付する。特別徴収は，会社が給料から住民税を天引きして納付する。
(4) 学生アルバイトの場合は，給与所得控除の55万円（最低金額）と基礎控除48万円，勤労学生控除27万円の合計130万円の収入金額までは，所得税は課税されない。

一方，住民税は，給与所得控除65万円，基礎控除33万円（2020年），勤労学生控除26万円となるため（所得は前年の所得税法で清算された金額を使用），124万円の収入金額までは住民税の所得割は課税されない。均等割分は，前年中の所得35万円（給与収入100万円）以下の人は課税されない。

$$\boxed{住民税} = \boxed{所得割} + \boxed{均等割}$$

　　　　　　　　　　　3,500円市（東日本大震災のため500円が加算されている）
　　　　　　　　　　　2,000円県（福岡県）（　　　〃　　　）

　ただし，注意するのは，親の扶養親族になるためには，その子供の合計所得金額が48万円以下でなければならないことである。

　すると，給与収入は103万円以下（（給与収入－給与所得控除55万円（最低金額）＝給与所得（48万円以下））でなければならないので注意しなければならない。子供の給与収入が103万円を超えると，親の納税額が増えることになる。

第8節 家内労働者等の所得計算

　家内労働者（家庭で内職をする等），シルバー人材センターからの配分金，外交員，集金人，電力量計の検針人等の家内労働者等が事業所得又は雑所得を有する場合，事業所得の金額又は雑所得の金額の計算上，控除される必要経費は，最低でも65万円が控除できる。

　パート収入は給与所得となり，最低でも給与所得控除が65万円できるため，家内労働者等の必要経費も最低65万円が控除できるとしたのである。

〈家内労働者等の必要経費〉

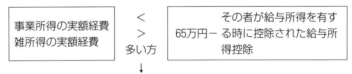

〈家内労働者等に給与所得がある場合の家内労働者等の必要経費〉

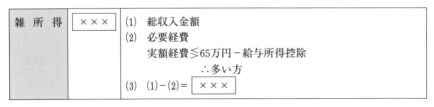

《計算Pattern》家内労働者等の所得計算（家内労働者が給与も有するケース）

雑　所　得	×××	(1) 総収入金額 (2) 必要経費 　　実額経費 ≦ 65万円－給与所得控除 　　　　　　∴多い方 (3) (1)－(2)＝ ×××

第4章
退職所得

【Point 9】

退職所得の金額は，次の算式によって計算される（法30②）。

$$\{(収入金額) - (退職所得控除額)\} \times \frac{1}{2} = 退職所得の金額$$

また，退職所得控除額は，通常の場合は以下の算式で計算される（法30③・④）。

①	勤続年数が20年以下の場合	40万円×勤続年数（最低80万円）
②	勤続年数が20年を超える場合	800万円＋70万円×（勤続年数－20年）

第1節 退職所得の定義と範囲

退職所得とは，退職手当，一時恩給その他の退職により一時に受ける給与及びこれらの性質を有する給与（以下「退職手当等」という）に係る所得をいう（法30①）。功労金等として支給されていても，退職に基因して支給されたものは退職所得となる。

（注） **一時恩給**とは，恩給法の規定によって，**公務員が3年以上在職したのち**，普通恩給を受ける資格を得ないうちに退職する際に一時に支給される恩給のこと。

次に掲げる一時金は，使用者等であった者から支給されるものではないが，過去の勤務に基因して一時的に支給される点でその性格が退職手当等と類似しているところから，**退職手当等とみなされる**（法31，令72）。

① 国民年金法，厚生年金保険法，国家公務員共済組合法，地方公務員等共済組合法，私立学校教職員共済法及び独立行政法人農業者年金基金法の規定に基づく一時金その他これらの法律の規定による社会保険又は共済に関する制度に類する制度に基づく一時金

② 厚生年金保険法9章の規定による一時金のうち，加入員の退職に基因して支払われる一時金

③ 確定給付企業年金法に基づく退職一時金で，その一時金が支給される基因となった勤務をした者の退職により支払われるもの（受給者の負担した保険料又は掛金がある場合には，その金額を控除した金額に相当する部分）その他これに類する特定の一時金

④ 確定拠出年金法の老齢給付金として支給される一時金

⑤ 平成26年度税制改正で，特例退職共済年金，特例退職年金，特例減額退職年金又は特例通算退職年金に代えて支給される一時金は，所得税法上，退職手当等とみなされる。

特例遺族共済年金，特例遺族年金又は特例通算遺族年金に代えて支給される一時金は，所得税は課税されない。

厚生年金や国民年金等の被保険者であった人が亡くなり、遺族の方には遺族年金が支給される。恩給を受けていた人が亡くなった場合には、遺族の方には遺族恩給が支給される。以下の法律に基づいて，遺族の方に支給される遺族年金や遺族恩給は，所得税も相続税も課税されない。

①国民年金法，②厚生年金保険法，③恩給法，④国家公務員共済組合法，⑤地方公務員等共済組合法，⑥私立学校職員共済法，⑦旧農林漁業団体職員共済組合法，⑧旧船員保険法

第2節 非課税とされる退職手当等

　死亡退職によりその死亡した者の**遺族が受ける退職手当**等は，相続税法上相続財産とみなされ，相続税の課税対象とされる（相続税法3①二）。反面，所得税は課税されない（法9①十六，通9-17）。

　永年勤続者の記念品，旅行・観劇等への招待で，社会通念上相当と認められるもの，しかも10年以上の勤務していた者を対象とするものは，非課税とされる（通36-21）。

\multicolumn{3}{c}{令和3年分　退職所得の源泉徴収票・特別徴収票}				
支払を受ける者	個人番号				
	住所又は居所	港区三田8－10			
	平成29年1月1日の住所	港区三田8－10			
	フリガナ 氏名	（役職名）　　慶応　進			
区　分	支払金額	源泉徴収税額	特別徴収税額	
			市町村民税	道府県民税
所得税法第201条第1項第1号並びに地方税法第50条の6第1項第1号及び第328条の6第1項第1号適用分	千　　　円	千　　　円	千　　　円	千　　　円
所得税法第201条第1項第2号並びに地方税法第50条の6第1項第2号及び第328条の6第1項第2号適用分				
所得税法第201条第3項並びに地方税法第50条の6第2項及び第328条の6第2項適用分	5 000 000	1 021 000		
退職所得控除額	勤続年数	就職年月日	退職年月日	
	6年	平成27年10月1日	令和3年9月30日	
（摘要）				
支払者	個人番号又は法人番号				
	住所（居所）又は所在地	福岡市七隈			
	氏名又は名称	福大株式会社　　　　（電話）092－000－×××			

第3節 退職所得の金額の計算

　一般の退職所得の金額は，その年中の退職手当等の収入金額から退職所得控除額を控除した残額の2分の1に相当する金額である（法30②）。

(1) 特定役員退職手当等以外の一般の退職所得

$$\{(一般退職手当等の収入金額)-(一般の退職所得控除額)\} \times \frac{1}{2} = (退職所得の金額)$$

(2) 特定役員退職手当等の退職所得

$$(特定役員退職手当等の収入金額)-(特定役員の退職所得控除額)=(退職所得の金額)$$

(3) 特定役員退職手当等と一般退職手当等の両方があった場合で，特定役員退職勤続年数と一般退職手当等勤続年数が重複しない場合の退職所得の金額

① 特定役員退職手当等の収入金額−**特定役員退職所得控除額**（注①）
② （一般退職手当等の収入金額−**一般退職所得控除額**（注②））×$\frac{1}{2}$
③ ①＋②＝退職所得の金額

　　(注①)　**特定役員退職所得控除額**
　　　　　40万円×特定役員等勤続年数
　　(注②)　**一般退職所得控除額**
　　　　　退職所得控除額−特定役員退職所得控除額

(4) 特定役員退職手当等と一般退職手当等の両方があった場合で，特定役員等勤続年数と一般退職手当等に係る勤続年数が重複する場合の退職所得の金額

① 特定役員退職手当等の収入金額−**特定役員退職所得控除額**（注①）
② （一般退職手当等の収入金額−**一般退職所得控除額**（注②））×$\frac{1}{2}$
③ ①＋②＝退職所得の金額

　　(注①)　**特定役員退職所得控除額**
　　　　①　40万円×（特定役員等勤続年数−重複勤続年数）

② 20万円×重複勤続年数
③ ①+②＝特定役員退職所得控除額
(注②) **一般退職所得控除額**
退職所得控除額－特定役員退職所得控除額

　なお，平成25年１月１日以後において，支払を受ける年中の退職手当等が勤続年数が５年以下の下記の**特定役員退職手当等**である場合には，退職手当等の収入金額から退職所得控除額を控除した残額に対する２分の１の規定の適用はない。勤続年数５年以下の役員等の退職手当等（特定役員退職手当等）は，２分の１は適用がない。短期間に多額の退職金を受け取り，税負担を回避することを防ぐためである。

① 　ただし，令和４年分以降の所得税からその年中の退職手当等のうち，退職手当等の支払者の下での**勤続年数が５年以下**である従業員（役員ではない）が当該退職手当等の支払者から当該勤続年数に対応するものとして支払を受けるものであって，**特定役員退職手当等に該当しないもの（短期退職手当等）**に係る退職所得の金額の計算につき，短期退職手当等の収入金額から退職所得控除額を控除した残額のうち300万円を超える部分については，退職所得の金額の計算上２分の１とする措置を適用しないこととする。
　　退職所得の金額は，300万円までは２分の１と300万円を超えた金額との合計金額となる。
② 　上記①の見直しに伴い，短期退職手当等と短期退職手当等以外の退職手当等がある場合の退職所得の金額の計算方法，退職手当等に係る源泉徴収税額の計算方法及び退職所得の源泉徴収票の記載事項等について所要の措置を講ずる。
　(注①)　上記①②の改正は，令和４年分以降の所得税について適用する。
　(注②)　令和４年に勤続年数３年で退職し，退職金700万円を受け取った。
　　　　　（勤続年数５年以下，300万円を超える退職金をもらったケース）
　　　⑴　収入金額　700万円
　　　⑵　退職所得控除
　　　　　40万円×３年＝120万円

(3) 退職所得の金額
① 700万円－120万円＝580万円
② 580万円－300万円＝280万円（300万円を超える部分）
③ $300万円 \times \frac{1}{2} + 280万円 = 430万円$
（300万円まで）（300万円を超える）

特定役員退職手当等とは，退職手当等のうち，以下に掲げる役員等としての**勤続年数が5年以下**である者が，役員等としての勤務年数に対応する退職手当等として支払を受ける者をいう（法30④）。
① 役員（法人税法第2条第15号に規定する役員）
　取締役，執行役，会計参与，監査役，理事及び清算人並びにこれら以外の者で法人の経営に従事している者のうち政令で定めるもの
② 国会議員及び地方議会の議員
③ 国家公務員及び地方公務員

1 退職所得の収入金額

退職手当等の収入金額とは，その年中に**収入すべき退職手当等の金額**（金銭以外の物又は権利その他経済的な利益をもって収入する場合には，その金銭以外の物又は権利その他経済的利益の価額を含む）をいう（法36①・②）。

2 退職所得の収入金額計上時期

退職所得の収入金額の計上の時期は，原則として退職の日であるが，次に掲げる場合にはそれぞれの日とされる（令77，基36-10）。
(1) 会社役員等の退職手当等で定款の定めにより**株主総会等の決議を要する場合は，その決議のあった日**。ただし，その決議が具体的な支給額を定めていない場合には，その金額が具体的に定められた日
(2) 一の勤務先を退職することにより**二以上の退職手当等の支払を受ける権利**を有することとなる場合は，その支払を受ける退職手当等については，これらのうち**最初に支払を受けるべきものの支払を受けるべき日**（令77）

3 退職所得控除額

退職所得控除額は，原則として，勤続年数に応じ以下に掲げる算式により計算した金額である。

> 〈退職所得控除額〉
> (1) **勤続年数が20年以下である場合**
>   40万円×勤続年数（ただし，80万円未満となるときは80万円）
> (2) **勤続年数が20年を超える場合**
>   800万円＋70万円×（勤続年数－20年）
> (3) **障害者になったことに基因して退職したと認められる場合**
>   (1)又は(2)により計算した金額＋100万円

4 勤続年数

勤続年数は，退職所得者が退職手当等の支払者のもとにおいて，その退職手当等の支払の基因となった退職の日まで引き続き勤務した期間（以下「**勤続期間**」という）により計算する。ただし，次のような特例がある（令69，70）。

(1) 勤続年数は，**臨時職員**などとして勤務した期間も含まれる。
(2) 病気などのため**長期欠勤，休職**になった場合は，引き続き勤務したものとして取り扱う（基30－6）。
(3) 退職所得者が支給者から**前に退職手当等の支払を受けたことがある場合**には，前に支払を受けた退職手当等の支払金額の計算の基礎とされた期間の末日以前の期間は，勤続年数又は(1)もしくは(2)の加算期間に含めない。

　　ただし，退職金の支払者以外のもとにおいて勤務した期間も勤続年数に含めて計算することがある（令69①一ロ）。例えば，勤続期間の中途で，子会社などに出向し一時勤務しなかった期間があっても，会社がその出向期間を退職金の支払計算の基礎となる勤続期間に含めたときは，これらの期間は勤続年数に含める。

(4) その年に二以上の退職金の支払を受ける場合は,各退職金ごとに勤続期間を計算し,そのうち**最も長い期間**によって勤続年数を計算する(令69②)。ただし,その最も長い期間以外の勤続期間のうちに最も長い期間と重複しない期間があるときは,その重複しない期間をその最も長い勤続期間に加算して勤続年数を計算する。

(注) 上記勤続年数を計算する場合に1年未満の端数が生じたときは,これを1年とする(令69②)。

《勤続年数の計算Pattern》

18年6か月→19年
1年未満の端数→1年

(1) 原則——就職の日から退職した日までの引き続き勤務した期間（病気による長期の欠勤又は休職期間は含む）

(2) ① 就職の日から退職の日までに一時勤務しなかった期間がある場合
→㋑+㋩

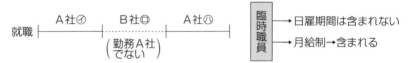

→日雇期間は含まれない
→月給制→含まれる

② ただし,B社が子会社等であり,A社の退職金の計算期間にB社の出向期間が含まれている場合——㋑+㋺+㋩

(3) 同一年に2回以上の退職手当等の支給のケース
  ① ケースA

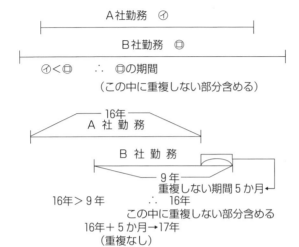

  ② ケースB

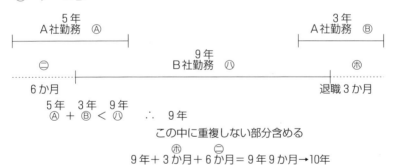

第4節 退職所得に対する課税

1 課税標準としての退職所得

　退職所得は，一時的に発生する性質のほか，老後の生活保障的な性格を持っていることから，税負担の緩和を図るため，退職所得控除の特別控除があり，さらに所得金額の計算につき2分の1（半額課税制度）とされているほか，他の所得とは総合せず，これを区分して，損益通算及び純損失特定の居住用財産の譲渡損失又は雑損失の繰越控除後の金額を課税標準たる退職所得金額として課税される（法21①四，法22）。

2 退職所得と源泉徴収

　退職所得（退職手当等）については，その支払を受ける際に所得税が源泉徴収され（法190），通常この源泉徴収だけで納税が完結し，特定の場合を除き確定申告を要しない（法121②）。

(1) 源泉徴収義務

　居住者に対し，国内で退職手当等の支払をする者は，その支払の際，その退職手当等について所得税を徴収し，原則としてその**徴収の日の属する月の翌月10日**までに国に納付しなければならない（法199）。

　ただし，常時2人以下の家事使用人のみに対して給与の支払をする者の場合は，その退職手当等について所得税の源泉徴収を要しない（法200）。

(2) 退職手当等の源泉徴収の方法

　① 支払を受ける者が「**退職所得の受給に関する申告書**」を提出している場合で，特定役員退職手当等に該当しない場合は，退職手当等の金額から退職所得控除額を控除した残額の2分の1に相当する金額を課税退職所得金額とみなして計算した所得税額の100％（復興特別所得税を含むと102.1％）を源泉徴収する（法201①・②）。支払を受ける者が「**退職所得の受給に関する申告書**」を提出している場合で，特定役員退職手当等に該当する場合は，

退職手当等の金額から退職所得控除額を控除した残額に相当する金額を課税退職所得金額とみなして計算した所得税額の100％（復興特別所得税を含むと102.1％）を源泉徴収する（法201①・②）。

② 支払を受ける者が「**退職所得の受給に関する申告書」を提出していない場合**は，その支払う退職手当等の金額に20％（復興特別所得税を含むと20.42％）の税率を乗じて計算した所得税額を源泉徴収する（法201）。

3 退職所得の確定申告

退職所得を有する居住者は，次の(1)又は(2)に該当する場合には，他の総所得金額等の課税標準に係る所得税について確定申告を要する場合であっても，その年分の課税退職所得金額に係る所得税については確定申告を要しない（法121②）。

(1) その年分の退職手当等の全部について，正規の手続をして所得税の源泉徴収をされた場合（上記 **2** (2)の①の場合）又はされるべき場合

(2) (1)に該当する場合を除き，その年分の課税退職所得金額につき税率及び簡易税額表を適用して計算した所得税の額が，その年分の退職手当等につき源泉徴収された又はされるべき所得税の額以下である場合

《計算Point》

1 退職所得となるもの
 (1) 退職手当，一時恩給
 (2) 国民年金，厚生年金等を一時に受ける場合の一時金，適格退職年金契約に基づく一時金
 (3) 退職に当たって支給された功労金

2 退職所得控除

〈図表4－1〉退職所得控除額の計算

勤続年数	退職所得控除額	
20年以下	40万円×勤続年数（最低80万円）	障害者になって退職100万円プラス
20年超	800万円＋70万円×（勤続年数－20年）	

3　収入金額の計上時期

〈図表4－2〉退職所得の収入計上時期

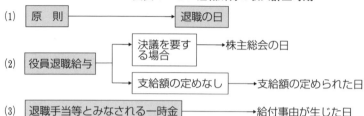

4　勤続年数の計算（1年未満の端数は1年とする）28年7か月→29年

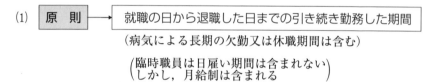

(2) 退職金の計算期間に，出向期間が含まれている場合……出向期間を含む

《計算Pattern》

〈退職所得の金額計算〉

特定役員退職手当等以外の退職所得

退職所得	×××	(1) 収入金額 (2) 退職所得控除額 (3) 退職所得の金額　$\{(1)-(2)\} \times \dfrac{1}{2}$

特定役員退職手当等の退職所得

退職所得	×××	役員等の勤続年数≦5年 　　∴特定役員退職手当 (1) 収入金額 (2) 退職所得控除額 (3) 退職所得の金額　(1)－(2)

第Ⅱ編　各種所得の金額の計算

特定役員退職手当等と一般退職手当等の両方があった場合で，特定役員退職勤続年数と一般退職手当等の勤続年数が重複しない場合の退職所得

退職所得	×××	(1) 特定役員退職手当等 　＜判定＞ 　　役員等の勤続期間≦5年　　∴特定役員退職手当等 　① 収入金額 　② 特定役員退職所得控除額 　　400,000×特定役員等勤続年数 　③ (1)①－(1)② (2) 一般退職手当等 　① 収入金額 　② 一般退職所得控除額 　　㋐ 退職所得控除額 　　㋑ (1)② 　　㋒ ㋐－㋑ 　③ ((2)①－(2)②) $\times \dfrac{1}{2}$ (3) (1)+(2)

特定役員退職手当等と一般退職手当等の両方があった場合で，特定役員退職勤続年数と一般退職手当等の勤続年数が重複する場合

退職所得	×××	(1) 特定役員退職手当等 　＜判定＞ 　　役員等の勤続期間≦5年　　∴特定役員退職手当等 　① 収入金額 　② 特定役員退職所得控除額 　　重複勤続年数…　　年 　　㋐ 400,000×（特定役員等勤続年数－重複勤続年数） 　　㋑ 200,000×重複勤続年数 　　㋒ ㋐＋㋑ 　③ (1)①－(1)② (2) 一般退職手当等 　① 収入金額 　② 一般退職所得控除額 　　㋐ 退職所得控除額 　　㋑ (1)②㋒ 　　㋒ ㋐－㋑ 　③ ((2)①－(2)②) $\times \dfrac{1}{2}$ (3) (1)+(2)

《計算例題1》退職所得の計算　ケース1

居住者福大太郎は，令和3年に福大物産(株)を退職し，退職金の支給を受けた。次の資料により退職所得の金額を計算しなさい。

1　退職金　　　　　　　　20,000,000円
2　退職功労金　　　　　　 3,000,000円　これは在職中の功績に対するもので賞与に該当しない。
3　転居に伴う支度金　　　　 500,000円　これは退職に伴い転居するため福大物産㈱から支給された旅行費用であり，通常必要とされる範囲内の金額である。
4　勤務期間　平成4年4月1日～令和3年5月31日

《解答欄》　計算式の □ の中に，＋，－，×，÷のうち適切な符号を記入しなさい。

(1)　収入金額　□ 円 □ □ 円 ＝ □ 円
(2)　退職所得控除額
　　イ．勤続年数　□ 年 □ ヶ月 → □ 年
　　ロ．退職所得控除額
　　　　□ 円 □ □ 円 □ (□ 年 □ □ 年)
　　　　　＝ □ 円
(3)　退職所得の金額
　　(□ 円 □ □ 円) □ □/□
　　　＝ □ 円

《解　答》

(1)　収入金額　20,000,000円　＋　3,000,000円　＝　23,000,000円
(2)　退職所得控除額

　　　平成4年4月 → 令和3年5月　　30＋3－4＝29年

　　平成31年が令和元年である。

イ．勤続年数　29年2ヶ月　→　30年

ロ．退職所得控除額

　　8,000,000円　＋　700,000円　×　（　30年　－　20年　）

　　　　　　　　　　　　　　　　　　＝　15,000,000円

(3) 退職所得の金額

　（　23,000,000円　－　15,000,000円　）× $\dfrac{1}{2}$

　　　　　　　　　　　　　　　　　　　＝　4,000,000円

《計算例題2》退職所得の計算　ケース2

　次の資料により，居住者福大太郎の退職所得の金額を計算し，解答欄に記入しなさい。なお，福大太郎の慶応銀行株式会社への入社日は平成4年4月1日で，退職日は令和3年9月30日であった。

1　退職支給額

　(1)　退職金　　　　　　　　　20,000,000円

　(2)　退職功労金　　　　　　　 3,000,000円　これは在職中の功績に対するもので賞与に該当しない一時金である。

　(3)　転居に伴う支度金　　　　　 200,000円　これは退職に伴い転居するために慶応銀行株式会社より支給された旅行費用であり，通常必要とされる範囲内の金額である。

2　明治商事株式会社出向期間　　平成14年4月1日から平成22年3月31日

　なお，明治商事株式会社は慶応銀行株式会社の子会社であり，明治商事からは出向期間に係る退職金の支給を受けていない。慶応銀行株式会社の退職金の計算期間には，この出向期間も含まれている。

《解答欄》

　(1)　収入金額

　　　　□　円　＋　□　円　＝　□　円

(2) 退職所得控除額

イ．勤続年数　　年　ヶ月　→　　年

ロ．退職所得控除額

　　　円　＋　　　円　×（　年　－　年　）

　　　　　　　　　　　　　　＝　　　　円

3　退職所得の金額

（　　　円　－　　　円　）×　□/□　＝　　　円

《解　答》

(1) 収入金額

20,000,000円　＋　3,000,000円　＝　23,000,000円

(2) 退職所得控除額

　　平成4年4月　→　令和3年9月　　30＋3－4＝29年

　　平成31年が令和元年である。

イ．勤続年数　　29年6ヶ月　→　30年

ロ．退職所得控除額

8,000,000円　＋　700,000円　×（　30年　－　20年　）

　　　　　　　　　　　　　　＝　15,000,000円

(3) 退職所得の金額

（　23,000,000円　－　15,000,000円　）×　1/2　＝　4,000,000円

《計算例題3》退職所得の計算　ケース3

　居住者福大太郎は，令和3年に明治商事(株)を退職し，退職金の支給を受けた。次の資料により，退職所得の金額を計算しなさい。なお，福大太郎は，障害者になったことにより退職したものである。

(1) 退職金　　　　　　　　20,000,000円

(2) 転居に伴う支度金　300,000円　これは，退職に伴い転居するため，明治商事(株)から支給された旅行費用であり，通常必要とされる範囲内の金額である。

(3) 勤務期間　平成2年7月1日〜令和3年10月31日

なお，在職中病気により平成13年9月26日から平成15年3月25日まで休職している。また，勤務期間のうち1年間は日雇期間であり，日給制であった。

《解答欄》　計算式の □ の中に，＋，−，×，÷のうち適切な符号を記入しなさい。

(1) 収入金額　[　　円]　□　[　　円]　＝　[　　円]

(2) 退職所得控除額

　イ．勤続年数　[　年　ヶ月] → [　年]

　ロ．退職所得控除額

　　[　　円]　□　[　　円]　□　[　　円]

　　（[　年]　□　[　年]）＝　[　　円]

(3) 退職所得の金額

　（[　　円]　□　[　　円]）　□　□／□　＝　[　　円]

《解　答》

(1) 収入金額　[20,000,000円]　□　[　　円]　＝　[20,000,000円]

(2) 退職所得控除額

　イ．勤続年数　[30年4ヶ月] → [31年]　30＋3−2＝31年4か月

　　　　　　　　　　　　　　　　　31年4か月−1年日雇い＝30年4か月

ロ．退職所得控除額

(3) 退職所得の金額

(20,000,000円 − 16,700,000円) × $\frac{1}{2}$ = 1,650,000円

《計算例題4》退職所得の計算　ケース4

　慶応　進は，今回K会社を退職し，退職金1,200万円の支給を受けている。次の資料により，慶応　進の退職所得金額を計算しなさい。

　①の退職については，退職金の支払を受けており，しかも，②の退職金については，K社は①の期間もその計算の基礎に含めている。

《解答欄》

〈慶応　進の勤続年数〉

　　年　ヶ月 ＋ 　　年　ヶ月 ＝ 　　年　ヶ月 → 　　年

〈前の勤続年数〉

　　年　ヶ月 → 　　年

(1) 収入金額

　　　　円

(2) 退職所得控除額

　{ 　　円 ＋ 　　円 ×（ 　年 − 　年 ）}
　−{ 　　円 × 　年 } ＝ 　　円

(3) 退職所得金額

$\{(1)-(2)\} \times \dfrac{\Box}{\Box} = \boxed{}$ 円

《解　答》

〈慶応　進の勤続年数〉

$\boxed{12年4ヶ月} + \boxed{15年6ヶ月} = \boxed{27年10ヶ月} \longrightarrow \boxed{28年}$

〈前の勤続年数〉

$\boxed{12年4ヶ月} \longrightarrow \boxed{13年}$

(1) 収入金額

$\boxed{12,000,000円}$

(2) 退職所得控除額

$\{\boxed{8,000,000円} + \boxed{700,000円} \times (\boxed{28年} - \boxed{20年})\}$
$- \{\boxed{400,000円} \times \boxed{13年}\} = \boxed{8,400,000円}$

(3) 退職所得金額

$\{(1)-(2)\} \times \dfrac{\boxed{1}}{\boxed{2}} = \boxed{1,800,000円}$

《計算例題５》退職所得の計算（特定役員等退職手当等と一般退職手当等の支給を受け，それぞれの勤続年数が重複するケース）

　福大太郎は，平成21年4月1日にA社に入社し，令和3年3月31日にA社を使用人として退職して退職金10,000,000円の支給を受けた。また，平成31年4月1日に役員としてB社に入社し，令和3年10月31日に役員退職金18,000,000円の支給を受けた。

　福大太郎の令和3年分の退職所得の金額を計算しなさい。

《解答欄》

(1) 特定役員退職手当等

　　＜判定＞

　　役員の勤続年数　[　年　ヶ月] → [　年]

　　　　　　　　　[　年] ≦ 5 年　∴特定役員退職手当等

　① 収入金額　[　　　円]

　② 特定役員退職所得控除額

　　重複勤続年数　[　年　ヶ月] → [　年]

　　㋐ [　　円] ×（[　年] − [　年]）＝ [　　円]

　　㋑ [　　円] × [　年] ＝ [　　円]

　　㋒ ㋐＋㋑ ＝ [　　円]

　③ [　　円] − [　　円] ＝ [　　円]

(2) 一般退職手当等

　① 収入金額　[　　　円]

　② 一般退職所得控除額

　　勤続年数　[　年　ヶ月] → [　年]

　　㋐ [　　円] × [　年] ＝ [　　円]

　　㋑ [　　円]

　　㋒ ㋐−㋑ ＝ [　　円]

　③ （①−②）× $\frac{1}{2}$ ＝ [　　円]

(3) (1)+(2) ＝ [　　円]

《解　答》

(1) 特定役員退職手当等

　　＜判定＞

　　役員の勤続年数　平成31年4月→令和3年10月

　　　　　　　　　[2年7ヶ月] → [3年]

① 収入金額 18,000,000円
② 特定役員退職所得控除額
　重複勤続年数　平成31年4月→令和3年3月

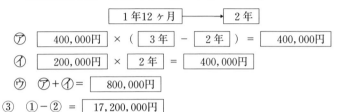

　㋐ 400,000円 × (3年 - 2年) = 400,000円
　㋑ 200,000円 × 2年 = 400,000円
　㋒ ㋐+㋑ = 800,000円
③ ①-② = 17,200,000円

(2) 一般退職手当等
① 収入金額 10,000,000円
② 一般退職所得控除額
　勤続年数　平成21年4月→令和3年10月

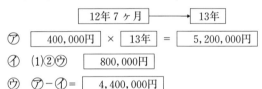

　㋐ 400,000円 × 13年 = 5,200,000円
　㋑ (1)②㋒ 800,000円
　㋒ ㋐-㋑ = 4,400,000円
③ (①-②) × $\frac{1}{2}$ = 2,800,000円

(3) (1)+(2) = 20,000,000円

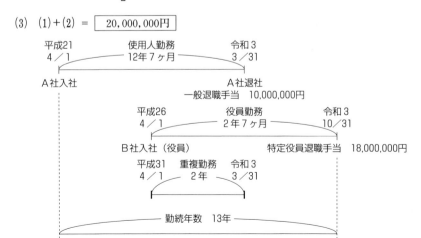

《実務上のPoint》

(1) 退職金の支給を受けた場合は，「**退職所得の受給に関する申告書**」を会社に**提出**することで，所得税も住民税も退職金の支払者のもとで源泉徴収されるので，確定申告の必要はなくなる。

(2) しかし，「**退職所得の受給に関する申告書**」が提出されないときは，退職金収入×20％の税額が天引きされ，退職所得控除をこの段階では受けていないので，確定申告で税額を精算することが必要となる。

(3) 不動産所得の赤字などで損益通算できる赤字を退職所得から差し引く場合や，所得控除金額が多く，所得控除を退職所得から差し引く場合や，住宅ローン控除が多く，退職所得以外の所得に対する所得税から控除しきれない場合には，確定申告する方が有利である。

第Ⅱ編　各種所得の金額の計算　195

一時所得

【Point 10】

　一時所得の金額は，以下の算式によって計算される（法34②）。

（総収入金額）−（収入を得るために支出した金額）−（特別控除額最高50万円限度）
＝一時所得の金額

第1節 一時所得の定義と範囲

　一時所得とは，利子所得，配当所得，不動産所得，事業所得，給与所得，退職所得，山林所得及び譲渡所得以外の所得のうち，営利を目的とする継続的行為から生じた所得以外の一時の所得で労務その他の役務又は資産の譲渡の対価としての性質を有しないものをいう（法34①）。

> 一時所得とは，つまり次の三つの性質を有する所得である。
> 1　営利を目的とする継続的行為から生じる所得に該当しない
> 2　役務又は資産の譲渡の対価たる性質を有しない所得である
> 3　一時的な所得である

　具体的には，一時所得の例として，次のような所得がこれに該当する（基34-1他）。

(1) **懸賞の賞金品，福引の当せん金品等**（業務に関して受けるものを除く）

　　懸賞当せん品を物品で受け取った場合（宝石等）は，収入金額は原則として時価で計算する。しかし，広告宣伝の賞品等（自動車，カメラ，電子レンジ等）で現金で受け取ることができないものは，賞品の小売価額（現金正価）の60％を収入金額とする（基36-20，205-9）。

　　ただし，公社債，株券，貸付信託，証券投資信託の受益証券等，土地，建物，貴金属，骨とう等の受入れもすべて時価で評価する。

(2) **競馬の馬券の払戻金，競輪の車券の払戻金等**（営利を目的とする継続的行為から生じたものを除く）（基34-1(2)）

　　馬主が受ける賞金は，事業所得又は雑所得

(3) **生命保険契約等に基づく一時金**（退職所得とみなされるもの及び業務に関して受けるものを除く）及びその契約に基づきその一時金とともに又はその一時金の支払を受けた後に支払を受ける剰余金又は割戻金，損害保険契約等に基づき支払われる満期払戻金及び解約払戻金

(4) **法人からの贈与により取得する金品**（業務に関して受けるもの及び継続的に

受けるものを除く）
(5) **人格のない社団等の解散により受けるいわゆる清算分配金**又は脱退により受ける持分の払戻金
(6) 借家人が賃貸借の目的とされている家屋の立退きに際して受けるいわゆる**立退料**（その立退きに伴う業務の休止等により減少することとなる借家人の収入金額又は業務の休止期間中に使用人に支払う給与など借家人の各種所得の金額の計算上必要経費に算入される金額を補てんするための金額及び譲渡所得の収入金額に該当する部分の金額を除く）
(7) **売買契約が解除された場合にその契約の当事者が取得する手付金**又は償還金（業務に関して受けるものを除く。商品の売買契約が解除されたときに受けとるときの手付金は，事業所得の収入金額に該当する）
(8) **遺失物拾得者又は埋蔵物発見者の受ける報労金**
(9) **遺失物の拾得又は埋蔵物の発見により新たに所有権を取得する資産**
(10) 株主としての地位に基づかないで法人から有利な発行価額による新株等を取得する権利を与えられた場合の経済的利益（給与所得又は退職所得に該当するものを除く）
(11) 地方税をその納期前に納付したことにより交付を受ける**報奨金**（業務用固定資産に係るものを除く）
(12) **災害見舞金，結婚祝金品等**（雇用契約に基づく義務として支給されるものを除く。受贈者の社会的地位等に照らして相当と認められるものは，課税しない。基通9-23）

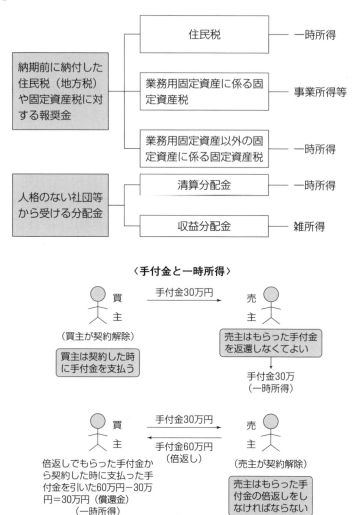

第2節 非課税とされるもの

　個人からの贈与・相続・遺贈により取得するもの，心身に加えられた障害につき受ける慰謝料などの損害賠償金，宝くじの当せん金などは，非課税所得となる（法9①十八～二十二，当せん金附証票法13）。

《所得税法の判例研究》☕ちょっと考えるコーヒーブレイク（一時所得の概念）
　一時所得に対しては，競馬事件（最高裁平成27年3月10日判決）がある。
　会社員が自分のパソコンで自動的に馬券を購入できるソフトを使用し，インターネットで長期間にわたって多数回かつ頻繁に網羅的な購入をして当たり馬券の払戻金を得ることにより多額の利益を上げていた。本件では，1日当たり数百万円から数千万円，1年当たり10億円前後の馬券を購入し続けていた平成19年から平成21年までの3年間は，平成19年に約1億円，平成20年に約2,600万円，平成21年に約1,300万円の利益を上げていた。この所得が一時所得にあたるのか，また外れ馬券の購入代金が経費になるかどうかが争点となった。
　競馬事件上告審判決（最高裁第三小法廷平成27年3月10日判決）では，所得税法上，営利を目的とする継続行為から生じた所得は，一時所得ではなく雑所得に区分されるところ，営利を目的とする継続行為から生じた所得であるか否かは，法34条1項の文理に照らし，行為の期間，回数，頻度その他の態様，利益発生の規模，期間，その他の状況等を総合考慮して判断するのが相当であるとした。
　これを本件にあてはめると，本件では長期間にわたって大量に馬券を購入し，多額の利益を恒常的に上げていた。こうした一連の馬券購入行為を一体の経済活動としてみて，**継続性があると判断**し，一時所得ではなく雑所得としてみる。
　したがって，外れ馬券の購入費用を経費として控除できるとした。

	払戻金の判断	外れ馬券購入費の判示
地裁判決	払戻金は雑所得	外れ馬券と払戻金とは直接対応関係にないが、その他これらの所得を生ずべき業務について生じた費用の額としての必要経費に該当すると判示
高裁判決	払戻金は雑所得	外れ馬券も含めた全馬券の購入費用が払戻金を得るために「直接に要した費用」に当たり必要経費として控除されると判示
最高裁判決	払戻金は雑所得	本件払戻金は継続的行為から生じており、外れ馬券を含む全ての馬券の購入代金の費用が払戻金という収入に直接対応する費用

第3節 一時所得の金額の計算

一時所得の金額は，その年中の一時所得の**総収入金額**からその**収入を得るために支出した金額**の合計額を控除し，その残額から一時所得の**特別控除額**を控除した金額である（法34②）。

$$\left\{\begin{pmatrix}総収入\\金\quad 額\end{pmatrix} - \begin{pmatrix}収入を得るために支\\出した金額の合計額\end{pmatrix}\right\} - \begin{pmatrix}一時所得の\\特別控除額\end{pmatrix} = \begin{pmatrix}一時所得\\の金額\end{pmatrix}$$

(注) 一時所得の特別控除額は，50万円（その残額が50万円に満たない場合は，その残額である）

1 一時所得の総収入金額

一時所得の総収入金額は，その年中において**収入すべき金額**（金銭以外の物又は権利その他経済的な利益をもって収入する場合には，その金銭以外の物又は権利その他経済的な利益の価額）である（法36①・②）。

発行法人から有利な発行価額による新株等を取得する権利を与えられた場合（株主，社員として与えられた場合を除く）におけるその権利に係る収入金額は，払込期日における新株等の価額（その払込期日の翌日以後1月以内に新株等の価額が低落したときは，その低落した最低の価額）からその新株等の発行価額を控除した金額による（令84）。

2 一時所得の収入金額計上時期

一時所得の総収入金額の収入すべき時期は，原則として，**その収入を受けた日**である。ただし，生命保険契約等の一時金のように，あらかじめ契約において一定の事実が発生したときに支払を受ける金額が確定するものについては，その事実が発生した日による（基36-13）。また，新株等を取得する権利に係る収入の計上時期は，原則として，その新株等の申込をした日である（基23～35共-6の2）。

3 収入を得るために支出した金額

一時所得の金額の計算上総収入金額から控除する収入を得るために支出した金額は，収入を生じた各行為，各原因の発生にともない直接要した金額に限られる（個別対応）。したがって，収入を生じない行為又は収入を生じない原因の発生に伴う支出金額は，収入を得るために支出した金額には含まれない（法34）。

> （注）「支出した金額」には，例えば懸賞クイズ等の当せん金品の一部をあらかじめ公益施設等に寄付する定めのある場合には，その定めに基づき寄付した金品も含まれる（基34-3）。

生命保険契約等に基づく一時金又は損害保険契約等に基づき満期返戻金等に係る一時所得の金額の計算に当たっては，その契約に基づいて払い込まれた保険料又は掛金のうちその一時金等に対応する部分の金額は，**支出した金額**に算入される（令183②，184①）。

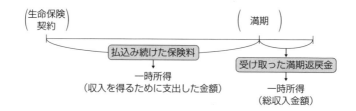

《所得税法の判例研究》 ☕ちょっと一休みのコーヒーブレイク（一時所得）

養老保険事件（最高裁平成24年1月13日判決）では，会社が負担した保険料も個人が一時金の支払を受けた場合，収入を得るために支出した金額になり控除できるかが争われた。

最高裁は，収入を得るために支出した金額とは，本人が負担したものに限られると判示した。

第4節　一時所得に対する課税

１　半額課税

　一時所得は，一時的な性質を有する所得であることから，所得金額の計算上特別控除額の控除を行うほか，総所得金額の計算上算入する金額は，一時所得の金額の**２分の１に相当する金額**である（法22②二）。したがって，半額課税である。

２　損益通算

　一時所得の金額の計算上生じた損失の金額は，他の所得から控除する損益通算はできない（法69①）。

３　源泉徴収

　一時所得に該当する事業の広告宣伝のための賞金については，その支払の際，賞金から50万円を控除した残額について**10％**の税率により所得税の源泉徴収を行う（法204，205，令322）。平成25年１月１日から平成49年12月31日までに支払を受ける場合は，所得税の源泉徴収税額の2.1％の復興特別所得税が源泉徴収される。

> （賞金－50万円）×10％＝賞金獲得者が負担すべき源泉所得税額

（注１）　一時所得の半額課税は損益通算後の金額に対して行い，純損失の繰越控除前に行う（法22）。
（注２）　賞金の手取額から総収入金額を計算する方法
　　　　　賞金－税額＝手取額
　　　　　（賞金－50万円）×10％＝税額
　　　　　賞金－（賞金－50万円）×10％＝手取額
　　　　　賞金－賞金×10％＋５万円＝手取額
　　　　　賞金×（１－0.1）＝手取額－５万円
　　　　　　∴賞金＝（手取額－５万円）÷0.9
（注３）　賞金を金銭以外で受けた場合の源泉税額と源泉徴収特別税額

$$(現金 + \boxed{賞品の評価額} - 500{,}000) \times 10.21\%$$
$$\downarrow$$

　　　　　自動車, カメラ等　　（現金正価×60％）
　　　　　貴金属, こっとう品等（時価）
　　　　　商品券　　　　　　　（券面額）

（注4） 源泉税額と源泉徴収特別税額がある場合の賞金の手取額から総収入金額を計算する方法

　　（現金＋賞品の評価額－51,050円）÷0.8979
　　手取＝総額－（総額－500,000）×10.21％
　　手取＝総額－総額×10.21％＋500,000×10.21％
　　手取＝総額（1－10.21％）＋51,050円
　　総額＝（手取－51,050円）÷0.8979

4　予定納税基準額

　一時所得の金額は, 予定納税基準額計算の基礎となる所得金額から除かれる（法104）。

5　一時払養老保険・一時払損害保険の差益に基づく一時所得

　保険期間が5年以下等の一時払養老保険・一時払損害保険の差益に基づく一時所得については, **15％の税率による源泉分離課税が適用される**（措法41の10）。なお, この分離課税においては, 5％の地方税を合わせて（したがって, **合計20％**）源泉徴収が行われる。したがって, 確定申告は要しないこととされている（措法41の10①）。平成25年1月1日から平成49年12月31日までの間に支払を受ける場合は, 所得税の源泉徴収税額の2.1％の復興特別所得税が源泉徴収される（復興財源確保法28）。

第5節　生命保険契約等に基づく一時金

生命保険契約等に基づく一時金（一時払の一時金で保険期間5年以内のものを除く）の一時所得の金額については，以下による（令183②）。

(1) その一時金の支払の基礎となる生命保険契約等に基づき分配を受ける剰余金又は割戻しを受ける割戻金の額で，その一時金とともに又はその一時金の支払を受けた後に支払を受けるものは，その年分の一時所得の総収入金額に算入する。

(2) その生命保険契約等に係る保険料又は掛金の総額は，その年分の一時所得の金額の計算上，支出した金額に算入する。

(注) 上記の「保険料又は掛金の総額」は，その生命保険契約等に係る保険料又は掛金の総額から，支払日前に支払われるその剰余金又は割戻金の額を控除して計算する（令183④三）。

```
┌─────────────────────────────────────────────────┐
│                  お支払明細書                    │
│                  満期保険金                      │
│                                                 │
│  102-8311                                       │
│  神田神保町1-5                                   │
│                                                 │
│  慶応　進　様                                    │
│                          種類　361              │
│  被保険者　慶応　進      証券番号　36665         │
│  契約者　　慶応　進      契約日　平成30年5月10日 │
│  受取人　　慶応　進      支払期日　令和3年5月10日│
│                                                 │
│  ┌──────────────────────────────────────────┐ │
│  │ お支払明細                                 │ │
│  ├──────────┬────────────┬──────────────────┤ │
│  │  摘要    │ 金額（円）  │   備考           │ │
│  ├──────────┼────────────┼──────────────────┤ │
│  │満期保険金│ 6,500,000  │                  │ │
│  │総合課税対象保険料│2,300,000│              │ │
│  │総合課税対象差益│4,200,000│                │ │
│  └──────────┴────────────┴──────────────────┘ │
│                                                 │
│              ○○生命保険相互会社△△支店        │
│              TEL　03-××××-××××              │
│                       令和3年10月×日           │
└─────────────────────────────────────────────────┘
```

〈生命保険契約等に基づく一時金等の計算〉

(1) 総収入金額

| 生命保険契約等又は損害保険等に基づいて支払われる一時金又は満期返戻金 | + | 支払開始日以後に支払われる剰余金等 |

(2) 収入を得るために支出した金額

① 生命保険契約等に係る支出した金額

（一時金のみ支払われる場合）　保険料の総額 － 支払日前に支払われる剰余金等 ＝ A

（一時金の他に年金も支払われる場合）　$\boxed{A} - \boxed{A} \times \dfrac{\text{年金の支払総額又は支払総額の見込額}\boxed{B}}{\boxed{B}+\text{一時金の額}}$ （少数第2位未満切上）

② 損害保険契約等に係る支出した金額

保険料の総額 － 支払日前に支払われる剰余金等

(注1) 一時所得として課税する満期一時金等は，本人が保険料又は掛金を支払い，本人が保険金を受け取る場合に限る。本人以外の者が保険料又は掛金を支払う場合には，相続税・贈与税の課税対象となるため所得税は非課税となる。

(注2) 生命保険契約等に基づく年金又は一時金に係る雑所得又は一時所得の金額の計算上，その支払を受けた金額から控除する保険料又は掛金の総額は，その生命保険契約等に係る保険料又は掛金の総額から，事業を営む個人又は法人がその個人のその事業に係る使用人又はその**法人の使用人（役員を含む）のために支出**したその生命保険契約等に係る保険料又は掛金でその個人のその事業に係る不動産所得の金額，事業所得の金額若しくは山林所得の金額又はその法人の各事業年度の所得の金額の計算上必要経費又は損金に算入されるもののうち，これらの使用人の**給与所得に係る収入金額に含まれないものの額**を控除して計算する（所令183，184）。

《計算Point》

1 一時所得となるもの

利子所得から譲渡所得まで以外の所得のうち，営利を目的とする継続的行為から生じた所得以外の一時の所得で，労務その他の役務又は資産の譲渡としての性質を有しないもの。

2 一時所得の例

① 懸賞の賞金，福引の金品
② 競馬の払戻し金
③ 生命保険契約に基づく　一時金
　　損害保険契約に基づく　満期返戻金
④ 遺失物拾得者の報奨金
⑤ 人格のない社団から受ける清算分配金
　　　　⇩
　　（クラブ，同窓会，ＯＢ会）

3 収入金額計上時期

4 課税されないもの

(1) 宝くじには税金がかからない
(2) 心身又は資産に加えられた損害につき受ける損害保険金にも課税されない。

5 広告宣伝のための金品

　　通常の販売価額×60％

6 生命保険契約等に基づく一時金

(1) 総収入金額

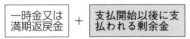

(2) 収入を得るために支出した金額

《計算Pattern》

〈一時所得の金額の計算〉

一時所得	×××	(1) 総収入金額 (2) 収入を得るために支出した金額 (3) 特別控除額（50万円まで） (4) 一時所得の金額 (1)−(2)−(3)

《計算例題１》一時所得の計算　ケース１

福大太郎は，テレビのクイズ番組に出場し，本年中に次のような収入金額がある。

種　類	手取額	源泉徴収税額（10％）
賞金収入	770,000円	30,000円

《解答欄》

(1) 総収入金額　[　　円　] + [　　円　] = [　　円　]

(2) 収入を得るために支出した金額　[　　円　]

(3) 特別控除額　[　　円　]

(4) (1)−(2)−(3)＝[　　円　]

《解　答》

(1) 総収入金額　[770,000円] + [30,000円] = [800,000円]

(2) 収入を得るために支出した金額　[0円]

(3) 特別控除額　[500,000円]

(4) (1)−(2)−(3)＝[300,000円]

《計算例題2》一時所得の計算　ケース2

慶応　進は，電機メーカーが主催する広告宣伝のためのクイズに当選し，賞金として乗用車1台（販売価額2,000,000円）を取得した。これによって，一時所得の金額を計算しなさい。

《解答欄》
(1) 総収入金額　　□円　×　□　=　□円
(2) 収入を得るために支出した金額　□円
(3) 特別控除額　□円
(4) 一時所得の金額　(1)−(2)−(3)=　□円

《解　答》
(1) 総収入金額　2,000,000円　×　0.6　=　1,200,000円
(2) 収入を得るために支出した金額　0円
(3) 特別控除額　500,000円
(4) 一時所得の金額　(1)−(2)−(3)=　700,000円

《計算例題3》一時所得の計算　ケース3

居住者立教　清は，某会社の広告宣伝のためのクイズに当選し，賞金として手取額1,850,000円を取得した。総収入金額はいくらか。源泉徴収特別税額は，控除されてはいない。

《解答欄》
(1) 総収入金額　（□円　−　□円）÷　□
　　　　　　　　=　□円
(2) 収入を得るために支出した金額　□円
(3) 特別控除額　□円
(4) 一時所得の金額　(1)−(2)−(3)=　□円

《解　答》

$$源泉税の計算 = (賞金 - 500,000円) \times 0.1$$
$$手取額 = 賞金 - (賞金 - 500,000円) \times 0.1$$
$$手取額 = 賞金 \times 0.9 + 50,000円$$
$$\therefore 賞金 = (手取額 - 50,000円) \div 0.9$$

(1) 総収入金額　（ 1,850,000円 〔手取〕 － 50,000円 ）÷ 0.9
　　　　　　　　　　= 2,000,000円 〔賞金〕

(2) 収入を得るために支出した金額　　0円

(3) 特別控除額　500,000円

(4) (1)−(2)−(3)＝ 1,500,000円

＜参考＞　賞金と賞品をもらったときの総収入金額の計算
　　　　　（現金手取＋物品×0.6−50,000）÷0.9

《計算例題4》保険金の課税関係

　福大太郎は，父福大紳伸の死亡により保険金3,000万円を取得した。なお，この支払保険料の合計は1,000万円であった。保険料は，父福大紳伸が300万円，母福大花子が300万円，福大太郎本人が400万円を負担していた。この保険金の課税関係について答えなさい。

《解答欄》

保険金　□万円 × （□万円（父の負担した保険料））／□万円 ＝ □万円（　　税）

保険金　□万円 × （□万円（母の負担した保険料））／□万円 ＝ □万円（　　税）

保険金　□万円 × （□万円（福大太郎本人が負担した保険料））／□万円 ＝ □万円（　　税）

第Ⅱ編 各種所得の金額の計算

《解 答》

《計算例題5》一時所得の計算 ケース4

次の資料により,福大太郎の一時所得の金額を計算しなさい。
(1) 本年中に収入した生命保険の満期一時金　　2,000,000円
(2) 上記の一時金とともに支払を受けた剰余金　　100,000円
(3) 生命保険の満期一時金は,福大太郎が受取人,太郎の妻を被保険者として,太郎が20年間支払った生命保険の一時金である。なお,この20年間に支払った保険料の総額は1,000,000円であり,上記の一時金とともに支払を受けた剰余金は,この生命保険契約に基づき分配を受けたものである。
(第29回税理士試験)

《解答欄》
(1) 総収入金額　[　　]円 + [　　]円 = [　　]円
(2) 収入を得るために支出した金額　[　　]円
(3) 特別控除額　[　　]円
(4) (1)−(2)−(3) = [　　]円

《解 答》
(1) 総収入金額　2,000,000円 + 100,000円 = 2,100,000円
　　　　　　　　　　　　　　　　　支払開始以後（同日を含む）
(2) 収入を得るために支出した金額　1,000,000円

(3) 特別控除額　500,000円
(4) (1)-(2)-(3) ＝　600,000円

《計算例題６》一時所得の計算　ケース５

慶応　進の一時所得の金額を計算しなさい。

1　慶応　進は，父の死亡により，次の保険金を取得した。

	甲生命保険	乙生命保険
受取保険金	6,000,000円	2,000,000円
支払保険料総額	3,000,000円	1,000,000円
保険料負担者	慶応　進	父

2　慶応　進が年中に購入した競馬の馬券とその払戻金の明細は，次のとおりである。

	馬券の購入代金	馬券の払戻金
天皇賞レース	5,000円	100,000円
ダービー賞レース	20,000円	0円

3　慶応　進は，クイズ番組に出場し，懸賞金1,500,000円を取得した。
　　なお，この懸賞金1,500,000円のうち500,000円は，募集規約に基づき公共施設に寄付した。

《解答欄》
(1) 総収入金額
　　　　円 ＋　　　　円 ＋　　　　円 ＝　　　　円
(2) 収入を得るために支出した金額
　　　　円 ＋　　　　円 ＋　　　　円 ＝　　　　円
(3) 特別控除額　　　　円
(4) (1)-(2)-(3) ＝　　　　円

《解　答》

(1) 総収入金額

　　甲生命保険　　　天皇賞　　　　クイズ
　　6,000,000円　＋　100,000円　＋　1,500,000円　＝　7,600,000円

(2) 収入を得るために支出した金額

　　甲生命保険　　　天皇賞　　　寄付金
　　3,000,000円　＋　5,000円　＋　500,000円　＝　3,505,000円

(3) 特別控除額　500,000円

(4) (1)－(2)－(3)　＝　3,595,000円

　（注）① 乙生命保険は，父から相続したことにより取得したので非課税となり，相続税の対象となる。
　　　　② ダービー賞は，収入がないため，収入を得るための支出とはならない。
　　　　③ 懸賞当選賞品の一部を公益施設等に寄付する定めがあるため，その寄付した金額は「収入を得るために支出した金額」に含めた。

《実務上のPoint》

(1) 保険金は，収益50万円までは税金がかからない。

(2) お金を拾った場合

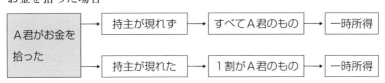

(3) クイズに出て当たった場合

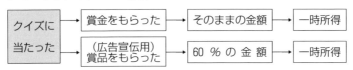

(4) 保険が満期になって，満期保険金を受け取った場合は，保険料負担者により，次のように税金がかわる。

　保険金受取人が保険料を負担していたときには，所得税，住民税がかかるのに対して，保険金受取人以外の人が保険料を負担していたときは，贈与税がかかる。贈与税は多額なので，満期前に負担者と受取人を同一にして一時所得にしておいた方が，節税になる。

(5) 被保険者が亡くなって，死亡保険金を受け取った場合にも，保険料負担者により，次のように税金がかかる。

　保険金受取人が保険料を負担していたときには，所得税・住民税がかかり，被保険者が保険料を負担していたときには，相続税がかかる。また，保険金受取人や被保険者以外の人が保険料を負担していたときには，贈与税がかかる。

　このように保険金を受け取る場合には，その保険金が死亡に基づくものか，満期によるものか，また，保険料の負担者は誰なのかなどによって課税方法が異なる。したがって，保険を契約する時には，注意しなければならない。

　夫婦の関係でみると，下記のようになる。被保険者が夫ならば死亡受取人は妻か子ども，満期は契約者で負担者の夫が受取人となるのがふつうである。

　②のように，満期にあたり贈与税がかかるのではたまらない。満期前の名義変更なら生保レディに頼めば，変更できる。注意が必要である。

〈保険金の課税関係〉

区分	被保険者	負担者	受取人	保険事故等	課 税 関 係
①	夫	夫	夫	満　　期	夫の一時所得
②	夫	夫	妻	満　　期	妻に贈与税
				夫の死亡	妻に相続税
③	妻	夫	夫	満　　期	夫の一時所得
				妻の死亡	

山林所得

【Point 11】

　山林所得の金額は，以下の算式によって計算する（法32③）。
（総収入金額）−（必要経費）−（山林所得の特別控除額（最高50万円））
〈森林計画特別控除がある場合〉
（総収入金額）−（必要経費）−（森林計画特別控除）−（山林所得の特別控除額）
　　−（青色申告の特別控除額）＝ 山林所得の金額
　　　　　（青色申告者は，最高10万円の青色申告特別控除額を差し引く）

第1節 山林所得の定義と範囲

山林所得とは，山林の伐採又は譲渡による所得をいう（法32①）。ただし，山林をその**取得の日以後5年以内**に伐採し又は譲渡することによる所得は，山林所得には含まれず，事業所得又は雑所得になる。

(注) ① 土地つきで立木を譲渡した場合は，立木に対応する部分は山林所得の収入金額とし，土地に対応する部分は譲渡所得の収入金額とする。この場合，その区分する基準は，譲渡したときの立木，土地のそれぞれの価額による（基32-2）。
② **5年を超えて所有**していた**山林**について，次のような事実があった場合は，山林の時価を収入金額として山林所得があったものとみなされる（法59）。
　(イ) **法人に対する贈与又は相続**（限定承認に係るものに限る）もしくは**遺贈**（法人に対するもの及び個人に対する包括遺贈のうち限定承認に係るものに限る）があった場合
　(ロ) **法人に対する低額譲渡**（時価の2分の1未満の対価による譲渡をいう）があった場合
③ 「山林」とは，用材又は薪炭に使用する立木をいう。したがって，以下のようなものについては，山林所得の基因となる「山林」には該当しない。
　(イ) 果樹，桑樹，茶木など
　(ロ) 観賞用として植栽される立木又は販売するために植栽される苗木

第2節 山林所得の金額の計算

山林所得の金額は，その年中の山林所得に係る総収入金額から必要経費を控除し，その残額から山林所得の特別控除額を控除した金額である（法32③）。

（総収入金額）－（必要経費）－（山林所得の特別控除額（最高50万円））

《森林計画特別控除がある場合》

（総収入金額）－（必要経費）－（森林計画特別控除）
－（山林所得の特別控除額（最高50万円））－（青色申告の特別控除額（最高10万円））＝（山林所得の金額）

（注）山林所得の特別控除額は50万円（残額が50万円に満たない場合は，その残額）である。青色申告者である場合は，特別控除額を控除した残額から青色申告特別控除額10万円（残高が10万円に満たない場合は，その残高）を控除する。

1 山林所得の総収入金額

山林所得の総収入金額は，別段の定めがあるものを除き，その年中において**収入すべき金額**（金銭以外の物又は権利その他経済的な利益をもって収入する場合には，その金銭以外の物又は権利その他経済的な利益の価額）である（法36①・②）。

2 山林所得の収入金額計上時期 （通36-12）

山林所得の**総収入金額の収入すべき時期**は，以下による。

① 原則として，その所得の基因となる**山林の引渡し**があった日。ただし，その**譲渡に関する契約の効力発生の日**により総収入金額に算入して申告があったときは，それが認められる。

② 山林を自家消費した場合は，その**消費の日**

3 必要経費

① 原　　則

　山林所得の金額の計算上必要経費に算入すべき金額は，別段の定めがあるものを除き，その山林の植林費，取得に要した費用，管理費，伐採費その他その山林の育成又は譲渡に要した費用（償却費以外の費用でその年において債務の確定しないものを除く）の額である（法37②）。

② 昭和27年12月31日以前に取得した山林の取得費等の特例

　山林所得の基因となる山林が，昭和27年12月31日以前から引き続き所有していた山林である場合の必要経費は，その山林の昭和28年1月1日における相続税評価額に相当する金額と，その山林につき同日以後に支出した管理費，伐採費その他その山林の育成又は譲渡に要した金額との合計額による（法61①，令171）。

③ 概算経費控除

　個人が，その年の15年前の年の12月31日以前（平成28年譲渡ならば平成13年以前）から引き続き所有していた山林を伐採し，又は譲渡した場合の山林所得の金額の計算上控除する必要経費は，財務大臣の定める**概算経費率**を適用し，次の算式により計算することができる（措法30①）。

　また，この規定は，確定申告書にその適用を受ける旨の記載がない場合には適用されない（措法30③）。

$$\left\{\binom{収入}{金額} - \binom{伐採費，運搬費，}{譲渡に要した費用}\right\} \times \binom{概算経費}{率50\%} + \binom{伐採費，運搬費，}{譲渡に要した費用}$$
$$+ \binom{山林に係る被災事業}{用資産の損失の金額} = \binom{山林所得の}{必要経費の金額}$$

　（注）　これによる控除を一般に「概算経費控除」といい，その概算経費率は50％である（措規12②）。

《山林の取得費の計算》

| 昭和27年以前取得の山林 | ① 昭和27年12月31日以前取得の特例（昭和28年1月1日相続税評価額＋同日以後の管理費，伐採費等）
② 概算経費控除
③ ①と②多い方 |

| 昭和28年以後取得の山林を伐採した年の15年前の12月31日以前から所有 | ① 原則の必要経費（植林費，取得に要した費用，管理費，伐採費等）
② 概算経費控除
③ ①と②多い方 |

4 山林所得の特別控除額

山林所得の特別控除額は，以下の金額となる（法32④）。

| 総収入金額から必要経費及び森林計画控除額を差し引いた残額が | 50万円未満の場合……その残額
50万円以上の場合……50万円 |

第3節 森林計画特別控除

　昭和56年から令和4年までの各年において，森林法の規定による市長村長の認定に係る森林施業計画に基づいて山林を伐採又は譲渡した場合（特定の場合を除く）は，総収入金額から必要経費を控除した残額から，さらに次の①と②のうち，いずれか低い金額（②の必要経費の額を概算経費率による方法によって計算する場合は，①に掲げる金額）を控除することができる。この控除を森林計画特別控除という（措法30の2）。

> ① （森林計画特別控除の対象となる収入金額－伐採費，譲渡費用）×20%（収入金額のうち2,000万円を超える部分については10%）
> ② （森林計画特別控除の対象となる収入金額－伐採費，譲渡費用）×50%－（伐採費・譲渡費用及び被災事業用資産の損失額のうち，森林計画特別控除の対象となる収入金額に対応する部分以外の必要経費）

第4節 山林所得に対する課税と五分五乗方式

　山林所得の金額は、他の所得とは分離して、損益通算並びに純損失及び雑損失の繰越控除をした後の金額が課税標準たる**山林所得金額**となる。そのあとで、課税山林所得の5分の1の金額について、通常の総所得金額に対する税額と同様の方法で計算した金額を5倍して計算する。いわゆる「**五分五乗方式**」によって税額を計算する（法22, 89）。

《計算Point》

1　山林所得となるもの

　山林所得とは、5年超の山林の伐採又は譲渡による所得。

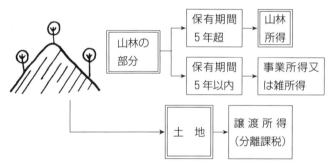

　土地付で山林を譲渡した場合は、土地部分の所得は譲渡所得となる。

2　必 要 経 費

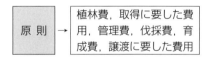

3　税額の計算（五分五乗方式）

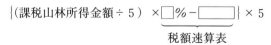

[**例**] 平成21年に取得した山林を令和5年5月に伐採した。

譲渡収入 15,000,000円，取得費用 2,000,000円，管理・育成費 5,800,000円，伐採・譲渡費用 800,000円であった。

山林所得の計算
1. 総収入金額 15,000,000円
2. 必要経費 2,000,000＋5,800,000＋800,000＝8,600,000
3. 山林所得の金額 1－2－500,000＝5,900,000

山林所得の税額 〔(5,900,000 ÷ 5 ＝1,180,000)× 5％（税率）
＝59,000〕× 5 ＝295,000（5分5乗方式）

《計算Pattern》

〈山林所得の金額の計算〉

山林所得	×××	(1) 総収入金額
		(2) 必要経費
		(3) 特別控除（50万円まで）
		(4) 山林所得の金額　(1)－(2)－(3)

《**計算例題**》**山林所得の計算**

次の資料に基づき，福大太郎の山林所得の金額を計算しなさい。

ア　2年前取得の山林の売却収入　　　　2,000,000円

　これに係る，取得に要した費用，管理費，育成費及び譲渡費用の合計は，1,200,000円である。

イ　10年前取得の山林の売却収入　　　21,000,000円

　これに係る，植林費，取得に要した費用，管理費，育成費，伐採費の合計額は，12,000,000円である。

第Ⅱ編　各種所得の金額の計算　223

《解答欄》

山林所得	円	(1) 総収入金額	円
		(2) 必要経費	円
		(3) 特別控除額	円
		(4) 山林所得の金額 (1)-(2)-(3)=	円

《解　答》

山林所得	8,500,000 円	(1) 総収入金額	21,000,000 円
		(2) 必要経費	12,000,000 円
		(3) 特別控除額	500,000 円
		(4) 山林所得の金額 (1)-(2)-(3)=	8,500,000 円

《実務上のPoint》

　山林は，保有期間が5年以内では売らない方が得策である。なぜならば，保有期間が5年を超えると，山林所得は特別控除があるし，五分五乗方式で税額計算が有利となるからである。

第7章
不動産所得

【Point 12】

不動産所得の金額は,以下の算式で計算する(法26②)。

(総収入金額)-(必要経費)-(青色申告特別控除)10万円又は65万円
= (不動産所得)

不動産所得となるものには,以下のものがある。
(1) 不動産の貸付けの対価として継続的に収受する地代,家賃,施設使用料,社宅料又は寮費(自己の使用人に貸し付ける場合を除く)
(2) 不動産の貸付けに際して一時に受ける権利金,頭金,礼金など

第1節 不動産所得の定義と範囲

不動産所得とは，不動産，不動産の上に存する権利，船舶又は航空機（以下「不動産等」という）の貸付け（地上権又は永小作権の設定，その他他人に不動産等を使用させることを含む）による所得をいう。ただし，事業所得又は譲渡所得に該当するものは除かれる（法26①）。

広告等のため，不動産等の一部を貸付ける場合の所得（看板を設置させるために土地や家屋を使用させ得る所得）も不動産所得となる（基通26-5）。

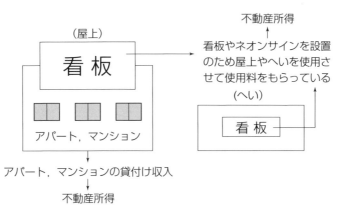

1 不動産等の意義

不動産，不動産の上に存する権利，船舶とは，以下のものをいう。したがって，これに該当しない資産，権利又は船の貸付けもしくは使用させることによる所得は不動産所得ではなく，その貸付けなどの業務の状況に応じ，事業所得又は雑所得となる。

(1) **不 動 産**

土地又は建物，建築物，その他土地に定着する有体物をいう（民法86）。

  (注)　「ケース貸」により生ずる所得は，店舗の一部を貸し付けるものであって，単にケースのみを貸し付けるものではないので，不動産所得に該当する。また，「広

告等」のため，土地，家屋の屋上又は側面，へい等を使用させる場合の所得も不動産所得となる（基26-2，26-5）。

(2) 不動産の上に存する権利

地上権，永小作権，地役権，賃借権その他不動産の上に存するいっさいの権利をいう。

> **（注）** 鉱業権，砂鉱権，漁業権は，不動産の上に存する権利ではないため，使用権の設定その他これを使用させることによる所得は，事業所得か雑所得となる。
>
> なお，**地上権**とは，他人の土地において工作物（建物・橋・トンネル等）又は竹木を所有するため土地を使用する権利である。建物を所有する場合は，借地権として借地借家法の適用がある。**永小作権**とは，小作料を支払って耕作や牧畜のため他人の土地を使用する物権である。**地役権**とは，一定の目的に従って他人の土地を便益に供させる権利である。具体的には，自分の土地の便益のために他人の土地を通行したり，他人の土地の水を引いたりするような権利である。**賃借権**とは，賃貸人が賃借人にある物を使用収益させることを約し，これに対して賃借人が賃料を支払うことを約することにより成立する契約をいう。

(3) 船　　　舶

船舶法第4条から第19条までの規定の適用を受ける船舶（総トン数20トン以上）をいう。

2 不動産等の貸付業の所得

不動産等の貸付けによる所得は，その貸付けが事業として営まれている場合であっても不動産所得となる（法26①，令63）。

3 賃貸に伴って受ける権利金，更新料

(1) 土地を賃貸する場合の権利金

借地権又は地役権の設定（借地権が設定されている土地の転貸を含む）の対価として支払を受ける権利金による所得は，一般的には**不動産所得**となる（法26①）が，建物，構築物の所有を目的とする借地権等の設定による対価でその設定の対象となった土地の時価の**2分の1**を超える場合には，その対価に係る所得は**譲渡所得**となる（法26，33，令79）。

(2) **借地権等の更新料**

　借地権又は地役権の存続期間の更新の対価として支払を受けるいわゆる更新料による所得は，**不動産所得**となる。また，借地権者の変更に伴い受ける名義書替料も不動産所得となる。

(3) **建物を賃貸する場合の権利金**

　建物を賃貸する場合に取得するいわゆる権利金，謝礼金，頭金等による所得は，**不動産所得**となる。

4　事業所得に該当するもの

　不動産等の貸付けによる所得でも，事業所得に該当するものは不動産所得とはならない（法26①）のであるが，ここにいう「**事業所得に該当するもの**」とは，事業所得を生ずる事業の遂行に伴って必然的（付随的）に不動産等を使用させる場合のその所得をいい，次のような場合の所得がこれにあたる（基26-3，26-4，26-6，26-8，27-2，27-3）。

(1)　ホテルの部屋代，食事の提供をする下宿業の部屋代

(2)　船舶を，船員とともに利用させるいわゆる定期よう船契約又は航海よう船契約によるその船舶の貸付けの対価

　　(注)　アパート，下宿などの経営で室のみを賃貸し食事を供さない場合や，船舶，航空機のみを賃貸する場合の所得は不動産所得である。

(3)　自己の責任において他人の物を保管するいわゆる有料駐車場などの対価，観光地等におけるバンガロー等季節の終了とともに解体，移設，格納することのできるような簡単な施設の貸付けによる所得

(4)　事業所得を生ずべき事業を営む者が，その事業に従事している使用人に寄宿舎等を利用させることにより受ける使用料に係る所得（その事業から生じた所得に該当する。基26-8）

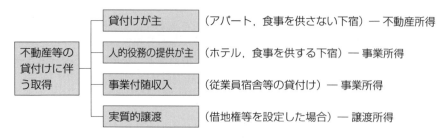

第2節　不動産所得の金額の計算

　不動産所得の金額は，その年中の不動産所得に係る総収入金額から必要経費を控除した金額である（法26②）。

> （総収入金額）－（必要経費）－（青色申告特別控除額）＝（不動産所得の金額）

　この場合において，青色申告者は，青色申告特別控除として，不動産所得，事業所得，山林所得を通じて，これらの所得の順に総額10万円（これらの所得の金額の黒字の合計額を限度。事業を営む特定の青色申告者で正規の簿記の原則に従って損益計算書と貸借対照表を添付しているときは不動産所得，事業所得を通じて65万円）を控除できる。

1　不動産所得の総収入金額

　不動産所得の総収入金額は，別段の定めがあるものを除き，その年中に**収入すべき金額**（金銭以外の物又は権利その他経済的な利益をもって収入する場合には，その金銭以外の物又は権利その他経済的な利益の価額）である（法36①・②）。

　なお，不動産所得を生ずべき業務の全部又は一部の休止，転換又は廃止その他の事由により受けるその業務の収益の補償金その他これに類するもので，不動産所得の収入金額に代わる性質を有するもの（土地，建物の明渡遅滞により受ける賃貸料に相当する賠償金なども含まれる）も，不動産所得の収入金額とされる（令94）。

2　不動産所得の収入金額計上時期

　不動産所得の収入すべき時期は，おおむね以下による。

(1)　**賃　貸　料　等**
　①　契約，慣習等によって支払日の定められている賃貸料等については，その支払日

② 支払日の定められていない賃貸料等については、その賃貸料等の**支払を受けた日**（その請求があったときに支払うべきものについては、その請求の日）

なお、**継続的な記帳（期間対応）**により、賃貸料に関して前受収益及び未収収益を計上している場合には、その年中の貸付期間に対応する部分の賃貸料の額を総収入金額に算入することができる。

（本年11月から貸付けを開始した場合）

(1) 当月分を当月末日受領と、支払日が定められているケース

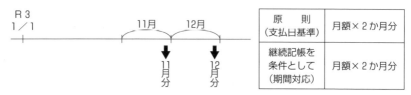

(2) 当月分を前月末日受領と、支払日が定められているケース

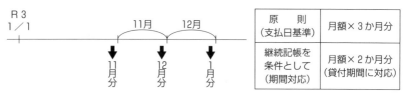

(3) 向こう1年分を受領したケース

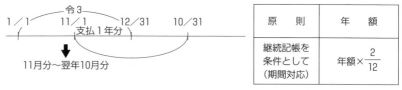

③ 賃貸契約の存否の係争等に係る判決、和解等により受けることとなった既往の期間に対応する賃貸料相当額については、**その判決、和解等のあった日**

ただし、賃貸料の額に関する係争の場合に、賃貸料の弁済のため供託された金額については、①又は②に掲げる日

(2) 頭金、権利金、名義書替料、更新料等

貸付けに伴って一時に受ける頭金、権利金、名義書替料、更新料等について

は，貸付けによる資産の引渡しを要するものについては**その引渡しの日**。引渡しを要しないものについては貸付契約の効力発生の日（基36-6）

(3) 敷金，保証金等

貸付けに伴い受ける敷金，保証金等のうち返還を要しないものについては，㋑時の経過に関係なく返還を要しないこととなっている部分の金額については資産の引渡しの日，㋺時の経過により返還を要しないこととなる部分の金額については契約によりその返還を要しないこととなった日，㋩貸付期間の終了により返還部分が確定する金額については貸付期間終了の日

3 不動産所得の必要経費

不動産所得の金額の計算上必要経費に算入される金額は，別段の定めがあるものを除き，不動産所得の総収入金額を得るために直接要した費用の額及びその年における一般管理費その他不動産所得を生ずべき業務について生じた費用である。ただし，償却費以外の費用については，その年において債務の確定したものに限られる（法37①）。一般に不動産所得の必要経費には，**固定資産税，火災保険料，修繕費，減価償却費，支払手数料，不動産取得税**等が挙げられる。

(1) 事業として行われている場合

なお，上記「別段の定め」には，例えば以下のものがあり，不動産の貸付けが**事業**として行われている場合とそうでない場合とでは，その取扱いに差異がある。

① 固定資産の損失
② 青色事業専従者給与
③ 延納に係る利子税

（注）不動産等の貸付けが事業として行われているかどうかは，貸付けの規模が社会通念上事業と称するに至る程度であるかどうかによる。この場合，建物の貸付けについては，次に掲げる事実のいずれか一に該当する場合又は賃貸料の収入の状況，貸付け資産の管理の状況等からみて，これらの場合に準ずる事情があると認められる場合は，特に反証がない限り事業として行われているものとして取り扱われる（基26-9）。

- 貸間，アパートについては，貸与することができる独立した室数がおおむね**10室以上**であること
- 独立家屋（①以外）の貸付けについては，おおむね**5棟以上**であること

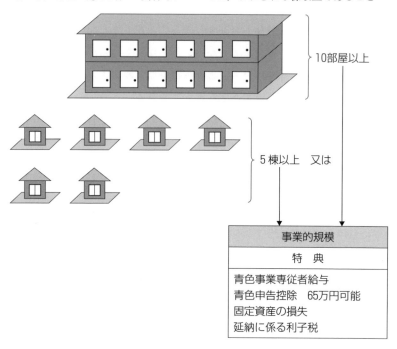

① **固定資産の損失**

不動産所得を生ずべき**業務の用に供される**固定資産の損失は，不動産等の貸付けが「事業」として営まれているか，「**事業と称するに至らない業務**」であるかの別に応じ，取扱いが異なる。

(イ) 不動産等の貸付けが**事業として供される**固定資産及び繰延資産（まだ，必要経費に算入されていない部分に限る）の取りこわし，除却，滅失その他の事由により生じた損失の金額（保険金，損害賠償金等により補てんされる部分の金額及び資産の譲渡により，又はこれに関連して生じたものを除く）は，いわゆる**原価ベース**で，不動産所得の金額の計算上**必要経費に算入される**（法51①，令140，142）。

㈹ 不動産等の貸付けが**事業と称するに至らない業務**として行われている場合に，不動産所得を生ずべき業務の用に供され，又はその所得の基因となる資産（生活に通常必要でない資産を除く）の損失の金額（①保険金，損害賠償金等により補てんされる部分の金額，②資産の譲渡により又はこれに関連して生じたもの，及び③雑損控除の対象となる災害，盗難，横領によるものを除く）は，いわゆる**原価ベース**で，しかも，損失の金額を必要経費に算入しないで計算した**不動産所得の金額を限度**として，必要経費に算入される（法51④）。

② 青色専従者給与

青色事業専従者給与の必要経費算入及び**事業専従者控除額**の控除は，不動産等の貸付けが**事業**として行われている場合に限り適用される。

③ 延納に係る利子税

附帯税は，原則として，必要経費にならないが，事業として営まれている不動産所得に係る所得税額に対応するものとして，一定の方法により計算される利子税額は，必要経費に算入される（法45①三，令97）。

(2) 不動産所得特有の必要経費

① 土地等の取得のために要した借入金の利子

貸付不動産のうち土地又は借地権の取得のために要した借入金の利子は，その支出年分の不動産所得の金額（黒字）の範囲内で，必要経費に算入する（措法41の4及び措令26の6）。

② 建物の賃借人に支払う立退料

貸付建物の賃借人を立ち退かすために支払う立退料は，その建物又はその敷地を譲渡するために支出するものを除き，その支出した日の属する年分の不動産所得の金額の計算上必要経費に算入する（基37-23）。

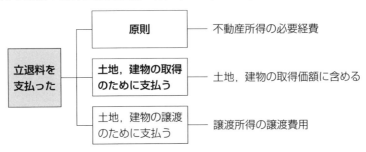

③　賃貸住宅を取得するために要した借入金に対する支払利子 ⇔（借入金のうち，元本部分の返済は，経費にならない）
　├ 業務開始前の期間に対応する支払利子 → 取得価額に算入（収益発生してないため）。すでに不動産業務を営んでいる場合は，経費に算入できる。
　├ 業務開始（入居者募集開始）したが，使用開始前の期間に対応する支払利子 ┬→ 経費に算入
　│　　　　　　　　　　　　　　　　　　　　　　　　　　　　　　　　　　　　選択
　│　　　　　　　　　　　　　　　　　　　　　　　　　　　　　　　　　　　└→ 取得価額に算入
　└ 使用開始日（入居者が入った）以後に対応する支払利子 → 経費に算入

④　修繕積立金の繰入

　マンション等では，共用部分の将来の大規模修繕に備えて，管理規約等に基づいて，管理費とは別に，管理組合に積立金として，長期間にわたって，毎月支払っている。

4 不動産所得の青色申告

　不動産所得を生ずべき業務を行う者は，納税地の所轄税務署長の承認を受けて青色申告をすることができる（法143）。青色申告を行う場合は，事業的規模の場合のみ，青色申告控除が65万円（電子申告の場合）まで可能である。

5 資産損失

　所得税法では，個人の所有する資産（事業用固定資産，事業以外の業務用固定資産，生活に通常必要な固定資産，生活に通常必要でない固定資産，棚卸資産，山林，債権等）について生じた損失の金額は，損失の発生事由により取扱いを異にしている。

〈図表7-1〉資産の種類による損失（資産損失）の処理

種類		損失事由	損失の取扱い
固定資産	事業用固定資産（事業所得，不動産所得，山林所得を生ずべき事業に係るもの）	取り壊し，除却，滅失（損壊による価値の減少を含む）その他の損失の事由を問わず（災害含む）	損失の生じた年分の不動産所得の金額，事業所得の金額又は山林所得の金額の計算上必要経費に算入する（法51①）。損失の金額は，**原価ベースで全額必要経費算入** ① 一部損失は，〔損失発生直前の簿価－損失発生直後の時価－廃材価格－保険金〕 ② 全部損失は，〔損失発生直前の簿価－廃材価格－保険金〕 取り壊し等の費用は，損失とは別に必要経費
	事業以外の業務用固定資産（不動産所得，雑所得を生ずべき事業以外の業務に係るもの）	災害，盗難，横領以外の事由	事業用固定資産の取扱いに準ずる。ただし，必要経費に算入する金額は，損失の生じた年分の**不動産所得の金額又は雑所得の金額**（その損失を必要経費に算入しないで計算した金額）を**限度**とする（法51④）。
		災害，盗難，横領	雑損控除の対象（法72）。 損失の金額は，**時価ベース**〔被災直前の時価－被災直後の時価－廃材価格－保険金〕の算式で計算する（繰越控除の適用あり）。
	生活に通常必要な固定資産	災害，盗難，横領	雑損控除の対象（法72）。 損失の金額は，**時価ベース**で上記の算式により計算する（繰越控除の適用あり）。
	生活に通常必要でない固定資産	災害，盗難，横領	損失の生じた年分，その翌年分の譲渡益から順次控除する（法62）。**原価ベース** 　　　　　譲渡所得の計算 (1) 譲渡損益 (2) 内部通算 (3) **生活に通常必要でない資産の損失** 　損失額（取り壊し費用含まず）－保険金等 (4) 特別控除 損失の金額は，事業用固定資産の場合に準ずる。

	棚卸資産	損失の事由を問わず（災害を含む）	売上原価を通じて事業所得の金額の計算上必要経費に算入する（法37）。一定の事実を生じた時には，棚卸資産評価は処分可能価額とされ，売上原価に自動算入される。 損失金額は**取得原価** 棚卸資産の損害に対して取得した保険金等総収入金額に算入
	山林	災害，盗難，横領	損失の生じた年分の事業所得の金額又は山林所得の金額の計算上必要経費に算入する。損失の金額は，**原価ベース**で計算する（法51③）。 損失額－保険金等
債権	事業の遂行上生じた売掛金，貸付金等の未収金及び元本債権	貸倒れ等の回収不能	損失の生じた年分の不動産所得の金額，事業所得の金額または山林所得の金額の計算上全額必要経費に算入する（法51②）。
	雑所得の基因となる貸付金の元本	貸倒れ等の回収不能	損失の生じた年分の雑所得の金額を限度として必要経費に算入する（法51④）。
	各種所得の金額の未収金（事業の遂行上生じた債権以外のもの）	回収不能	その回収の不能の部分の収入金額はなかったものとみなされ，収入金額に算入された年分の各種所得の金額を修正する（法64，令180）。

第3節 不動産所得に対する課税

不動産所得の金額は，原則として，総所得金額に含められて総合課税の方法により所得税が課税される（法22）。

《計算Point》
1 不動産所得となるもの

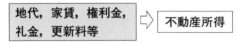

2 注意を要する不動産所得となるもの
 (1) 広告等のためネオンサイン等をつけるにあたり，家屋，土地を使用させる所得
 (2) ケース貸しによる所得（デパートのコーナー）
3 判定をするもの
 (1) 〈図表7－2〉不動産所得の判定

アパート 下　宿	（食事なし） 不動産所得	（食事付） 事業所得又は雑所得
有　料 駐車場	（保管の責任なし） 不動産所得	（保管の責任あり） 事業所得又は雑所得

 (2) 借地権等の対価としての権利金

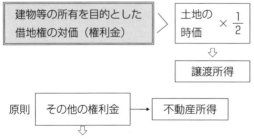

① 建物を貸して得た権利金
② 土地を貸して得た権利金だが時価の2分の1以下

4 収入の計上時期

(1) 賃貸料等

〈図表7-3〉不動産所得の収入計上時期

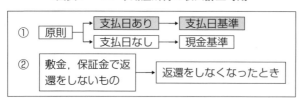

5 必要経費

賃貸用不動産に係る以下のものが，必要経費となる。自宅に係るものは，必要経費とはならない。

※減価償却費の計算

〈届出なし〉

平成19年3月31日以前取得

| 定額法 | ⇒ | （取得価額－残存価額）×旧定額法償却率
又は取得価額×0.9×旧定額法償却率 |

平成19年4月1日以後取得

| 定額法 | ⇒ | 取得価額×新定額法償却率 |

6 青色専従者給与

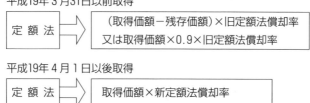

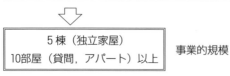

《計算Pattern》

〈不動産所得の金額の計算〉

不動産所得	×××	(1) 総収入金額 (2) 必要経費 (3) 不動産所得の金額　(1)−(2)−青色申告控除※

〈青色申告控除額の計算〉

令和2年（2020年）分以後の所得税申告における青色申告特別控除

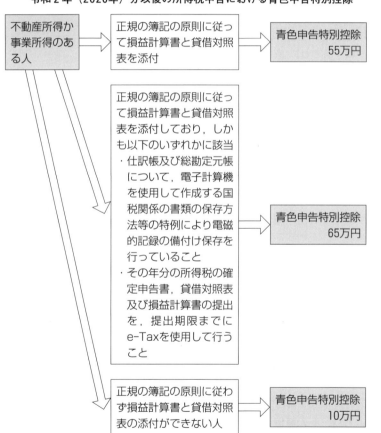

《計算例題１》不動産所得の計算　ケース１

　福大太郎は，アパート（取得価額20,000,000円）を新築し，平成24年３月10日より貸家の用に供しており，本年中（令和３年）に，次のような収入及び支出があった。なお，福大太郎は，アパートの貸付と同時に青色申告承認申請書を提出し，その承認を受けている。また，減価償却資産の償却方法は，定額法を選定し届出をしている。家賃については，当月分を毎月末に受け取る契約になっている。正規の簿記の原則に従い，電子申告（e-Tax）を行っている。

1　収　入　(1)　家 賃 収 入　　　　3,150,000円

　　　　　　　　　この中には，前年１月～２月分の家賃105,000円が含まれている。なお，本年12月分の家賃35,000円が未収となっているが，家賃収入には含まれていない。

　　　　　(2)　権　利　金　　　　　350,000円

　　　　　(3)　保　証　金　　　　　700,000円

　　　　　　　　　このうち20％は，返還を要しない。

2　支　出　(1)　不動産取得税　　　　370,000円

　　　　　(2)　修　繕　費　　　　　120,000円

　　　　　　　　　このうち3,000円は，アパートと同一敷地内にある福大太郎の居住用住宅のものである。

　　　　　(3)　損害保険料（１年契約）　60,000円

　　　　　　　　　このうち20,000円は，アパートと同一敷地内にある福大太郎の居住用住宅のものである。

　　　　　(4)　その他の管理費　　　630,000円

　　　　　　　　　これは，本年分の必要経費として適正。

　　　　　(5)　長男への給料　　　　890,000円

　　　　　　　　　進は，「青色専従者給与に関する届出書」を提出していない。

3　アパートの減価償却に関する資料

　　　　　　耐用年数　　25年　　　定額法償却率…0.040

（注）新築貸家の割増償却の適用はない。

（税務検定）

第Ⅱ編　各種所得の金額の計算　241

《解答欄》

1　総収入金額

　　□円 － □円 ＋ □円 ＋ □円
　　　＋ □円 × □ ＝ □円

2　必要経費

　　□円 ＋ □円 ＋ □円 ＋ □円
　　　（減価償却費）
　　＋ □円 ＝ □円

※減価償却費の計算

　　□円 × □ × □／□
　　　＝ □円

3　不動産所得の金額

　　□円 － □円 － □円 ＝ □円

《解　答》

1　総収入金額

　　3,150,000円 － 105,000円 ＋ 35,000円 ＋ 350,000円
　　　＋ 700,000円 × 0.2 ＝ 3,570,000円

2　必要経費

　　　　　　　　　　　　（120,000－3,000）　（60,000－20,000）
　　370,000円 ＋ 117,000円 ＋ 40,000円 ＋ 630,000円
　　　（減価償却費）
　　＋ 800,000円 ＝ 1,957,000円

※減価償却費の計算（平成19年4月1日以後取得なので新定額法）

　　20,000,000円 × 0.040 × 12／12
　　又は20,000,000円×0.9
　　　　　　　　　　　　＝ 800,000円

3 不動産所得の金額

$$\boxed{3,570,000円} - \boxed{1,957,000円} - \overset{\text{青色申告控除}}{\boxed{650,000円}} = \boxed{963,000円}$$

居住用住宅に対する損害保険料は，損害保険料控除の対象となる。

《計算例題2》不動産所得の計算　ケース2

次の資料により，居住者の早稲田行男の令和3年度分の不動産所得の金額を計算しなさい。なお，早稲田行男は青色申告書提出の承認を受けて正規の簿記の原則に従い，損益計算書と貸借対照表を添付している。

〈資　料〉

記号	収入の種類	収入金額	必要経費	備　考
ア	貸家及び貸室の賃貸料	1,680,000円	576,000円	
イ	貸室の敷金	300,000円	——	
ウ	貸家の保証金	140,000円	——	
エ	貸家の権利金	70,000円	——	
オ	貸宅地の権利金	7,200,000円	128,000円	時価13,000,000円の土地に建物の所有を目的とする借地権を設定させたものである。
カ	貸宅地の地代	390,000円	25,000円	
キ	広告看板の設置に係る使用料	150,000円	45,000円	これは早稲田行男の畑の一画にA社の看板を設置させたことによる使用料である。
ク	駐車場の貸付けに係る収入	324,000円	153,000円	この駐車場は早稲田行男に管理責任のないものである。
ケ	航空機の貸付けに係る収入	600,000円	90,000円	
コ	バンガローの貸付けに係る収入	450,000円	180,000円	このバンガローは夏だけ設置し貸付けている。

（税務検定）

《解答欄》

1　総収入金額

　□円 + □円 + □円 + □円
　　　+ □円 + □円 = □円

2　必要経費

　□円 + □円 + □円 + □円
　　　　　　+ □円 = □円

3　不動産所得の金額

　□円 - □円 - □円 = □円

《解　答》

1　総収入金額

　1,680,000円 + 70,000円 + 390,000円 + 150,000円
　　　+ 600,000円 + 324,000円 = 3,214,000円

2　必要経費

　576,000円 + 25,000円 + 45,000円 + 153,000円
　　　　　　+ 90,000円 = 889,000円

3　不動産所得の金額

　3,214,000円 - 889,000円 - 650,000円 = 1,675,000円

敷金と保証金は，まだ返還不要が確定していない。

《計算例題3》不動産所得の計算　　ケース3

次の資料により，居住者の福大太郎の令和3年分の不動産所得の金額を計算しなさい。なお，福大太郎は，青色申告書提出の承認を受けている。

福大太郎は，アパートを新築し，本年5月7日より貸家の用に供している。このアパートの取得価額は20,000,000円であり，本年中の収入・支出等は次のとおりである。なお，家賃は，当月分を毎月末に受け取る契約になっている。正規の簿記の原則には従っていない。しかも損益計算書と貸借対照表の添付はない。

〈収入〉 ア 家賃収入　　　1,300,000円

この中には，翌年1月～2月分の家賃120,000円が含まれている。なお，本年12月分の家賃60,000円が未収となっている。

イ 権利金　　　100,000円

ウ 保証金　　　240,000円

このうち15％は，返還を要しない。

〈支出〉 ア 不動産取得税　　　300,000円

イ 銀行借入金利子　　　320,000円

これは，アパートの取得資金としての借入金の利子（取得価額には含まれていない）で本年対応分として相当額である。

ウ 修繕費　　　90,000円

これは，アパートと同一敷地内にある立教春子の居住用住宅の修繕費である。

〈減価償却に関する資料〉

ア 耐用年数は22年，新定額法による償却率0.046，新定率法による償却率0.114である。

イ 減価償却の方法は，届出をしていない。また，新築貸家住宅の割増償却の適用はない。

(税務検定)

《解答欄》

1 総収入金額

　□円 − □円 + □円 + □円
　+ □円 × □ = □円

2 必要経費

　　　　　　　　　　　　　　（減価償却費）
　□円 + □円 + □円 = □円

※減価償却費の計算

　□円 × □ × □/□

　　　　　　　　　　　　　　　　　　　　　　= □ 円

3　不動産所得の金額

□ 円 － □ 円 － □ 円 ＝ □ 円

《解　答》

1　総収入金額

1,300,000円 － 120,000円 ＋ 60,000円 ＋ 100,000円
＋ 240,000円 × 0.15 ＝ 1,376,000円

2　必要経費

　　　　　　　　　　　　　　（減価償却費）
300,000円 ＋ 320,000円 ＋ 613,333円 ＝ 1,233,333円

※減価償却費の計算（平成19年4月1日以後取得なので新定額法）

$$20{,}000{,}000 \text{円} \times 0.046 \times \frac{8}{12} = 613{,}333 \text{円}$$

3　不動産所得の金額

　　　　　　　　　　　　青色申告控除
1,376,000円 － 1,233,333円 － 100,000円 ＝ 42,667円

《計算例題4》不動産所得の計算　　ケース4

　福大太郎はアパートを新築し，令和3年4月8日より貸家の用に供している。このアパートの建設費は19,500,000円である。下記の資料に基づき，福大太郎の令和3年分の不動産所得の金額を計算しなさい。なお，太郎は青色申告書提出の承認は受けていない。

〈資料1〉　福大太郎が本年中に支払を受けた金額は，次のとおりである。

　(1)　家　賃　収　入　　　　　　　　　　2,700,000円

　　　　この家賃収入の中には，翌年1月～4月までの部屋代175,000円が含まれている反面，本年12月分の部屋代25,000円が未収となっている。なお，

家賃は当月分を毎月末に受け取る契約になっている。

(2) 敷　　　金　　　　　　　　450,000円
　　　この敷金のうち，20％は返還を要しない。

(3) 権　利　金　　　　　　　　225,000円

〈資料2〉 福大太郎がアパートに関し本年中に支払をした金額は，次のとおりである。

(1) 本年分火災保険料　　　　　　5,000円

(2) 不動産取得税及び支払仲介手数料　610,000円

〈資料3〉 減価償却に関する事項は，次のとおりである。

(1) 耐用年数は24年，新定額法による償却率は0.042，新定率法による償却率は0.104である。

(2) 減価償却の方法は，届出ていない。また，新築貸家住宅の割増償却の適用はない。

(税務検定)

《解答欄》

1　総収入金額

　　[　　　円] － [　　　円] + [　　　円] + [　　　円]
　　　　　　× [　　] + [　　　円] = [　　　円]

2　必要経費

　　[　　　円] + [　　　円] + [　　　円]（減価償却費）= [　　　円]

※減価償却費の計算

　　[　　　円] × [　　　] × [　　　／　　　] = [　　　円]

3　不動産所得の金額

　　[　　　円] － [　　　円] = [　　　円]

《解　答》
1　総収入金額

$\boxed{2,700,000円} - \boxed{175,000円} + \boxed{25,000円} + \boxed{450,000円} \times \boxed{0.2} + \boxed{225,000円} = \boxed{2,865,000円}$

2　必要経費

（減価償却費）

$\boxed{5,000円} + \boxed{610,000円} + \boxed{614,250円} = \boxed{1,229,250円}$

※減価償却費の計算（平成19年4月1日以後取得なので新定額法）

$\boxed{19,500,000円} \times \boxed{0.042} \times \dfrac{\boxed{9}}{\boxed{12}} = \boxed{614,250円}$

3　不動産所得の金額

$\boxed{2,865,000円} - \boxed{1,229,250円} = \boxed{1,635,750円}$

《計算例題5》不動産所得の計算　　ケース5

　慶応　進氏の平成28年度分不動産の貸付けに関する資料は，次のとおりであった。よって，不動産所得の金額を計算しなさい。同人は，青色申告書提出の承認を受けている。なお，正規の簿記の原則に従って電子申告（e‐Tax）をしており，損益計算書と貸借対照表の添付がある。

〈資料1〉　収　入

　㋐　当年中の受取家賃（借家人20世帯）　　　　6,000,000円

　㋑　敷　金（預り金）　　　　　　　　　　　　 500,000円

　㋒　賃貸に際して受け取った礼金（権利金に該当するもの）

　　　　　　　　　　　　　　　　　　　　　　　 600,000円

〈資料2〉　支　出

　㋐　貸家の修繕費　　　　　　　　　　　　　　 280,000円

　㋑　本年1月から12月分の火災保険料　　　　　 150,000円

　㋒　不動産会社への仲介手数料　　　　　　　　 200,000円

㊃ 当年分固定資産税　　　　　　　　250,000円

〈資料3〉　その他

㋐　受取家賃は全て本年入金額であり，このほか本年分の未収家賃100,000円がある。

㋑　貸家の減価償却費は，定額法によって計算しなさい。なお，この建物の新築貸家住宅の割増償却の適用はない。なお，貸家は平成23年8月5日に購入し，貸家の用に供している。

取得価額　　20,000,000円　　耐用年数25年
償却率　　　0.040

(税務検定)

《解答欄》

1　総収入金額

　□円 + □円 + □円 = □円

2　必要経費

　□円 + □円 + □円 + □円

　　　　　　　　　　　(減価償却費)
　　　　　　　　　+ □円 = □円

※減価償却費の計算

　□円 × □ = □円

3　不動産所得の金額

　□円 - □円 - □円 = □円

《解　答》

1　総収入金額

　6,000,000円 + 100,000円 + 600,000円 = 6,700,000円

2　必要経費

　280,000円 + 150,000円 + 200,000円 + 250,000円

第Ⅱ編　各種所得の金額の計算　249

$$+ \boxed{800,000円（減価償却費）} = \boxed{1,680,000円}$$

※減価償却費の計算（平成19年4月1日以後取得なので新定額法）

$$\boxed{20,0000,000円} \times \boxed{0.040} = \boxed{800,000円}$$

3　不動産所得の金額

$$\boxed{6,700,000円} - \boxed{1,680,000円} - \boxed{650,000円} = \boxed{4,370,000円}$$

《実務上のPoint》

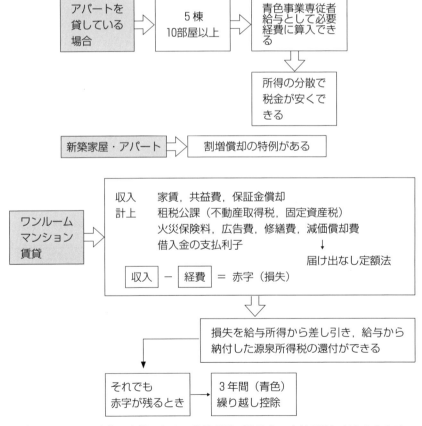

（注）ただし，土地等の取得のための負債利子（借入金の支払利子）があるときは，損益通算の適用において，負債利子に相当する金額はなかったものとみなされる

事業所得

【Point 13】

事業所得の金額は，以下の式により求める。

（総収入金額）－（必要経費）－（青色申告特別控除額）＝（事業所得の金額）

第1節 事業所得の定義と範囲

　農業，林業，漁業，製造業，卸売業，小売業，サービス業その他対価を得て継続的に行う事業から生ずる所得を**事業所得**という（法27，令63）。

　ただし，以下に掲げる所得は，事業所得に該当しない。

(1)　不動産，船舶又は航空機の貸付業から生ずる所得は，**不動産所得**となる。

(2)　山林の伐採又は譲渡が事業として行われている場合であっても，原則と

してその事業から生ずる所得は，**山林所得**に該当する。ただし，保有期間が5年以下の山林の伐採又は譲渡による所得は，それが事業（立木売買業）として行われている場合には，**事業所得**に該当する。事業としない場合の5年以内の売却による所得は，**雑所得**となる（法32①・②，33②）。

(3) 事業用の固定資産の譲渡による所得は，**譲渡所得**となる。ただし，①事業の用に供した**使用可能時期が1年未満**もしくは**取得価額が10万円未満**の**少額減価償却資産**（**取得価額が10万円未満の少額減価償却資産のうち，その者の業務の性質上基本的に重要なものを除く**）の譲渡による所得，又は②貸衣装業における衣装類の譲渡，パチンコ店におけるパチンコ器の譲渡，養豚業における繁殖用・種付用の豚の譲渡，養鶏業における採卵用の鶏の譲渡等のように事業の用に供した固定資産を反復継続して譲渡することがその事業の性質上通常である場合におけるその固定資産の譲渡による所得は，**事業所得**に該当する（法33②一，令81二，138，基27-1）。

(4) 事業所得を生ずべき事業の遂行に附随して生じた次に掲げるような所得は，**事業所得**に該当する（基26-8，27-4，27-5）。

① 事業の遂行上取引先又は使用人に貸し付けた貸付金の利子
② 少額事業用減価償却資産（**取得価額10万円未満のもの又は使用可能年数が1年未満のもの**）の売却による収入
③ 従業員宿舎の使用料収入
④ 事業用資産の購入に伴って景品として受ける金品
⑤ 湯屋業，飲食店等の店舗の一部を貸して得る広告の掲示による収入
⑥ 買掛金等の債務免除益
⑦ 事業用固定資産に係る固定資産税を納期前に納付することにより交付される報奨金（居住用財産に係る固定資産税の前納報奨金は一時所得）
⑧ 取得価額20万円未満の減価償却資産（次の②に該当するものを除く）を譲渡したことによる所得は，一括3年均等償却の方法による必要経費算入を選択したものは**事業所得**とされる。②通常の減価償却費の計算により必要経費算入を選択したものは譲渡所得（継続的に売買されるものは事

業所得)とされる(令81, 138, 139)。
⑨　自己の責任で管理する有料駐車場の貸付けによる収入
⑩　食事を供する下宿のような不動産の貸付けによる収入(事業的規模に限る)

第2節 事業所得の金額の計算

事業所得の金額は，その年中の事業所得に係る総収入金額から必要経費を控除した金額である（法27②）。

> 総収入金額 － 必要経費 － 青色申告特別控除額 ＝ 事業所得の金額

この場合において，青色申告者は，原則として，総収入金額から必要経費を差し引いた残額（黒字）から，さらに青色申告特別控除額を控除できる。

なお，この控除は，不動産所得があるときには，まず不動産所得から控除し，その控除不足額だけを事業所得から控除するが，事業所得が赤字のときは，控除できない。

(1) **事業所得の総収入金額**

事業所得の総収入金額は，別段の定めがあるものを除き，その**年中に収入すべき金額**（金銭以外の物又は権利その他経済的な利益をもって収入する場合には，その金銭以外の物又は権利その他経済的な利益の価額）である（法36①・②）。

(2) **事業所得の収入金額の計上時期**

事業所得の総収入金額の収入すべき時期は，一般には次による（基36-8）。

① **棚卸資産の販売の場合**……その**引渡しがあった日**。なお，委託販売による収入金額については，原則として，受託者がその委託品を販売した日，試用販売による収入金額については，原則として，試用者が購入の意思を表示した日

② **請負による収入金額**……原則として，物の引渡しを要する請負契約にあっては，その目的物の全部を完成して相手方に**引き渡した日**。物の引渡しを要しない請負契約にあっては，その約した役務の提供を完了した日

③ **委託販売**……原則として，委託を受けた人が，その**委託品を販売したとき**

④ **人的役務の提供による収入金額**……原則として，その**人的役務の提供が**

完了した日

⑤ 資産（金銭を除く）の貸付けによる賃貸料で，その年に対応するものに係る収入金額……原則として，その年の末日

⑥ 金銭の貸付による利息又は手形の割引で，その年に対応するものに係る収入金額……原則として，その年の末日。なお，契約により支払日が定められている場合において，継続してその支払日により収入金額を計上しているときはその日

⑦ 棚卸資産等を自家消費した場合……その消費したとき（法39）

⑧ 棚卸資産等を贈与又は低額で譲渡した場合……それらの事由が生じたとき（法40）

⑨ 農産物を収穫した場合……その収穫したとき（法41）

　なお，棚卸資産を引き渡した年の12月31日までに，販売代金が確定していない場合でも，同日の現況により適正に見積もった金額を総収入金額に計上する。その後確定した販売代金の額が，この見積もった金額と異なるときは，その差額を確定した年分の総収入金額又は必要経費に算入する（通36・37-1）。

(3) 事業所得の必要経費

　事業所得の金額の計算上**必要経費に算入すべき金額**は，別段の定めがあるものを除き，①事業所得の**総収入金額**に係る売上原価その他その**総収入金額を得るために直接要した費用の額**，及び②その年における**販売費，一般管理費**その他事業所得を生ずべき業務について生じた費用（償却費以外の費用でその年において債務の確定しないものを除く）の額である（法37①）。

　ただし，その保有期間が5年以内の山林の伐採又は譲渡に係る事業所得の必要経費は，別段の定めのあるものを除き，その山林の植林費，取得に要した費用，管理費，伐採費その他その山林の育林又は譲渡に要した費用（償却費以外の費用で，その年において債務の確定しないものを除く）の額である（法37②）。

　なお，「別段の定め」として，以下のものがある。

① 家事関連費等

家事上の費用，家事関連費（必要経費であることが明らかでない部分），所得税，住民税，延滞税，罰金などは必要経費に算入しない。ただし，延納に係る利子税は，一定の方法で計算した金額まで必要経費に算入される（法45，令97）。

② 事業用固定資産の損失

事業所得を生ずべき業務の用に供される固定資産及び繰延資産の取りこわし，除却，滅失その他の事由により生じた損失の金額（保険金等で補てんされる部分及び資産の譲渡により又はこれに関連して生じたものを除く）は，その生じた年分の必要経費に算入される（法51①，令140，142）。

③ 貸倒損失

事業の遂行上生じた売掛金などの債権の貸倒れなどにより生じた損失の金額は，その生じた年分の必要経費に算入される（法51②，令141）。

④ 引当金及び準備金

青色申告者は，一定の基準により繰り入れ又は積み立てた貸倒引当金（法52），返品調整引当金（法53），退職給与引当金（法54）などの金額の必要経費が認められている。

⑤ 生計を一にする親族に支払う対価

生計を一にする親族に事業に従事したこと等により支払う対価は，原則として必要経費には算入しないが，その親族のその対価に係る所得の必要経費とされるものは，その事業を営む者の必要経費とされる（法56）。

ただし，その親族のうち，青色事業専従者につき，**あらかじめ届け出た方法に従い支給した労務の対価として相当な給与は必要経費に算入**でき，また，事業専従者控除額も必要経費とみなされる（法57）。

（参考）**外注と雇用**（間違えやすい実務）

外注なのか**雇用**なのかは，働いている実情により判断される。形式は外注であったとしても，税務調査等で実務的に給与と判断されるケースもあるので注意を要する。

外注は，**請負契約**や**委託契約**により仕事が発注される。**請負契約**とは，仕事を受けた人は，仕事を完成させることを約束し，仕事を頼んだ人はその仕事に対して報酬を払うことを約束する契約である。**委託契約**とは，完成までの義務ではない事務業務などを行う契約である。

一方，**雇用契約**とは，労働者が使用者に対して労働することを約束し，使用者はその労働に対して給与の支払を約束する契約である。

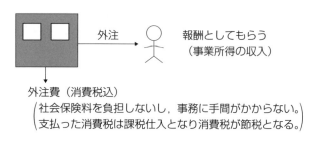

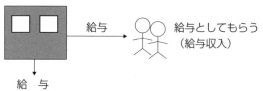

会社（雇用主）が給与を支払う場合には，所得税等の源泉徴収義務がある。そのため，給与計算や年末調整など事務の仕事が増える。しかも，労働保険に関する手続もしなければならないから，社会保険料の負担も増える。

それに対して，外注の場合年末調整や労働保険の手続はないばかりか，支払った外注費は消費税の課税仕入になる等のメリットがある。外注費（報酬等）を支払う場合，源泉徴収が必要となる。しかし，外注と雇用の判断は，契約内容や業務の実態として，とても難しいものがある。あくまでも参考として，判断の目安を挙げる。

《外注と雇用の判断基準》

	外注（外注費）	雇用（給与）
①管理	報酬の支払者は，労働時間を管理していないし，仕事を引き受けた業者（者）に任せている。	給与の支払者が，労働時間，勤務場所を管理し，仕事の管理も行っている。労働基準法を順守しなければならない。
②仕事の成果と支払	仕事を依頼した者は，仕事の成果を受け取ることで，仕事を引き受けた業者（者）に報酬を支払う。	仕事の成果に関係なく，仕事に従事した時間等により，従業員は給与の請求ができる。
③材料・道具の費用負担	仕事を引き受けた業者（者）が，仕事に必要な材料，道具などを買い，負担する。	会社（雇用主）が，仕事に必要な材料や道具等を従業員に与え，経費を負担する。
④仕事の交替	仕事を引き受けた業者（者）が，他の業者に任せたり，交替したりできる。	会社（雇用主）から仕事を任されたら，他の業者（者）等に任せることはできない。

第3節 事業所得に対する課税

事業所得の金額は，原則として総所得金額に含められて**総合課税の方法**により所得税が課税される。

ただし，以下の課税の特例が設けられている。

(1) 事業所得に含まれる変動所得及び臨時所得に対する平均課税の制度（法90）

(2) 土地等の譲渡等による事業所得に対する分離課税の制度（措法28の4，28の5）

(3) 株式等に係る事業所得に対する分離課税の制度（措法37の10）

《計算Point》

1 総収入金額のポイント

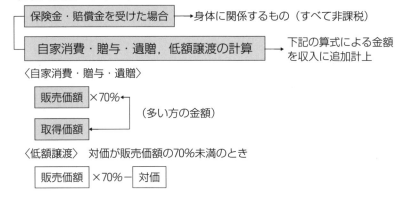

2 必要経費のポイント

(イ) 売上原価の計算

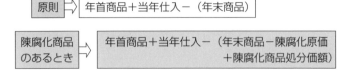

(ロ)　**貸倒引当金繰入の計算**

期末貸金 × $\frac{55}{1,000}$
↓
(実質的債権とみられないものを除く)

(平成19年3月31日以前取得減価償却資産)

(ハ)　減価償却費の計算
→旧定額法(取得価額－取得価額×0.1)×償却率
→旧定率法　年初未償却残高×償却率

〈法定償却方法は定額法〉

(平成19年4月1日以後取得減価償却資産)

減価償却費の計算
→新定額法　取得価額×新定額法償却率
→新定率法　①調整前償却額＝年初帳簿価額×新定率法償却率（月割計算しない）
②　保証額＝取得価額×保証率
③　①≧②のときは
年初帳簿価額×新定率法償却率（年中取得は月割計算あり）
①＜②のときは
改定取得価額×改定定率法償却率（年中取得は月割計算あり）

(注1)　改定取得価額とは，調整前償却額が保証額に満たない場合，最初に満たないこととなる年の期首未償却残高をさす。

(注2)　平成24年4月1日以後に取得した資産から定率法の計算方法が従来の250％定率法から200％定率法に償却率が縮減される（法49)。

なお，平成24年12月31日までの取得した資産については，従来の250％定率法適用資産とみなすことができる。

平成24年分の所得税の確定申告期限までに届出書を提出すれば，すでに従来の250％定率法を適用している資産でも，200％定率法適用資産とみなし計算できる。

(ニ)　青色事業専従者給与 → 届け出た金額の範囲内
(適正な金額)

3 青色申告控除の取扱いに注意

令和2年（2020年）分以後の所得税申告における青色申告控除

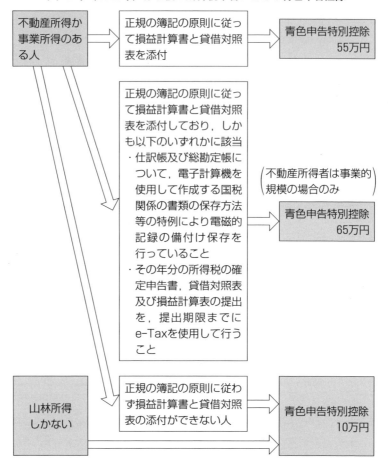

《計算Pattern》

事業所得	×××	(1) 総収入金額　①+②+③+④ 　① 売上高 　② 棚卸資産の自家消費，贈与等の収入計上額 　③ 雑収入 　④ 貸倒引当金の戻入 (2) 必要経費　①+②+③+④+⑤+⑥ 　① 売上原価（年初商品）+(当年仕入)−(年末商品) 　② 事業諸経費 　③ 減価償却費 　④ 繰延資産の償却額 　⑤ 青色専従者給与，事業専従者控除 　⑥ 貸倒引当金の繰入 　　　　　合　　　計 (3) 事業所得の金額　(1)−(2)−青色申告特別控除（65万円）

《計算例題１》事業所得の計算　ケース１

次の資料により，物品販売業を営む居住者福大太郎（51歳）の令和３年分の事業所得の金額を福大太郎に最も有利になるよう計算過程を明らかにして計算し，解答欄に記入しなさい。なお，解答にあたっては，消費税について考慮する必要はない。

〈資料１〉

損益計算書
自令和３年１月１日　至令和３年12月31日　（単位：円）

科　目	金　額	科　目	金　額
年初商品棚卸高	7,050,000	当年商品売上高	38,500,000
当年商品仕入高	26,850,000	年末商品棚卸高	7,200,000
営　業　費	5,700,000	雑　収　入	1,841,000
青色専従者給与	2,050,000	貸倒引当金戻入	173,000
当　年　利　益	6,064,000		
	47,714,000		47,714,000

〈資料２〉

1　福大太郎は，開業以来青色申告書の提出の承認を受けているが，棚卸資産の評価方法及び減価償却資産の償却方法については，届出をしてい

ない。なお，正規の簿記の原則に従っていない。

2　年末商品棚卸高は，後入先出法により評価しているが，先入先出法によると7,350,000円であり，最終仕入原価法によると7,400,000円である。

3　本年中に，友人に仕入価額300,000円の商品を贈与したが，その処理がいまだなされていない。この商品の販売価額は450,000円である。

4　雑収入の内訳は，次のとおりである。なお，これらの収入は，いずれも本年分の収入とされるものである。

　(1)　駐車場の貸付けに係る収入　　　　　　380,000円

　　　この駐車場は，福大太郎に管理責任のないものである。

　(2)　K生命保険会社の満期保険金収入　1,290,000円

　　　この保険期間は10年であり，収入のうち150,000円は剰余金の分配で，保険金額と同時に受け取ったものである。なお，支払った保険の総額は600,000円であり，全部福大太郎が負担している。

　(3)　従業員に対する貸付金の利子　　　　　35,000円

　(4)　N農業協同組合の剰余金の分配　　　120,000円

　　　この金額は，20%源泉徴収税額控除後の手取額である。

　(5)　H高等学校の学校債の利子　　　　　　16,000円

5　営業費のうちに，次のものが含まれている。

　(1)　上記4(1)の駐車場に係る経費　　　　178,000円

　(2)　損害賠償金　　　　　　　　　　　　200,000円

　　　これは，従業員が商品配達途中に起こした事故に対するもので，店主がすべて負担しており，店主に故意又は重大な過失はない。

　(3)　店舗の減価償却費　　　　　　　　　772,000円

　　　これは，定率法により計算したもので，定額法によると750,000円である。

　(4)　車両の減価償却費　　　　　　　　　540,000円

　　　これは，定額法により計算した1年分の減価償却費であるが，この車両は本年7月1日に取得し，同日より事業の用に供している。

6　青色専従者給与2,050,000円は，福大太郎の営む事業に専従している妻に対して支給した金額であり，労務の対価として相当額である。なお，

第Ⅱ編　各種所得の金額の計算　263

青色専従者給与に関する届出書に記載した金額は1,800,000円である。

7　年末事業債権は，次のとおりであり，貸倒引当金を税法の限度額まで繰り入れる。

　　売　掛　金　　　　　　　　　　1,300,000円
　　　　このうち，200,000円はD商店に対するものであるが，同店に対する支払手形が300,000円ある。

　　受　取　手　形　　　　　　　　1,400,000円

（税務検定第46回）

《解答欄》

1　各種所得の金額の計算　□内には数字を，（　）内には文字を記入しなさい。

区　分	金　額	計　算　の　過　程
（　）所得	□円	□円 ÷ 0.□ = □円
（　）所得	□円	□円 － □円 － □円 = □円
事　業　所　得	□円	1　総収入金額 　　　　　　　　　　　（贈与額） 　□円 ＋ □円 　＋ □円 ＋ □円 　＝ □円 （注）贈与額の計算 　□円 × □％ 　＝ □円 ＞ □円 　∴ □円

2　必要経費

(1)　売上原価

$\boxed{}$ 円 + $\boxed{}$ 円

− $\boxed{}$ 円 = $\boxed{}$ 円

(2)　営業費

$\boxed{}$ 円 − $\boxed{}$ 円

− $\boxed{}$ 円 + $\boxed{}$ 円

（車両の減価償却費修正額）
− $\boxed{}$ 円 − $\boxed{}$ 円

(注)　車両の減価償却費修正額の計算

540,000円 − $\boxed{}$ 円

× $\dfrac{\boxed{}}{\boxed{}}$ = $\boxed{}$ 円

(3)　青色専従者給与　$\boxed{}$ 円

(4)　貸倒引当金繰入

（$\boxed{}$ 円 + $\boxed{}$ 円

− $\boxed{}$ 円）× $\dfrac{\boxed{}}{\boxed{}}$

= $\boxed{}$ 円

3　事業所得の金額

$\begin{pmatrix}2\text{ 必要経費}(1)\sim \\ (4)\text{の合計額}\end{pmatrix}$

$\boxed{}$ 円 − $\boxed{}$ 円

= $\boxed{}$ 円

(　　)所得　$\boxed{}$ 円

$\begin{pmatrix}\text{収入を得るために} \\ \text{支出した金額}\end{pmatrix}$

$\boxed{}$ 円 − $\boxed{}$ 円

− $\boxed{}$ 円 = $\boxed{}$ 円

(　　)所得　$\boxed{}$ 円

《解　答》

区　分	金　額	計　算　の　過　程
（配　当）所得	150,000円	120,000円 ÷ 0.8 ＝ 150,000円
（不動産）所得	102,000円	380,000円 － 178,000円 － 100,000円 ＝ 102,000円
事　業　所　得	5,355,500円	1　総収入金額 　　　　　　　　　　　　（贈与額） 　38,500,000円 ＋ 315,000円 　　　　＋ 35,000円 ＋ 173,000円 　　＝ 39,023,000円 　（注）　贈与額の計算 　　450,000円 × 70% 　　　＝ 315,000円 ＞ 300,000円 　　∴ 315,000円 2　必要経費 　(1)　売上原価 　　7,050,000円 ＋ 26,850,000円 　　　　－ 7,400,000円 ＝ 26,500,000円 　(2)　営業費 　　5,700,000円 － 178,000円 　　　　－ 772,000円 ＋ 750,000円 　　　（車両の減価償却費修正額） 　　　－ 270,000円 ＝ 5,230,000円 　　（注）　車両の減価償却費修正額の計算 　　　　540,000円 － 540,000円 　　　　　　　× $\frac{6}{12}$ ＝ 270,000円 　(3)　青色専従者給与　1,800,000円

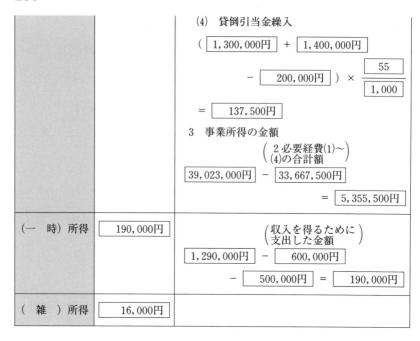

		(4) 貸倒引当金繰入 (1,300,000円 + 1,400,000円 － 200,000円) × $\frac{55}{1,000}$ ＝ 137,500円 3　事業所得の金額 $\begin{pmatrix}2\ 必要経費(1)〜\\(4)の合計額\end{pmatrix}$ 39,023,000円 － 33,667,500円 ＝ 5,355,500円
（一　時）所得	190,000円	$\begin{pmatrix}収入を得るために\\支出した金額\end{pmatrix}$ 1,290,000円 － 600,000円 － 500,000円 ＝ 190,000円
（　雑　）所得	16,000円	

《計算例題２》事業所得の計算　ケース２

次の資料により，物品販売業を営む居住者福大太郎の令和3年分の事業所得の金額を福大太郎に最も有利になるように計算しなさい。なお，福大太郎は，開業以来引き続き青色申告書提出の承認を受けている。そして正規の簿記の原則に従っており，損益計算書と貸借対照表の添付がある。

〈資　料〉

損益計算書

自令和3年1月1日　至令和3年12月31日　（単位：円）

科　　　目	金　　額	科　　　目	金　　額
年初商品棚卸高	2,300,000	当年商品売上高	21,900,000
当年商品仕入高	15,900,000	年末商品棚卸高	3,100,000
営　業　費	3,200,000	雑　収　入	250,000
当　年　利　益	3,920,000	貸倒引当金戻入	70,000
	25,320,000		25,320,000

1 棚卸資産の評価方法については届出をしていないが、減価償却資産の償却方法については届出をしていない。
2 年末商品棚卸高は総平均法により評価しているが、最終仕入原価法によると3,410,000円、後入先出法によると3,038,000円である。なお、年末商品棚卸高の中には、次のような著しく陳腐化した商品が含まれている。

	原　　　　　価	年末処分可能価額
著しく陳腐化した商品	総平均法……15,000円，最終仕入原価法……16,500円，後入先出法……14,700円	3,000円

3 売上高には友人に対する売上高55,000円が含まれているが、この商品の仕入価額は70,000円、通常の販売価額は100,000円である。
4 雑収入の内訳は、次のとおりである。
  (1) 従業員に寄宿舎を利用させて受け取った使用料　　　23,000円
  (2) 得意先に対する事業遂行上の貸付金の利子　　　　　30,000円
  (3) 友人に対する貸付金の利子　　　　　　　　　　　197,000円
5 営業費のうちに、次のものが含まれている。
  (1) 従業員が商品配達中に起こした駐車違反による交通反則金　10,000円
    これは、店主が負担しているが、店主に重大な過失はない。
  (2) 従業員の商品配達中の事故に対する損害賠償金　　　270,000円
    これは、店主が負担しているが、店主に重大な過失はない。
6 減価償却費は、次に掲げるものが未計上であり、これに関する資料は、次のとおりである。なお、備品は令和元年10月5日に購入し使用に供している。
　　備品の取得価額　525,000円　　　年初未償却残額　400,000円
　　耐用年数　8年　　　新定額法償却率　0.125
7 年末債権の金額は、次のとおりである。なお、貸倒引当金は税法の限度額まで繰り入れること。
　　売掛金　850,000円　　　貸付金（友人に対するもの）　3,000,000円
　　貸付金（得意先に対するもの）　500,000円

《解答欄》

1　総収入金額　□円 + □円(注) + □円 +
　　　　　　　　□円 + □円 = □円

（注）低額譲渡高修正額計算
　　　□円 × 0.□ − □円 = □円

2　必要経費

(1) 売上原価

□円 + □円 − (□円(年末商品棚卸高) − □円 + □円) = □円

(2) 営業費　□円 − □円 = □円

(3) 減価償却費　□円 × 0.□ = □円

(4) 貸倒引当金繰入　(□円 + □円)
　　　　　　　　　　× □/□ = □円

3　事業所得の金額　□円 − □円(2 必要経費(1)〜(4)の合計額) − □円
　　　　　　　　　　= □円

（税務検定）

《解　答》

1　総収入金額　21,900,000円 + 15,000円(注) + 23,000円 +
　　　　　　　　30,000円 + 70,000円 = 22,038,000円

（注）低額譲渡高修正額計算
　　　100,000円 × 0.7 − 55,000円 = 15,000円

2　必要経費

(1) 売上原価

(年初商品棚卸高)　(仕入高)　　　　(年末商品棚卸高)
$\boxed{2,300,000円} + \boxed{15,900,000円} - (\boxed{3,410,000円} - \boxed{16,500円}$
$+ \boxed{3,000円}) = \boxed{14,803,500円}$

(2) 営業費　$\boxed{3,200,000円} - \boxed{10,000円} = \boxed{3,190,000円}$

(3) 減価償却費　$\boxed{525,000円} \times \boxed{0.125} = \boxed{65,625円}$

　　　　　　　　（平成19年4月1日以後取得なので新定額法）

(4) 貸倒引当金繰入　$(\boxed{850,000円} + \boxed{500,000円})$

　　　　　　　　　$\times \dfrac{\boxed{55}}{\boxed{1,000}} = \boxed{74,250円}$

3　事業所得の金額

$\boxed{22,038,000円} - \underset{\text{2 必要経費(1)〜(4)の合計額}}{\boxed{18,133,375円}} - \underset{\text{青色申告控除}}{\boxed{650,000円}}$
$= \boxed{3,254,625円}$

《実務上のPoint》

(1) 取得価額10万円未満の減価償却資産は，全額一括して経費として算入できる。

(2) 青色申告者は，以下の特典が使える。

① 青色申告控除　10万円（原則）

　　　　〃　　　65万円（電磁的記録の備付け保存やe-Taxを使用し，正規の簿記に従って損益計算書と貸借対照表を添付）

② 貸倒引当金の繰入が必要経費となる。

③ 赤字を3年間繰り越せる。

④ 青色事業専従者給与を必要経費にできる。

　　（届出書に記載されている金額の範囲内）

⑤ 同居している親族から建物を借りている場合，同居親族に支払った家賃は必要経費とならないが，その建物の固定資産税，減価償却費については必要経費に算入できる。

譲渡所得

【Point 14】

(1) 土地建物等の譲渡所得の金額は,次の算式によって計算する。

(総収入金額)−(取得費・譲渡費用)=譲渡所得の金額

(2) 土地建物以外のゴルフ会員権,書画,こっとう品,事業用の機械等の譲渡所得の金額は,次の算式によって計算する。

(総収入金額)−(取得費・譲渡費用)−(特別控除額)=(譲渡所得の金額)

第1節 譲渡所得の定義と範囲

譲渡所得とは，資産の譲渡（建物又は構築物の所有を目的とする地上権又は賃借権の設定その他契約により他人に土地を長期間使用させる行為で一定の条件に該当するものを含む）による所得をいう（法33①）。

ただし，以下に掲げる所得は，譲渡所得には含まれない（法33②，令81）。

(1) 棚卸資産の譲渡その他営利を目的として継続的に行われる資産の譲渡による所得
(2) 不動産所得，山林所得又は雑所得を生ずべき業務に係る棚卸資産に準ずる資産の譲渡による所得
(3) 減価償却の対象とされない**少額の減価償却資産**（1個又は1組の取得価額が**10万円未満**又は**使用可能期間が1年未満**）で業務の用に供したものの譲渡による所得
(4) 山林の伐採又は譲渡による所得

第2節 譲渡所得の区分

1 分離課税される譲渡所得と総合課税される譲渡所得

譲渡所得の金額は，土地，借地権などの土地の上の権利（土地等），建物及び建物附属設備，構築物（建物等）の譲渡による所得（土地建物等の譲渡所得）は，他の所得と**分離して課税**される（措法31，32，措令21⑤・⑥）。この所得以外の譲渡所得，例えばゴルフ会員権，書画，こっとう品，事業用機械，宝石等の譲渡による所得は**総合課税**の対象となる。

2 分離課税される土地建物等の譲渡所得の長期譲渡所得と短期譲渡所得の区分

土地建物等の譲渡所得は，譲渡資産の所有期間に応じ，分離課税される長期譲渡所得と分離課税される短期譲渡所得に区分される。

(1) **分離課税の長期譲渡所得**とは，その譲渡があった年の1月1日において所有期間が**5年を超える**土地建物等の譲渡による所得をいう（措法31）。

(2) **分離課税の短期譲渡所得**とは，その譲渡があった年の1月1日において所有期間が**5年以下**の土地建物等の譲渡による所得である（措法32）。

（参考）土地・建物を一括購入した場合の土地・建物価額の推定

建物の標準的な建築価額表 （単位：千円／m²）

構造 建築年	木　造・ 木骨モルタル	鉄骨鉄筋 コンクリート	鉄　筋 コンクリート	鉄　骨
昭和48年	45.3	77.6	64.3	42.2
49年	61.8	113.0	90.1	55.7
50年	67.7	126.4	97.4	60.5
51年	70.3	114.6	98.2	62.1
52年	74.1	121.8	102.0	65.3
53年	77.9	122.4	105.9	70.1
54年	82.5	128.9	114.3	75.4
55年	92.5	149.4	129.7	84.1
56年	98.3	161.8	138.7	91.7
57年	101.3	170.9	143.0	93.9
58年	102.2	168.0	143.8	94.3
59年	102.8	161.2	141.7	95.3
60年	104.2	172.2	144.5	96.9
61年	106.2	181.9	149.5	102.6
62年	110.0	191.8	156.6	108.4
63年	116.5	203.6	175.0	117.3
平成元年	123.1	237.3	193.3	128.4
2 年	131.7	286.7	222.9	147.4
3 年	137.6	329.8	246.8	158.7
4 年	143.5	333.7	245.6	162.4
5 年	150.9	300.3	227.5	159.2
6 年	156.6	262.9	212.8	148.4
7 年	158.3	228.8	199.0	143.2
8 年	161.0	229.7	198.0	143.6
9 年	160.5	223.0	201.0	141.0
10年	158.6	225.6	203.8	138.7
11年	159.3	220.9	197.9	139.4
12年	159.0	204.3	182.6	132.3
13年	157.2	186.1	177.8	136.4
14年	153.6	195.2	180.5	135.0

建築年＼構造	木造・木骨モルタル	鉄骨鉄筋コンクリート	鉄筋コンクリート	鉄骨
平成15年	152.7	187.3	179.5	131.4
16年	152.1	190.1	176.1	130.6
17年	151.9	185.7	171.5	132.8
18年	152.9	170.5	178.6	133.7
19年	153.6	182.5	185.8	135.6
20年	156.0	229.1	206.1	158.3
21年	156.6	265.2	219.0	169.5
22年	156.5	226.4	205.9	163.0
23年	156.8	238.4	197.0	158.9
24年	157.6	223.3	193.9	155.6
25年	159.9	258.5	203.8	164.3
26年	163.0	276.2	228.0	176.4
27年	165.4	262.2	240.2	197.3
28年	165.9	308.3	254.2	204.1
29年	166.7	350.4	265.5	214.6

(注)「建築着工統計（国土交通省）」の「構造別：建築物の数，床面積の合計，工事費予定額」表を基に，1㎡当たりの工事費予定額を算出（工事費予定額÷床面積の合計）したものです。原則は，実際の取得費又は収入金額の5％

「令和元年分譲渡所得の申告のしかた（記載例）」国税庁

〈土地と建物の一括購入で全体の取得価額はわかるが，各価額が不明なときの計算例〉

昭和58年1月に36,000,000円の住宅（建物と土地込み）を買った。建物の面積は100㎡とすると，土地価格はいくらと推定されるか。なお，建物は木造モルタルである。

① 建物価額　102,200円×100㎡＝10,220,000円
　　　　　　　（取引価額）
② 土地価額推定　36,000,000円－10,220,000円＝25,780,000円

〈中古の場合で一括購入の場合の建物の取得価額〉

① その建物の建築年月日の建物価額表で求めた建築価額
② 建物の建築された日から中古で買った日までの経過年数
③ 建築から中古で買った日までの減価の累計

$$(①\times 0.9\times 経過年数)\begin{pmatrix}非業用は，6か\\月以上は1年，6\\月未満切捨\\①-③\end{pmatrix}\times 償却率\begin{pmatrix}非業務用は，耐用\\年数は1.5倍に相\\当する年数，端数\\は切捨\end{pmatrix}$$

④ 中古建物の価額 ①-③
⑤ 土地価額 取引総額-④（中古建物の価額）

〈土地と建物の一括購入で，消費税がわかるときの計算例〉
① 建物価額 契約の消費税額÷0.10×1.10
② 土地価額 取引総額-①

土地と建物を一括購入の場合は，譲渡対価を土地部分と建物部分に分けなければならない。**土地の譲渡は消費税が非課税**で，**建物の譲渡は課税**される。土地と建物の価額が契約書に記載がある時は，その金額で区分される。

土地建物の金額が一括表示されているが，消費税額がわかる場合は，**建物価額**は，消費税が10％ならば 契約書の消費税額 ÷0.10×1.10で計算される。土地価額は， 取引総額 － 建物価額 で計算する。

契約書では消費税額もわからず，土地と建物の一括購入の金額しかわからない時は，**相続税評価額**や**固定資産税評価額**等を基礎にして土地価額と建物価額に区分する方法もある。

3 総合課税される譲渡所得の長期譲渡所得と短期譲渡所得の区分

2 に掲げる所得以外の譲渡所得が総合課税の対象となる。

総合課税の対象となる譲渡所得は，その譲渡資産の所有期間に応じ短期譲渡所得と長期譲渡所得に区分される。

(1) **総合課税における短期譲渡所得**とは，資産をその**取得の日以後5年以内**に譲渡した所得をいう（法33）。
(2) **総合課税における長期譲渡所得**とは，資産をその**取得の日以後5年を超えた場合**に譲渡した所得をいう。

ただし，自己の研究の成果である特許権，実用新案権その他の工業所有権，自己の著作に係る著作権及び自己の探鉱により発見した鉱床に係る採掘権につ

いては，その権利を取得してから5年以内に譲渡しても総合課税の長期譲渡所得となる（法33，令82）。

〈図表9－1〉譲渡所得の短期と長期の区分のまとめ

土地建物等	譲渡した年の1月1日における所有期間が5年以下	分離短期
	譲渡した年の1月1日における所有期間が5年超	分離長期
その他の資産	所有期間　5年以内	総合短期
	所有期間　5年超	総合長期

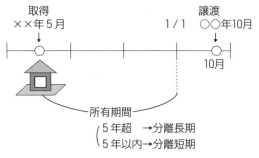

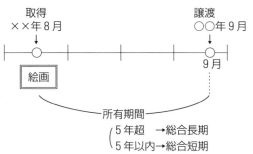

4　みなし譲渡（時価課税）

　法人に対して個人の有する**山林**（事業所得の基因となるものを除く）又は**譲渡所得の基因となる資産**が**贈与，遺贈及び著しく低い対価**（譲渡の時の時価の2分の1に満たない対価）による譲渡により移転した場合には，その者の山林所得の金

額，譲渡所得の金額又は雑所得の金額の計算については，その移転の事由が生じた時に，その時における時価で，これらの資産の譲渡があったものとみなされる（法59①，令169）。

個人に対して低額譲渡（譲渡の時の時価の2分の1に満たない対価による譲渡）した場合は，時価課税は適用されない。対価を収入金額として譲渡所得を計算する。譲渡損が生じているときは，譲渡損はなかったものとされる（法59，令169）。その理由は，譲渡損を他の譲渡益と通算することとなると，贈与税との均衡が失われるためである。

(注) 限定承認とは，相続人が相続によって得た財産の限度においてのみ，被相続人の債務及び遺贈を弁済すべきことを留保して相続の承認をすること（民922）。

〈図表9－3〉山林・譲渡所得の基因となる資産のみなし譲渡

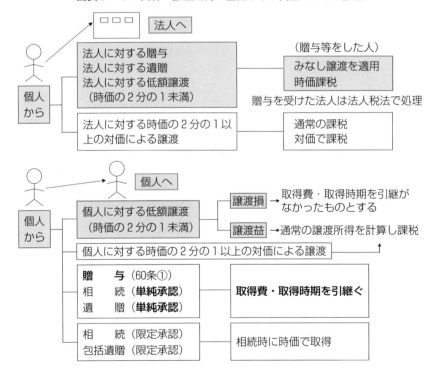

《**計算例題**》みなし譲渡

福大太郎は，次のように資産の譲渡をした。各々の譲渡損益の金額を計算しなさい。

(1) 福大太郎は，平成5年に200万円で取得した土地を，西南株式会社に300万円で譲渡した。譲渡時の土地の時価は800万円である。

(2) 福大太郎は，平成8年に80万円で取得した絵画を，慶応株式会社に贈与した。贈与時の絵画の時価は250万円である。

(3) 福大太郎は，平成6年に400万円で取得した土地を，西南花子・個人へ300万円で譲渡した。譲渡時の土地の時価は600万円である。

《解答欄》

(1)① 判定　　□万円 ＜ □万円 × $\frac{1}{2}$　∴法人に対する低額譲渡で時価課税

　②　譲渡損益　□万円 － □万円 ＝ □万円

(2)① 判定　法人に対する贈与なので時価課税

　②　譲渡損益　□万円 － □万円 ＝ □万円

(3)① 判定　　□万円 ≧ □万円 × $\frac{1}{2}$　∴個人に対する低額譲渡に該当しない。譲渡損はないものとしない。

　②　譲渡損益　□万円 － □万円 ＝ □万円

(**注**) 個人から法人への贈与，遺贈，低額譲渡（時価の $\frac{1}{2}$ 未満の譲渡）に時価課税が適用される。

《**解　答**》

(1)① 判定　　300万円 ＜ 800万円 × $\frac{1}{2}$　∴法人に対する低額譲渡で時価課税

　②　譲渡損益　800万円 － 200万円 ＝ 600万円

(2)① 判定　法人に対する贈与なので時価課税

　②　譲渡損益　250万円 － 80万円 ＝ 170万円

(3)① 判定　　300万円 ≧ 600万円 × $\frac{1}{2}$　∴個人に対する低額譲渡に該当しない。譲渡損はないものとしない。

　②　譲渡損益　300万円 － 400万円 ＝ △100万円　（譲渡損）

第3節 譲渡所得の金額の計算

1 分離課税される土地建物等の譲渡所得の金額

分離課税される土地建物等の譲渡所得の金額は，短期保有の土地建物等と長期保有の土地建物等の譲渡所得につき，それぞれその年中の土地建物等の譲渡所得に係る総収入金額からその土地建物等の取得費及び譲渡費用の合計額を控除した金額である。

土地建物等の短期譲渡所得の金額は，その年中の土地建物等の短期譲渡所得に係る総収入金額からその土地建物等の取得費及び譲渡費用の合計額を控除した金額（その年に土地建物等の長期譲渡所得の計算上生じた損失があるときは，その損失の金額を控除した金額）である（措法32①）。

この場合において，**居住用財産の買換えの場合の譲渡損失**及び**特定の居住用財産の譲渡損失の繰越控除**，**雑損失の繰越控除**の適用があるときは，これらの適用をした後の金額をいう（措法32，41の5，41の5の2）。

土地建物等の長期譲渡所得の金額は，その年中の土地建物等の長期譲渡所得に係る総収入金額からその土地建物等の取得費及び譲渡費用の合計額を控除した金額（その年に土地建物等の短期譲渡所得の計算上生じた損失があるときは，その損失の金額を控除した金額）である（措法31①）。この場合において，**居住用財産の買換えの場合の譲渡損失**及び**特定居住用財産の譲渡損失の繰越控除**，**雑損失の繰越控除**の適用があるときは，これらの適用をした後の金額をいう（措法31，41の5，41の5の2）。

> 総収入金額－（取得費＋譲渡費用）＝分離課税される譲渡所得の金額

2 総合課税される譲渡所得の金額

総合課税される譲渡所得の金額は，短期保有資産の譲渡所得と長期保有資産の譲渡所得につき，それぞれその年中の総収入金額からそれぞれの所得の基因

となった資産の取得費及び譲渡費用の額の合計額を控除し，その残額の合計額（いずれか一方の所得が赤字となるときは，その赤字を他の所得の残額から控除した金額。以下「譲渡益」という）から譲渡所得の**特別控除額50万円**を控除した金額である（法33③）。

総所得金額に算入する譲渡所得は，次の算式で求める（**特別控除額50万円は，短期譲渡益から先に控除する。また，総所得金額に算入するときは，長期譲渡所得を2分の1する**）。

総収入金額−（取得費＋譲渡費用）−特別控除額＝総合課税される譲渡所得の金額

（注）　特別控除額50万円は，総合短期譲渡益から控除し，50万円が総合短期譲渡益から控除しきれなかったときは，その50万円のうち控除しきれなかった残りは，総合長期譲渡益から控除できる。

$$総所得金額 = \begin{pmatrix}利子＋配当＋不動産＋事業\\＋給与＋雑所得の合計\end{pmatrix} + \begin{pmatrix}総合短期\\譲渡所得\end{pmatrix} + \left\{\begin{pmatrix}総合長期\\譲渡所得\end{pmatrix} + \begin{pmatrix}一時\\所得\end{pmatrix}\right\} \times \frac{1}{2}$$
（経常所得）

3　生活に通常必要でない資産の損失

なお，災害又は盗難もしくは横領により，その年の前年又はその年において生じた**生活に通常必要でない資産の損失の金額**があるときは， 1 及び 2 の場合のどちらも譲渡益の計算上これらの損失の金額を控除する（法62）。

生活に通常必要でない資産とは，次の資産をいう（令178①）。

①　競走馬（事業用のものを除く）その他射こう的行為の手段となる動産

②　通常自己及び自己と生活を一にする親族が居住の用に供しない家屋で主として趣味，娯楽又は保養の用に供する目的で所有するものその他主として趣味，娯楽，保養又は鑑賞の目的で所有する不動産（別荘など）

③　生活の用に供する動産で譲渡所得の課税の対象となるもの（ヨットや1個又は1組の価額が**30万円**を超える宝石，貴金属，書画，骨とう品など）

④　ゴルフ会員権やリゾート会員権等（平成26年4月1日以後に行う譲渡から適用）

〈図表9-4〉生活に通常必要でない資産

生活に通常必要でない資産	競走馬，別荘
	ヨット
	宝石，書画，骨とう品のうち（時価30万円超）
	ゴルフ会員権

① 譲渡による所得は，総合短期，総合長期として課税される。
② 譲渡損は，総合短期と総合長期の間では相殺できる。
　分離短期，分離長期との損益通算はできない。他の所得との損益通算もできない。
③ 災害，盗難，横領により生活に通常必要でない資産の損失が生じた場合は，譲渡益の計算上控除する。総合短期，総合長期の順に控除する。

〈図表9-5〉生活に通常必要でない資産の損失

損失の発生原因	災害，盗難，横領
所有者	本人のみ（親族の資産には適用しない）
対象資産	① 競走馬，別荘，ヨット，ゴルフ会員権 ② 宝石，書画，骨とう品のうち（時価30万円超）
損失の評価	取得費（損失発生額）－保険金等 ⇩ 宝石，書画，骨とう品は，取得価額 別荘等の減価する資産は，取得価額から減価償却累計額を差し引く
控除	(1) 譲渡損益 (2) 内部通算 (3) **生活に通常必要でない資産の損失** 　① 損失額　取得費－保険金 　② 控　除　総合短期－①損失額 　　（通算後の総合短期からまず控除し，次に総合長期から控除する）
当年に控除できない場合	翌年分の譲渡所得の金額の計算上控除する

〈総合課税とされる譲渡所得の金額〉

$$\left[\begin{pmatrix}短期保有資産\\の総収入金額\end{pmatrix}-\begin{pmatrix}取得費・\\譲渡費用\end{pmatrix}\right] - \begin{pmatrix}生活に通常必\\要でない資産\\の災害等によ\\る損失の金額\end{pmatrix} - \begin{pmatrix}譲渡所得\\の特別控\\除額50万\\円\end{pmatrix} = \begin{pmatrix}譲渡所\\得の金\\額\end{pmatrix}$$
$$\left[\begin{pmatrix}長期保有資産\\の総収入金額\end{pmatrix}-\begin{pmatrix}取得費・\\譲渡費用\end{pmatrix}\right]$$

(注) 生活に通常必要でない資産の損失金額は,分離短期,分離長期からは控除しない。

《計算Pattern》生活に通常必要でない資産の損失

譲渡所得		(1) 譲渡損益
(総合短期)	×××	(総合短期)総収入金額－(取得費＋譲渡費用)
(総合長期)	×××	(総合長期)総収入金額－(取得費＋譲渡費用)
		(2) 内部通算(譲渡損が生じたとき)
		総合短期は,総合長期と通算
		(3) 生活に通常必要でない資産の損失
		① 損失　取得費－保険金
		② 控除　総合短期－①損失
		(⑵の通算後の総合短期からまず控除し,次に総合長期から控除)
		(4) 特別控除(総短からまず控除し,次に総長から)
		① 総合短期の譲渡益－50万円特別控除
		② 総合長期の譲渡益－特別控除(①で引ききれなかった50万円の残り)

第4節 譲渡所得の総収入金額

譲渡所得の総収入金額は，別段の定めがあるものを除き，その年中の**資産の譲渡により収入すべき金額**（金銭以外の物又は権利その他経済的な利益をもって収入する場合には，その金銭以外の物又は権利その他経済的利益の価額）である（法36①・②）。

第5節 譲渡所得の収入金額計上時期

譲渡所得の総収入金額の収入すべき時期は，譲渡所得の基因となる資産の引渡しがあった日による。ただし，その譲渡契約の効力発生の日により総収入金額に算入して申告があったときは，それが認められる（基36-12）。

第6節　譲渡所得の取得費

(1) 通　則（原則）

① 減価しない資産

譲渡所得の金額の計算上控除する減価しない資産（土地，宝石等）の取得費は，別段の定めがあるものを除き，その資産の取得に要した金額並びに設備費及び改良費の額の合計額である。

② 減価する資産

その資産が家屋その他使用又は時の経過により減価する資産であるときは，①の合計額からその取得の日から譲渡の日までの期間のうち，次の期間に応ずるそれぞれに掲げる金額の合計額を控除した金額である（法38）。

① その資産が不動産所得，事業所得，山林所得又は雑所得を生ずべき業務の用に供されていた期間については，その期間内のこれらの所得の金額の計算上必要経費に算入されるその償却費の累積額（**業務用期間**）

② ①に掲げる期間以外の期間については，その期間に係るその資産の減価の額（**非業務用期間**）

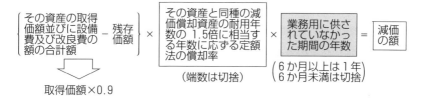

(注1) 耐用年数の1.5倍の年数に1年未満の端数があるときはその端数は切り捨て，また，業務の用に供されていなかった期間の年数に1年未満の端数があるときは，6か月以上の端数は1年とし，6か月未満の端数は切り捨てる（令85②）。

(注2) 平成19年4月1日以後に取得される減価償却資産でも，適用する償却率は旧定額法の償却率。

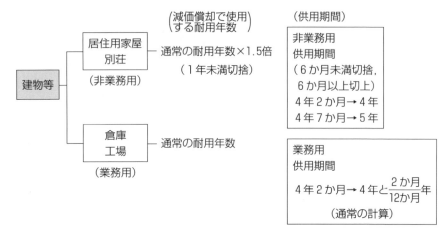

(2) 昭和27年以前から引き続き所有していた資産の取得費（土地，建物等以外）

　譲渡所得の基因となる資産が，昭和27年12月31日以前から引き続き所有していた資産である場合の取得費は，次の額による。

　① 使用又は時の経過により減価しない資産（絵画，宝石，骨とう品等）の場合

　その資産の**昭和28年1月1日における相続税評価額**（同日における取得費又は資産再評価法による再評価額が相続税評価額より大きい場合は，その大きい金額）と，その資産について**同日以後に支出した設備費及び改良費の額の合計額**である（令61②，令172）。

　② 使用又は時の経過により減価する資産（機械，車両等）

　(1)で計算したその資産の昭和28年1月1日における相続税評価額とその資産について同日以後に支出した設備費及び改良費の合計額から，昭和28年1月1日から譲渡の日までの期間の減価償却費の額の累積額又は減価の額を控除した金額である（法61③，令172）。

　ただし，相続税評価額がその資産の取得に要した金額と昭和27年12月31日以前に支出した設備費及び改良費の額から，昭和27年12月31日までの期間の減価償却費の額の累積額又は減価の額を控除した金額に満たないことが証明された場合には，その資産の取得に要した金額と設備費及び改良費の合計額から，取得の日から譲渡の日までの期間の減価償却費の累積額又は減価の額を控除した

金額による。

〈図表9－6〉昭和27年12月31日以前に取得した資産を譲渡した場合の取得費（原則）

減価しない資産の取得費（絵画，宝石，骨とう品等）

多い金額 { ①昭和28年1月1日の相続税評価額 / ②昭和28年1月1日の取得費相当額 (1)の通則（取得価額） / ③資産再評価額 } ＋ 同日（昭和28年1月1日）以後の設備費，改良費

減価する資産の取得費（機械，車両等）

多い金額 { ①昭和28年1月1日の相続税評価額 / ②昭和28年1月1日の取得費相当額 (1)の通則 取得価額－減価累計額 / ③資産再評価額 } ＋ 同日（昭和28年1月1日）以後の設備費，改良費 － 昭和28年1月1日以後の減価償却累計額

(3) **特　　則**

① **土地建物等**

なお，個人が昭和27年12月31日以前から引き続き所有していた土地建物等を譲渡した場合における上記の取得費は，上記(1)・(2)の規定にかかわらずその**収入金額の100分の5**に相当する金額とされる（措法31の4）。土地建物等については，昭和28年1月1日における相続税評価額の適用はない。

ただし，次の(イ)又は(ロ)に掲げる金額（実際の取得費）が，収入金額の100分の5よりも多いことが証明された場合には，それぞれに掲げる金額とされる。

(イ)　その土地等の取得に要した金額と改良費の額との合計額

(ロ)　その建物等の取得に要した金額と設備費及び改良費の額との合計額から，その合計額を基として計算した減価償却費の額の累積額又は減価の額（法38②）を控除した金額

(注)　取得費を**譲渡所得の収入金額の100分の5**とする**特例**は，個人が昭和28年1月1日以後に取得した土地建物等を譲渡した場合にも適用できることに取り扱われている（措通31の4－1）。さらに，土地建物等以外の資産についても100分の5は適用される。

② 土地建物等以外

土地建物等以外の固定資産（取得費がないものとされる地表又は土石等並びに借家権及び漁業権を除く）の**譲渡所得の取得費**については，原則として，実際の取得費及び上記(1)又は(2)によるのであるが，その譲渡所得の**収入金額の5％**相当額を取得費として譲渡所得の金額を計算しているときは，この計算が認められる（基38-16）。譲渡所得の基因となる土地建物等以外の資産の取得費は，収入金額の5％相当額を適用することが認められる（基38-16，措通31の4-1）。

(注) 平成4年の取扱通達の改正により，土地建物等以外の固定資産についても，土地建物等の取得費の計算と同様に，取得年月日を問わず，実際の取得費と収入金額の5％相当額のいずれか多い方の金額をその固定資産の譲渡所得の取得費とすることができる（基36-16）。

〈図表9-7〉通則の取得費の計算

減価しない資産（土地，宝石，絵画等）の取得費	＝ 取得に要した金額 ＋ 設備費／改良費
減価する資産（建物，車両等）の取得費	＝ 取得価額＋設備費／改良費 －（減価償却累計額（注））

(注) (1) 業務用期間
業務に供された期間必要経費に算入された減価償却累計額
(2) 業務用以外の期間（非業務用期間）
① 耐用年数＝同種の減価償却資産の耐用年数×1.5（1年未満切捨）
② 償却率＝上記1.5倍した耐用年数に応じた償却率
③ 業務用期間以外の経過年数（6か月未満切捨，6か月以上切上）
減価償却累計額＝取得価額×0.9×償却率×経過年数（定額法）
取得費＝取得価額－減価償却累計額
③の定額法については，平成19年4月1日以後取得の減価償却資産については0.9は適用しない。
(3) **相続財産である土地等を譲渡した場合の取得費に加算する相続税**
平成27年1月1日以後に相続した土地等を譲渡した場合（相続税の申告期限から3年以内に売却した場合），譲渡所得の金額の計算上，取得費に加算する相続税額は，その譲渡した土地等に対応する相続税相当額となる。
(4) **相続した土地，建物の取得費**については，被相続人の**取得費を引継ぐ**。保有期間も被相続人が，その土地，建物を取得した日から計算される。

第Ⅱ編　各種所得の金額の計算

（譲渡した土地の取得費に加算される相続税）

$$\boxed{確定相続税額} \times \frac{その者が相続で取得した土地等のうち譲渡した土地等の金額}{その者が相続で取得した課税価額合計}$$

〈図表9－8〉昭和27年12月31日以前に取得した資産の取得費

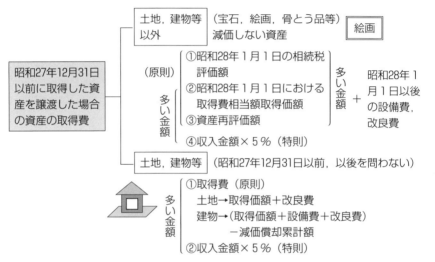

(注)　土地，建物等の譲渡所得の計算上の取得費は，昭和28年1月1日の相続税評価額（資産再評価法の適用で，再評価額が相続税評価額よりも大きいときは再評価額）は適用できない。

〈図表9－9〉昭和28年以後に取得した資産の取得費

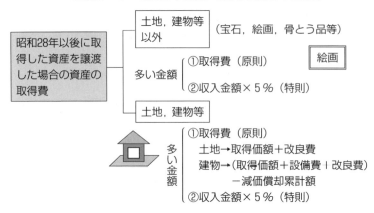

〈図表9－10〉総括，資産の取得費

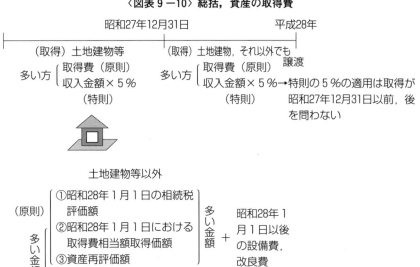

(参考) 譲渡に伴う未経過固定資産税の取扱い

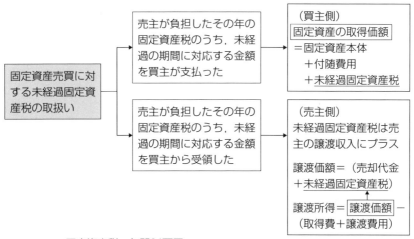

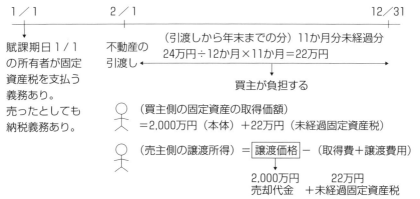

参考：消費税の課税対象（土地は非課税売上，非課税仕入）
　　　建物の消費税の課税対象＝取得価額＋建物の未経過固定資産税

第7節 譲渡所得の譲渡費用

譲渡に要した費用とは，資産を譲渡するために直接支出した仲介人に支払う仲介手数料，譲渡資産の登録費用，測量費などの費用をいう。

なお，次の費用なども譲渡に要した費用に含まれる（基33-7）。

(1) 資産を譲渡するために借家人等を立ち退かせる場合に支出する立退料
(2) 土地を譲渡するために家屋など建物を取りこわした場合に支出する費用及び建物の取りこわしなどによる損失額
(3) 先に譲渡契約をしていた資産を有利な条件が生じたためにその譲渡契約を解除して他に譲渡した場合に支出する違約金
(4) 譲渡契約に関する紛争で，契約が成立した場合の民事事件に関する費用

　(注) 譲渡に要した費用は譲渡のために直接支出した費用をいうから，所有期間中の修繕費，資産の維持又は管理に要した費用，譲渡代金の回収費用はこれに含まれない。

第8節 譲渡所得の非課税

以下に掲げる譲渡所得については，所得税は課税されない（法9①）。

(1) 家具，じゅう器（日常生活で使用される食器や家具など），衣服その他の**生活に通常必要な動産**（１個が30万円超の貴金属，書画，こっとうを除く）**の譲渡による所得**

(2) **資力を失い，債務を弁済することが著しく困難な場合の，滞納処分，強制執行，担保権の実行としての競売又はこれに代わる代物弁済，破産手続などによる資産譲渡による所得**

(3) **一定の公社債，公社債投資信託，公社債等運用投資信託の受益権及び特定目的信託の社債的受益権等を譲渡した場合の所得**

(4) **資産を国や地方公共団体，公益法人に寄附した場合の所得**(注)（措法40①）

(5) **資産を相続税の物納に充てた場合の所得**（措法40の3）

(6) **国や地方独立行政法人等に対し重要文化財を譲渡したことによる所得は譲渡所得が２分の１**（措法40の2①）

　（注）① 平成26年改正で，非課税の要件に，株式の寄付を受けた公益法人等が株式発行法人の発行済株式の総数の２分の１を超えて保有することにはならないことが加わった。
　　　　② 公益法人等が寄付を受けた株式等を株式交換等により譲渡し，その株式交換等により交付を受けた株式を引き続き公益事業のように直接供した場合には，非課税の適用を継続できる。

〈図表９－11〉生活に通常必要な動産の譲渡

生活に通常必要な動産の譲渡	家具，食器，衣服，テレビ，冷蔵庫，洗濯機等	⇒ 譲渡による所得は非課税〔譲渡による損失は生じなかったものとする〕
	宝石，書画，骨とう品のうち（時価30万円以下）	

第9節 保証債務の履行のため資産の譲渡があった場合において、その求償権が行使不能となった場合の譲渡所得の非課税措置

　保証債務を履行するため資産（たな卸資産などを除く）の譲渡があった場合において、その履行に伴う求償権の全部又は一部が行使不能となったときは、その行使不能となった金額（不動産所得の金額、事業所得の金額又は山林所得の金額の計算上必要経費に算入される金額を除く）は、譲渡代金の回収不能額とみなして、その資産を譲渡した日の属する年分のその資産の譲渡に係る各種所得の金額の計算上なかったものとみなす（法64②）。

第10節 再生計画に基づく取締役等の私財提供に係る譲渡所得の非課税措置（25年改正）

　中小企業金融円滑法の廃止に対して，中小企業の企業再生を目的とし，中小企業の経営者等が，その法人の保証人となっており，その法人の事業の用に供されている資産（土地，建物，車両，備品等）で，その個人で所有しているものを，その法人の合理的な再生計画に基づき，その法人に贈与した時には，以下の要件を満たした場合に，みなし譲渡益課税の適用を行わない。つまり，譲渡所得を非課税とし，私財提供をしやすくし，企業再生を促すものである。

(注1)　合理的な再生計画とは，中小企業再生支援協議会等の準則に則り，一般に公開された債務処理を行うための手続を行い，作成された再生計画である。
(注2)　経営者等とは，取締役，執行役，同族会社の使用人で一定の株主グループに属し，法人の経営に従事している者をいう。

	要　　件
経営者等が，企業の再生を目的とし，その法人の保証人となっており，その法人の事業の用に供されている資産で，その経営者等が所有しているものを再生計画に基づき法人に贈与した。 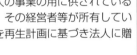	①　経営者等が再生計画に基づき，法人の債務の保証に係る保証債務の一部を履行していること。 ②　再生計画に基づいて行われた法人への資産の贈与及び保証債務履行済であってもその経営者等が，その法人の債務保証に係る保証債務を有していることが，再生計画で見込まれていること。

（経営者等による再生計画に基づく，法人への贈与）

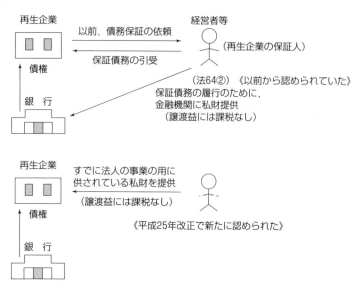

第11節 資産の譲渡代金が回収不能となった場合等

　以下の場合には，その回収をすることができないこととなった金額又は返還すべきこととなった金額に対応する部分の金額は，その各種所得の金額の計算上，なかったものとみなされる（法64①）。

(1)　その年分の各種所得の金額（事業所得の金額を除く。(2)も同じ）の計算の基礎となる収入金額もしくは総収入金額（不動産所得又は山林所得を生ずべき事業から生じたものを除く。(2)も同じ）の全部もしくは一部を回収することができないこととなった場合

(2)　政令で定める事由により，その収入金額もしくは総収入金額の全部もしくは一部を返還すべきこととなった場合

第12節　内部通算（措法31①, 32②）

　譲渡所得相互間の損失の相殺計算を**内部通算**という。内部通算は，分離課税される一般株式等に係る譲渡所得，分離課税される上場株式等に係る譲渡所得，分離課税される土地建物等の譲渡所得，総合課税される譲渡所得に区分して，それぞれ計算される。譲渡所得を計算する場合に，譲渡した資産のうちに以下の譲渡損失があるときは，その譲渡損失は以下の順序により他の譲渡益から控除する。

(1)　分離課税される土地建物等の譲渡損益の内部通算
　①　「分離課税される短期譲渡の損失」は，「分離課税される長期譲渡の譲渡益」から控除する。
　②　「分離課税される長期譲渡の損失」は，「分離課税される短期譲渡の譲渡益」から控除する。

(2)　総合課税される譲渡損益の内部通算
　①　まず，「総合短期の損失」は，「総合長期の譲渡益」から控除する（**総合短期の損失は総合長期の譲渡益と通算**）。
　②　「総合長期の損失」は，「総合短期の譲渡益」から控除する。

(3)　分離課税される一般株式等と上場株式等
　平成28年1月1日以後においては，株式等に係る譲渡所得の計算は，一般株式等の譲渡所得等と上場株式等の譲渡所得等に区分して譲渡所得を計算する。上場株式等の譲渡損失は，他の譲渡所得である総合短期，総合長期，分離短期，分離長期，一般株式等の譲渡益から控除（通算）できない。
　逆に，総合短期の譲渡損，総合長期の譲渡損，分離短期の譲渡損，分離長期の譲渡損，一般株式等の譲渡損失は，上場株式等の譲渡益から控除（通算）できない。
　土地，建物等の長期譲渡所得の金額又は短期譲渡所得の金額の計算上生じた損失の金額「分離短期」又は「分離長期」は，土地，建物等の譲渡による所得

以外の所得「総合短期」又は「総合長期」との内部通算や損益通算及び翌年以降の損失の繰越しは認められない。

つまり，土地，建物等の譲渡損失は，同じ分離課税のグループでの内部通算しかできなくなった。

分離課税の譲渡損失は，他の総合課税の対象となる譲渡資産の譲渡益と内部通算及び事業所得や給与所得等の他の所得との損益通算することができなくなった。

〈図表9－12〉 内 部 通 算

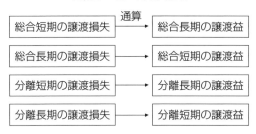

〈図表9－13〉 自動車等の売却

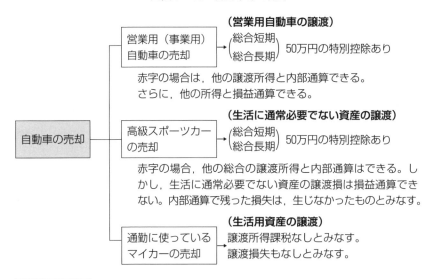

〈車購入時の請求書から見る車両売却の仕訳チェック〉

		（勘定科目）
車両本体価格	1,800,000	→車両運搬費
値引き（−）	△100,000	→車両運搬費
オプション付属品	300,000	→車両運搬費
差引支払額　①	2,000,000	
諸費用合計（課税分を含む）②	150,000	
現金販売時の支払総額　①＋②	2,150,000	

諸費用内訳

自動車税	0	→租税公課　㋑
自動車取得税	20,000	→租税公課　㋺
自動車重量税	4,000	→租税公課　㋩
自賠責保険料36か月分	36,000	→支払保険料　㊁
（12月末決算11月購入）		
税金・保険料　小計　㋐	60,000	
検査登録手続代行費用	25,000	→支払手数料　㋭
車庫証明手続代行費用	10,000	→支払手数料　㋬
納車費用	15,000	→車両運搬費
下取車諸手続代行費用資金管理料金	5,000	→支払手数料　㋣
課税販売諸費用等（消費税込）㋑	55,000	
預り法定費用，検査登録法定費用	6,000	→支払手数料　㋠
預り法定費用（車庫証明法定費用）	7,000	→支払手数料　㋷
預りリサイクル預託金	22,000	→預託金（資産）
預り法定費用等　小計　㋒	35,000	（シュレッダーダスト料金／エアバッグ料金／フロン類料金／情報管理料金）→資産
諸費用　合計　㋐＋㋑＋㋒＝②	150,000	（資金管理料金）→経費

⬇

（購入仕訳）

	車両運搬具	2,165,000	現金	2,300,000
⑦+⑦+⑦	租税公課	24,000		
㊉	支払保険料	36,000		
⑦+⑦+㊀+㊙+㊛	支払手数料	53,000		
	預託金	22,000		

（支払保険料の前払の仕訳）

| 前払費用 | 12,000 | 支払保険料 | 34,000 |
| 長期前払費用 | 22,000 | | |

（注）
$$36,000 \times \frac{12}{36} = 12,000 \quad 前払費用$$
$$36,000 \times \frac{22}{36} = 22,000 \quad 長期前払費用$$
$$\left. \right\} 34,000$$

（店主貸分がある時の仕訳）

自動車の利用のうち20%を事業用，80%を自家用（家事用）とすると，

事業主貸	63,200	租税公課	19,200	24,000×80%＝19,200
		支払保険料	1,600	(36,000－34,000)×80%＝1,600
		支払手数料	42,400	53,000×80%＝42,400

減価償却費	90,208	車両運搬費	90,208	耐用年数4年 償却率定額法 0.250
事業主貸	72,166	減価償却費	72,166	2,165,000×0.25×$\frac{2}{12}$＝90,208（11月期中取得）
				90,208×80%＝72,166

〈下取りの仕訳例〉

中古車 帳簿 60万円（時価40万円）を50万円で下取り
割賦代金85万円で新車（販売価格135万円）を購入

| | 車両運搬費（新車） | 135 | 車両運搬費（旧車） | 60 |
| ─(50万－60万) | 車両運搬費売却損 | 10 | 未払金 | 85 |

（消費税の処理）

下取り50万円 → 課税売上
新車購入費用135万円 → 課税仕入れ

（所得税の処理）

（事業用部分）
└→(50万－60万)＝譲渡損（総合長期）→ 他の所得と損益通算可
譲渡益が出たときは，50万円の特別控除（最初に総短から残りは総長から）がある。

〈図表9-14〉内部通算と損益通算

	内 部 通 算	損益通算
総合短期と総合長期	総合短期譲渡損失 → 総合長期の譲渡益 総合長期譲渡損失 → 総合短期の譲渡益	他の所得と損益通算できる
分離短期と分離長期	分離短期譲渡損失 → 分離長期の譲渡益 分離長期譲渡損失 → 分離短期の譲渡益	他の所得と損益通算できない
上場株式等の譲渡損失と総合短期、総合長期、分離短期、分離長期、一般株式等	上場株式等の譲渡損失は、総短、総長、分短、分長、一般株式等の譲渡益と内部通算はできない	上場株式分離の譲渡損失は、他の所得と損益通算はできない

(注) 損益通算すべき損失の金額のうちに、生活に通常必要でない資産に係る所得の金額の計算上生じた損失の金額があるときは、その損失の金額のうち**競走馬**（事業用競走馬を除く）**の譲渡**に係る譲渡所得の金額の計算上生じた**損失の金額**は、**その競走馬の保有に係る雑所得の金額から控除**する。

この控除をしてもなお控除しきれないもの及び競走馬の譲渡損失以外のその他の生活に通常必要でない資産の譲渡損失は、生じなかったものとみなす（他の各種所得との**損益通算ができない**）（法69②、令200）。

《計算Point》

1 **譲渡所得とは？** 譲渡所得とは、**資産の譲渡による所得**をいう。
2 **課税されない譲渡所得** 家具、衣服、テレビ等の譲渡

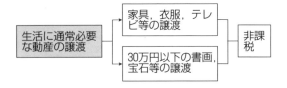

3 **譲渡所得の区分**

分離短期	土地・建物等の譲渡で譲渡の年の1月1日における所有期間が5年以内
分離長期	土地・建物等の譲渡で譲渡の年の1月1日における所有期間が5年超
総合短期	土地・建物等以外の資産の譲渡で保有期間が5年以内
総合長期	土地・建物等以外の資産の譲渡で保有期間が5年超

《計算Pattern》譲渡所得

譲渡所得		
（分離短期）	×××	総合 (1) 譲渡損益 　（総合短期）総収入金額－（取得費＋譲渡費用） 　（総合長期）総収入金額－（取得費＋譲渡費用） (2) 内部通算（赤字のとき） 　総合短期は総合長期と内部通算する (3) 生活に通常必要でない資産の損失 　損失発生日の取得費－保険金等の額 (4) 特別控除 　①総合短期の譲渡益－50万円までの特別控除 　②総合長期の譲渡益－特別控除（①で引ききれなかった50万円の残り）
（分離長期）	×××	
（総合短期）	×××	
（総合長期）	×××	
（一般株式分離）	×××	
（上場株式分離）	×××	
		分離（土地建物等） (1) 譲渡損益 　（分離短期）総収入金額－（取得費＋譲渡費用） 　（分離長期）総収入金額－（取得費＋譲渡費用） (2) 内部通算 　分離短期と分離長期との内部通算 　　（例）　△分短＋分長＝□分長
		一般株式等 譲渡損益 A株 総収入金額－（取得費＋譲渡費用）
		上場株式等 譲渡損益 B株式 総収入金額－（取得費＋譲渡費用）

※　生活に通常必要でない資産の損失の金額は，分離短期と分離長期からは控除しない。

《計算例題1》譲渡所得の計算　ケース1

　福大太郎は，令和3年度中に次のような資産を譲渡している。なお，譲渡対価は，譲渡時の時価を反映している。そこで，譲渡所得の金額を計算しなさい。

資　　産	譲渡対価	取得に要した金額	譲渡費用
ゴルフ会員権	19,800,000円	6,000,000円	300,000円
宝　石　1　個	290,000円	210,000円	8,000円
刀　剣　1　振	1,700,000円	1,100,000円	50,000円
山　　　　林	8,700,000円	7,400,000円	260,000円
土　　　　地	12,000,000円	6,500,000円	360,000円

管理費・育成費	取　得　日	譲　渡　日	
――	平成27年3月20日	令和3年5月10日	
――	平成27年1月24日	令和3年7月15日	
――	平成29年2月12日	令和3年9月3日	
540,000円	平成27年10月14日	令和3年8月2日	森林計画特別控除適用なし
	平成22年5月5日	令和3年12月1日	

《解答欄》

譲渡所得		総合
(分離長期)	☐ 円	(1) 譲渡損益
(総合短期)	☐ 円	総合短期
(総合長期)	☐ 円	☐ 円 －（☐ 円 ＋ ☐ 円）＝ ☐ 円
		総合長期
		☐ 円 －（☐ 円 ＋ ☐ 円）＝ ☐ 円
		(2) 特別控除
		総合短期
		☐ 円 － ☐ 円 ＝ ☐ 円
		分離（土地建物等）
		分離長期
		☐ 円 －（☐ 円 ＋ ☐ 円）＝ ☐ 円

《解 答》

譲渡所得	
(分離長期)	5,140,000円
(総合短期)	50,000円
(総合長期)	13,500,000円

総合
(1) 譲渡損益
　総合短期（刀剣）
　　1,700,000円 － (1,100,000円 ＋ 50,000円) ＝ 550,000円
　総合長期（ゴルフ会員権）
　　19,800,000円 － (6,000,000円 ＋ 300,000円) ＝ 13,500,000円
(2) 特別控除
　総合短期
　　550,000円 － 500,000円 ＝ 50,000円

分離（土地建物等）
　分離長期（土地）
　　12,000,000円 － (6,500,000円 ＋ 360,000円) ＝ 5,140,000円

《計算例題2》譲渡所得の計算　ケース2

次の令和3年中に譲渡した慶応　進の資産の資料により，他の所得はないものとして，令和3年分の総所得金額を計算しなさい。

品　目	絵　画 (趣味で所有)	事業用車両	家具1組 (日常生活に使用)	宝石1個
譲渡価額	2,500,000円	5,000,000円	700,000円	1,600,000円
取得費	1,500,000円	3,000,000円	600,000円	1,000,000円
譲渡費用	100,000円	200,000円	10,000円	80,000円
取得日	平成23年2月1日	平成29年4月1日	平成28年8月1日	平成30年5月1日
譲渡日	令和3年3月31日	令和3年5月31日	令和3年6月30日	令和3年8月31日

(税務検定)

306

《解答欄》

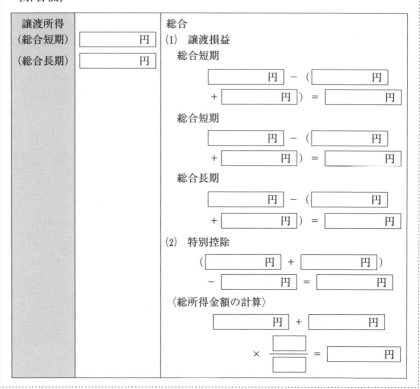

《解　答》

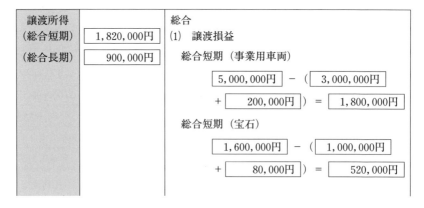

総合長期（絵画）

2,500,000円 －（ 1,500,000円 ＋ 100,000円 ）＝ 900,000円

（注）家具や衣服，テレビ等は生活に通常必要な動産なので非課税

(2) 特別控除

（事業用車両）　　（宝石）
（ 1,800,000円 ＋ 520,000円 ）

（特別控除）　　（総合短期）
－ 500,000円 ＝ 1,820,000円

〈総所得金額の計算〉

1,820,000円 ＋ 900,000円 × $\dfrac{1}{2}$ ＝ 2,270,000円

《計算例題３》譲渡所得の計算　ケース３（総合長短）

次の令和３年中に譲渡した福大太郎の資産の資料により，他の所得はないものとして，令和３年分の総所得金額を計算しなさい。

〈資　料〉

品　目	事業用備品	貴金属１個 （日常生活に使用）	ゴルフ会員権 （日常生活に使用）
譲渡価額	1,200,000円	220,000円	9,000,000円
取 得 費	520,000円	120,000円	4,700,000円
譲渡費用	48,000円	9,000円	350,000円
取 得 日	平成28年３月18日	平成27年11月10日	平成26年２月５日
譲 渡 日	令和３年３月10日	令和３年４月20日	令和３年７月７日

（注）Ａ社株式8,000株の譲渡は，事業譲渡類似の有価証券の譲渡に該当しない。

《解答欄》

品　　目	事業用備品	貴金属1個	ゴルフ会員権
区分	課税されるものには○印,非課税のものには×印を記入すること。			
	課税されるものには（　）内に長期・短期のいずれかの文字を記入すること。	総合（　）譲渡所得	総合（　）譲渡所得	総合（　）譲渡所得
譲渡益の計算		品　目	総収入金額【イ】	取得費及び譲渡費用【ロ】	譲渡益【イ】−【ロ】
	総合短期	（　　）	□円	□円	□円
	総合長期	（　　）	□円	□円	□円

〈総所得金額の計算〉

（特別控除額）

（□円 − □円）＋ □円 × □/□

= □円

（税務検定）

《解　答》

品　　目	事業用備品	貴金属1個	ゴルフ会員権
区分	課税されるものには○印,非課税のものには×印を記入すること。	○	×	○
	課税されるものには（　）内に長期・短期のいずれかの文字を記入すること。	総合（短期）譲渡所得	総合（　）譲渡所得	総合（長期）譲渡所得
譲渡益の計算		品　目	総収入金額【イ】	取得費及び譲渡費用【ロ】	譲渡益【イ】−【ロ】
	総合短期	（事業用備品）	1,200,000円	520,000 + 48,000 568,000円	632,000円
	総合長期	（ゴルフ会員権）	9,000,000円	4,700,000 + 350,000 5,050,000円	3,950,000円

〈総所得金額の計算〉

(632,000円 − 500,000円) + 3,950,000円 × $\dfrac{1}{2}$ = 2,107,000円

　　総合短期　　　　特別控除額　　　　総合長期

《計算例題 4》譲渡所得の計算　生活に通常必要でない資産の損失

次の資料により，令和 3 年分の慶応　進の譲渡所得の金額を計算しなさい。

〈資料 1 〉

品　目	宝　石	書　画	家　具
譲渡価額	1,500,000円	1,000,000円	500,000円
取得費	800,000円	600,000円	200,000円
譲渡費用	100,000円	――	40,000円
取得日	平成25年10月	平成28年 9 月	平成28年 1 月
譲渡日	令和 3 年12月	令和 3 年 5 月	令和 3 年 3 月

〈資料 2 〉　本年 8 月に泥棒が侵入し盗難にあい，以下の資産が損失をこうむった。

(1) 妻が所有していた家具（取得価額700,000円，時価500,000円）。これに対して取得した保険金は200,000円あった。

(2) 本人進が所有していた絵画（取得価額180,000円，時価210,000円）

(3) 本人進が所有していた骨とう品（取得価額400,000円，時価900,000円）。これに対して取得した保険金は250,000円あった。

(4) 妻が所有していたダイヤの指輪（取得価額800,000円，時価500,000円）

《解答欄》

譲渡所得 (総合長期)	円	総合 (1) 譲渡損益 　総合短期（書画） 　　　　　　円 －　　　　　円 　　　　　　　　　　＝　　　　　円 　総合長期（宝石） 　　　　　　円 －（　　　　　円 　　　　＋　　　　　円）＝　　　　　円 (2) 生活に通常必要でない資産の損失 　① 損失額 　　　　骨とう品　　　　保険金 　　　　　　円 －　　　　　円 　　　　　　　　　　　　　　損失 　　　　　　　　　　＝　　　　　円 　② 控除 　　　　総短　　　　　① 　　　　　　円 －　　　　　円 　　　　　　　　　　　　　　総短 　　　　　　　　　　＝　　　　　円 (3) 特別控除 　　　　総短　　　　　特控 　　　　　　円 －　　　　　円 　　　　　　　　　　　　　　総短 　　　　　　　　　　＝　　　　　円 　　　　総長　　　　　控除の 　　　　　　円 －（ 　　　　残り　　　　　総長 　　－　　　　　円）＝　　　　　円

《解　答》

| 譲渡所得
(総合長期) | 350,000円 | 総合
(1) 譲渡損益
　総合短期（書画）
　　1,000,000円 － 600,000円
　　　　　　　　　　＝ 400,000円
　総合長期（宝石）
　　1,500,000円 －（ 800,000円
　　＋ 100,000円 ）＝ 600,000円
(2) 生活に通常必要でない資産の損失
　① 損失額
　　　骨とう品　　　　保険金
　　　400,000円 － 250,000円
　　　　　　　　　　　損失
　　　　　　　　　　＝ 150,000円
　② 控除
　　　総短　　　　　　①
　　　400,000円 － 150,000円
　　　　　　　　　　　総短
　　　　　　　　　　＝ 250,000円
(3) 特別控除
　　　総短　　　　　　特控　ア
　　　250,000円 － 250,000円
　　　　　　　　　　　総短
　　　　　　　　　　＝ 0円
　　　総長　　　　　　控除の
　　　600,000円 －（ 500,000円
　　　残り　ア　　　　　総長
　　－ 250,000円 ）＝ 350,000円 |

(注)　骨とう品は本人所有で時価30万円超なので，生活に通常必要でない資産であり，損失額は取得費で計算する。ダイヤの指輪は妻所有なので，妻の譲渡所得の計算上控除する。
　　　絵画は時価30万円以下なので，生活に通常必要な資産。
　　　家具は生活に通常必要な資産。

《計算例題5》譲渡所得の計算　内部通算

次の資料により，福大太郎の平成28年分の譲渡所得金額を計算しなさい。

品　目	土　地　A	土　地　B	土　地　C
譲渡価額	5,000,000円	2,000,000円	3,600,000円
取得費	1,500,000円	1,800,000円	3,500,000円
譲渡費用	300,000円	900,000円	400,000円
取得日	平成29年5月20日	平成23年4月3日	平成30年8月1日
譲渡日	令和3年3月1日	令和3年10月5日	令和3年8月31日

	絵　　画	貴　金　属
	1,800,000円	1,000,000円
	2,100,000円	380,000円
	──	──
	平成31年5月5日	平成27年6月3日
	令和3年6月8日	令和3年9月8日

《解答欄》

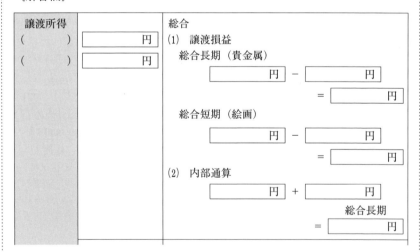

第Ⅱ編　各種所得の金額の計算　313

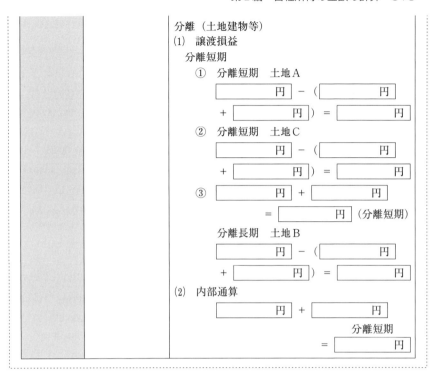

《解　答》

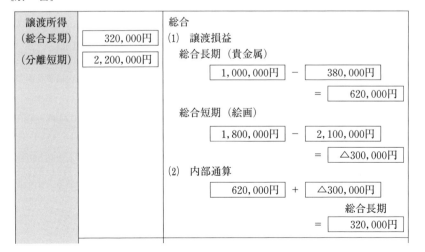

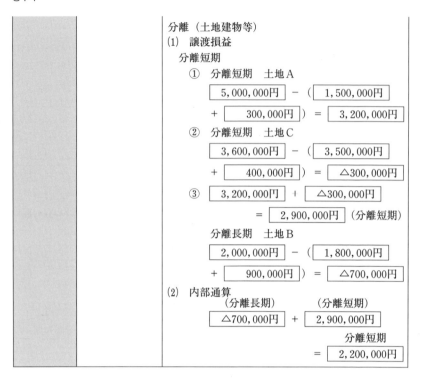

《計算例題６》譲渡所得の計算　昭和27年12月31日以前取得

次の資料により，令和３年分の福大太郎の譲渡所得の金額を計算しなさい。

品目	取得日	譲渡日	譲渡対価	取得価額	譲渡費用
宝　石	平成29年９月	令和３年９月	2,000,000円	80,000円	──
建　物	昭和57年５月	令和３年２月	4,000,000円	9,800,000円	400,000円
絵　画	昭和24年８月	令和３年６月	5,000,000円	280,000円	──
土　地	昭和30年５月	令和３年12月	30,000,000円	900,000円	1,000,000円

（注）　建物は，取得後譲渡までずっと家事用に使用されていたものである。その期間の減価償却の累計額は8,700,000円である。
　　　　絵画の昭和28年１月１日における相続税評価額は350,000円である。
　　　　土地の昭和28年１月１日における相続税評価額は2,000,000円である。

《解答欄》

譲渡所得		
( )	☐ 円	
( )	☐ 円	
( )	☐ 円	

総合
(1) 譲渡損益
　総合短期（宝石）
　　　　　　　　　　　　　（注）
　　☐ 円 － ☐ 円
　　　　　　＝ ☐ 円

　　① 取得価額 ☐ 円
　　② ☐ 円 × 5％ ＝ ☐ 円
　　③ ①②多い方 ∴取得費 ☐ 円

　総合長期（絵画）
　　　　　　　　　　　　　（注）
　　☐ 円 － ☐ 円
　　　　　　＝ ☐ 円

　　① ☐ 円 相続税評価額
　　② ☐ 円 取得価額
　　③ ☐ 円 × 5％ ＝ ☐ 円
　　④ ①・②・③多い金額 ☐ 円

(2) 内部通算
(3) 生活に通常必要でない資産の損失
(4) 特別控除
　総合短期
　　☐ 円 － ☐ 円
　　　　　　＝ ☐ 円

分離（土地建物等）
(1) 譲渡損益
　分離長期（建物）
　　　　　　　　　　　　　（注）
　　☐ 円 －（ ☐ 円
　　＋ ☐ 円 ）＝ ☐ 円

　　　　　　　　減価償却累計額
　　① ☐ 円 － ☐ 円
　　　　　　　　　　　取得費
　　　　　　＝ ☐ 円

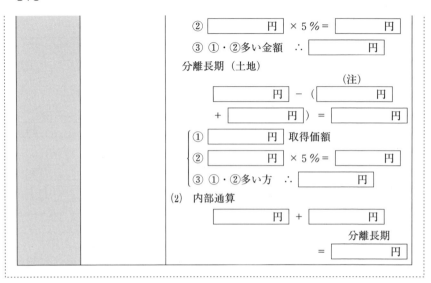

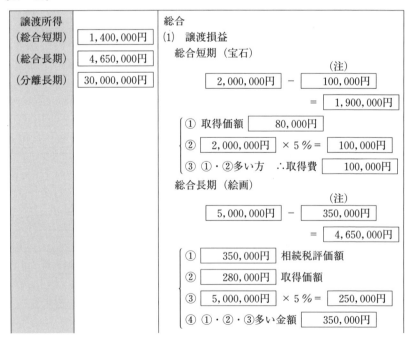

(2) 内部通算
(3) 生活に通常必要でない資産の損失
(4) 特別控除
　　総合短期
　　　　　1,900,000円 － 500,000円
　　　　　　　　　　　　　　　＝ 1,400,000円

分離（土地建物等）
(1) 譲渡損益
　分離長期（建物）
　　　　　　　　　　　　　　　（注）
　　　　　4,000,000円 － (1,100,000円
　　　　　＋ 400,000円) ＝ 2,500,000円
　　　　　　　　　　　　減価償却累計額
　　① 9,800,000円 － 8,700,000円
　　　　　　　　　　　　　　取得費
　　　　　　　　　　　　＝ 1,100,000円
　　② 4,000,000円 × 5％＝ 200,000円
　　③ ①・②多い金額 ∴ 1,100,000円

　分離長期（土地）
　　　　　　　　　　　　　　（注）
　　　　　30,000,000円 － (1,500,000円
　　　　　＋ 1,000,000円) ＝ 27,500,000円
　　① 900,000円 取得価額
　　② 30,000,000円 × 5％＝ 1,500,000円
　　③ ①・②多い方 ∴ 1,500,000円

(2) 内部通算
　　　　　27,500,000円 ＋ 2,500,000円
　　　　　　　　　　　　　　分離長期
　　　　　　　　　　　　＝ 30,000,000円

（注） 土地建物等は、昭和28年1月1日の相続税評価額の適用はない。

第13節 譲渡所得の課税の特例

(1) **総合課税の対象となる長期保有資産の譲渡所得**の金額は，総所得金額の計算上その**2分の1**相当額だけを総所得金額に算入する（法22）。

(2) **土地建物等及び株式等の譲渡所得**は，他の所得と区分して，特別の税率により課税される（措法31～32，37の10）。

第14節 有価証券の譲渡による所得

　有価証券の譲渡による所得は，株式等に係る譲渡所得等，ゴルフ場の施設利用権譲渡に類似する株式等の譲渡による所得（措法37の10②），貸付信託の受益権等を譲渡した場合の所得（措法37の16一，二）等がある。平成28年1月1日以降は，株式等に係る譲渡所得（分離課税）のなかには，**一般株式等（非上場株式等）に係る譲渡所得等**と**上場株式等に係る譲渡所得等**がある（措法37の14，37の11）。

　「**株式等**」とは，以下に掲げる株式等（ゴルフ場等の施設利用権に類する株式等は除く）をいう（措法37の10②，37の11②）。

《株　式　等》

① **株式**（株式の割当てを受ける権利，株主又は投資法人の投資主となる権利及び新株予約権（新投資口予約権を含む）及び新株予約権の割当てを受ける権利を含む）
② **出資**（特別の法律により設立された法人等の出資者等の持分，合名会社，合資会社，合同会社等の社員持分等）
③ **新株予約権付社債**
④ **株式等証券投資信託の受益権**及び**非公社債等投資信託の受益権**
⑤ **特定株式投資信託の受益権**（④以外）
⑥ 資産の流動化に関する法律に規定する優先出資及び協同金融機関の優先出資等
⑦ 特定受益証券発行信託の受益権
⑧ **社債的受益権**
⑨ **公社債等**（平成28年以後適用。長期信用銀行債，農林債，発行時源泉徴収課税を受ける公社債を除く）

「上場株式等」とは，株式等のうち，以下に掲げる株式等をいう。

《上場株式等》

① 金融商品取引所に**上場されている**株式等
② 外国金融商品市場で売買されている株式等
③ 公募証券投資信託の受益権
④ 特定株式投資信託の受益権
⑤ **特定公社債**（国債・地方債・上場公社債等）
⑥ 上場新株予約権付社債
⑦ 公募特定目的信託の社債的受益権
⑧ 公募公社債投資信託の受益権
⑨ 公募公社債等運用投資信託の受益権
⑩ 特定投資法人の投資口及び上場投資法人の投資口（Ｊリート）

利付債とは，公社債のうち利子の支払いのあるものをいう。**割引債**とは，割引の方法により発行される公社債で，**利子の支払いのないもの**をさす。

利付債，割引債（割引債については，平成28年以後に発行されたものに限る）については，公社債に含まれるため**譲渡した場合**には，**一般株式等に係る譲渡所得等，上場株式等に係る譲渡所得等の申告分離課税の対象**である。

株式等（ゴルフ場等の施設利用権に類する株式等を除く）から上場株式等を除いたものを一般株式等という。以下に掲げる株式等が，**一般株式等**とされる（措法37の10①②，措令25の8②）。

《一般株式等》

(1) 金融商品取引所に**上場されていない**株式等
(2) 私募公社債等運用投資信託の受益権
(3) 私募特定目的信託の社債的受益権
(4) **私募証券投資信託**の受益権

(5) **私募公社債投資信託**の受益権
(6) **特定公社債以外の公社債**
(7) **特定投資法人の投資口及び上場投資法人の投資口（Jリート）以外の投資法人の投資口**

1 上場株式等を譲渡した場合の譲渡所得等の申告分離課税

(1) 平成28年1月1日以後に**上場株式等の譲渡**（有価証券先物取引の方法による譲渡を除く）をした場合には，その**上場株式等の譲渡による事業所得（上場株式分離），譲渡所得（上場株式分離）及び雑所得（上場株式分離）**（発行法人から付与された新株予約権をその発行法人に譲渡したことによる所得（法41の2）及び事業の譲渡に類似する株式等の譲渡に該当する譲渡所得（措法32②）を除く。）についてはⅠ各種所得の金額の計算において，他の所得とは区分する。その年中の**上場株式等に係る譲渡所得等**の金額（損益通算及び純損失の繰越控除の適用をしないものとし，上場株式等の譲渡損失の申告分離課税の適用を受ける上場株式等の配当所得等との損益通算及び繰越控除並びに雑損失の繰越控除の適用がある場合には，これらを適用した後の金額，Ⅱ課税標準の計算においては，上場株式等の譲渡に係る事業所得，上場株式等の譲渡に係る譲渡所得，上場株式等の譲渡に係る雑所得の合計は，**上場株式等に係る譲渡所得等の金額**という）から所得控除額を控除した金額（上場株式等に係る課税譲渡所得等の金額）に対し，所得税15％，復興特別所得税0.315％，住民税5％の税率によりが課税される（措法37の11①）。

《株式・投資信託等の売却》

上場株式等	上場株式 特定公社債（国債，地方債，上場公社債等） 公募証券投資信託の受益権 公募公社債投資信託の受益権	×15% (15.315%) →	申告分離を選択した場合は譲渡損と配当所得の損益通算可能。 翌年以降に繰越控除可能。
一般株式等	非上場株式 一般公社債（特定公社債以外の公社債） 私募証券投資信託の受益権 私募公社債投資信託の受益権	×15% (15.315%) →	申告分離を選択しても譲渡損と配当所得の損益通算はできない。

《計算Pattern 1》上場株式等を譲渡

I 各種所得の金額の計算		
事業所得 上場株式分離	×××	
雑所得 上場株式分離	×××	
譲渡所得 上場株式分離	×××	上場株式等 総収入金額 －（取得費＋譲渡費用＋負債利子）
II 課税標準の計算 上場株式等に係る 譲渡所得等の金額	×××	
IV 課税所得金額の計算 上場株式等に係る課税 譲渡所得等の金額	×××	×××（1,000円未満切捨）
V 納付税額の計算 上場株式等に係る 課税譲渡所得等の 金額に対する税額		上場株式等に係る 課税譲渡所得等の金額 ×15％

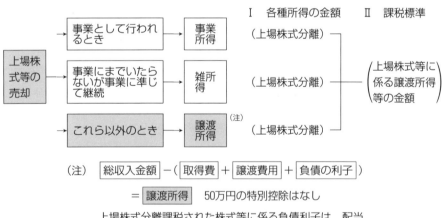

〈図表9－15〉上場株式等の譲渡で申告分離課税を選択したときの所得区分

（注） 総収入金額 －（取得費＋譲渡費用＋負債の利子）
＝ 譲渡所得　50万円の特別控除はなし

上場株式分離課税された株式等に係る負債利子は，配当所得の金額の計算上控除できない。

(2) **上場株式等の内容**

上場株式等とは，以下に掲げるものをいう（措法37の11②）。

《上場株式等》

① 金融商品取引所に**上場されている株式等**
② 外国金融商品市場で売買されている株式等
③ 公募証券投資信託の受益権
④ 特定株式投資信託の受益権
⑤ **特定公社債**（社債のうち一定のものも含む）
⑥ 上場新株予約権付社債
⑦ 公募特定目的信託の社債的受益権
⑧ 公募公社債投資信託の受益権
⑨ 公募公社債等運用投資信託の受益権
社債のうち一定のもの等（以下の⑩から⑯）
⑩ 社債のうち，その発行の日前9月以内（外国法人にあっては12月以内）に有価証券報告書等を内閣総理大臣に提出している法人が発行するもの
⑪ 金融商品取引所において公表された公社債情報に基づき発行する公社債で，その発行の際に作成される目論見書に，その公社債がその公社債情報に基づき発行されるものである旨の記載のあるもの
⑫ 国外において発行された公社債で，以下に掲げるもの 　⑦ 金融商品取引法に定める有価証券の売出しに応じて取得した公社債で，その取得の時から引き続きその有価証券の売出しをした金融商品取引業者等の営業所において保管の委託がされているもの 　⑦ 金融商品取引法に定める売付け勧誘に応じて取得した売出し公社債（売出し公社債を除く）で，その取得の日前9か月以内（外国法人にあっては12か月以内）に有価証券報告書等を提出している会社が発行したもので，その取得の時から引き続きその売付け勧誘等をした金融商品取引業者等の営業所において保管の委託がされているものに限る。

⑬ 外国又はその地方公共団体が発行し，又は保証する債券
⑭ 外国又法人が発行し，又は保証する債券で特定のもの
⑮ 会社以外の法人が特別の法律により発行する債券（外国法人に係るもの並びに投資法人債，短期投資法人債，資産流動化法に定める特定社債及び特定短期社債を除く）
⑯ 銀行業もしくは第一種金融商品取引業を行う者（第一種少額電子募集取扱業者を除く）もしくは外国の法令に準拠してその国において銀行業もしくは金融商品取引業を行う法人（銀行等）又は次に掲げる者が発行した社債（取得をした者が実質的に多数でないものを除く）
　㋐ 銀行等がその発行済株式又は出資の全部を直接又は間接に保有する関係（完全支配の関係）にある法人
　㋑ 親法人（銀行等の発行済株式の全部を直接又は間接に保有する関係にある法人）が完全支配の関係にあるその銀行等以外の法人

《特定公社債》

(1) 金融商品取引所に上場されている公社債
(2) **国債及び地方債**
(3) 外国の国債及び地方債
(4) 平成27年12月31日以前に発行された公社債
(5) **社債のうち一定のもの等**

(3) **所得金額の計算**

　Ⅱ課税標準の計算において**上場株式等に係る譲渡所得等の金額**は，Ⅰ各種所得の金額の計算の上場株式等の譲渡に係る事業所得の金額，上場株式等の譲渡に係る譲渡所得の金額及び上場株式等の譲渡に係る雑所得の金額の合計額である。他の所得と区分し，15％の所得税を課する。
　なお，譲渡所得に該当するもののその譲渡所得の金額の計算にあたっては，

その**株式等を取得するために要した負債の利子**（その年中に支払うべきもの）を控除するが，譲渡所得の50万円の特別控除は行わない（措法37の11の⑥）。

(4) **譲渡所得内での内部通算，他の所得との損益通算，繰越控除**

　上場株式等に係る譲渡所得等の金額は，他の譲渡所得（分短，分長，総短，総長，一般株式）と，譲渡所得内で，内部通算できない。

　また，上場株式等に係る譲渡所得等の所得の金額の計算上生じた損失の金額は，一般株式等に係る譲渡所得等の金額から控除する損益通算はできない（措法37の11①）。**上場株式に係る譲渡損失の金額**とは，上場株式等の譲渡により生じた損失の金額のうち，その年分の他の上場株式等に係る譲渡所得等の金額の計算上控除してもなお控除しきれない部分の金額をいう（措法37の12の2②）。この**上場株式等に係る譲渡損失の金額**（申告分離課税）は，その年分の**上場株式等に係る配当所得等の金額**（申告分離課税）の計算上，控除する**損益通算**ができる（措法37の12の2①）。損益通算後に残った損失（上場株式等に係る損失の金額は翌年以後，3年間の上場株式等に係る譲渡所得等の金額及び上場株式等に係る配当所得等の金額の計算上控除できる）は，**繰越控除**が適用できる。

《上場株式等の譲渡損失・譲渡所得内の内部通算》

（他の譲渡所得との内部通算）

上場株式等の譲渡損失	→	総短，総長，分短，分長，一般株式等の譲渡益との内部通算はできない
総短，総長，分短，分長，一般株式等の譲渡損	→	上場株式等の譲渡益との内部通算はできない

《上場株式等の譲渡損失と損益通算》

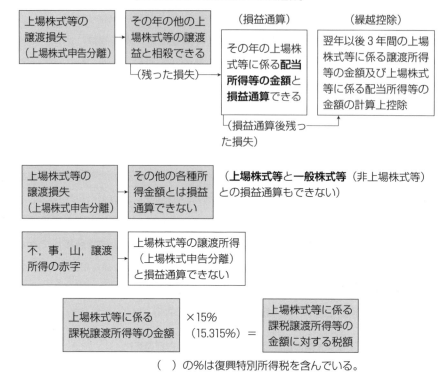

《計算Pattern 2》上場株式等を譲渡（上場株式等に係る譲渡損失と配当所得の損益通算）

Ⅰ 各 種 所 得		
配 当 所 得		総合
総　　　合	×××①	
上場株式分離	×××②	**上場株式分離**
譲 渡 所 得		上場株式等
上場株式分離	△×××③	譲渡損益
		上場株式分離
一般株式分離	×××	A株　総収入金額－(取得費＋譲渡費用 ＋負債利子)＝ △×××③
Ⅱ 標 準 課 税		損益通算
総所得金額	×××	上場株式等　　　　配当所得
		の譲渡損失　　　　申告分離
上場株式等に係る配当所得の金額	×××④	△×××③ ＋ ×××② ＝ ×××④

2　一般株式等に係る譲渡所得等(非上場株式等に係る譲渡所得等)の申告分離課税（原則）

(1)　一般株式等に係る譲渡所得

　平成28年1月1日以後に**一般株式等の譲渡**（有価証券先物取引の方法による譲渡を除く）をした場合には，その**一般株式等の譲渡による事業所得（一般株式分離），譲渡所得（一般株式分離）及び雑所得（一般株式分離）**（発行法人から付与された新株予約権をその発行法人に譲渡したことによる所得（法41の2）及び事業の譲渡に類似する株式等の譲渡に該当する譲渡所得（措法32②）を除く（一般株式等に係る譲渡所得等））については，Ⅰ各種所得の金額の計算においては他の所得とは区分する。**一般株式等に係る譲渡所得等の金額**（損益通算及び純損失の繰越控除の適用をしないものとし，雑損失の繰越控除の適用がある場合には，雑損失の繰越控除を適用した後の金額。Ⅱ課税標準の計算においては，一般株式等の譲渡による事業所得，一般株式の譲渡による譲渡所得，一般株式譲渡による雑所得の金額の合計は，**一般株式等に係る譲渡所得等の金額**という）から所得控除額を控除した金額（**一般株式等に係る譲渡所得等の金額**）に対し，所得税15％，復興特別所得税0.315％，住民税5％により所得税が課税される（措法37の10①）。

《計算Pattern》一般株式等を譲渡

Ⅰ 各種所得の金額の計算		
事業所得 （一般株式分離）	×××	
雑所得 （一般株式分離）	×××	
譲渡所得 一般株式分離	×××	一般株式等 総収入金額 －（取得費 ＋ 譲渡費用 ＋ 負債利子） （注）50万円の特別控除はなし
Ⅱ 課税標準の計算 一般株式等に係る 譲渡所得等の金額	×××	
Ⅳ 課税所得金額の計算 一般株式等に係る課税 譲渡所得等の金額	×××	×××（1,000円未満切捨）
Ⅴ 納付税額の計算 一般株式等に係る 課税譲渡所得等の 金額に対する税額		一般株式等に係る課税譲渡所得等の金額 ×15％

なお，**一般株式等に係る譲渡所得等の金額が損失の場合**は，その損失は生じなかったものとみなされる（措法37の10①）。したがって，一般株式等に係る譲渡所得等の損失額は，上場株式等に係る譲渡所得等に係る金額との損益通算も認められない。

(2) **一般株式等の範囲**

一般株式等とは，株式等から上場株式等を除いた株式等をいう（措法37の10①）。

平成26年1月1日より　　　　　　　　　損益通算できるのは

一般株式等の譲渡損 （非上場株式等の譲渡損，一般公社債の譲渡損）	→	一般株式等の譲渡益 （非上場株式の譲渡益及び一般公社債の譲渡益）

(3) **所得金額の計算**

Ⅱ課税標準の計算において，一般株式等に係る譲渡所得等の金額は**一般株式等に係る譲渡所得等の金額は，**一般株式等の譲渡に係る事業所得の金額，一般株式等の譲渡に係る譲渡所得の金額及び一般株式等の譲渡に係る雑所得の金額の合計額である。

(4) **譲渡所得内での内部通算，他の所得との損益通算**

一般株式等の譲渡による事業所得・譲渡所得・雑所得金額の中では，内部通算できる。

しかし，**一般株式等（非上場株式等）に係る譲渡所得等の金額が損失の金額**（特定投資株式の譲渡損失の金額を除く）は，上場株式等に係る譲渡所得の金額からは控除できない（措法37の10①）。

平成28年1月1日から上場株式等に係る譲渡所得等と一般株式等（非上場株式）に係る譲渡所得等のどちらもが分離課税とされたため，両者間の損益通算はできなくなったのである。一般株式等（非上場株式等）の譲渡益との通算は，一般株式等の譲渡損失，すなわち一般公社債等及び非上場株式等の譲渡損失のみ可能である。

なお，譲渡所得に該当するもののその譲渡所得の金額の計算にあたっては，その株式等を取得するために要した**負債の利子**（その年中に支払うべきもの）を控除するが，譲渡所得の50万円の特別控除は行わない（措法37の10⑥）。

《一般株式等の譲渡損失と譲渡所得内の内部通算》

（他の譲渡所得との内部通算）

一般株式等の譲渡損失	→ 総短，総長，分短，分長，上場株式等の譲渡益との内部通算はできない
総短，総長，分短，分長，上場株式の譲渡損失	→ 一般株式等の譲渡益との内部通算はできない

《一般株式等の譲渡損失と損益通算》

一般株式等に係る	事業所得の赤字 譲渡所得の譲渡損失 雑所得の赤字	→ 他の一般株式等の譲渡に係る	事業所得の黒字 譲渡所得の譲渡益 雑所得の黒字 と損益通算できる

（控除しきれなかったものは生じなかったとみなす）

一般株式等の譲渡損失（一般株式分離）	→ その他の各種所得金額とは損益通算できない （上場株式等と一般株式（非上場株式等）との損益通算もできない）
不，事，山，譲渡所得の赤字	→ 一般株式等の譲渡所得（一般株式分離）と損益通算できない

株式分離（非上場）　（一般）株式等に係る課税譲渡所得等の金額 × 15%（15.315%）＝ 一般株式等に係る課税譲渡所得等の金額に対する税額

（　）の％は復興特別所得税を含んでいる。

第Ⅱ編　各種所得の金額の計算　331

〈図表9-16〉一般株式等（非上場株式等）に係る譲渡所得等（原則）

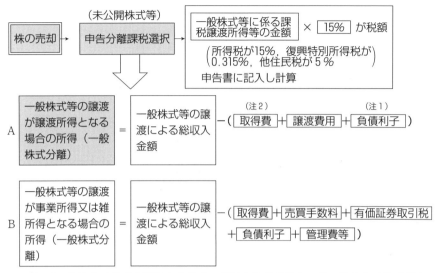

(注1) 借入金で株式を購入した場合の利息を負債利子という。借入金で株式等を購入していれば，負債利子は必要経費となる。一般株式分離課税された株式等に係る負債利子は，配当所得の計算上控除できない。
(注2) 有価証券を譲渡した場合は，収入金額の5％相当額を取得費とすることができる（基通38-16，48-8，措通37の10-14）。
　　　これは，有価証券を長期に所有している等，正確な取得価額を把握することが難しいことがあるためである。つまり，実際の購入代価に購入手数料を加えた金額と収入金額の5％の多い方を取得費とすることができる。
(注3) 同一銘柄の有価証券を2回以上にわたり取得し，それを譲渡したときは，譲渡の度に総平均法により1単位当たりの金額を計算し，それに譲渡した株式数を乗じて取得費を計算する（法48③，令118①）。

〈図表9-17〉一般株式等の取得費

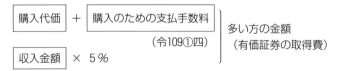

〈図表9−18〉一般株式等の譲渡で申告分離課税を選択したときの所得区分

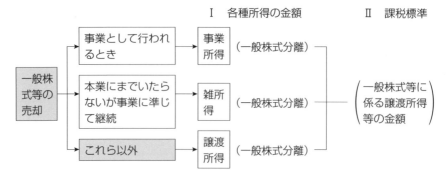

3 ゴルフ会員権に類する株式等の譲渡

　ゴルフ場等の施設利用権の譲渡に類似する株式等の譲渡とは，ゴルフ場を所有又は経営する法人の株式又は出資を所有することがゴルフ場を一般の利用者に比し，有利な条件で継続的に利用する権利を有する者となるための要件とされている株式又は出資者持分の譲渡である（措令25の8②）。ゴルフ会員権の譲渡に類する株式等の譲渡であり，譲渡所得として，他の所得と合算され，課税標準の計算上，総所得金額に算入される総合課税である。50万円の特別控除の適用がある。

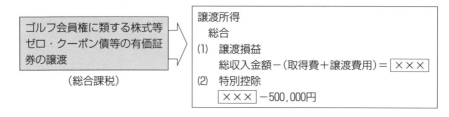

4 非課税となる有価証券の譲渡（貸付信託の受益権等の譲渡）

　長期信用銀行債，貸付信託の受益権，農林債，平成27年12月31日以前に発行された割引債で，その償還差益について源泉徴収の対象とされたもの等（貸付信託の受益権等という）の譲渡した所得については，所得税は課さない（措法37の

15，措法41の12①・⑦，措令26の15①・③，25の14の3)。

　貸付信託の受益権等の譲渡による収入金額が取得費及び譲渡費用の合計額又は譲渡に係る必要経費に満たない場合は，その譲渡による損失はないものとみなす。

貸付信託の受益権等の譲渡	農林債等の譲渡 長期信用銀行債の譲渡 貸付信託の受益権 平成27年12月31日以前発行の割引債で，償還差益について源泉徴収の対象とされたもの	→	非課税 譲渡益は非課税 譲渡損失はないものとする

5　特定口座内保管上場株式等の譲渡と所得区分特例

　特定口座とは，証券業者等（金融商品取引業者等）の営業所に**特定口座開設届出書**を提出して，証券業者等との間で締結した契約に基づき設定された**上場株式等**の保管の委託又は上場株式等の信用取引等に係る口座をいう。1つの証券会社（金融商品取引業者）で，一般口座とは別に1つの特定口座が設定できる。上場株式を譲渡するたびに申告する手間を投資家にかけないようにするため，手続を証券会社が行うことを意図した口座である。

　証券会社（金融商品取引業者）に特定口座開設届出書を提出して設定した**特定口座**を通じて，取得した**上場株式等**でその特定口座において管理されているもの（**特定口座内保管上場株式等**）を譲渡した場合には，その**特定口座内保管上場株式等の譲渡による事業所得の金額，譲渡所得の金額又は雑所得の金額**は，その**特定口座外の他の株式等の譲渡による所得**と区分して計算される（措法37の11の3)。

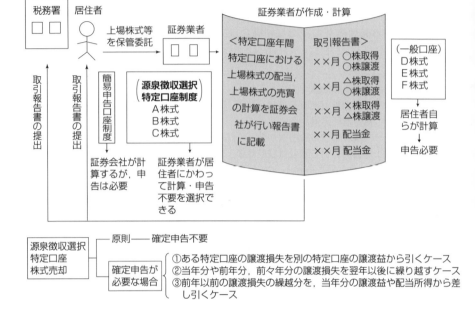

《上場株式等》

①	金融商品取引所に**上場されている株式等**
②	外国金融商品市場で売買されている株式等
③	公募証券投資信託の受益権
④	特定株式投資信託の受益権
⑤	**特定公社債**
⑥	上場新株予約権付社債
⑦	公募特定目的信託の社債的受益権
⑧	公募公社債投資信託の受増益
⑨	公募公社債等運用投資信託の受益権
⑩	特定投資法人の投資口及び上場投資法人の投資口（Ｊリート）

(1) **源泉徴収選択特定口座内上場株式等の譲渡の源泉徴収の特例**(措法9の3の2①, 37の11の4①)

この**特定口座源泉徴収選択届出書**を提出した**特定口座内保管上場株式等**の譲渡により, 譲渡対価の支払をする金融商品取引業者等は, **源泉徴収選択口座内調整所得金額が生じた場合**には譲渡対価の支払をする際, **源泉徴収選択口座内調整所得金額**の15.315%(源泉所得税15%, 源泉復興特別所得税0.315%の他, 住民税5%の特別徴収)の税率で源泉徴収を行う(措法37の11の4)。

そして, 徴収した所得税を徴収の日の属する年の翌年1月10日までに国に納付しなければならない(措法9の3の2, 37の11の6)。その年に源泉徴収選択口座内保管上場株式等の譲渡又は信用取引に係る上場株式等の譲渡につき譲渡損失が生じている場合において, 源泉徴収選択口座内配当等があるときは, その年中において金融商品取引業者等(証券会社等)が上場株式等の配当等につき, 源泉徴収すべき所得税額は, 金融商品取引業者等(証券会社等)がその年に居住者等に対し交付した**源泉徴収選択口座内配当等の額の総額**から**その上場株式等の譲渡損失の額を控除した残額**をその居住者等に交付した上場株式等の配当等とみなして, 源泉徴収に関する規定を適用して再計算した金額とする(措法37の

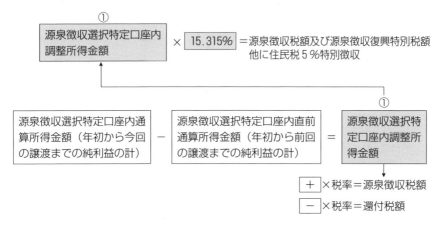

〈図表9−19〉源泉徴収選択特定口座内上場株式等の譲渡の源泉徴収の特例

令和 3 年分 特定口座年間取引報告書

税務署長 殿　　　　　　　　　　　　　　　　　　　　　　　　　　　　　　令和　年　月　日

特定口座開設者	住所（居所）	港区三田5-6		フリガナ	フクダイ タロウ		勘定の種類	①保管 2 信用 ③配当等
				氏　名	福大　太郎			
				生年月日	明・大 ㊼・平 38・10・5		口座開設年月日	． ．
	前回提出時の住所又は居所			個人番号			源泉徴収の選択	①有 2 無

（譲渡の対価の支払状況）

種　類	銘　柄	株（口）数又は額面金額 株（口）・千円	譲渡の対価の額 千　円	譲渡年月日	譲渡区分
				． ．	
				． ．	
				． ．	
				． ．	
				． ．	
				． ．	

（譲渡に係る年間取引損益及び源泉徴収税額等）

源泉徴収税額（所得税）	(15.315%) 168,807 千円	株式等譲渡所得割額（住民税）	千円	外国所得税の額	(5%) 52,500 千円

譲渡区分	① 譲渡の対価の額（収入金額）	② 取得費及び譲渡に要した費用の額等	③ 差引金額（譲渡所得等の金額）（①－②）
上場分	5,050,000 円	4,000,000 円	1,050,000 円
特定信用分			
合計	5,050,000	4,000,000	1,050,000

（配当等の交付状況）

種　類	銘　柄	株数又は口数 株（口）	配当等の額（特別分配金の額） 千円	源泉徴収税額（所得税） 千円	配当割額（住民税） 千円	外国所得税の額 千円	交付年月日［支払確定又は支払年月日］
							（ ． ． ）
							（ ． ． ）
							（ ． ． ）
							（ ． ． ）

（配当等の額及び源泉徴収税額等）

種　類	配当等の額 千円	源泉徴収税額（所得税） 千円	配当割額（住民税） 千円	特別分配金の額	外国所得税の額
④公社債					
⑤株式、出資又は基金	200,000	30,630	10,000		
⑥特定株式投資信託					
⑦投資信託又は特定受益証券発行信託（⑥、⑧及び⑨以外）					
⑧オープン型証券投資信託				千円	
⑨国外公社債等、国外株式又は国外投資信託等					千円
⑩合計（配当所得等の金額）（④+⑤+⑥+⑦+⑧+⑨）	200,000				
⑪譲渡損失の金額				（摘要）	
⑫差引金額（⑩－⑪）					
⑬納付税額		(15.315%) 30,630	(5%) 10,000		
⑭還付税額（⑩－⑬）					

金融商品取引業者等	所在地	
	名　称	
		（電話）　　　　　　　　　　　法人番号

整理欄　①　　　　②

11の6)。この場合，金融商品取引業者等（証券会社等）が上場株式等の配当等の交付の際に既に源泉徴収した所得税額が再計算した金額を超えるときは，その超える金額は還付される（措法37の11の6）。

(2) **源泉徴収選択特定口座内上場株式等の譲渡による申告不要の特例**（措法37の11の5①）

特定口座には，**源泉徴収選択特定口座**と**簡易申告口座**の2種類がある。**簡易申告口座を選択**した場合は，証券会社（金融商品取引業者）の作成した**特定口座年間取引報告書**により計算し，簡易な申告をする。**源泉徴収選択特定口座を選択**した場合は，譲渡した上場株式等の譲渡益について税率15.315％（源泉所得税15％，源泉復興特別所得税0.315％）で源泉徴収され，以下のような源泉徴収選択口座を有する居住者は，その**源泉徴収選択口座に係る特定口座内保管上場株式等の譲渡**につき，証券業者が居住者代わって計算するので，この源泉徴収選択口座に係る**特定口座内保管上場株式等の譲渡所得等の金額**又はこれらの所得の金額の計算上生じた損失の金額を有する場合には，申告の際，選択により除外して申告不要により確定申告をすることができる（措法37の11の5）。

（参考）

平成31年度税制改正では，仮想通貨を売却した場合の取得価額の計算については，移動平均法又は総平均法により算出した取得価額をもって評価した金額とすることが明確化された。

所得金額＝売却価額（譲渡による収入金額）－（取得費＋譲渡費用）
　　　　　　　　　　　　　　　　　　　　　　　↓
　　　　　　　　　　　　　　　　　　　総平均法又は移動平均法

〈図表9-20〉源泉徴収選択特定口座内配当，譲渡損益と所得計算

特定口座内譲渡損益

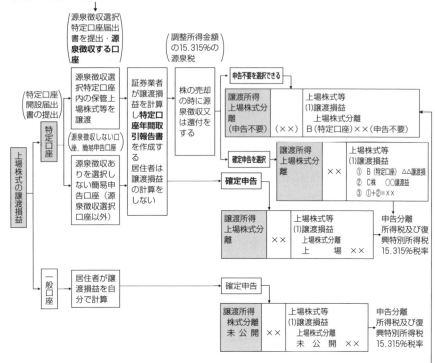

特定口座内配当

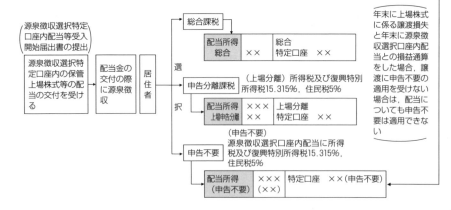

6 割引債の償還差益

　平成28年1月1日以後の割引債の償還及び譲渡による所得は，**一般株式等又は上場株式等に係る譲渡所得**として**申告分離課税**（所得税15％，復興特別所得税0.315％，地方税5％）とする。

　平成27年12月31日以前に発行された割引債で**償還差益**が発行時に源泉徴収の対象とされたものは，償還差益に係る18.378％源泉分離課税を行う。住民税の特別徴収はない。

　平成28年1月1日以後に発行される割引債については，発行時の18％源泉徴収は行わずに，**償還時**の割引債の償還差益に対して所得税15％，復興特別所得税0.315％，住民税5％の源泉徴収が行われる。

　ただし，相手先が個人又は普通法人以外の内国法人，外国法人である場合には，償還金額にみなし割引率を乗じて計算した金額に対して20％（個人の場合）又は15％の源泉徴収を行う（措法37の10③七，37の11③，41の12）。

（注）　みなし割引率は，以下のとおりである。
　　　　発行日から償還日までの期間が1年以内のものは0.2％
　　　　発行日から償還日までの期間が1年超のものは25％

《計算Pattern》割引債の償還差益（割引債は上場株式等のケース）

Ⅰ 各種所得の金額の計算　譲渡所得　上場株式分離	×××	上場株式等　譲渡損益　　　　　　　　　　　（償還差益）　　割引債　償還金額－発行価額＝×××

7 土地等の譲渡に類似する事業譲渡類似の株式の譲渡の特例

　譲渡した年の1月1日において所有期間が5年以下である短期所有土地等の譲渡に類似する株式の譲渡で，**事業譲渡に類似する株式等の譲渡**は他の所得と区分して，**土地等の短期譲渡所得**（分離短期譲渡所得）として重課する（措法32①・②）。

　以下に掲げる株式又は出資の譲渡で，その譲渡による譲渡所得が**事業等の譲**

渡に類似する**株式**（出資を含む）**の譲渡による所得**に該当する場合は，その株式又は出資の譲渡所得は，他の所得と分離し，分離課税の短期譲渡所得に含めて税額を計算する（措法32②，措令12）。

(1) 保有する**資産の価額の総額**のうちに占める短期所有の**土地等**（所得期間がその年の1月1日において5年以内（その年中の取得を含む）の土地等に限る）**の価額**の合計額の割合が**70％以上**である法人の株式又は出資

(2) 保有する**資産の価額の総額**のうちに占める**土地等の価額**の合計額の割合が**70％以上**である法人の株式又は出資でその所有期間がその年の1月1日において5年以内（その年中の取得を含むもの）のもの

（注） 事業等の譲渡に類似する**株式**（出資を含む）**の譲渡による所得**とは，以下の(i)・(ii)・(iii)のすべての要件に該当する場合の(ii)の譲渡所得をいう（措令21④）。

(i) その年以前3年以内のいずれかの時点で**特殊関係株主等**が発行法人の発行済株式（出資を含む）総数の30％以上を有し，かつ，譲渡人が**特殊関係株主等**であること（30％基準）

(ii) その年に発行済株式総数の5％以上の株式（出資を含む）を譲渡していること（5％基準）

(iii) その年以前3年内において発行済株式総数の15％以上の株式（出資を含む）を譲渡していること（15％基準）

第Ⅱ編　各種所得の金額の計算　341

〈図表9－21〉事業譲渡類似の株式の譲渡

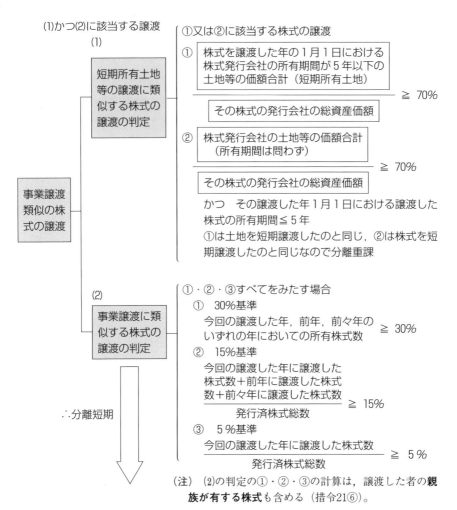

(1)かつ(2)に該当
　分離短期譲渡所得として**重課**（分離短期○○株式）
　分短（××株式）譲渡した収入金額－（取得費＋譲渡費用）＝ ×××
　この分離重課された株式の負債利子は，配当所得計算で控除する。
(1)・(2)に該当しない場合
　申告分離課税される株式として課税する。

8 特定管理株式等が価値を失った場合

居住者について、**特定管理株式等**（金融商品取引業者等の特定管理口座に保管を委託されている上場株式等で上場株式等に該当しなくなったもの）、**特定保有株式**（特定管理株式に準ずるもの）又は**特定口座内公社債**が株式又は公社債としての**価値を失ったこと**による損失が生じた場合として、以下に掲げる事実が発生したときは、その事実が発生したことはその**特定管理株式、特定保有株式又は特定口座内公社債の譲渡**をしたことと、その損失の金額は上場株式等を譲渡したことにより生じた損失の金額とそれぞれみなす（措法37の10の2、措令25の8の2）。

なお、その上場株式等に係る譲渡損失は、土地株式等に係る譲渡損失の損益通算及び繰越控除を適用できる。

① その特定管理株式等、特定保有株式又は特定口座内公社債を発行した株式会社等が解散をし、その清算が結了したこと
② その特定管理株式等、特定保有株式又は特定口座内公社債を発行した株式会社等が破産手続開始の決定を受けたこと等

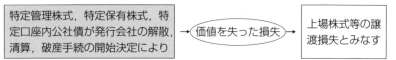

（注）　**特定管理株式等**とは、特定口座内に保管されている上場株式等が上場株式等に当たらなくなっても、その日以後も、継続してその特定口座を開設する金融商品取引事業者等に開設される**特定管理口座**に保管の委託がされている株式又は公社債。

　　　特定保有株式とは、平成21年1月4日において上記の特定管理株式で平成21年1月5日に特定管理口座から払い出されたもののうち、同日以後、その株式と同一銘柄の株式の取得及び譲渡をしていないものであることの一定の証明がされたもの。

　　　特定口座内公社債とは、特定口座に保管が委託されている内国法人が発行した公社債。

9 先物取引に係る課税関係

(1) 概　　要

先物取引は，価格変動リスクを避けるなどを担うものであるため，個人投資家を税制上，保護するため**事業所得，譲渡所得**又は**雑所得**として総合課税の対象とされている個人の**先物取引**による所得について，**申告分離課税**の特例が定められた。

平成23年度税制改正で，平成24年1月1日以降の**店頭商品デリバティブ取引，店頭デリバティブ取引，店頭カバードワラント**も**先物分離課税**の対象となった。

平成28年度税制改正では，対象となる先物取引から次の取引が除外された。結果，**経済産業省の許可を受けた取引業者**を相手方とするもののみが先物分離課税の対象となった。

(1)　商品先物取引業者以外の者を相手方として行う**店頭商品デリバティブ取引**

(2)　金融商品取引業者のうち第一種金融商品取引業を行う者以外の者又は登録金融機関以外の者を相手方として行う**店頭デリバティブ取引**

(2) 総合課税

先物取引の差金等決済による所得は，申告分離課税に掲げる場合を除き，事業所得，譲渡所得又は雑所得として他の所得と合算され，課税標準の計算上総所得金額を構成し，超過累進税率により課税される（法法21，22，89）。

(3) 申告分離課税

居住者が一定の先物取引をし，かつ，差金等決済をした場合には，その差金等決済に係る先物取引による事業所得，譲渡所得及び雑所得については，他の所得と区分し，先物取引に係る課税雑所得等の金額に対し15％に相当する金額の所得税を課する。

この場合において，先物取引に係る雑所得等の金額の計算上生じた損失の金額があるときは，その損失の金額は生じなかったものとみなす（措法41の14①）。

《先物取引の差金等決済の仕組み》

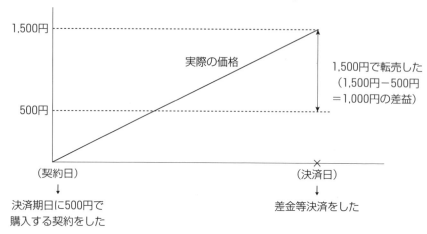

　この**先物取引**とは，現物の受渡しとは無関係で，先物市場で売付けあるいは買付けたものを，決済期前において売付けたものは買戻す。買付けたものは転売する。そこで発生した差損益を授受（**差金等決済**）するだけの取引である。

(4) **先物取引の差金等決済に係る損失の繰越控除**

　確定申告書を提出する居住者のその年の前年以前3年内の各年において生じた先物取引の差金等決済に係る損失の金額（前年以前に控除されたものを除く）は，一定の順序により，その申告書に係る年分の先物取引に係る雑所得等の金額の計算上控除する（措法41の15①②③）。

　この規定は，先物取引の差金等決済に係る損失の金額が生じた年分の所得税につき，一定の書類の添付がある確定申告書を提出し，かつ，その後において連続して確定申告書を提出している場合であって，確定申告書に一定の書類の添付がある場合に限り適用する。

　先物取引の差金等決済をしたことにより生じた損失の金額のうち，その差金決済をした日の属する年分の先物取引に係る雑所得等の金額の計算上控除してもなお控除しきれない部分の金額を先物取引の差金等決算に係る損失金額という。

〈図表9-22〉先物取引で申告分離課税を選択したときの所得区分

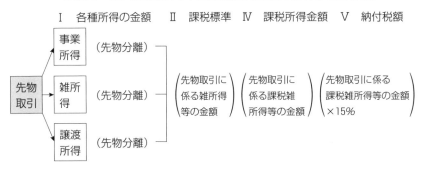

〈図表9-23〉先物取引に係る損失と他の先物取引の損益通算

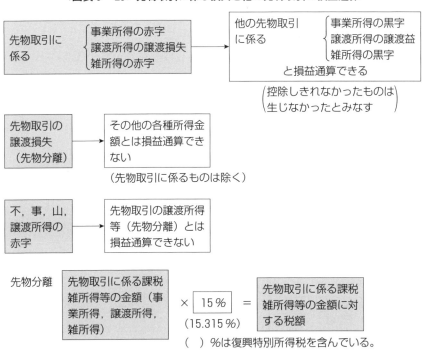

《計算Pattern》先物取引（FX）雑所得のケース

I	各種所得の金額の計算		
	雑所得		総合
	総合	×××	×××
	先物分離	×××	
			先物分離
			差金等決算額　×××
II	課税標準の計算		(1) 損益通算
	総所得金額		（注）**先物取引による損失の金額は損益通算できない**
	先物取引に係る雑所得等の金額	×××	
	合　計		
IV	課税所得金額の計算		
	課税総所得金額		
	先物取引に係る課税雑所得等の金額	×××	×××（1,000円未満切捨）
V	納付税額の計算		(1) 課総
	算出税額		(7) 課先　先物取引に係る課税雑所得等の金額 ×15%
			(10) (1)〜(9)の計 = ××

《計算Pattern》先物取引（FX）譲渡所得のケース

I	各種所得の金額の計算		総合
	譲渡所得		(1) 譲渡損益
	総合短期	×××	総短　×××
	先物分離	×××	(2) 特別控除
			先物分離
			差金等決算額　×××

（注）生活に通常必要でない資産の損失の金額の控除，50万円特別控除は控除できない。

10 エンジェル税制（特定中小会社が発行した株式への特例）

(1) 概　要

投資リスクの高いベンチャー企業等への資金供給を支援し，投資リスクを軽減するためにエンジェル税制が設けられた。

(2) 投　資　時

① 特定株式の取得に要した金額の控除

その年中に払込みにより取得をした**特定中小会社の特定株式**（その年12月31日において有するものに限る）**の取得に要した金額の合計額**は，その年分の**一般株式等に係る譲渡所得等の金額**及び**上場株式等に係る譲渡所得等の金額**の計算上**控除する**（措法37の13①②）。

この規定は，確定申告に一定の事項の記載があり，かつ，一定の書類の添付がある場合に限り適用する。

特定株式の取得に要した金額を控除する順序

（注）雑損失の繰越控除がある場合には，特定株式の取得に要した金額による控除を行った後，雑損失の繰越控除による控除をする。

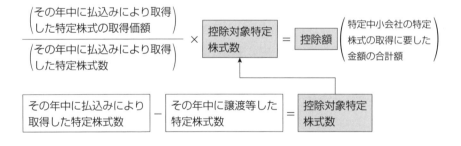

② 寄付金控除

その年中に払込みにより取得をした**特定新規中小会社の特定新規株式**（その年12月31日において有するものに限る）の取得に要した金額（最高800万円）は，**寄附金控除の規定**を適用することができる。

なお、この規定の適用を受けた特定新規株式及びその年中に払込みにより取得をした同一銘柄の株式については、特定株式の取得に要した金額の控除のきいは適用しない（措法41の19）。

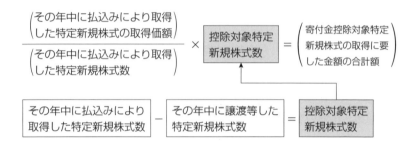

(3) **保有時**（価値喪失株式に係る損失の金額の特例）

払込みにより取得をした**特定中小会社**の**特定株式**が適用期間（特定中小会社の設立の日から上場等の日の前日までの期間をいう）内に**株式としての価値を失った**ことによる損失が生じた場合として以下に掲げる事実が発生したときは、その損失の金額をその**特定株式の譲渡**をしたことにより生じた**損失の金額**とみなして一般株式分離課税の規定を適用する（措法37の13の2①②③、措令25の12の2③）。

(イ) その特定株式を発行した株式会社が**解散**をし、その清算が結了したこと
(ロ) その特定株式を発行した株式会社が**破産手続開始の決定**を受けたこと

この規定は、確定申告書に一定の事項の記載があり、かつ、一定の書類の添付がある場合に限り適用する。

なお、宥恕規定がある。

| ① 特定中小会社が**解散をし、その清算が結了**したこと
② 特定中小会社が**破産手続開始の決定**を受けたことで損失が発生した場合 | → | 特定株式の**譲渡**により生じた**損失の金額**とみなす |

| 損失額 | = | 損失発生時を譲渡時とみなして総平均法に準じて計算した取得費相当額 |

(4) 譲渡時（特定株式に係る譲渡損失の損益通算及び繰越控除の特例）
　① 特定株式に係る譲渡損失の損益通算の特例
　確定申告書を提出する居住者の**特定株式に係る譲渡損失の金額**がある場合には，その損失金額は，その申告書に係る年分の**上場株式等に係る譲渡所得等の金額**（特定株式の取得に要した金額の控除の適用がある場合には，その適用後の金額）**の計算上控除**する（措法37の13の2④⑤）。

　この規定は，確定申告書に一定の事項の記載があり，かつ，一定の書類の添付がある場合に限り適用する。
　② 特定株式に係る譲渡損失の繰越控除の特例
　確定申告書を提出する居住者のその年の前年以前3年内の各年において生じた**特定株式に係る譲渡損失の金額**（前年以前に控除されたものを除く）は，一定の順序により，その申告書に係る年分の**一般株式等に係る譲渡所得等の金額**及び**上場株式等に係る譲渡所得等の金額**（特定株式の取得に要した金額の控除又は特定株式に係る譲渡損失の損益通算の特例の適用がある場合には，その適用後の金額）の計算上控除する（措法37の13の2⑦⑨）。

　この規定は，特殊株式に係る譲渡損失の金額が生じた年分の所得税につき，一定の書類の添付がある確定申告書を提出し，かつ，その後において連続して確定申告書を提出している場合であって，確定申告書に一定の書類の添付がある場合に限り適用する。

　その**払込みにより取得をした特定株式**を適用期間内に**譲渡をしたことにより生じた損失の金額**のうち，その**譲渡をした日の属する年分**の一般株式等に係る譲渡所得等の金額の計算上控除してもなお控除しきれない部分の金額を**特定株式に係る譲渡損失の金額**という（措法37の13の2⑧）。

《計算Pattern》寄付金控除

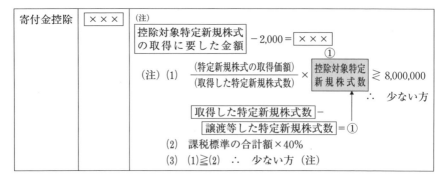

〈図表9－24〉特定株式に係る譲渡損失の損益通算及び繰越控除

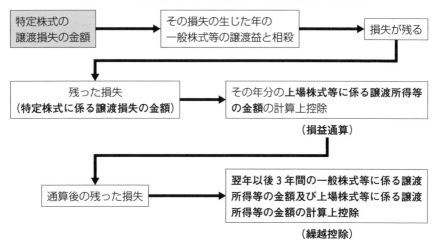

第Ⅱ編　各種所得の金額の計算　351

〈図表9－25〉株式等に係る譲渡所得の課税パターン

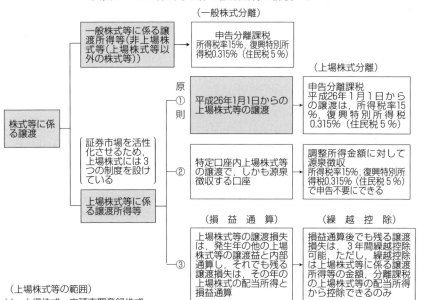

（上場株式等の範囲）
(イ)　上場株式，店頭売買登録株式
(ロ)　特定株式投資信託の受益権
(ハ)　公募証券投資信託受益権
(ニ)　公募公社債投資信託の受益権，公募公社債等運用投資信託の受益権
(ホ)　公募特定目的信託の社債的受益権
(ヘ)　公募特定目的信託の社債的受益権
(ト)　特定公社債等（上場されている公社債，国債及び地方債，社債のうち一定のもの等）

（一般株式等の範囲）
(イ)　金融商品取引所に上場されていない株式等
(ロ)　私募公社債等運用投資信託の受益権
(ハ)　私募特定目的信託の社債的受益権
(ニ)　私募証券投資信託の受益権
(ホ)　私募公社債投資信託の受益権
(ヘ)　特定公社債以外の公社債
(ト)　特定投資法人の投資口及び上場投資法人の投資口（Ｊリート）以外の投資法人の投資口

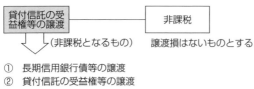

① 長期信用銀行債等の譲渡
② 貸付信託の受益権等の譲渡
③ 農林債の譲渡

(注) 平成28年1月1日以後に一般公社債等（特定公社債以外の公社債）の譲渡をしたときは，公社債等の譲渡による譲渡所得に対して20％（所得税15％，住民税5％）の税率による申告分離課税となる。平成28年以後に特定公社債等を譲渡をしたときは，特定公社債等の譲渡による譲渡所得に対して20％（所得税15％，住民税5％）の税率による申告分離課税となる。このように，平成28年以後は公社債の譲渡と株式等の譲渡の課税上の中立性を図った。

《計算Pattern》
〈一般株式等，上場株式等を譲渡した場合の譲渡所得の金額の計算〉

Ⅰ	各種所得の金額の計算		
	譲　渡　所　得		総合
	分　離　短　期	×××	(1) 譲渡損益
	総　合　短　期	×××	$\begin{pmatrix}総短\\総長\end{pmatrix}\begin{pmatrix}ゴルフ会員権類似株式の\\譲渡も含む\end{pmatrix}$
	分　離　長　期	×××	(2) 特別控除
	総　合　長　期	×××	土地建物等
			譲渡損益
	一般株式分離	×××	分短（事業譲渡類似株式を含む）
			分長
	上場株式分離	×××	**上場株式等**
			譲渡損益
			総収入金額－(取得費＋譲渡費用＋負債利子)
			一般株式等
			譲渡損益
			総収入金額－(取得費＋譲渡費用＋負債利子)
			農林債等の譲渡による所得は非課税
			農林債等の譲渡による損失はないものとみなす
Ⅱ	課 税 標 準 の 計 算		
	一般株式等に係る譲渡所得等の金額	×××	(1) 損益通算
	上場株式等に係る譲渡所得等の金額	×××	(注) △△上場株式等の譲渡による損失の金額は他の所得とは損益通算できない
			申告分離を選択した上場株式等の配当所得の金額からは控除できる
Ⅳ	課税所得金額の計算		
	一般株式等に係る課税譲渡所得等の金額	×××	一般株式等　×××（1,000円未満切捨）
	上場株式等に係る課税譲渡所得等の金額	×××	上場株式等　×××（　〃　）
Ⅴ	納 付 税 額 の 計 算		
	算　出　税　額	×××	（一般株式等）
			一般株式等に係る課税譲渡所得等の金額 ×15％＝ ×××
			（上場株式等）
			上場株式等に係る課税譲渡所得等の金額 ×15％＝ ×××

《計算例題１》有価証券の譲渡

次の資料により，福大太郎の令和３年分の株式等に係る算出税額を計算しなさい。本年に譲渡したのは，以下の株式である。

株式銘柄	譲渡価額	取得費	譲渡費用	取得日	譲渡日
A株式（上場株式）	8,000,000円	1,400,000円	200,000円	平成28年9月	令和3年8月
H株式（非上場株式）	2,000,000円	750,000円	150,000円	平成30年8月	令和3年10月
農林債	1,200,000円	800,000円	――	平成27年5月	令和3年9月

《解答欄》

Ⅰ 各種所得の金額の計算 株式分離		株式分離 (1) 譲渡損益 　上場株式等（A株式） 　　[　　　　]円 －（[　　　　]円 　　＋[　　　　]円）＝[　　　　]円 　一般株式等（H株式） 　　[　　　　]円 －（[　　　　]円 　　＋[　　　　]円）＝[　　　　]円
上場株式分離	[　　　　]円	
一般株式分離	[　　　　]円	
Ⅱ 課税標準の計算		
一般株式等に係る譲渡所得等の金額	[　　　　]円	[　　　　]円
上場株式等に係る譲渡所得等の金額	[　　　　]円	[　　　　]円
Ⅳ 課税所得金額の計算		(1) 上場株式　[　　　　]円（千円未満切捨） (2) 未公開株式　[　　　　]円（千円未満切捨）
一般株式等に係る課税譲渡所得等の金額	[　　　　]円	
上場株式等に係る課税譲渡所得等の金額	[　　　　]円	

第Ⅱ編　各種所得の金額の計算　355

Ⅴ　納付税額の計算　算出税額	☐円	課税株式等 ①　上場株式 　　☐円 × 15% = ☐円 ②　一般株式 　　☐円 × 15% = ☐円 ③　①+②　☐円

《解　答》

Ⅰ　各種所得の金額の計算　株式分離		株式分離 (1)　譲渡損益 　　上場株式等（A株式） 　　　8,000,000円 －（ 1,400,000円 　　　＋ 200,000円 ）＝ 6,400,000円 　　一般株式等（H株式） 　　　2,000,000円 －（ 750,000円 　　　＋ 150,000円 ）＝ 1,100,000円 (2)　通　算 　（注）　農林債の譲渡による所得は非課税
上場株式分離	6,400,000円	
一般株式分離	1,100,000円	
Ⅱ　課税標準の計算		
一般株式等に係る譲渡所得等の金額	6,400,000円	6,400,000円
上場株式等に係る譲渡所得等の金額	1,100,000円	1,100,000円
Ⅳ　課税所得金額の計算		
一般株式等に係る課税譲渡所得等の金額	6,400,000円	(1)　上場株式　6,400,000円 （千円未満切捨） (2)　未公開株式　1,100,000円 （千円未満切捨）
上場株式等に係る課税譲渡所得等の金額	1,100,000円	

V 納付税額の 計算 算出税額	1,125,000円	課税株式等 ① 上場株式 　6,400,000円 × 15% = 960,000円 ② 一般株式 　1,100,000円 × 15% = 165,000円 ③ ①+② 　1,125,000円

《計算例題 2》有価証券の譲渡，ゴルフ会員権類似株式，事業譲渡類似株式

以下の資料により，慶応　進の令和 3 年分の譲渡所得の金額を計算しなさい。

(1) A株式を譲渡している。このA株式は，ゴルフ場を営むA株式会社が発行している株式である。この株式を所有することで慶応　進は，ゴルフ場を一般利用者に比べ有利な条件で継続的に利用する権利を持っている。

株式銘柄	取得日	譲渡日	譲渡収入	取得費	譲渡費用
A　株　式	平成29年6月	令和3年3月	1,500,000円	700,000円	25,000円

(2) 慶応　進は，B株式（非上場株式）を30,000株（取得費3,000,000円）を平成28年12月に4,000,000円で譲渡している。この譲渡したB株式は，慶応　進が令和元年10月に5,000,000円で取得したB株式50,000株のうちの30,000株である。なお，進の長男の暎立も20,000株所有している。また，B社の総資産価額に対して，土地価額の占める割合は70％以上である。B社の発行済株式総数は200,000株である。

(3) さらに慶応　進は，以下の株式を譲渡している。

株式銘柄	取得日	譲渡日	譲渡収入	取得費	譲渡費用
C　株　式 （非上場株式）	平成19年2月	令和3年9月	2,000,000円	1,050,000円	150,000円
D　株　式 （上場株式）	平成23年3月	令和3年8月	6,000,000円 (6,000株 を譲渡)	3,000,000円	200,000円

《解答欄》

譲渡所得		総合　ゴルフ会員権類似株式
総合短期	［　　　　］円	(1)　譲渡損益
分離短期	［　　　　］円	総短（A株式）
株式分離		［　　　　］円 －（［　　　　］円
一般株式分離	［　　　　］円	＋［　　　　］円）＝［　　　　］円
上場株式分離	［　　　　］円	(2)　特別控除
		［　　　　］円 －［　　　　］円
		＝［　　　　］円　総短
		土地建物等 譲渡損益 〈判　定〉 (1)　短期所有土地の判定 　　　B社 $\dfrac{\text{土地等の価額}}{\text{総資産価額}} \geqq 70\%$ (2)　事業譲渡類似株式の判定 　　　（今回の譲渡の年，前年，前々年いずれかの年に30％以上保有） 　①　$\dfrac{［　　　］株＋［　　　］株}{［　　　］株} \geqq 30\%$ 　②　$\dfrac{［　　　］株（3年間の譲渡）}{［　　　］株} \geqq 15\%$ 　③　$\dfrac{［　　　］株（今回の年の譲渡）}{［　　　］株} \geqq 5\%$ 　　　∴事業譲渡類似株式であり分離短期 　分短（B株式） 　　　　［　　　　］円 －［　　　　］円 　　　　＝［　　　　］円

358

一般株式等
譲渡損益
　C株式

| | 円 | － | (| | 円 |
| + | | 円 |) | ＝ | | 円 |

上場株式等
譲渡損益
　D株式

| | 円 | － | (| | 円 |
| + | | 円 |) | ＝ | | 円 |

《解　答》

譲渡所得	
総合短期	275,000円
分離短期	1,000,000円
株式分離	
一般株式分離	800,000円
上場株式分離	2,800,000円

総合　ゴルフ会員権類似株式
(1) 譲渡損益
　総短（A株式）
　　1,500,000円 －（ 700,000円
　　＋ 25,000円 ）＝ 775,000円
(2) 特別控除
　　775,000円 － 500,000円
　　　　　　　　＝ 275,000円 総短

土地建物等
譲渡損益
〈判　定〉
(1) 短期所有土地の判定
　　B社 $\dfrac{\text{土地等の価額}}{\text{総資産価額}} \geqq 70\%$
(2) 事業譲渡類似株式の判定
　　（今回の譲渡の年，前年，前々年いずれかの
　　　年に30％以上保有）
　　① $\dfrac{50{,}000株 ＋ 20{,}000株}{200{,}000株} \geqq 30\%$
　　② $\dfrac{30{,}000株 \text{（3年間の譲渡）}}{200{,}000株} \geqq 15\%$

③ $\dfrac{\boxed{30,000株}\ (今回の年の譲渡)}{\boxed{200,000株}} \geqq 5\%$

∴ 事業譲渡類似株式であり分離短期

分短（B株式）

$\boxed{4,000,000円} - \boxed{3,000,000円} = \boxed{1,000,000円}$

一般株式等
譲渡損益
　C株式

$\boxed{2,000,000円} - (\boxed{1,050,000円} + \boxed{150,000円}) = \boxed{800,000円}$

上場株式等
譲渡損益
　D株式

$\boxed{6,000,000円} - (\boxed{3,000,000円} + \boxed{200,000円}) = \boxed{2,800,000円}$

《計算例題3》特定口座制度に係る配当所得及び譲渡所得

次の資料により，居住者慶応　進の令和3年分の配当所得の金額と譲渡所得の金額を計算しなさい。慶応　進は，すでに特定口座源泉徴収選択届出書と源泉徴収選択口座内配当等受入開始届出書を証券会社に提出している。したがって，源泉徴収選択口座に係る特定口座内の上場株式等の配当及び譲渡損益については，申告不要を適用する。

(1) 譲渡損益の資料

口　座　等	銘　柄	譲渡対価	取得費・譲渡費用
源泉徴収選択口座に係る特定口座内保管上場株式等	K株式	1,000,000円	700,000円
非上場株式	M株式	200,000円	80,000円

(2) 配当の資料

口　座　等	銘　柄	源泉所得税控除後配当	源泉所得税
源泉徴収選択口座に係る特定口座内保管上場株式等	K株式	393,000円	7,000円
非上場株式	M株式	192,000円	48,000円

《解答欄》

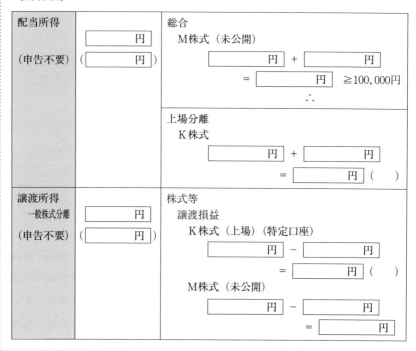

《解　答》

配当所得			総合
総合	240,000円		M株式（未公開）
（申告不要）	(400,000円)		192,000円 ＋ 48,000円
			＝ 240,000円　≧100,000円
			∴総合
			上場分離
			K株式（上場）（特定口座）
			393,000円 ＋ 7,000円
			＝ 400,000円 （申不）
譲渡所得			株式等
一般株式分離	120,000円		譲渡損益
（申告不要）	(300,000円)		K株式（上場）（特定口座）
			1,000,000円 － 700,000円
			＝ 300,000円 （申不）
			M株式（未公開）
			200,000円 － 80,000円
			＝ 120,000円

《計算例題4》先物取引

　福大太郎の本年分の各種所得の金額，課税基準，課税所得金額及び算出税額を計算しなさい。

　太郎は，本年10月に商品先物取引の差金決済を行い，売買差益400,000円の支払を受けた。

　必要経費として，往復売買手数料100,000円がかかった。

　この取引は，事業と称するに至らない程度の規模である。

　太郎は，その他に本年において学校債の利子20,000円の支払を受けた。

《解答欄》

Ⅰ 各種所得の金額の計算			
雑 所 得 総 合	☐ 円	総合 学校債	☐ 円
先 物 分 離	☐ 円	先物分離 売買差益 ☐ 円 − ☐ 円 = ☐ 円	

Ⅱ 課税標準の計算	
総 所 得 金 額	☐ 円
先物取引に係る雑所得等の金額	☐ 円
合　　計	☐ 円

Ⅳ 課税所得金額の計算		
課税総所得金額	☐ 円	(1,000円未満切捨)
先物取引に係る雑所得等の金額	☐ 円	(　　〃　　)

Ⅴ 納付税額の計算		
算 出 税 額	☐ 円	(1) 課総 ☐ 円 × 5％ = ☐ 円 (2) 課先 ☐ 円 × 15％ = ☐ 円 (3) (1)+(2) ☐ 円

《解　答》

I 各種所得の金額の計算		
雑　所　得		総合
総　　合	20,000円	学校債　20,000円
先物分離	300,000円	先物分離
		売買差益　400,000円 － 100,000円
		＝ 300,000円
II 課税標準の計算		
総所得金額	20,000円	
先物取引に係る雑所得等の金額	300,000円	
合　　計	320,000円	
IV 課税所得金額の計算		
課税総所得金額	20,000円	（1,000円未満切捨）
先物取引に係る雑所得等の金額	300,000円	（　　〃　　）
V 納付税額の計算		
算出税額	46,000円	(1) 課総
		20,000円 × 5％ ＝ 1,000円
		(2) 課先
		300,000円 × 15％ ＝ 45,000円
		(3) (1)+(2)　46,000円

第15節 借地権の設定等

1 借地権の設定等による所得

建物もしくは構築物の所有を目的とする借地権又は地役権（特別高圧電線の架設・敷設，飛行場の設置，モノレールの敷設，公共施設の設置その他特定の目的のために設定されたもので，建造物の設置を制限するものに限る）の設定（借地権に係る土地の転貸等を含む）のうち，その**対価として支払を受ける金額**が以下に掲げる金額の**10分の5相当額を超えるもの**は資産の譲渡とみなされ，その設定の対価は譲渡所得となる（令79①）。

(1) 建物もしくは構築物の全部の所有を目的とする借地権の設定又は地役権の設定である場合……**その土地**（借地権者にあっては借地権。以下同じ）**の価額**（その設定が地下又は空間について上下の範囲を定めた借地権又は地役権その他特定の地役権の設定である場合には，その土地の価額の**2分の1相当額**）

(2) 建物又は構築物の一部の所有を目的とする借地権の設定である場合……その土地の価額に，その建物又は構築物の床面積（借地権の設定の対価が，その建物等の階その他利用の効用の異なる部分ごとにその異なる効用に係る適正な割合を勘案して算定されているときは，その割合による調整後の床面積とする。以下同じ）のうちにその借地権に係る建物又は構築物の一部の床面積の占める割合を乗じて計算した金額

$$（権利金等の額） > 土地の更地価額 \times \frac{1}{2} \Rightarrow 分離課税の譲渡所得$$

2 借地権の設定等の対価に係る取得費

譲渡所得となる借地権の設定等の対価に係る取得費は，次による（令174①）。ただし，現に借地権の設定等をしている土地についてさらに借地権を設定する場合等については，特別の定めがある（令174②・③）。

権利の設定による対価として支払を受ける金額が，地代の年額の20倍以下の

ときは，その設定は資産の譲渡に該当しないものと推定される（令79③）。

$$\begin{pmatrix}借地権の設定\\等をした土地\\の取得費\end{pmatrix} \times \frac{\begin{pmatrix}その借地権の設\\定等の対価の額\end{pmatrix}}{\begin{pmatrix}その借地権の設\\定等の対価の額\end{pmatrix} + \begin{pmatrix}その土地の底地\\としての価額\end{pmatrix}}$$

《実務上のPoint》

⑴　不動産を売ったときの所得は，売った年の1月1日現在で所有期間が5年超の場合に売った方が税金がかなり有利となる。
　　したがって，Pointは所有期間を5年超にすることである。
⑵　譲渡した不動産の取得費が不明のときは，譲渡収入の5％を取得費とすることができる。
⑶　マイホームの売却は，所有期間にかかわりなく3,000万円まで特別控除できる。なお，控除は申告が条件となっているため，この3,000万円の控除を得るには必ず申告しなければならない。しかし，売却時に居住用に供していなければならないので，売主が住んでいるという事実がなくてはならない。
　　さらに，3,000万円特別控除を受けた後の所得に対して**所有期間が10年以上**の場合は，6,000万円以下には**所得税10％**（住民税4％），6,000万円超の部分に対しては**所得税15％**（住民税5％）となり，通常の長期より税額がかなり軽減されている。
⑷　上場株式を売却する場合には，その売却益に対して所得税と住民税がかかる。その課税方法は申告分離課税である。
　　この他にも株式を売却した場合には，有価証券取引税がかかる。この取引税は売却経費となる。
⑸　上場株式を売却したときの申告分離課税の売却損は，源泉分離課税の売却益や他の所得とは損益通算できない。
　　ただし，その上場株式の売却損は，その年の申告分離課税の上場株式等の配当所得の金額とは通算できる。
⑹　マイカーを通勤に使っているときは生活用動産となり，その譲渡所得は課税されない，また逆に損失が発生しても，損失はなかったものとされる。

マイカーをレジャー用に使用しているときは，その譲渡は総合課税の譲渡所得とされ課税される。

(7)　平成26年4月1日以後に，ゴルフ会員権は生活に通常必要でない資産に加わったため，平成26年4月1日以後にゴルフ会員権を売却して損が出ても，他の所得との損益通算はできないこととなった。

第Ⅱ編　各種所得の金額の計算　367

第16節　外貨建取引の換算

　取引の支払が外国通貨でなされる資産の販売，購入，役務提供，金銭の貸付け・借入等の取引が，外貨建取引である。

　居住者が外貨建取引を実施したときは，外国通貨で表示された金額を本邦通貨の金額に換算した円換算額に換算する。

　その円換算額は，外貨建取引を行ったときの外国為替の売買相場（為替相場）により換算した金額で各種所得金額を計算する（法57の3①）。

外貨建取引を行った時の円換算（通57の3-2）

原則：取引日の対顧客直物電信売相場（ＴＴＳ）と対顧客直物電信買相場（ＴＴＢ）との仲値（ＴＴＭ）による

特例：不動産所得，事業所得，山林所得又は雑所得を生ずべき業務に係るこれらの所得の金額の計算においては，継続適用を条件として，以下に掲げる為替相場により計算することができる．
- 売上その他の収入又は資産 → 取引日の対顧客直物電信買相場（ＴＴＢ）
- 仕入その他の経費又は負債 → 取引日の対顧客直物電信売相場（ＴＴＳ）

株式等の譲渡対価の額が外貨で表示され，その対価の額を邦貨又は外貨で支払うとされているときの，株式等に係る譲渡の対価の額，株式等の取得対価額等の円換算（措通37の10-8）

- 譲渡価額 → 譲渡約定日の対顧客直物電信買相場ＴＴＢ
- 取得対価額 → 取得約定日の対顧客直物電信売相場ＴＴＳ

第10章 雑所得

【Point 15】

雑所得の金額の計算は，以下のとおりである（法35②）。

$$\left(\begin{array}{l}\text{その年中の公的年金等の}\\\text{収入金額から公的年金等}\\\text{控除額を控除した残額}\end{array}\right) + \left(\begin{array}{l}\text{その年中の雑所得（公的年金}\\\text{等に係るものを除く）に係る}\\\text{総収入金額から必要経費を控}\\\text{除した金額}\end{array}\right) = \text{雑所得の金額}$$

第1節 雑所得の定義と範囲

　雑所得とは，利子所得，配当所得，不動産所得，事業所得，給与所得，退職所得，山林所得，譲渡所得及び一時所得の9種類のいずれにも該当しない所得をいう（法35①）。

　具体的には，次のような所得が雑所得に該当する。

(1) **公的年金等**（法35③）

　　① 国民年金法，厚生年金保険法，国家公務員共済組合法，地方公務員等

共済組合法，私立学校教職員共済組合法，農業漁業団体職員共済組合法及び農業者年金基金法の規定に基づく年金その他これらの法律の規定による社会保険又は共済に関する制度に類する制度に基づく特定の年金（これに類する給付を含む）

② 恩給（一時恩給を除く）及び過去の勤務に基づき使用者であった者から支給される年金

③ 確定給付企業年金法に基づいて支給を受ける退職年金（適格退職年金契約に基づいて支給を受ける退職年金を含む。その契約に基づいて払込まれた保険料又は掛金のうちにその退職年金が支給される基因となった勤務をした者の負担した金額がある場合には，その退職年金の額からその負担した金額のうちその退職年金の額に対応するものとして一定の方法により計算した金額を控除した金額に相当する部分に限る）その他これに類する特定の年金（これに類する給付を含む）

④ 確定拠出年金法に基づいて支給を受ける老齢給付年金

(2) **定期積金又は相互掛金の給付補てん金**

(3) **国税の還付加算金**

(4) **人格のない社団等の構成員がその構成員たる資格に基づいてその社団等から受ける収益の分配**（清算分配金を除く。清算分配金は一時所得）

(5) **生命保険契約等又は損害保険契約等に基づいて受ける年金**（給与所得とみなされるものを除く）及びその契約に基づきその年金の支払開始以後に支払を受ける剰余金又は割戻金（令183①）（一時金や満期返戻金等は一時所得）

(6) **郵便年金**（旧簡易生命保険年金）

(7) **学校債，組合債の利子**

(8) **役員等の勤務先預金利子**（従業員の勤務先預金利子は利子所得）

(9) 法人の株主等の地位に基づき，その法人から受ける経済的利益（株主優待乗車券等）

(10) 次に掲げる所得のうち事業から生じたものでないもの

① **動産**（不動産所得の基因となる船舶及び航空機を除く）**の貸付けによる所得**

② 特許権等の工業所有権の使用料に係る所得
③ 原稿料，著作権の使用料に係る所得
④ 金銭の貸付けによる所得
⑤ 山林をその取得の日以後5年以内に伐採し又は譲渡したことによる所得
⑥ 不動産その他の資産（山林を除く）の継続的売買による所得

(注1) ビットコインなどの仮想通貨の売却による**利益**又は**損失**は，原則として雑所得に区分され，給与所得等の他の所得と**合算（総合課税）**して計算することとなっている。

給与所得者は，他の所得合計が20万円以下であれば，申告する必要はない。

仮想通貨で**損失が出ても**，雑所得以外の所得と通算したり，損失を繰り越すことはできない。

同一仮想通貨を2回以上にわたり取得し，それらのうち売却された場合の取得価額の計算は，移動平均法が相当とされる。

(注2) **FX（店頭外貨為替証拠金取引）**による**利益**又は**損失**は，雑所得に区分され，他の所得とは合算せずに，**申告分離**して税金を計算する。税率は15％である。

「先物取引に係る雑所得等の金額の計算明細書」の差金等の決済に係る利益又は損失の額に記入する。

FX取引でかかった費用は，必要経費となる。

FX取引がある場合は，分離課税用（第三表）の用紙を使用する。

FXで得た利益は，他の所得や他の雑所得との間では損益通算できない。

しかし，同じ申告分離課税の対象となっている他の金融取引をFXで得た利益は通算できる。

　　A　店頭金融デリバティブ ＋ B　市場金融デリバティブ
　　　　　　　　　（損益通算できる）
　　　　　　　　　　　　　↓
　　　　　　　利益×所得税15％（住民税5％）

損失の場合は3年間損失を繰り越せる（先物取引に係る繰越損失用）

第2節 雑所得の金額の計算

雑所得の金額は，次に掲げる金額の合計額である（法35②）。

① その年中の**公的年金等の収入金額**から**公的年金等控除額**を控除した残額
② その年中の雑所得（公的年金等に係るものを除く）に係る総収入金額から必要経費を控除した金額

（①の公的年金等の収入のみの時の雑所得）

（公的年金等の収入金額）－（公的年金控除額）＝（雑所得の金額）

（②の原稿料収入等のみの時の雑所得，雑所得の原則）

（総収入金額）－（必要経費）＝（雑所得の金額）

（上記①・②が同時に発生した時の雑所得）

$$\underbrace{\left(\begin{array}{c}\text{公的年金等}\\\text{の収入金額}\end{array} - \begin{array}{c}\text{公的年金}\\\text{等控除額}\end{array}\right)}_{①} + \underbrace{\left(\begin{array}{c}\text{公的年金等以外}\\\text{の総収入金額}\end{array} - \begin{array}{c}\text{必要}\\\text{経費}\end{array}\right)}_{②} = \left(\begin{array}{c}\text{雑所得}\\\text{の金額}\end{array}\right)$$

（注） 上記の公的年金等の取扱いは，昭和63年分以後の所得税について適用し，昭和62年分以前は，給与所得に含めて所得金額を計算する。公的年金等とは，国民年金，厚生年金，公務員の共済年金，適格退職年金などである。

第3節 雑所得の非課税

以下に掲げるものは，非課税所得となる。

(1) 増加恩給，傷病賜金等
(2) 相続，遺贈又は個人から贈与により取得したものとみなされる年金の支払額のうち，相続税又は贈与税の課税対象となった部分
(3) 文化功労者年金等
(4) 心身障害者扶養共済制度に基づいて受ける年金（**障害者年金**）
(5) 遺族が受ける恩給，遺族が受ける年金（**遺族年金**）（死亡した者の勤務に基づいて支給されるもの）

第4節 公的年金所得者の確定申告不要

その年において公的年金等に係る雑所得を有する居住者で，その年中の**公的年金等の収入金額が400万円以下**である者が，その年分の公的年金等に係る雑所得以外の所得金額が20万円以下であるときは，その年分の所得税について**確定申告書を提出することを要しないこととする**（所法121，203の3，203の5）。

ただし，年金から税金が源泉徴収されており，その年に医療費控除，社会保険料控除，生命保険料控除，地震保険料控除等がある人は，申告する方が得になる場合がある。公的年金の収入金額が400万円以下で所得税は申告不要でも，住民税の方は申告を必要とする場合があるので注意を要する。また，申告不要でも医療費控除などの所得控除があり，税金還付があるときは申告した方が得となる。

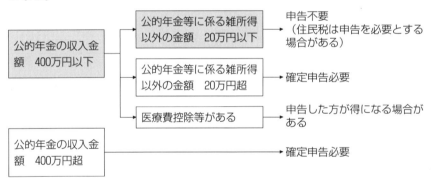

遺族年金や**障害者年金**には，所得税や相続税はかからない。

公的年金等

(1) **国民年金法，厚生年金保険法**等に基づく**老齢年金**
(2) 恩給法に基づく普通恩給
(3) 確定拠出年金法に基づく老齢年金
(4) 確定給付企業年金法に基づく老齢年金
(5) 過去の勤務に基づく退職年金（企業年金）
(6) 小規模企業共済法に基づく分割共済金

第5節 公的年金等の所得金額・公的年金等控除額

（公的年金等の収入金額）－（公的年金控除額）＝（公的年金に係る雑所得の金額）

1 公的年金控除額

公的年金等控除額は，次に掲げる区分に応じ，それぞれ次に掲げる金額である（法35④）。

〈図表10－1〉公的年金等の控除額

公的年金等の収入金額(A)		公的年金等控除額		
		「公的年金等に係る雑所得」以外の所得に係る合計所得金額		
		1,000万円以下	1,000万円超 2,000万円以下	2,000万円超
65歳未満の者	130万円未満	**60万円**	50万円	40万円
	130万円以上 410万円未満	(A)×25％＋27.5万円	(A)×25％＋17.5万円	(A)×25％＋7.5万円
	410万円以上 770万円未満	(A)×15％＋68.5万円	(A)×15％＋58.5万円	(A)×15％＋48.5万円
	770万円以上 1,000万円未満	(A)×5％＋145.5万円	(A)×5％＋135.5万円	(A)×5％＋125.5万円
	1,000万円以上	195.5万円	185.5万円	175.5万円
65歳以上の者	330万円未満	**110万円**	100万円	90万円
	330万円以上 410万円未満	(A)×25％＋27.5万円	(A)×25％＋17.5万円	(A)×25％＋7.5万円
	410万円以上 770万円未満	(A)×15％＋68.5万円	(A)×15％＋58.5万円	(A)×15％＋48.5万円
	770万円以上 1,000万円未満	(A)×5％＋145.5万円	(A)×5％＋135.5万円	(A)×5％＋125.5万円
	1,000万円以上	195.5万円	185.5万円	175.5万円

（注） 年齢65歳以上であるかどうかの判定は，その年12月31日（年の途中で死亡し出国する者については，その死亡又は出国の時）の年齢による（所法35⑤）。

2 所得金額調整控除額

公的年金等の雑所得の金額は、〈図10－1〉により計算した公的年金等控除額を差し引いて計算する。ただし、給与所得控除後の給与等の金額及び公的年金等に係る雑所得の金額がある者で、その合計金額が10万円を超える者については、以下の算式により計算した残額（所得金額調整控除額）を、その年分の給与所得の金額から控除する（措法41の3の3②）。

$$\left(\begin{array}{l}\text{給与所得控除後の給与等の金額}\\(\text{10万円を超えるときは、10万円})\end{array}\right) + \left(\begin{array}{l}\text{公的年金等に係る雑所得の金額}\\(\text{10万円を超えるときは、10万円})\end{array}\right)$$

$$-\text{10万円} = \begin{array}{l}\text{所得金額調整控除額}\\(\text{マイナスの場合は、0円})\end{array}$$

この所得金額調整控除額は、令和2年分以後の**総所得金額を計算**する際に、その給与所得の金額から控除する（措法41の3の3⑤）。

令和3年分　公的年金等の源泉徴収票

支払を受ける者	住所又は居所	千代田区神田1－5		個人番号			
	(フリガナ)	フクダイ　タロウ		生年月日	明治　大正　(昭和)　平成		
	氏名	福大　太郎			18年　10月　5日		

区分	支払金額	源泉徴収税額
所得税法第203条の3第1号適用分	2,500,000 円	10,120 円
所得税法第203条の3第2号適用分	0	0
所得税法第203条の3第3号適用分	0	0
所得税法第203条の3第4号適用分	0	0

本人				控除対象配偶者の有無等	控除対象扶養親族の数				16歳未満の扶養親族の数	障害者の数		非居住者である親族の数	社会保険料の額
特別障害者	その他の障害者	特別寡婦	寡夫	一般　老人	特定	老人	その他			特別	その他		242,000 円
				○	人	人	人	人	人	人	人	人	

控除対象配偶者			控除対象扶養親族			16歳未満の扶養親族		
(フリガナ)		区分	1　(フリガナ)		区分	1　(フリガナ)		区分
氏名			氏名			氏名		
個人番号			個人番号					
(摘要)【社会保険料の内訳】 介護保険料額　82,000円 後期高齢者医療保険料額　160,000円			2　(フリガナ)		区分	2　(フリガナ)		区分
			氏名			氏名		
			個人番号					

支払者	法人番号	
	所在地	東京都港区三田3－1
	名称	官署支出官　厚生労働省年金局事業企画課長
	電話番号	

| 整理欄 | | |

第6節 雑所得の総収入金額

　雑所得の総収入金額は，その年において**収入すべき金額**（金銭以外の物又は権利その他経済的な利益をもって収入する場合には，その金銭以外の物又は権利その他経済的な利益の価額）である（法36①・②）。雑所得を生ずべき業務を行う者が受ける保険金，損害賠償金，補償金等で，その業務の遂行により生ずべき雑所得の収入金額に代わる性質を有するものも雑所得の収入金額とされる（令94）。

第7節 雑所得の収入金額計上時期

　雑所得の総収入金額の収入すべき時期は，その所得の内容に応じ，他の所得の収入すべき時期に準ずる。

　なお，公的年金等については，法令等により定められている支給日によるが，恩給の裁定があって，前年以前の期間に対応する年金たる恩給を一時に支払うこととなった場合における恩給については，その**裁定のあった日**による（法36，通36-14）。

第8節 雑所得の必要経費

1 原則

雑所得の金額の計算上必要経費に算入すべき金額は,別段の定めがあるものを除き,その総収入金額を得るために直接要した費用の額及びその年における販売費,一般管理費その他の所得を生ずべき業務について生じた費用（償却費以外の費用でその年において確定しないものを除く）の額である（法37①）。

2 山林に係る雑所得の必要経費

山林に係る雑所得の金額の計算上必要経費に算入すべき金額は,別段の定めがあるものを除き,その山林の植林費,取得に要した費用,管理費,伐採費,その他その山林の育成又は譲渡に要した費用（償却費以外の費用でその年において債務の確定しないものを除く）の額である（法37②）。

3 生命保険契約等に基づく年金に係る雑所得の必要経費

生命保険契約等に基づく年金に係る所得の金額の計算上必要経費となる保険料又は掛金の額は,以下の算式によって求めた金額である（令183①二）。

$$\text{その年に支払を受ける年金} \times \frac{\text{保険料又は掛金の総額}}{\text{年金の支払総額（又は見込額）}} \quad \left(\begin{array}{l}\text{小数点2位}\\\text{未満切上げ}\end{array}\right)$$

（注）　生命保険契約等に基づく年金又は一時金に係る雑所得又は一時所得の金額の計算上,その支払を受けた金額から控除する保険料又は掛金の総額は,その生命保険契約等に係る保険料又は掛金の総額から,事業を営む個人又は法人がその個人のその事業に係る使用人又はその法人の使用人（役員を含む）のために支出したその生命保険契約等に係る保険料又は掛金でその個人のその事業に係る不動産所得の金額,事業所得の金額もしくは山林所得の金額又はその法人の各事業年度の所得の金額の計算上必要経費又は損金に算入されるもののうち,これらの使用人の給与所得に係る収入金額に含まれないものの額を控除して計算する（所令183,184）。

4　雑所得の資産損失

　雑所得を生ずべき業務の用に供され，又は雑所得の基因となる資産（山林及び生活に通常必要でない資産を除く）の損失の金額（保険金等で補てんされる部分の金額，資産の譲渡により又はこれに関連して生じたもの及び法第51条第１項及び第２項に該当するもの又は災害，盗難，横領によるものを除く）は，雑所得の金額を限度として必要経費に算入される（法51④）。

　　（注）　したがって，例えば**非営業貸金の元本の貸倒れによる損失は，雑所得の金額を限度として**必要経費に算入されることとなる。

5　家内労働者等の雑所得に係る必要経費

　家内労働法第２条第２項に規定する家内労働者(内職)や外交員等が雑所得を有する場合には，その必要経費について65万円の最低保障が認められる（措法27，措令18の２①）。

第9節 生命保険契約に基づく年金
（公的年金等以外の年金「個人年金」の所得金額）

生命保険契約等に基づく年金（公的年金等を除く。生命保険契約による年金, 生命共済契約による年金, 互助年金等）の雑所得の金額の計算については, 次による（令183①）。

(1) その年金の支払開始の日以後に, その年金の支払の基礎となる生命保険契約等に基づき分配を受ける剰余金又は割戻しを受ける割戻金の額は, その年分の雑所得に係る総収入金額に算入する。

(2) その年の支払を受ける年金の額に, 掛金総額（剰余金の分配額又は割戻しを受ける割戻金控除後の額）が年金の支払総額のうちに占める割合（小数点2位未満切上げ）を乗じて計算した金額を必要経費とする。

(3) その年金の**支払開始前**に受ける剰余金又は割戻しを受ける割戻金の額は, **保険料又は掛金の総額から控除**する。

(4) したがって, 年金に係る雑所得の金額は, 次の算式により計算することとなる。

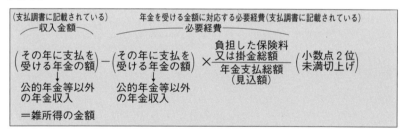

(5) 年金の支払開始日において年金支払総額が確定していない場合には, 以下の算式によりその支払総額の見込額を計算する（令183①二, 令82の3②）。

$$\boxed{\text{年金の年額}} \times \boxed{\text{見積年数}} = \boxed{\text{支払総額見込額}}$$

支給期間		いずれか
余命年数	いずれか長い年数	短い年数
保証期間		見積年数 = 見積年数

令和 3 年分 生命保険契約等の年金の支払調書

支払を受ける者	住所又は居所	港区三田3-3			
	氏　名	福大　太郎		個人番号	

年金の種類	年金の支払金額	年金の支払金額に対応する保険料又は掛金額	差引金額	源泉徴収税額
確定年金	700,000 円	350,000 円	350,000 円	32,920 円

契約者	住所(居所)又は所在地	港区三田3-3	氏名又は名称	森川　三郎
			個人番号又は法人番号	

相続等生命保険年金に該当	年金の支払開始日 年　月　日	残存期間 年数 年	支払開始日 年齢 歳	支払期間 年数 年	保証期間 年数 年
	支払総額又は支払総額見込額 千　円	支払総額等のうちに保険料又は掛金額の占める割合 ％	年金に係る権利について相続税法第24条の規定により評価された額 千　円		

(摘要)

支払者	所在地	千代田区神田2-5		
	名　称	西南生命保険相互会社 (電話)	法人番号	

整理欄	①	②

〈生命保険契約に基づく年金〉

雑　所　得	×××	(1) 総収入金額 　　年金＋ 支払開始日**以後**の剰余金 (2) 必要経費 　　年金× $\dfrac{保険料総額 - 支払開始日\text{前}の剰余金}{年金の支払総額（見込額）}$（小数点2位未満切上） (3) (1)－(2)＝×××

（参考）被用者年金制度の一元化に伴う税制の対応

被用者年金制度の一元化等を図るための厚生年金保険法等の一部を改正する法律及び国家公務員の退職給付水準の見直し等のための国家公務員退職手当法の一部を改正する法律等の施行に伴い，国家公務員共済，地方公務員共済及び私立学校教職員共済について，平成27年10月1日の一元化法施行日以後に，以下の措置が講じられる。

(1) 従来の退職共済年金等

被用者年金制度の一元化を図るための厚生年金保険法等の一部を改正する法律の施行日（平成27年10月1日。以下「一元化法の施行日」）**前**に給付事由が生じた退職共済年金等について引き続き現行の退職共済年金等に係る税制上の措置が適用する。

(2) 旧職域加算年金給付

一元化法の施行日以後に給付事由が生じる退職共済年金の職域加算額に相当する年金給付（下記(4)において「旧職域加算年金給付」）について，引き続き現行の退職共済年金に係る税制上の措置（下記(4)の源泉徴収を除く）が適用する。

(3) 退職等年金給付

退職等年金給付について，以下のようになる。
① 拠出段階
組合員等の**本人が**拠出する掛け金について，**社会保険料控除**が適用される。
② 給付段階
ⅰ）受給権者が**支給を受ける退職年金**について，**公的年金等控除**を適用するとともに，国税徴収法に規定する「給料等」として一定額までの差押えが禁止される。
ⅱ）受給権者が支給を受ける有期退職年金に代わる**一時金**又は整理退職の場合の**一時金**について，所得税法に規定する「**退職手当等**」として一定額までの差押えが禁止される。

(4) 旧職域加算年金給付及び退職等年金給付の源泉徴収税額

一元化法の施行日以後に，国家公務員共済組合連合会等から支払を受ける公的年金等に旧職域加算年金給付又は退職等年金給付が含まれる場合における源泉徴収については，

次のとおりとなる。
　(イ)　公的年金等の受給者の扶養親族等申告書の提出が義務化される。
　(ロ)　源泉徴収額は，国家公務員共済組合連合会等が支払う公的年金等の金額から各種控除の月割額（47,500円の調整控除額を控除）に公的年金等の支給月額を乗じて計算した金額を控除した残額に5％（その残額の月割額のうち162,500円を超える部分については10％）の税率を乗じて計算する。
　　(注)　退職共済年金の特例として，65歳未満の者に支給される年金その他一定の年金である場合には，上記の調整控除額は適用されない。

(5)　**恩給公務員期間等を有する者に支給される退職共済年金等**
　一元化法の施行日以後に給付が生じる恩給公務員期間等を有する者に支給される退職共済年金について，公的年金等控除を適用するとともに，国税徴収法に規定する「給料等」として一定額までの差押えが禁止される。

第10節　雑所得の源泉徴収

1　原稿料等

　法第204条に規定する所得のうち雑所得に当たるもの，例えば原稿料，著作権の使用料（印税），特許権など工業所有権の使用料，講演料などは，支払の際支払金額に対し**源泉徴収税額10％，源泉徴収特別税額0.21％**（1回の支払が100万円を超える場合は，その超える部分の金額は源泉徴収税額20％，源泉徴収特別税額0.42％）**の税率**により所得税の源泉徴収を行う（法204，205）。

2　公的年金等

　公的年金等の受給者の扶養親族等申告書の提出がない場合は，公的年金等の金額から一定の金額（法203条の3各号に掲げる金額）を控除した残額に対して**源泉徴収税額10％，源泉徴収特別税額0.21％の税率**により所得税の源泉徴収を行う（法203の3三）。公的年金等の受給者の扶養親族等申告書の提出がある場合には，公的年金等の金額から一定の金額を控除した残額に対して**源泉徴収税額5％，源泉徴収特別税額0.105％の税率**により所得税の源泉徴収を行う（法203の3一）。

　なお，公的年金等の金額が65歳以上である者は158万円，65歳未満である者は108万円未満，原則として源泉徴収は行われない（法203の6，令319の8）。

3　生命保険契約等に基づく年金

　生命保険契約等に基づく年金についてもその支払の際の雑所得の金額に相当する金額に対して**源泉徴収税額10％，源泉徴収特別税額0.21％の税率**により所得税の源泉徴収を行う（法207，208）。

　なお，その雑所得の金額に相当する金額が年額25万円未満であるときは，源泉徴収は行われない（法209）。

〈雑所得の源泉徴収〉

(1) **原稿料等，工業所有権の使用料，講演料等** （法205，復興法28②）

① 源泉徴収税額及び源泉徴収特別税額

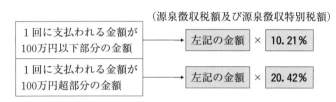

(2) **公的年金等** （法203の3，復興法28②）

① 「公的年金等の受給者の扶養親族等申告書」を提出している場合

（ 公的年金等の金額 − 一定の控除額 ）× 5.105%

② 「公的年金等の受給者の扶養親族等申告書」を提出していない場合

（ 公的年金等の金額 − 公的年金等の金額 ×25%）× 10.21%

(3) **生命保険契約等の年金** （法208，209，令326⑤，復興法28②）

（ 年金 − 払込保険料 ）× 10.21%
　　　　└─→ 25万円未満は源泉徴収なし

第11節 雑所得の源泉分離課税

1 割引債の償還差益に対する分離課税

個人が昭和63年4月1日以後，平成27年12月31日以前に発行された国内割引債について支払を受けるべき償還差益については，他の所得と区分して，その発行の際その償還差益相当額に対し，**源泉徴収税額18％，源泉徴収特別税額0.378％の税率**により所得税を源泉徴収し，それだけですべて納税が完結する源泉分離課税の方法である（措法41の12）。平成28年1月1日以後の割引債の償還及び譲渡による所得は，一般又は上場株式等に係るの譲渡所得等として申告分離課税（所得税15％，復興特別所得税0.315％，住民税5％）とする。割引債が上場株式等である場合には，上場株式等に係る譲渡所得として申告分離課税される。

2 定期積金の給付補てん金等

定期積金の給付補てん金，相互掛金の給付補てん金，抵当証券の利息又は外貨建預金で元本と利息があらかじめ約定利率により円換算して支払うこととされているものの差益に対して，他の所得と区分して**源泉徴収税額15％，源泉徴収特別税額0.315％の税率**により所得税の源泉徴収を行い（法209の2，209の3），この源泉徴収された所得税だけで納税が終了し（源泉分離課税），総所得金額に含めない（措法41の10）。

第12節 仮想通貨（暗号資産）取引

1 仮想通貨の所得区分

ビットコイン等の仮想通貨（暗号資産）による利益や損失（日本円又は外貨との相対的な関係により認識される損益）は，事業所得等の各種所得の基因となる行為に付随して生じる場合を除き，**原則**として**雑所得**に区分される。

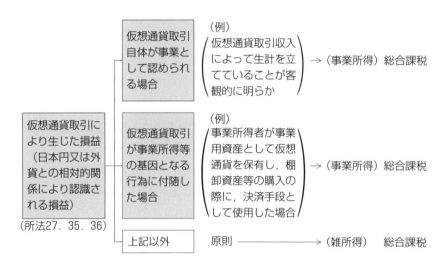

2 仮想通貨の必要経費

仮想通貨の売却による所得は，原則として雑所得に区分される。そのため所得金額は，総収入金額から**必要経費**を控除する。

この**必要経費**に算入できる金額は，①総収入金額に対応する**売上原価**その他その収入金額を得るため**直接**に**要した費用**の額，及び②その年における**販売費，一般管理費**その他その所得を生ずべき業務について生じた費用の額である。

仮想通貨の売却に対する必要経費の例	① **売却した仮想通貨の取得価額** ② 売却時の支払手数料 ③ 売却のため必要な支出（回線利用料，パソコン購入費用）

3　仮想通貨の取得価額

　事業所得又は雑所得の金額の計算上必要経費に算入する金額を算定する場合における算定の基礎となるその年12月31日において有する仮想通貨の価額は、選定した方法（移動平均法または総平均法）により算出した（選定しなかった場合は総平均法）取得価額（支払対価に手数料等の付随費用を加算）をもって評価した金額である（所法48の2、所令119の2）。

① 総平均法

　暗号資産をその異なる種類ごとに区別し、その種類の同じものについて、年間合計取得価額から平均単価を計算する。

② 移動平均法

　仮想通貨をその異なる種類ごとに、その種類の同じものについて、暗号資産を取得するつど、その時において有する仮想通貨とその取得をした仮想通貨との数量及び取得価額を基礎として算出した平均単価によって改定されたものとみなし、その年12月31日に最も近い時の平均単価により計算する。

4　仮想通貨の所得

(1) **仮想通貨そのものを売却したケース**

（仮想通貨を売却）

> 2月5日　150,000円で5ビットコインを購入。
> 8月10日　0.5ビットコインを200,000円で売却。
> （注）上記の取引において、仮想通貨の売買手数料にはないものとする。

$\begin{pmatrix}仮想通貨の\\売却価額\end{pmatrix}$　　　　（売却した仮想通貨の取得価額）
200,000円 －（150,000円 ÷ 5ビットコイン）× 0.5ビットコイン ＝ 50,000円 (注)
　　　　　　（1ビットコイン当たりの取得価額）（売却した数量）　（所得金額）

（注）その他の必要経費がある場合には、その必要経費の額を差し引く。

(2) 仮想通貨で商品を購入したケース

（仮想通貨で商品を購入）

> 8月10日　1,500,000円で5ビットコインを購入。
> 10月5日　210,000円（消費税等込）の商品を購入した時に0.6ビットコインを支払った。なお，取引時における交換レートは1ビットコイン＝540,000円であった。
> **（注）** 上記の取引において，仮想通貨の売買手数料はないものとする。

$\begin{pmatrix}\text{仮想通貨の}\\\text{譲渡価格}\end{pmatrix}$　　　　　　（譲渡した仮想通貨の取得価額）
210,000円－（150,000円÷5ビットコイン）× 0.6ビットコイン＝30,000円(注)
（商品価額）（1ビットコイン当たりの取得価額）（支払った数量）　（所得金額）

（注） 商品価額は，商品を日本円で購入する場合の支払総額（消費税等込）をさす。その他の必要経費があるときは差し引く。
　　参考に，サラリーマンは，他の所得合計が20万円以下ならば申告する必要がない。仮想通貨での損失は，雑所得以外の所得との通算はできない。また，損失の繰り越しはできない

《仮想通貨の年間取引報告書と所得金額の計算》

年間取引報告書

福大太郎　様　　　　　　　　　　　　　　　　　　　　　　F交換所

《現物取引》

通貨名	①年始数量	②年中購入数量	③年中購入金額	④年中売却数量	⑤年中売却金額	⑥移入数量	⑦移出数量	⑧年末数量
ビットコイン		3.0	3,000,000	1.5	1,700,000			1.5

年間取引報告書

福大太郎　様　　　　　　　　　　　　　　　　　　　　　　K交換所

《現物取引》

通貨名	①年始数量	②年中購入数量	③年中購入金額	④年中売却数量	⑤年中売却金額	⑥移入数量	⑦移出数量	⑧年末数量
ビットコイン		2.0	2,000,000	1.0	1,200,000			1.0

令和3年分　仮想通貨の計算書（総平均法用）

氏名　福大太郎

1　仮想通貨の名称　　　ビットコイン

2　年間取引報告書に関する事項

取引所の名称	購入		売却	
	数量	金額	数量	金額
F交換所	3.0	3,000,000	1.5	1,700,000
K交換所	2.0	2,000,000	1.0	1,200,000
合計	5.0	5,000,000	2.5	2,900,000

3　上記2以外の取引に関する事項

月	日	取引先	摘要	購入等		売却等	
				数量	金額	数量	金額
		合計		0	0	0	0

4　仮想通貨の売却原価の計算

		年始残高（※）		購入等	総平均単価	売却原価（※）	年末残高・翌年繰越
数量	(A)		(C)	5.0	―	(F) 2.5	(H) 2.5
金額	(B)		(D)	5,000,000	(E) 1,000,000	(G) 2,500,000	(I) 2,500,000

※前年の(H)(I)を記載　　　　　　　　　　※売却した仮想通貨の取得価額

5　仮想通貨の所得金額の計算

収入金額		必要経費			所得金額
売却価額	証拠金（差益）	売却原価（※）	手数料等	証拠金（差損）	
2,900,000		2,500,000			400,000

※売却した仮想通貨の取得価額

【参考】
収入金額計　2,900,000
必要経費計　2,500,000

※　前年以前から仮想通貨取引を行っていた方は，前年末の仮想通貨の数量・金額を「年始残高」の欄に入力します。前年末の仮想通貨の数量・金額が分からない場合には，ご自身で前年分の仮想通貨の計算書を作成し，前年末の仮想通貨の数量・金額を計算してください。

※　支払手数料などの必要経費がある場合には，「手数料等」の欄にその額を入力して計算します。

（注）国税庁「仮想通貨に関する税務上の取扱について」を参考にした。

《計算Point》
1　雑所得となるもの
　利子所得から一時所得以外の（9所得以外の）所得
2　雑所得の例
　① 友人への貸付金利子
　② 学校債，組合債の利子
　③ 割引債の償還差益
　④ 定期積金の給付補てん金
　⑤ 人格のない社団から受ける収益分配金
　⑥ 還付加算金
　⑦ 生命保険契約等に基づく年金
　⑧ 原稿料
　⑨ 保有期間5年以内の山林の伐採又は譲渡による所得
　⑩ 役員の勤務先の預金の利子

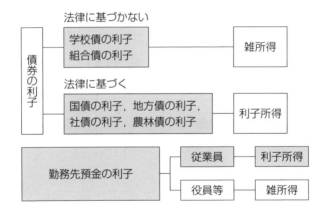

3 雑所得との区分が難しいケース

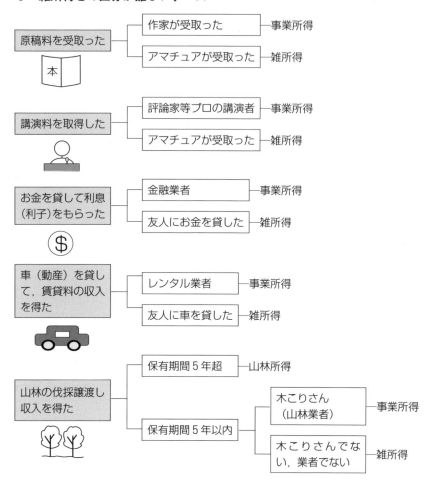

4 年金所得者の確定申告不要制度

《計算Pattern》

〈雑所得の金額の計算〉

〈原　則〉

| 雑所得 | ×××　 | (1)　総収入金額
(2)　必要経費
(3)　雑所得の金額　(1)-(2) |

〈生命保険契約等に基づく年金のみのとき〉

| 雑所得 | ×××　 | (1)　総収入金額
　　生命保険契約の年金＋支払開始以後に支払われる剰余金
(2)　必要経費
　　支払を受ける年金 × $\dfrac{\text{保険料総額}-\text{支払開始前の剰余金}}{\text{年金支給総額（見込額）}}$ $\left(\begin{array}{l}\text{小数点2位}\\ \text{未満切上げ}\end{array}\right)$
(3)　雑所得の金額　(1)-(2) |

〈公的年金等の年金のみのとき〉

| 雑所得 | ×××　 | (1)　総収入金額
(2)　公的年金控除額
(3)　雑所得の金額　(1)-(2) |

〈確定給付企業年金等を受けるとき〉

| 雑所得 | ×××　 | 公的年金等
(1)　収入金額
　　年金－年金 × $\dfrac{\text{その者の負担した掛金の総額}}{\text{年金の支給総額（見込額）}}$ $\left(\begin{array}{l}\text{小数点2位}\\ \text{未満切上げ}\end{array}\right)$
(2)　公的年金等控除額
(3)　(1)-(2)=××× |

〈適格退職年金契約に基づく年金のみのとき〉

| 雑所得 | ×××　 | (1)　総収入金額
(2)　必要経費
　　支払を受ける年金 × $\dfrac{\text{掛金総額}}{\text{年金支給総額}}$ $\left(\begin{array}{l}\text{小数点2位}\\ \text{未満切上げ}\end{array}\right)$
(3)　公的年金等控除額
(4)　雑所得の金額 |

〈公的年金等と公的年金等以外の両方がある場合〉

雑所得	×××	(1) 公的年金等 　① 収入金額 　② 公的年金等控除額 　③ ①−②＝×××（＜0　∴0） (2) 公的年金等以外 　① 総収入金額 　② 必要経費 　③ ①−②＝××× (3) (1)+(2)＝×××

《計算例題１》原稿料

福大太郎は作家ではないが，趣味としている短歌について出版社より原稿を依頼されたので執筆し，本年中に次のような収入金額がある。

種　類	手　取　額	源泉徴収税額及び源泉徴収特別税額 (10.21%)
原稿料収入	179,580円	20,420円

なお，原稿料収入に係る諸経費は10,000円である。

福大太郎は，テレビのクイズ番組に出場し，本年中に次のような収入金額がある。

種　類	手　取　額	源泉徴収 (10.21%)
賞金収入	769,370円	30,630円

また，本年中に次のような利子を受け取っている。

収　入　の　種　類	収入金額
郵便貯金（元本350万円）の利子	82,000円
A大学の学校債の利子	5,500円

《解答欄》

雑所得	☐ 円	(1) 総収入金額 ☐ 円 + ☐ 円 + ☐ 円 = ☐ 円 (2) 必要経費 ☐ 円 (3) (1)−(2)= ☐ 円
一時所得	☐ 円	(1) 総収入金額 ☐ 円 + ☐ 円 = ☐ 円 (2) 収入を得るために支出した金額 ☐ 円 (3) 特別控除額 ☐ 円 (4) (1)−(2)−(3)= ☐ 円

《解　答》

雑所得	195,500円	(1) 総収入金額 179,580円 + 20,420円 + 5,500円 = 205,500円 (2) 必要経費　10,000円 (3) (1)-(2) = 195,500円
一時所得	300,000円	(1) 総収入金額 769,370円 + 30,630円 = 800,000円 (2) 収入を得るために支出した金額　0円 (3) 特別控除額　500,000円 (4) (1)-(2)-(3) = 300,000円

《計算例題2》厚生年金，国民年金の受給

居住者慶応　進（年末において年齢67歳）は，本年中に厚生年金保険法の規定に基づく年金を4,000,000円（250,000円の源泉所得税及び源泉徴収特別税額を控除前）支払を受けている。以上により，公的年金等に係る雑所得の金額を計算しなさい。このほかに，本年において所得はない。

《解答欄》

(1) 総収入金額　□円

(2) 公的年金等控除額
　　□円 × □ + □円 = □円

(3) 雑所得の金額
　　(1)−(2) = □円

〈参　考〉

公的年金受給者（65歳以上の者）
公的年金以外の所得に係る合計所得金額1,000万円以下

公的年金等の収入金額【B】	公的年金等控除額
330万円未満	110万円
330万円以上　410万円未満	【B】×25％＋27.5万円
410万円以上　770万円未満	【B】×15％＋68.5万円
770万円以上　1,000万円未満	【B】× 5 ％＋145.5万円
1,000万円以上	195.5万円

《解　答》

(1) 総収入金額　4,000,000円

(2) 公的年金等控除額
　　4,000,000円 × 0.25 + 275,000円 = 1,275,000円

(3) 雑所得の金額
　　(1)−(2) = 2,725,000円

《計算例題3》生命保険契約に基づく年金の受給

居住者聖心佑美は,本年中に,生命保険契約に基づく年金800,000円(源泉所得税及び源泉徴収特別税額控除前)を受け取った。支給総額は8,000,000円,支払った保険料の総額は4,000,000円,年金受給開始前に分配を受けた剰余金の額は1,200,000円である。これにより,雑所得の金額を計算しなさい。

《解答欄》

(1) 総収入金額 （その年の年金収入） □ 円

(2) 必要経費 □円 × ((保険料総額)□円 − (支払開始前の剰余金)□円) / ((年金の支払総額)□円) ( ) = □円 小数点3位未満切上げ

(3) 雑所得の金額 (1)−(2) = □円

《解　答》

(1) 総収入金額 （その年の年金収入） 800,000円

(2) 必要経費 800,000円（その年の年金収入） × ((保険料総額)4,000,000円 − (支払開始前の剰余金)1,200,000円) / ((年金の支払総額)8,000,000円) (0.35) 小数点3位未満切上げ
= 280,000円 （個人年金収入に係る本年分の必要経費の適正額）

(3) 雑所得の金額 (1)−(2) = 520,000円

《計算例題4》適格退職年金契約に基づく年金の受給

居住者青山春子（本年末において年齢70歳）は，本年中に適格退職年金契約に基づいて3,000,000円（源泉徴収税額及び源泉徴収特別税額控除前）の年金の支給を受けた。この契約に基づいて青山春子が払い込んだ掛金の総額は9,210,000円であり，年金の支給総額は30,000,000円である。また，この受給額から240,000円の源泉所得税及び源泉徴収特別税額5,040円を徴収されている。青山春子の本年分の雑所得の金額を計算しなさい。このほかに，本年において所得はない。

《解答欄》

(1) 総収入金額　（その年の年金収入）　□円

(2) 必要経費　□円 ×（掛金総額）／（年金支給総額）（　）小数点3位未満切上げ
　　　　　　　（その年の年金収入）
　　　　　　　　　　　　　　　　　　　　＝ □円

(3) 公的年金控除額　(1)－(2) ＝ □円

(4) 雑所得の金額　(1)－(2)－(3) ＝ □円

《解　答》

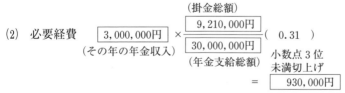

(1) 総収入金額　（その年の年金収入）　3,000,000円

(2) 必要経費　3,000,000円 ×（掛金総額）9,210,000円／（年金支給総額）30,000,000円（ 0.31 ）小数点3位未満切上げ
　　　　　　　（その年の年金収入）
　　　　　　　　　　　　　　　　　　　　＝ 930,000円

(3) 公的年金控除額　1,100,000円　（65歳以上公的年金等収入330万円未満）

(4) 雑所得の金額　(1)－(2)－(3) ＝ 970,000円

《計算例題5》公的年金の受給

慶応花子（65歳）は，本年中次の収入をえた。雑所得の金額を計算しなさい。

(1) 厚生年金保険法に基づく老齢年金（源泉徴収税額及び源泉徴収特別税額控除前） 1,300,000円
(2) Y生命保険会社の生命保険契約に基づく個人年金 1,572,314円

この金額は56,500円の源泉徴収税額及び1,186円の源泉徴収特別税額控除後の金額である。この年金に対する必要経費適正額は990,000円である。

公的年金等に係る雑所得以外の所得金額は1,000万円以下である。

《解答欄》

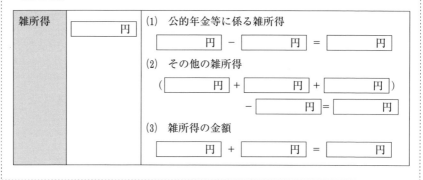

《解　答》

《実務上のPoint》

(1) サラリーマンのアルバイト

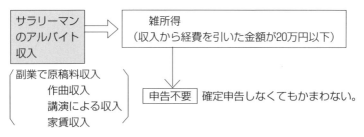

(2) 老齢年金

(3) **家内労働者（内職収入や保険の外交員，お茶やお花の先生，シルバー人材センター）**
55万円の必要経費の特例

　内職にも，給与所得控除の最低控除55万円と同じように無条件で事業所得のなかで最低55万円が必要経費として認められる。フリーランス（自由業）の所得は，収入から実際の経費を引いて計算する。フリーランスが家内労働者に該当するときは，実際の必要経費にかかわらず，55万円まで控除が認められる。フリーランスの人が，他に給与収入があり，こちらで給与所得控除（55万円）を受けているときは，フリーランスの所得からは55万円の控除はできない。シルバー人材センターからの収入は雑所得であり，55万円まで必要経費として認められる。

(**例**)
$\begin{pmatrix} 給与の収入35万円 \\ シルバー人材センターから収入45万円, \\ 必要経費10万円のケース \end{pmatrix}$

 ① 給与所得控除
  55万円＞35万円　∴　35万円
 ② シルバー人材（雑所得）
  必要経費
   ア　実際の必要経費　10万円 ⎫
   イ　55万円－35万円＝20万円 ⎬ 多い方
   ウ　∴　20万円　　　　　　　 ⎭

$\begin{pmatrix} 生命保険契約に基づく年金収入80万円, \\ その他必要経費70万円 \\ シルバー人材センターからの収入90万円, \\ その他必要経費15万円 \end{pmatrix}$

 必要経費の合計が70万円＋15万円＝85万円で55万円以上なので，家内労働者の55万円の必要経費は認められない。

(4) 定期積金の給付補てん金，抵当証券の利息等は20％（所得税15％，住民税5％）の税金が源泉徴収され課税関係は終了するので，確定申告をする必要はない。

(5) アルバイトが会社にわからない申告方法

 確定申告書の住民税の項目に給与所得以外の住民税の徴収方法（普通徴収と特別徴収）を選択する欄がある。このうち，**普通徴収**を選択すれば会社には知られない。

第Ⅲ編

収入金額の計算

第1章 収入金額の計算原則

1 収入金額の意義

その年分の各種所得の金額の計算上**収入金額とすべき金額**又は**総収入金額に算入すべき金額**は，別段の定めがあるものを除き，**その年において収入すべき金額**（金銭以外の物又は権利その他経済的な利益をもって収入する場合には，その金銭以外の物又は権利その他経済的な利益の価額）である（法36①）。

つまり，その年に収入すべき金額は，その年末までに現実に金銭等を受領していなくとも，「収入すべき権利の確定した金額」である。

ただし，無記名の公社債の利子，無記名の株式の剰余金の配当（無記名の私募公社債運用投資信託及び無記名の社債的受益権に係る収益の分配を含む）又は無記名の貸付信託，投資信託もしくは特定受益証券発行信託の受益証券に係る収益については，上記にかかわらず，その年において支払を受けた金額による（法36③）。

2 金銭以外の物又は権利その他経済的な利益の評価

収入金額又は総収入金額に算入する金銭以外の物又は権利その他経済的な利益の価額はその物もしくは権利を取得し，又はその利益を享受するときにおける価額である（法36②）。

保険金，損害賠償金等を受け取った場合

【Point 16】

> 保険金，損害賠償金等を受け取った場合，原則として心身の損害に関して支給を受けたものは，非課税である。
> しかし，休業補償金等の収益の補償にかかわるものは課税される。

不動産所得，事業所得，山林所得又は雑所得を生ずべき業務を行う者が受ける次に掲げるもので，その業務の遂行上生じたこれらの所得に係る**収入金額に代わる性質を有するもの**は，これらの**所得の収入金額**とされる（令94①）。

① **棚卸資産**（棚卸資産に準ずる資産を含む），**山林，工業所有権**その他の技術に関する権利，特別の技術による生産方式もしくはこれらに準ずるもの又は，**著作権について損失を受けたことにより取得する保険金，損害賠償金，見舞金**その他これらに類するもの

② 業務の全部又は一部の休止，転換又は廃止その他の事由によりその業務の収益の補償として取得する補償金その他これに類するもの。例えば，**休業補償金，転換補償金，廃業補償金等**がこれにあたる。

なお，身体の傷害に基因して支払を受ける損害保険契約に基づく保険金，生命保険契約に基づく給付金や，心身に加えられた損害につき支払を受ける慰謝

料，損害賠償金，身体の傷害又は心身に加えられた損害に基因して勤務又は業務に従事できなかったことによる給与又は収益補償金については，所得税は課税されない（令30一）。

さらに，心身又は資産に加えられた損害につき第三者から受ける相当の見舞金，葬祭料，香典又は災害見舞金で相当と認められるものも所得税は課せられない。

資産の損失に基因して支払を受ける損害保険契約に基づく保険金，資産に加えられた損害につき支払を受ける損害賠償金には，所得税が課税せられない。

必要経費に算入される金額を補填するための保険金等は，課税される。

《計算Point》

〈図表２－１〉 保険金と損害賠償金を受けた場合

☆ 心身の損害（人的損害）	非課税	入院給付金等
棚卸資産等の収入金額に代わるもの	課　税	商品の火災保険等
収益の補償	課　税	休業補償金
必要経費に算入される金額の補てん	課　税	従業員の給料の補償 賃借料の補償
店舗の損害（物的損害）を補てん その他	非課税	店舗の火災保険金
見舞金等	非課税	相当の見舞金 （収入金額に代わる性質ではない）

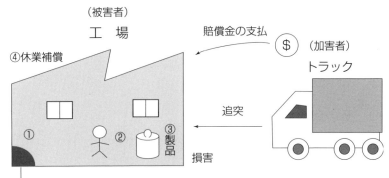

① 工場の損害に対する賠償金 → 非課税
② 工場で働いていた従業員が傷害を受け取得した賠償金 → 非課税
③ 製品の損害に対する賠償金 → 課税
④ 工場の休業補償として受けとった賠償金 → 課税

《計算例題1》 損害賠償金の取得

居住者慶応　進は，ケーキ屋ススムを営んでいた。しかし，突然店舗にトラックが突入したことにより，以下の損害賠償金を取得した。事業所得の総収入金額に算入され課税される損害賠償金に○をつけなさい。

(1) 棚卸資産（店のケーキ）の損害に対する損害賠償金　　　150,000円
(2) 身体に傷害を受け，治療費にあてる損害賠償金　　　　　 80,000円
(3) 身体に傷害を受け，休業補償として受ける損害賠償金　　500,000円
(4) ケーキ屋ススムの店舗の損壊による店舗損害を補てん
    する損害賠償金　　　　　　　　　　　　　　　　　　180,000円
(5) 店舗の損壊による休業期間中の収益及び費用補償　　　　260,000円
(6) 店舗の修繕費を補てんする損害賠償金　　　　　　　　　 70,000円
(7) ケーキの機械は賃借しており，この賃借料を補償する
    損害賠償金　　　　　　　　　　　　　　　　　　　　 17,000円
(8) 事故に伴い取引先の早稲田佑美から受けた見舞金　　　　　3,000円
    （社会通念上相当の額と認められる）

《解答欄》

(1)		(2)		(3)		(4)	
(5)		(6)		(7)		(8)	

《解　答》

(1)	○	(2)	×	(3)	×	(4)	×
(5)	○	(6)	○	(7)	○	(8)	×

《計算例題２》　保険金の取得

たこ焼き屋の福大太郎が，自動車事故による損害を受けたことにより取得した保険金は，以下のとおりである。総収入金額に算入し課税される保険金に○をつけなさい。

(1)　障害者になったことに基因するもの　　　　800,000円
(2)　入院治療に基因するもの　　　　　　　　　200,000円
(3)　入院中の所得補償を目的とするもの　　　　800,000円

たこ焼き屋の店舗が火災により焼失したことにより取得した保険金。

(4)　店舗の損害に対するもの　　　　　　　　5,000,000円
(5)　器具の損害に対するもの　　　　　　　　　700,000円
(6)　棚卸資産の損害に対するもの　　　　　　2,000,000円
(7)　火災による休業期間中の所得補償を目的とするもの　500,000円

《解答欄》

(1)		(2)		(3)		(4)	
(5)		(6)		(7)			

《解　答》

(1)	×	(2)	×	(3)	×	(4)	×
(5)	×	(6)	○	(7)	○		

（注）　医療費控除の対象となる医療費の補てん，残額が生じた場合は，非課税である。

第3章

棚卸資産等を自家消費等をした場合

【Point 17】

(1) 棚卸資産を自家消費,贈与,遺贈したときは,次のうち多い方の金額を総収入金額に算入しなければならない。

(算　式)
① 棚卸資産の取得価額
② 通常の棚卸資産の販売価額×70%
(多い方)

(2) 棚卸資産を低額譲渡したときは,次の算式で計算した金額を総収入金額に追加計上しなければならない。

(算　式)
棚卸資産の販売価額×70% － 譲渡価額 ＝ 総収入金額追加計上額

第1節 棚卸資産等を家事消費等した場合

 棚卸資産（所得税法施行令第81条各号に定める**棚卸資産に準ずる資産**を含む）**を家事のために消費した場合**又は山林を伐採して家事のために消費した場合には，原則としてその消費したときにおけるこれらの**資産の価額に相当する額**をもって，その消費した日の属する年分の事業所得の金額，山林所得の金額又は雑所得の金額の計算上，総収入金額に算入する（法39）。

 この場合，総収入金額に算入することとなるこれらの資産の価額は，その消費した資産がその消費した者の販売用の資産であったときは，通常の販売価額により，その他の資産であったときは通常売買される価額による。

 ただし，これらの資産の取得価額（取得価額が，これらの資産の販売価額等のおおむね7割に満たない場合は**販売価額等の7割**に相当する額）以上の金額をもってその備え付ける帳簿に所定の記載を行っているときは，その算入している金額によることができる（基39-2）。

 上記の**棚卸資産に準ずる資産**とは，以下に掲げる資産をいう。

① 不動産所得，山林所得又は雑所得を生ずべき業務に係る棚卸資産に準ずる資産

② 減価償却資産で使用可能期間が1年未満のもの又は取得価額が10万円未満のもの（少額減価償却資産）及び一括償却資産

第2節　無償又は低額で資産を譲渡した場合

　資産を無償譲渡した場合（すなわち，贈与，相続又は遺贈により資産を移転した場合）**又は著しく低い対価の額で譲渡した場合**には，原則としてその資産の時価で譲渡があったものとしてその譲渡に係る各種所得の金額の収入金額を計算する。

　以下に掲げる事由により，棚卸資産（事業所得の基因となる山林及び有価証券その他棚卸資産に準ずる資産（令87）を含む）の移転があった場合には，その事由が生じたときにそれぞれに掲げる金額に相当する金額により，棚卸資産の譲渡があったものとみなし，これらの事由が生じた日の属する年分の事業所得の金額又は雑所得の金額の計算上総収入金額に算入する（法40）。

① **贈与**（相続人に対する死因贈与を除く）**又は遺贈**（包括遺贈及び相続人に対する特定遺贈を除く）……原則として，その贈与又は遺贈のときにおけるその棚卸資産の価額（通常の販売価額）

　　ただし，**棚卸資産の取得価額**（取得価額が棚卸資産の通常の販売価額のおおむね7割に満たない場合は**販売価額の7割**に相当する金額）以上の金額をもってその備え付ける帳簿に所定の記載を行っているときは，その算入している金額によることができる（基39-2）。

② **著しく低い価額の対価による譲渡**……その対価の額とその譲渡のときにおける棚卸資産の価額（通常の販売価額）との差額のうち実質的に贈与をしたと認められる金額。

　　この場合の「著しく低い価額の対価の譲渡」とは，**通常の販売価額のおおむね7割**に相当する金額に満たない対価により譲渡する場合のその譲渡をいい，また「実質的に贈与したと認められる金額」とは，通常の販売価額とその譲渡の対価の額との差額に相当する金額をいうのであるが，その棚卸資産の通常の販売価額のおおむね**7割**に相当する金額からその対価の額を控除した金額としても差し支えないものとされている（基40-2，40-

3）。

　なお，上記の贈与もしくは遺贈又は譲り受けたことにより取得した棚卸資産は，贈与又は遺贈により取得したものにあっては，①に掲げる金額，譲り受けたことにより取得したものは対価の額と②に掲げる金額との合計額をもって取得したものとみなされる。

《計算Point》

① **自家消費（自分で使う），贈与（あげる），遺贈（遺言により与える）**

【総収入金額への算入額の計算】

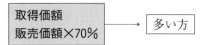

② **低額譲渡（安くあげる）**

【総収入金額への追加計上額の計算】

　販売価額×70％－対価の額

（注）低額譲渡でも，評価損商品の低廉販売広告宣伝の一環としての低廉販売は，上記の式を使用せず，実際の受取額を収入に計上する。また，品質不良，型くずれ，流行遅れで値引販売したときは，販売価額の70％の適用はなく，実際の譲渡対価で収入に計上する。

《計算Pattern》

①〈**自家消費，贈与，遺贈のケース**〉

　販売価額×0.7＝ □ 円 ＞取得価額

　∴ 多い方が総収入金額算入額

②〈**低額譲渡のケース**〉

対価＜販売価額×0.7とき

　販売価額×0.7－対価の額＝ □ 円

（総収入金額追加計上額）

[**参考**] ケーキ屋さんの子供ケンちゃんが，販売価格500円（仕入価格200円）のケーキ食べてしまいました。

① 販売価格×70％＝500×70％＝350円

② 仕入価格＝200円

　多い方の350円を売上に計上する。

《仕訳》

借　方	貸　方
事業主貸　350	家事消費　350 （売上）

《計算例題1》自家消費・贈与・低額譲渡　ケース1

物品販売業を営む居住者福大太郎の事業所得の金額の計算について，最も有利になるように次の設問に答えなさい。

なお，太郎は開業以来引き続き青色申告書提出の承認を受けているが，棚卸資産の評価方法は届出をしていない。

本年中に次のような事実があった。よって，総収入金額に算入すべき金額を計算しなさい。

(1) 仕入価額200,000円，販売価額300,000円の商品を自家消費している。
(2) 仕入価額160,000円，販売価額240,000円の商品を友人へ120,000円で販売している。

(税務検定)

《解答欄》

仕入価額について，A・Bと仕入価額とを比較する必要のない場合には [　　円　] 内に×印を記入すること。また，[　　　　] 内に必要な場合には＞・＜の不等号を記入し，必要のない場合には×印を記入すること。

自家消費

[　　円] × [0.　] = [A　　円] 　[　　] 　※仕入価額 [　　円]
∴ [　　円]

低額譲渡

[　　円] × [0.　] = [B　　円] 　[　　] 　※仕入価額 [　　円]
∴ [　　円]

《解　答》

自家消費

[300,000円] × [0.7] = [A　210,000円] 　[＞] 　※仕入価額 [200,000円]
∴ [210,000円]

低額譲渡

240,000円 × 0.7 = B 168,000円 × ※仕入価額 × 円

∴ 168,000円

《計算例題2》自家消費・贈与・低額譲渡 ケース2

家具屋を営む福大太郎の事業所得の金額の計算について，最も有利になるように次の設問に答えなさい。

設問 次の資料により，総収入金額に算入すべき金額を計算しなさい。

資　料 (1) 仕入価額80,000円，販売価額120,000円の商品を自分の家で使用した（自家消費した）。

　　　　(2) 仕入価額300,000円，販売価額400,000円の商品を結婚祝として親戚へ贈与した。

　　　　(3) 仕入価額100,000円，販売価額500,000円の商品を友人の改築祝として友人へ150,000円で販売した。

《解答欄》

[　　]内には数字を，[　　　]内には不等号（＞・＜）を記入すること。

なお，記入の必要のない[　　]又は[　　]には×印を記入すること。

資　料 (1)

[　　]円 × 0.[　] = [　　]円 [　] [　　]円

∴ [　　]円

資　料 (2)

[　　]円 × 0.[　] = [　　]円 [　] [　　]円

∴ [　　]円

資　料 (3)

[　　]円 × 0.[　] = [　　]円 [　] [　　]円

∴ [　　]円

《解　答》

資　料　(1)

$\boxed{120,000円} \times \boxed{0.7} = \boxed{84,000円} \quad \boxed{>} \quad \boxed{80,000円}$

$\qquad\qquad\qquad\qquad\qquad\qquad\quad \therefore \boxed{84,000円}$

資　料　(2)

$\boxed{400,000円} \times \boxed{0.7} = \boxed{280,000円} \quad \boxed{<} \quad \boxed{300,000円}$

$\qquad\qquad\qquad\qquad\qquad\qquad\quad \therefore \boxed{300,000円}$

資　料　(3)

$\boxed{500,000円} \times \boxed{0.7} = \boxed{350,000円} \quad \boxed{\times} \quad \boxed{\times \ \ 円}$

$\qquad\qquad\qquad\qquad\qquad\qquad\quad \therefore \boxed{350,000円}$

《計算例題3》自家消費・贈与・遺贈・低額譲渡　ケース3

次のそれぞれについて，事業所得の金額の計算上総収入金額に追加計上すべき金額の取扱いを述べなさい。

1　甲及びその家族が，売価で60,000円の商品を，たまたま自家消費したが，売上高には含まれていない。なお，この商品の仕入価額は40,000円である。　　　　　　　　　　　　　　　　　　　　（第17回税理士試験）

2　本年中に友人へ商品（通常売価20,000円，仕入原価8,000円）を8,500円で売買した。

3　商品の一部を妻の親に贈与した（仕入価額80,000円，小売価額105,000円）。この贈与した金額は，売上高には含まれていない。

4　商品の家事消費高として300,000円を売上に計上した。

　これは，本年中に甲が家事のために消費した商品の取得価額（400,000円）に相当する金額である。なお，甲が家事消費した商品の販売価額（定価）は500,000円である。

5　友人に販売した商品の売上高70,000円で売上に計上されている。

　これは，友人某に販売したときに受け取った対価である。なお，友人某に販売した商品（取得価額100,000円）の販売価額（定価）は200,000円

である。

6　商品売上高のうちには，下記の金額を含んでいる。（第19回税理士試験）

　　　　　（売上高に算入した金額）　（取得価額）　（販売価額）
　　贈与　　　200,000円　　　　　220,000円　　　250,000円

7　甲が，一般用決算書の売上金額に繰り入れた家事消費した棚卸資産の価額　600,000円

　　この棚卸資産の通常の販売価額　800,000円

　　仕入価額　480,000円

　　この家事消費については，備付けの帳簿に所定の事項が記載されている。
　　　　　　　　　　　　　　　　　　　　　　　（過去の税理士試験問題）

8　型崩れ，流行遅れにより通常実施される商品を値引販売した販売価額180,000円（通常の販売価額350,000円，取得価額は210,000円）が売上高に含まれている。
　　　　　　　　　　　　　　　　　　　　　　　（第23回税理士試験）

《解　答》

1　60,000円×0.7＝42,000円＞40,000円　　　　　　　　　　　　（自家消費）
　　∴総収入金額算入額　42,000円

2　20,000円×0.7－8,500円＝5,500円　　　　　　　　　　　　　（低額譲渡）
　　総収入追加計上額　5,500円

3　105,000円×0.7＝73,500円＜80,000円　　　　　　　　　　　　（贈　　与）
　　総収入金額算入額　80,000円

4　500,000円×0.7＝350,000円＜400,000円　　∴400,000円　　（自家消費）
　　総収入追加計上額　400,000円－300,000円＝100,000円

5　200,000円×0.7－70,000円＝70,000円　　　　　　　　　　　（低額譲渡）
　　総収入追加計上額

6　250,000円×0.7＝175,000円＜220,000円　　　　　　　　　　（贈　　与）
　　総収入追加計上額　220,000円－200,000円＝20,000円

7　800,000円×0.7＝560,000円＞480,000円　　∴560,000円　　（**自家消費**）

　　　　総収入金額から減額する金額　600,000円－560,000円＝40,000円

8　処理は不必要

　　　　型崩れや流行遅れによる値引販売には，低額譲渡の適用はない。

　　　　譲渡対価がそのまま総収入金額に算入される。　　　　（**型崩れ等**）

《実務上のPoint》

1　商店で，店の商品を自家消費した場合又は知人などに無償であげた場合には販売価額の70％か取得原価の多い方で売上に計上することが認められている。したがって，小売価額をそのまま計上する必要はない。

2　通常の販売価額の70％未満で低価販売したときは，通常の販売価額×70％を収入金額にあげればよいことになっている。

3　品質不良，型くずれ，流行遅れ等により値引販売したときは，低額譲渡の販売価額の70％の適用はない。

＜参考＞

＜広告宣伝用の物品等を無償又は低額で譲り受けた場合の受贈益の処理＞

$\boxed{贈与等を受けた資産価額} \times \dfrac{2}{3} - \overset{A}{取得に要した金額} = 利益（受贈益）\ B$

　　利益＞30万円→利益を事業所得の総収入金額に算入

　　利益≦30万円→課税なし

$\overset{A}{\boxed{取得に要した金額}} + \overset{B}{\boxed{総収入金額に算入した受贈益}} = 取得価額$

　広告宣伝用の物品等とは，自動車や陳列棚等で車体等にメーカーやディーラー等の製品名やブランド名等を書き広告宣伝をしているものをさす。

第Ⅳ編

必要経費の計算

第1章 必要経費の通則

　必要経費は，10種類の各種所得の金額のうち，不動産所得の金額，事業所得の金額，雑所得の金額及び山林所得の金額の計算上総収入金額から控除される費用の概念である。

　通則的には，以下の金額をいうものとされ，一般的な必要経費と山林に係る必要経費とでは異なっている。なぜならば，一般の必要経費は，いわゆる全体対応をとるが，山林に係る必要経費については，個別対応をとっているからである。つまり，山林の伐採又は譲渡に係る必要経費は，伐採又は譲渡された山林に係る植林費，山林の育成又は譲渡に要した費用と規定されていることから，収入金額と費用との関係は個別対応にあると考えられる。

1　一般の必要経費

　その年分の不動産所得の金額，事業所得の金額又は雑所得の金額（事業所得の金額及び雑所得の金額のうち，山林の伐採又は譲渡に係るもの，雑所得の金額のうち公的年金等に係るものを除く）の計算上必要経費に算入すべき金額は，別段の定めがあるものを除き，これらの所得の**総収入金額に係る売上原価**その他**その総収入金額を得るために直接に要した費用の額**及びその年における**販売費，一般管理費**その他これらの所得を生ずべき業務について生じた費用（償却費以外の費用でその年において債務の確定しないものを除く）の額をいう（法37①）。

　必要経費の費用への算入時期は，債務が確定したとき（**債務確定主義**）である。

　その年において債務の確定しないものは除かれ，いわゆる債務確定主義を採用している。ゆえに，別段の定めがあるものを除き，将来の見越費用や将来支

出が予想されるアフターサービスの費用など，まだ支払うべき債務が確定していない費用は，必要経費にはならない。

なお，所得税法においても，売上原価，販売費及び一般管理費は，その年において債務が確定しているものに限るとされており，債務確定主義が採用されている。

所得税法上の確定債務は，以下の要件の全てに該当するものをいう。
① その年の12月31日までに**債務が成立**していること。
② その年の12月31日までにその債務に基づいて具体的な**給付をすべき原因となる事実が発生**していること。
③ その年の12月31日までに**金額が合理的に算定**できること。

一般の必要経費	総収入金額に係る売上原価
	総収入金額を得るために直接要した費用
	その年の販売費，一般管理費
	所得を生ずべき業務について生じた費用

2 山林に係る必要経費

山林につきその年分の事業所得の金額，山林所得の金額又は雑所得の金額の計算上必要経費に算入すべき金額は，別段の定めがあるものを除き，その**山林の植林費，取得に要した費用，管理費，伐採費その他その山林の育成又は譲渡に要した費用**（償却費以外の費用でその年において債務の確定しないものを除く）の額をいう（法37②）。

《損益計算書で使用する必要経費の勘定科目》

6	売上原価	売り上げた商品や製品の原価のこと 期首商品（製品）棚卸高＋仕入金額－期末商品（製品）棚卸高＝売上原価
8	租税公課	収入印紙代，固定資産税，自動車税，個人事業税
9	荷造運賃	宅配便等の料金又は商品や製品の梱包や運搬にかかる費用（運送料・ガムテープ代等）
10	水道光熱費	電気，ガス，水道代，灯油代等
11	旅費交通費	仕事上の旅費（航空費，電車代，バス代，タクシー代），出張旅費，宿泊費
12	通信費	電話代，切手代，ハガキ・封筒代，携帯電話代，インターネット接続代
13	広告宣伝費	PR広告のための看板代，新聞掲載料，名刺作成代，年賀状，パンフレット作成代，ホームページ制作費
14	接待交際費	取引先との接待費，交際費（慶弔禍福にかかる費用），贈答（御中元，お歳暮，手土産等）
15	損害保険料	事業用資産（店舗や機械や工場等）にかける火災保険料の支払
16	修繕費	事業用の建物，工具，自動車，パソコン等の修理代（金額等が余りにも大きいときは，資本的支出）
17	消耗品費	帳簿，ペン，鉛筆のような文具，コピー用紙等ですぐ消耗するもの。耐用年数が1年未満のものや，価額が10万円未満のもの。青色申告者は30万円未満のもの。
18	減価償却費	業務用の建物，自動車（車両運搬具），機械等の時の経過，使用による毎年の価値の減少を算式で計算したもの。
19	福利厚生費	社員旅行，従業員の定期的健康診断，慶弔禍福費用等
20	給料賃金	従業員（アルバイト・パートタイマーを含む）に支払う給与・手当
21	外注工賃	業務の一部を外部に委託（外注）した費用
22	利子割引料	事業のために借り入れた借入金に対して支払った利息のこと。
23	地代家賃	店舗や事務所の支払家賃や更新料，駐車場代等
24	貸倒金	回収不能な売掛金等
31	雑費	少額で上記以外のいずれにも該当しない費用
38	専従者給与	配偶者や親族等の青色事業専従者に対して支払う給与（税務署に届け出ることと，届け出た範囲内の金額）

《実務上のPoint》

研修費
- 運転免許の取得の研修費（配達や営業で必要な場合）
- 講習会・セミナーに参加（職務に必要な技能を身につける。帳簿をつけるのに簿記の講習会に参加等）
- お客さんに外国人が多いため英会話学校に通う（仕事に必要な場合）

→ ①職務の遂行上直接必要
②個人経営者，従業員，専従者が対応
必要経費となる

- 大学の学費（授業は仕事に直接必要ではないため）
- 税理士・会計士等の資格の取得費（これらの資格は個人に帰属し，独立開業できることから，必要経費にならないことが多い）

必要経費とはならない

慰安旅行費
- 旅行期間　4泊5日以内
- 参加する従業員数が全体の50％以上
- 旅行費用が1人10万円以内（明確な基準はない。多い場合は給与とされる）
- 従業員が加わっている（個人経営主と専従者のみでは，単なる家族旅行とみなされる可能性がある）

第2章

家事関連費・租税公課等

【Point 18】

> 居住者が支出し又は納付する家事関連費，租税公課，罰科金及び損害賠償金等の額については，その者の不動産所得の金額，事業所得の金額，山林所得の金額，又は雑所得の金額の計算上，原則として必要経費に算入しないものとして定められている（法45，46）。

第1節 家事上の経費及び家事関連費

　衣食住費，教養費，教育費，趣味娯楽費などの**家事上の経費**は，所得の処分とみられるものであるから，必要経費に算入されない（法45①一）。

　店舗兼住宅や工場兼住宅に係る家賃などのように事業上の経費のほかに家事上の経費が含まれているようなもの（例えば，住宅兼用の店舗の地代，家賃，電気，ガス，水道の費用など）を**家事関連費**というが，このような家事関連費で必要経費に算入される金額は，業務の遂行上必要な部分に限られその他は必要経費に算入されない。具体的には，以下による（法45①一，令96）。

① 　家事関連費の主たる部分が不動産所得，事業所得，山林所得又は雑所得を生ずべき業務の遂行上必要であり，かつ，その必要である部分を明らかに区分することができる場合には，その部分に相当する経費にかぎり必要

経費に算入され、明らかに区分できない場合には、原則として必要経費に算入されない。

② 青色申告者に係る家事関連費については、上記①のほか、家事関連費のうち、取引の記録等に基づいて、不動産所得、事業所得又は山林所得を生ずべき業務の遂行上直接必要であったことが明らかにされる部分の金額に相当する経費は、必要経費に算入される。

〈図表2-1〉家事上の経費及び家事関連費

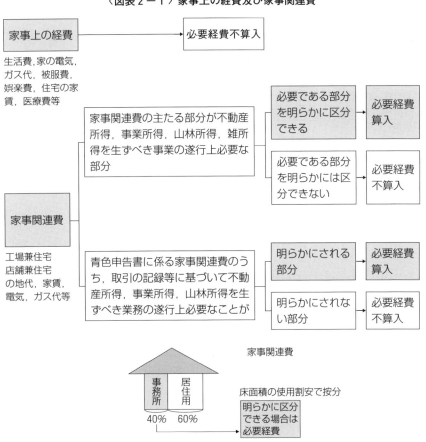

家事関連費の按分計算例

支払家賃（借りている建物）・火災保険料・損害保険料・修繕費・建物の減価償却費（自己所有の建物）・固定資産税（自己所有の建物）	自宅兼事務所のケース 1か月分 （事業用の床面積÷総面積）×　1か月分家賃・火災保険料等 　　　（使用面積で按分）
電話代・インターネット料金等	電話を仕事にも家事にも使用しているケース 1か月分 （1か月事業用使用時間÷1か月総使用時間）×　1か月分電話代 　　　（使用時間で按分）
ガソリン代・自動車税・修繕費・自動車の減価償却費	自動車を仕事にも家事にも使用しているケース 1か月分 （仕事に使用する日数÷1か月の日数）×　1か月ガソリン代等 　　　（使用日数で按分） 又は （1か月業務用走行距離÷1か月の走行距離）×　1か月ガソリン代等 　　　（走行距離で按分）

第2節　租　税　公　課

　租税公課のうち，例えば**固定資産税，不動産取得税，自動車取得税，自動車税，事業税，印紙税**など業務に係るものは，事業所得の金額等の計算上必要経費に算入されるが，次に掲げる租税公課は，その性質上事業所得の金額等の計算上の必要経費には算入されない（法45①二～五，②）。

① **所得税**（所得税の利子税，延滞税及び加算税を除く）及び**復興特別所得税**
② **附帯税**（延滞税，過少申告加算税，無申告加算税，不納付加算税，重加算税）及び**印紙税法の規定による過怠税**
③ **地方税の規定による道府県民税及び市町村民税**（都民税及び特別区民税を含む）
④ **地方税の規定による延滞金，過少申告加算金，不申告加算金及び重加算金**

　ただし，上記の附帯税のうち，不動産所得，事業所得又は山林所得を生ずべき事業を行う者が納付する確定申告税額の適法な**延納に伴う利子税**で，これらの所得に係る所得税の額に対応するものは，事業の借入金の利子と同様の性格を有するものであるとともに，事業の借入金の利子と明確に区分することができないこともあって，次の式により計算した金額が必要経費に算入される（法45①三，令97，基45-4，措令20⑤）。

$$\text{利子税の額} \times \frac{\text{事業から生じた不動産所得の金額，事業所得の金額又は山林所得の金額}}{\text{各所得の金額の合計額（注）}} \quad \left(\begin{array}{l}\text{小数点第3位}\\\text{未満切上げ}\end{array}\right)$$

（注）① 給与所得の金額及び退職所得の金額を除く。
　　　② 一時所得の金額及び総合長期の譲渡所得の金額については，2分の1の金額とする。
　　　③ 黒字の金額のみとする。
　　　④ 分離課税とされる譲渡所得の金額については，措置法上の特別控除額控除後の金額による。

租税公課は、原則として申告等により納付すべきことが具体的に確定した年分の必要経費に算入する（通37-6）。

ただし、賦課課税方式による租税のなかでも、納期が分割して定められているものについては、納期の開始日又は実際の納付日の属する年分の必要経費に算入できる（通37-6(3)）。

固定資産税の必要経費算入時期

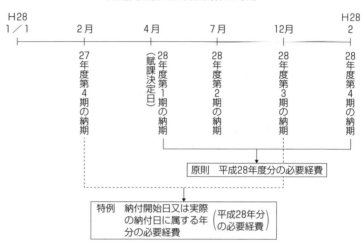

第3節　罰金，科料，過料

　罰金及び科料並びに過料については，たとえそれが収益を得るための経済活動に関連するものであっても，事業所得の金額等の計算上必要経費には算入されない（法45①六，②）。

第4節 損害賠償金の支出

損害賠償金（これに類するものを含む）のうち，次に掲げるものについても必要経費等に算入されない（法45①七，②，令98）。

① 家事上の経費及び家事関連費に該当する損害賠償金
② 不動産所得，事業所得，山林所得又は雑所得を生ずべき業務に関連して，故意又は重大な過失によって他人の権利を侵害したことにより支払う損害賠償金

(注1) 上記の**故意又は重大な過失**は，**事業主に故意又は重大な過失**があるかどうかによる。したがって，仮に使用人に重大な過失があったとしても事業主に重大な過失がなければ，事業主の所得の計算上は必要経費に算入されるものである（基45-6）。
なお，債務不履行に基づく損害賠償金は，不法行為に基づく損害賠償金と異なり，業務の遂行上生じたものである限り，すべて必要経費に算入する。

(注2) ① 損害賠償金を支払う場合は，賠償額が確定しないときでも，こちらから被害者に対して申し出た金額を申し出のあった日の属する年分の必要経費に算入できる。
② その後，判決や和解等により賠償すべき金額が確定した場合は，確定した賠償金額と①の差額は，賠償すべき金額が確定した日の属する年分の必要経費に算入する。

《計算Point》

〈図表2-2〉 租税の処理

必要経費である	必要経費でない	《加算税の例》
固定資産税，事業税，自動車税，印紙税，利子税，不動産取得税，事業所税，自動車取得税等　消費税（税込処理のとき）	延滞税，加算税　延滞金，加算金　所得税，相続税，贈与税　住民税（都道府県民税，市町村民税等）	過少申告加算税　無申告加算税　不納付加算税　重加算税等

所得税の還付金は，収入金額とはならない。
還付加算金は，雑所得となる。

必要経費である	必要経費でない
建物の火災保険料（事業割合部分） 自動車の保険料（事業割合部分） 商品や製品等の盗難保険料 保険料のうち積立分は保険積立金で資産計上 健康保険，厚生年金保険料は使用人と事業主で折半，事業主負担分は福利厚生費	経営者や家族の生命保険料 自宅の火災保険料（住居部分） 国民年金保険料，国民健康保険料 介護保険料 健康保険，厚生年金保険料で使用人（従業員）の負担分は，給与から天引きされる。

延滞税 → 国税を法定納期限までに納付しないときに課せられる行政上の罰課金。申告しなかった場合や税金に不足があった場合の本来支払うべき税金に対する利息に相当する。

　　　　※必要経費とならない。

延滞金 → 上と同じ国税でなく地方税の場合

　　　　※必要経費とならない。

利子税 → 納税申告者の提出期限の延長が認められた場合の本来の納期限から納付日までの利子に相当する。

　　　　※延納の適用を受けて延納期間の日数により納付するもので，正規なので必要経費OK

加算税 → （過少申告加算税，無申告加算税，不納付加算税，重加算税）
　　　　　　　　　　↓
　　　　（申告義務，徴収義務の不履行に対して課せられる制裁的性質）
　　　　※必要経費とならない。

《事業所得の必要経費とならないもの》

1　家事上の経費
2　罰金，科料，過料

　　罰金　一定の金額の略奪を内容とする財産刑（刑罰）
　　科料　刑法で定められている刑罰の一種で犯人から金銭を徴収（刑罰）
　　　　　（罰金より少ない金額）
　　過料　刑罰ではなく軽微な法令違反

駐車違反した時にかかったレッカー料，駐車料は，経費算入できる。

3 **損害賠償金を支出した場合** (慰謝料，見舞金，示談金，弁護士費用等，名称にかかわりなく他人に損害を与えたことに対して支出する費用が損害賠償金)

① 事業を営む者（事業主）の行為によるもの **(経営者本人が起こした事故)**

② 使用人の行為によるもの **(従業員が起こした事故)**

　イ　業務に関連する行為

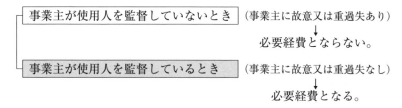

　ロ　業務に関連しない行為

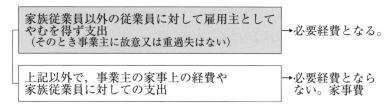

【必要経費になる利子税】

$$利子税 \times \frac{利子税計算の基礎となった不動産所得・事業所得・山林所得}{年分の各種所得の金額の合計額} \begin{pmatrix} 小数点3位 \\ 未満切上げ \end{pmatrix}$$

　イ　赤字は無視，給与所得，退職所得は除く。

　ロ　総合長期譲渡所得，一時所得は2分の1とする。

《計算例題1》 事業所得の必要経費　ケース1

　事業所得を生ずべき事業を営む居住者慶応　進（事業主）が支出した次に掲げる金額のうち，事業所得の金額の計算上，必要経費に算入すべき金額を求めなさい。

(1) 店舗に対する不動産取得税　　　　　　　　　40,000円
　　　　　　　　　　　　　　　　　　　　　（第11回税理士試験）
(2) 商品の配達途上，交通違反に問われ納付した罰金　10,000円
　　　　　　　　　　　　　　　　　　　　　（第17回税理士試験）
(3) 損害賠償金　　　　　　　　　　　　　　　200,000円
　　これは，従業員が製品の配達中に起こした事故につき支払ったものであるが，慶応　進には，故意又は重大な過失はない。
　　　　　　　　　　　　　　　　　　　　　（第28回税理士試験）
(4) 慶応　進本人が重過失があったことにより，支払った損害賠償金
　　　　　　　　　　　　　　　　　　　　　　300,000円
(5) 事業主である慶応　進の使用人である早稲田佑美の重過失により，慶応　進が支払った損害賠償金　　　　　　　50,000円
　　なお，慶応　進には重過失はない。
(6) (5)の事件を処理するために弁護士へ支払った報酬　28,000円
(7) 前年分の所得に対する道府県民税及び市町村民税　32,000円
(8) 販売したケーキが悪くなっていたため，お客さんに支払った損害賠償金　　　　　　　　　　　　　　　　　　35,000円
　　慶応　進に重大な過失があった。

《解　答》

必要経費に算入すべき金額

　40,000円　＋　200,000円　＋　50,000円　＋　28,000円　＝　318,000円

《計算例題2》 事業所得の必要経費　ケース2

次の資料に基づいて，居住者福大太郎の本年分の事業所得の金額の計算上，必要経費に算入される金額を計算しなさい。

〈資料1〉支出額

1	所得税（前年分）	2,200,000円
2	県民税・市民税	176,000円
3	事業税	110,000円
4	事業税の延滞金	2,200円
5	前年分所得税の延納利子税	30,800円
6	損害賠償金	200,000円

これは，福大太郎に係る従業員が商品配達中に起こした交通事故によるものであり，事業主の福大太郎には重大な管理責任はない。

〈資料2〉前年分所得金額の内訳

利子所得	960,000円		
事業所得	7,500,000円		
雑所得	1,540,000円	計	10,000,000円

（税務検定）

《解　答》

　　　　　　　　（利子税）
　　　　　　　　　↓
　　　　　　23,100 + 110,000 + 200,000 = 333,100（必要経費に算入される金額）

利子税の計算　30,800 × $\dfrac{7,500,000}{10,000,000}$ (0.75) = 23,100円

小数第3位未満切上げ

利子所得	960,000円
事業所得	7,500,000円
雑所得	1,540,000円
計	10,000,000円

《実務上のPoint》
(1) 水道光熱費，損害保険料，電話料，地代家賃などの家事関連費は，その支払った金額の中に，事業用でない家事用の部分が入る可能性がある。
　　そのような場合に，使用頻度とか面積比などで合理的に事業用の部分の費用を算定する必要がある。
(2) 納付すべき事業税，事業所税，固定資産税，印紙税，自動車関係諸税等は，必要経費として認められる。
　　しかし，所得税，住民税（市町村民税，都道府県民税），延滞税，延滞金，加算税，加算金は，必要経費とはならない。
(3) 業務用の資産を賦払で購入した場合，購入代価と賦払期間中の支払利息や賦払回収費用等が区分されている時は，利息・回収費用は賦払期間中の各年の必要経費となる。

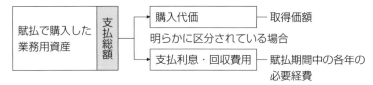

第5節 消費税

消費税等についての経理は，税込経理方式と税抜経理方式がある。両経理方式の差によって，所得金額に違いが出ないよう規定が設けられている。

1 税込経理方式と税抜経理方式

税込経理方式とは，消費税を売上等や仕入等の価額に含めて経理する方法で，**税抜経理方式**とは，消費税を売上等や仕入等の価額に含めないで経理する方法である。**税込経理方式**を採用しているときには，原則として納付した消費税（租税公課）を必要経費に算入する。逆に消費税の還付があったときには，総収入金額に算入する。

(1) **税込経理方式**

(税込経理方式)

① 商品800を掛で仕入れた

　　　　　　(仕　　入) 880 (買　掛　金) 880

② ①の商品を1,200で掛売上げ

　　　　　　(売　掛　金) 1,320 (売　　　上) 1,320

③ 決　算　時

　　　　　　(租　税　公　課) 32 (未払消費税等) 40 → 消費税納付分の必要経費に算入の処理必要

事業所得の金額　(1) 総収入金額　(1,320)
　　　　　　　　(2) 必要経費　　(880)
　　　　　　　　　① 売上原価　864
　　　　　　　　　② 租税公課　40　(納付した消費税)
　　　　　　　　(3) (1)-(2)＝400　　　　　必要経費

$1,320 - 880 = 440$

$440 \times \dfrac{10}{110} = 40$

第Ⅳ編　必要経費の計算　437

| 消費税納付 | → 必要経費算入 |

| 消費税納付の必要経費計上時期 | → 原則　現金基準（消費税の申告書提出年）
→ 特則　発生基準（毎年継続して未払経理した年） |

| 消費税還付 | → 総収入金額に導入 |

| 減価償却資産の取得に係る消費税 | 取得価額に算入
（少額減価償却資産等の判定は消費税を含めて計算） |

| 業務用資産の譲渡 | 譲渡所得に係る消費税は，事業所得等の業務に係る必要経費に含めて計算 |

(2) 税抜経理方式

（税抜経理方式）

① 商品800を掛で仕入れた
　　　　　（仕　　入）　800　（買　掛　金）　880
　　　　　（仮払消費税等）　80

② ①の商品を1,200で売上
　　　　　（売　掛　金）1,320　（売　　上）1,200
　　　　　　　　　　　　　　　（仮受消費税等）　120

③ 決　算　時
　　　　　（仮受消費税等）　120　（仮払消費税等）　80　→ その後納付時
（消費税の納付分の必要経費に算入処理不要）
　　　　　　　　　　　　　　　　（未払消費税等）　40

　(1) 総収入金額　1,200　売上（税抜）
　(2) 必要経費　　 800　仕入（税抜）
　(3) (1)－(2)＝400（納付した消費税）処理は要らない

| 消費税納付 | → 必要経費不算入 |

| 消費税還付 | → 総収入金額不算入 |

| 減価償却資産の取得に係る消費税 | 取得価額に不算入
（少額減価償却資産等の判定は消費税を含めないで判定） |

| 業務用資産の譲渡 | → 必要経費不算入。総収入金額不算入 |

2 控除対象外消費税等

課税仕入等に係る消費税等のうち，以下の**非課税売上に対応する消費税**が**控除対象外消費税**である。非課税売上は売上に係る消費税（課税標準）に含まれないため，非課税売上に対応する課税仕入に係る消費税は，基本的に仕入税額控除できないためである。

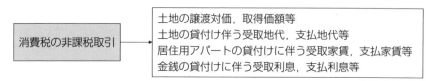

税込経理方式では，控除対象外消費税の処理は必要ない。

税抜経理方式では，**経費に係る控除対象外消費税**は，支出年の所得区分ごとに全額必要経費に算入する。**資産に係る控除対象外消費税**は，以下のように取り扱われる。

〈（税抜経理方式）資産に係る控除対象外消費税の処理〉

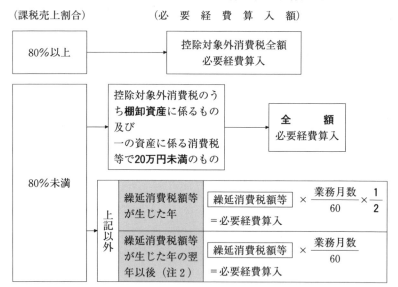

（注1） 業務月数は，その年においてその者が業務を行っていた期間の月数をいう。
（注2） 最終年

$$繰延消費税額等 \times \frac{業務月数}{60} \gtrless 繰延消費税額等 - 既に必要経費に算入された金額$$

$$\therefore 少ない金額$$

《計算例題１》**必要経費に算入すべき消費税等**

居住者慶應　進の以下の(1)(2)(3)の場合の本年分の必要経費（租税公課）に算入すべき消費税を計算しなさい。

本年の所得税の確定申告により納付した前年分の消費税等は3,210,000円である。また，翌年の所得税の確定申告により納付すべき本年分の消費税等は2,100,000円である。

(1) 慶應　進は，消費税等について税込経理方式を採用している。しかも，消費税等の申告書の提出年に現金で支払い，現金基準で経理している。

(2) 慶應　進は，消費税等について税込経理方式を採用している。しかし，消費税等は，申告期限が到来していない消費税を毎年継続して未払金経理（発生基準）している。

(3) 慶應　進は，消費税等について税抜経理方式を採用している。

《解答欄》

(1) 必要経費に算入すべき消費税等（税込方式，現金基準）　　　　円
(2) 必要経費に算入すべき消費税等（税込方式，発生基準）　　　　円
(3) 必要経費に算入すべき消費税等（税抜方式）　　　　円

《解　答》

(1) 必要経費に算入すべき消費税等（税込方式，現金基準）　3,210,000円
(2) 必要経費に算入すべき消費税等（税込方式，発生基準）　2,100,000円
(3) 必要経費に算入すべき消費税等（税抜方式）　0円

《計算例題2》業務用資産を譲渡したときの消費税

福大太郎は物品販売業を営んでおり，業務用の倉庫を譲渡した。

　譲渡対価　税込3,300,000円（うち消費税等は300,000円　税抜3,000,000円）

　取得価格　税込3,850,000円（税抜3,500,000円）

　取 得 費　税込2,750,000円（税抜2,500,000円）

　譲渡費用　税込165,00円（うち消費税等は1,500円　税抜150,000円）

(1) 福大太郎が税込経理方式を採用している場合の譲渡所得と事業所得の必要経費に算入すべき消費税を計算しなさい。

(2) 福大太郎が税抜経理方式を採用している場合の譲渡所得と事業所得の必要経費に算入すべき消費税を計算しなさい。

《解答欄》

(1) 税込経理方式

　譲渡所得　　[　　　円　] － ([　　　円　] + [　　　円　])
　　　　　　＝ [　　　円　]

　事業所得の必要経費には，[　　　　　　　]を算入する。

(2) 税抜経理方式

　譲渡所得　　[　　　円　] － ([　　　円　] + [　　　円　])
　　　　　　＝ [　　　円　]

　事業所得の必要経費には，[　　　　　　　]。

《解　答》

(1) 税込経理方式

　譲渡所得　　[3,300,000円] － ([2,750,000円] + [165,000円])
　　　　　　＝ [385,000円]

　事業所得の必要経費には，[消費税の納付税額]を算入する。

(2) 税抜経理方式

譲渡所得　3,000,000円 －（ 2,500,000円 ＋ 150,000円 ）
　　　　＝ 350,000円

事業所得の必要経費には，消費税の納付税額の　処理は要らない。

《計算例題3》控除対象外消費税額等

居住者慶應　進の本年分の必要経費に算入すべき控除対象外消費税額等を計算しなさい。なお，慶應　進は，物品販売業を営んでいる。

控除対象外消費税額等960,000円が本年中に生じた内訳は，以下のとおりである。

① 店舗に係るもの　600,000円

② 棚卸資産（商品等）に係るもの　250,000円

③ 倉庫に係るもの　80,000円

④ その他経費に係るもの　30,000円

(1) 消費税等について税込経理方式を採用している場合

(2) 消費税等について税抜経理方式を採用しているが，本年分の課税売上割合が80％以上である場合

(3) 消費税等について税抜経理方式を採用しているが，本年分の課税売上割合が80％未満である場合

《解答欄》

(1) 税込経理方式の場合は，　　　　　　　　。

(2) 税抜経理方式で課税売上割合が80％以上である場合は，控除対象外消費税額等は　　　　　　円。

(3) 税抜経理方式で課税売上割合が80％未満である場合

① 控除対象消費税額

　　　　円 ＋ 　　　　円 ＋ 　　　　円 ＝ 　　　　円

② 繰延消費税額等（本年中に生じた）

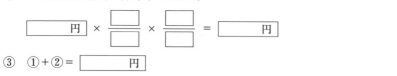

③ ①＋②＝ □ 円

《解　答》

(1) 税込経理方式の場合は，必要経費に不算入。

(2) 税抜経理方式で課税売上割合が80％以上である場合は，控除対象外消費税額等は 960,000 円。

(3) 税抜経理方式で課税売上割合が80％未満である場合

　① 控除対象消費税額

　　棚卸資産　　　20万円未満　　20万円未満
　　250,000円　＋　80,000円　＋　30,000円　＝　360,000円

　② 繰延消費税額等（本年中に生じた）

　　600,000円 × $\dfrac{12}{60}$ × $\dfrac{1}{2}$ ＝ 60,000円

　③ ①＋②＝ 420,000円

第3章 資産の評価

【Point19】

売上原価の計算は，以下の算式で計算される。

$$\begin{pmatrix}年初商品\\棚卸高\end{pmatrix} + \begin{pmatrix}当年商品\\仕入高\end{pmatrix} - \begin{pmatrix}年末商品\\棚卸高\end{pmatrix} = \begin{pmatrix}当年商品\\売上原価\end{pmatrix}$$

したがって，棚卸資産の評価が売上原価に影響を与えるため所得税法上，棚卸資産の評価を規定している。

第1節 棚卸資産の評価

　事業所得の金額の計算上必要経費に算入される**棚卸資産の売上原価**は，年初における棚卸資産の価額とその年中に取得した棚卸資産の価額との合計額から年末における棚卸資産の価額を控除する方法により以下のように算定されるため，棚卸資産の評価が売上原価に影響を与える。したがって，所得税法では，各期末における棚卸資産の価額の評価方法を規定している。年末商品棚卸高の評価は，粉飾を防ぐために重要である。在庫を大きくすれば，売上原価が小さくなり純利益が過大となる。このようなことを防止するため，棚卸資産の評価が定められている。

　所得税法では，この棚卸資産の評価に関し，棚卸資産の範囲，選定すること

ができる評価方法の種類，その選定の手続などについて規定を設けている。

$$\begin{pmatrix}年初商品\\棚卸高\end{pmatrix} + \begin{pmatrix}当年商品\\仕入高\end{pmatrix} - \begin{pmatrix}年末商品\\棚卸高\end{pmatrix} = \begin{pmatrix}当期商品\\売上原価\end{pmatrix}$$

1　棚卸資産の範囲

棚卸資産とは，事業所得を生ずべき事業に係る資産で，次に掲げるものをいう。ただし，有価証券及び山林は，これに含まれない（法2①十六，令3）。

① **商品又は製品**（副産物及び作業くずを含む）
② **半製品**
③ **仕掛品**（半成工事を含む）
④ **主要原材料**
⑤ **補助原材料**
⑥ **消耗品で貯蔵中のもの**
⑦ 上記①から⑥に掲げる資産に準ずるもの

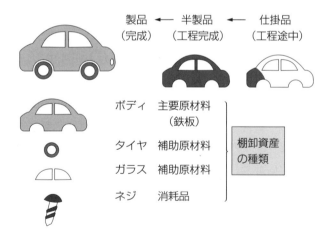

2　棚卸資産の評価の方法

所得税法においては，**棚卸資産の評価の方法**として，一般的には個別法，先

入先出法,総平均法,移動平均法,最終仕入原価法及び売価還元法による原価法と青色申告者について認められる低価法とを定めており,これらの評価の方法のうちいずれかの方法を選定し,**その選定した方法により棚卸資産の評価**を行うこととしている(令99)。ただし,納税地の所轄税務署長の承認を受けた場合には,これらの評価の方法に代えて,その承認を受けた特別な方法により棚卸資産の評価を行うことができるものとしている(令99の2)。

(1) **通常の評価の方法**

① **原　価　法**

その年12月31日において有する棚卸資産(これを「年末棚卸資産」という)につき,次に掲げる方法のうちいずれかの方法によってその取得価額を算出し,その算出した取得価額をもってその年末棚卸資産の評価額とする方法をいう(令99①一)。

(イ) **個別法**(年末棚卸資産の全部について,その個々の取得価額をその取得価額として評価する方法)

(ロ) **先入先出法**(年末棚卸資産をその種類,品質及び型の異なるごとに区別し,その種類等の同じものについて,先に取得したものから,先に出荷するとみなして棚卸資産の取得価額を評価する方法)

(ハ) **総平均法**(棚卸資産をその種類,品質及び型の異なるごとに区別し,その種類等の同じものについて,その当初の棚卸資産の取得価額の総額と,その年中に取得した棚卸資産の取得価額の総額との合計額を,これらの棚卸資産の総数量で除して計算した平均単価をその1単位当たりの取得価額として評価する方法)

$$\frac{年初棚卸高+期中仕入高}{年初棚卸資産の数量+期中仕入数量}=平均単価$$

平均単価×年末棚卸資産の数量=年末棚卸高

(ニ) **移動平均法**(棚卸資産をその種類,品質及び型の異なるごとに区別し,その種類等の同じものについて,その棚卸資産を取得する度に,残っていた棚卸資産の取得価額と,その取得した棚卸資産の取得価額とによって平均単価が改定されたもの

とみなし，その年末現在における平均単価を1単位当たりの取得価額として評価する方法）

(ホ) **最終仕入原価法**（特定評価方法で年末棚卸資産をその種類，品質及び型の異なるごとに区別し，その種類等の同じものについて，年末に最も近い時において取得したものの1単位当たりの取得価額をその1単位当たりの取得価額として評価する方法）

(ヘ) **売価還元法**（年末棚卸資産をその種類，品質及び型又は通常の差益の率の異なるごとに区別し，その種類等又は通常の差益の率の同じものについて，年末棚卸資産の通常の販売価額の総額に原価の率を乗じて計算した金額をその取得価額として評価する方法）

$$\frac{年初棚卸高＋期中仕入高}{年末の棚卸資産の通常の販売価額＋期中の売上高}＝原価の率$$

$$年末棚卸資産の通常の販売価額 \times 原価の率 ＝ 年末棚卸高$$

② **低　価　法**

年末棚卸資産をその種類，品質及び型（売価還元法により評価した価額を基礎とするものにあっては，種類等又は通常の差益の率）の異なるごとに区別し，その種類等の同じものについては，①に掲げる原価法のうちいずれかの方法により評価した価額と年末（12月31日）における時価（令99①二）とのいずれか低い価額をもってその評価額とする方法をいう（令99①二）。会計の評価基準が低価法（時価・正味売却価額）にされたので，税法も時価を再調達原価（平成19年分以前は期末における取得のために通常要する価額）から年末における時価（**正味売却価額**）に改正されている。

　この**低価法**は，**青色申告者**についてのみ適用できる。

(2) **評価方法の選定及び届出**

　①新たに事業所得を生ずべき事業を開始した者，②従来の事業と異なる他の事業を開始した者もしくは③事業の種類を変更した者は，棚卸資産について，その営む**事業の種類**ごとに，かつ，商品又は製品（副産物及び作業くずを除く），半製品，仕掛品（半成工事を含む），主要原材料及び補助原材料その他の**棚卸資**

産の区分ごとに，前記(1)に掲げる評価の方法のうちそのよるべき方法を選定し，その選定した方法を書面により次に掲げる日の属する年分の翌年3月15日の確定申告期限までに納税地の所轄税務署長に届出なければならない（令100①・②）。

　① 新規開業者……その事業を開始した日
　② 事業開始後新たに他の種類の事業を開始し，又は事業の種類を変更した者……他の種類の事業を開始し又は事業の種類を変更した日

(3) 届出がない場合等の法定評価方法

　上記(2)の届出がない場合又は届け出た評価の方法により評価しなかった場合には，最終仕入原価法により評価した金額を年末棚卸資産の評価額としなければならない（法47，令102①）。

(4) 評価方法の変更

　棚卸資産につき選定した評価の方法（その評価の方法を届け出なかった者がよるべきこととされている法定評価の方法を含む）を変更しようとする者は，納税地の所轄税務署長の承認を受けなければならない（令101①）。

　この場合，その承認を受けようとするときは，その新たな**評価の方法を採用しようとする年の3月15日**までに，その旨及び変更しようとする理由その他所定の事項を記載した申請書を所轄税務署長に提出しなければならない。

　税務署長は，その申請に基づいて承認又は却下の判定を行い書面によりその旨を通知する（令101③・④）が，その年12月31日までにその承認又は却下の処分がなかったときは，同日において自動的にその承認があったものとみなされる（令101⑤）。

3　棚卸資産の取得価額

　棚卸資産の評価額の計算の基礎となる棚卸資産の取得価額については，以下による。

　① 通常の方法により取得した棚卸資産

　通常の方法により取得した棚卸資産の取得価額は，以下の資産の区分に応じ，それぞれに掲げる金額による（令103①）。

㈤　**購入した棚卸資産**……その資産の購入の代価とその資産を消費し又は販売の用に供するために直接要した費用の額との合計額

上記の購入の代価には，引取運賃，荷役費，運送保険料，購入手数料，関税その他その資産の購入のために要した費用の額も含まれる。

㈹　**自己の製造，採掘，採取，栽培，養殖その他これに準ずる行為に係る棚卸資産**……その製造等のために要した原材料費，労務費，経費の額とその資産を消費し又は販売の用に供するために直接要した費用の額との合計額

㈶　**上記㈤，㈹以外の方法により取得した棚卸資産**……その取得のときにおけるその資産の取得のために通常要する価額とその資産を消費し又は販売の用に供するために直接要した費用の額との合計額

②　贈与，相続，遺贈及び著しく低い価額の対価で取得した棚卸資産

贈与，相続又は遺贈により取得した棚卸資産及び著しく低い価額で取得した棚卸資産の取得価額は，それぞれ以下に掲げる金額による。

㈤　**贈与，相続又は遺贈により取得した棚卸資産**……以下の区分に応じ，それぞれ以下に掲げる金額

　　a　取得した棚卸資産が，①被相続人である贈与者の死亡により効力を生ずる贈与，②相続，③包括遺贈及び相続人に対する特定遺贈により取得したもの……その被相続人がその資産につきよるべきものとされていた評価の方法により評価した金額（令103②）

　　b　取得した棚卸資産が上記a以外の贈与又は遺贈により取得したもの……その贈与又は遺贈のときにおける棚卸資産の価額（法40②）

㈹　**著しく低い価額の対価で取得した棚卸資産**……その取得した対価の額に実質的に贈与を受けたと認められる金額を加えた金額とその資産を消費し又は販売のために直接要した費用の額との合計額（法40②，令103②）

③　収穫した農産物

その収穫したときにおける農産物の収穫価額とその農産物を消費し又は販売の用に供するために直接要した費用の額との合計額（令103③，法41②）。

④ 損傷した棚卸資産等

その者の有する棚卸資産につき，次に掲げる事実が生じた場合には，その事実の生じた日の属する年以後の各年におけるその棚卸資産の評価額の計算については，その年12月31日におけるその棚卸資産の価額（時価）をもって，上記①に掲げる取得価額とすることができる（令104）。

(イ) 棚卸資産が災害により著しく損傷したこと
(ロ) 棚卸資産が著しく陳腐化したこと
(ハ) 上記(イ)，(ロ)に準ずる特別の事実があること

} 処分可能価額により年末棚卸資産を評価する

(注) 著しく陳腐化とは，季節商品の売れ残りや新製品の販売で通常の価額では販売できなかったものをいう（通47-22）。

〈図表3-1〉年末棚卸資産の評価の総まとめ

	購入	売却	残高
5/3	仕入2つ　100円　100円		りんご　りんご
5/5	仕入1つ　200円		りんご　りんご　りんご
5/7	売却2つ	2つ売却（売上原価？）	1つ残り（年末棚卸？）

→ どう計算するのか？
（年末棚卸資産の評価が重要）

① 個別法（個々にどの商品が売れたかに注目）

	購　入	売　却	残　高
5/3	仕入 2つ　A 100円　B 100円		🍎 🍎
5/5	仕入 1つ　C 200円		🍎 🍎 🍎
5/7	売却 2つ	2つ売却 A100円　C200円	1つ残り ? B100円

（仕入原価の合計）
100円＋100円＋200円
＝400円

（AとCのりんごが売れたとする）
↓
（売上原価）
100円＋200円＝300円
　A　　　C

（Bのりんご売れ残り）
（年末棚卸）
100円
B

② 先入先出法（先に仕入れた商品から売れたと仮定すると、最近買った商品が棚卸として残る）

	購　入	売　却	残　高
5/3	仕入 2つ　100円　100円		🍎 🍎
5/5	仕入 1つ　200円		🍎 🍎 🍎
5/7		2つ売却 ?	1つ残り 200円 ?

（仕入原価の合計）
100円＋100円＋200円
＝400円

（先の5/3に仕入れた商品から売れたと仮定）
↓
（売上原価）
仕入　　年末
400円－ 200円 ＝200円

（最近買った商品が残る）
↓
（年末棚卸）
200円

③ 平均法（仕入れた商品の原価合計と数量で平均して平均単価を算出し，年末棚卸を計算）

	購　入	売　却	残　高
5/3	仕入 2つ　50円　50円		🍎　🍎
5/5	仕入　150円		🍎　🍎　🍎
5/7		1つ売却 🍎	🍎　🍎
5/10	仕入 2つ　200円　200円		4つ残り 🍎　🍎　🍎　🍎

（仕入原価の合計）
50円＋50円＋150円
＋200円＋200円＝650円

（売上原価）
　　仕入　　年末
650円－ 520円 ＝130円

（平均単価の計算）
$\dfrac{650円}{5コ}＝130円$

（年末棚卸の計算）
130円×4コ＝ 520円

④ 移動平均法（単価の異なる商品を仕入れた度に，単価の平均をし直す）

	購　入	売　却	残　高	
5/3	仕入 2つ 🍎100円 🍎100円			
5/5	仕入 1つ 🍎250円		🍎🍎🍎 3コ	→ （平均単価を計算し直す） $\dfrac{100円+100円+250円}{3コ}$ ＝＠150円 150円×3コ＝450円
5/7		1つ売却 🍎	🍎🍎 2コ	→ 150円×2コ＝300円
5/10	仕入 2つ 🍎200円 🍎200円		🍎🍎🍎🍎 4コ	→ （平均単価を計算し直す） $\dfrac{300円+200円+200円}{4コ}$ ＝＠175円
5/25		2つ売却 🍎🍎	🍎🍎	→ （年末棚卸） 175円×2コ＝350円

（仕入原価の合計）　　（売上原価）　　（年末棚卸）
100円＋100円　　　　仕入　　期末　　175円×2コ
＋250円＋200円　　　850円－ 350円 ＝ 350円
＋200円＝850円　　　＝500円

⑤ 最終仕入原価法（最後に仕入れたものの単価で残っているものとする）

	購　入	売　却	残　高
5/3	仕入 2つ 🍎100円 🍎100円		🍎 🍎
5/5	仕入 1つ 🍎150円		🍎 🍎 🍎
5/7		1つ売却 🍎	2つ残り 🍎 🍎 150円 150円

（仕入原価の合計）　　（売上原価）　　　　（最後に仕入れた単価）
100円＋100円＋150円　仕入　年末　　　　　　　↓
＝350円　　　　　　　350円－ 300円 ＝50円　＠150円×2コ＝ 300円
　　　　　　　　　　　　　　　　　　　　　　（年末棚卸）

⑥ 売価還元法（年末棚卸の売価に原価率を乗じて）

	購　入	売　却	残　高
5/3	仕入 2つ　🍎100円　🍎100円		🍎　🍎
5/5	仕入 1つ　🍎150円		🍎　🍎　🍎
5/7	売価400円 （原価率60%と仮定する）	2つ売却 🍎　🍎	1つ残り 🍎　？

（仕入原価の合計）
100円＋100円＋150円
＝350円

売上原価
仕入　期末
350円 － 240円 ＝110円

（年末棚卸）
売価　原価率
400円×60%＝ 240円

※原価率＝$\dfrac{年初棚卸原価＋当年仕入}{年末棚卸売価＋当年売上}$

《計算Point》

〈売上原価の計算〉

1　 売上原価 ＝ 年初棚卸高 ＋ 当年仕入高 － 年末実施棚卸高

2　年末棚卸資産の評価方法

　　法定評価方法 → 最終仕入原価評価法 （届出していない時）

　　① 原価法：先入先出法，総平均法等，移動平均法等

　　② 低価法：①の原価と時価のいずれか低い方で評価

3　棚卸資産の取得価格の特例

　　① 災害より著しく損傷 → 年末処分可能価格

　　② 著しい陳腐化

　　③ 破損，型くずれ，品質変化，棚ざらし

《計算Pattern》

売上原価の計算パターン

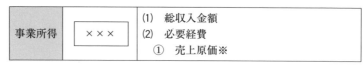

原価法を採用している場合
　※年初棚卸＋当年仕入高－（年末棚卸－ ☐ ＋ △ ）
　　　　　　　　　　　　　　　　　　　　陳腐化商品原価　陳腐化商品処分価額

低価法を適用している場合
　※年初棚卸＋当年仕入高－年末棚卸（注）
　(注)① 原価　　原価－陳腐化等をした原価＋陳腐化商品処分価額
　　　② 時価　　時価－陳腐化等をした時価＋陳腐化商品処分価額
　　　③ ①・②の少ない金額

《計算例題１》年末商品棚卸高の計算　ケース１

次の資料により，福大商店の年末商品棚卸高を計算しなさい。なお，棚卸資産の評価方法については，届出をしていない。

〈資　料〉(1)　年初商品棚卸高　1,988,700円
　　　　　　　なお，年初商品棚卸数量は2,100個である。
　　　(2)　当年商品仕入状況

当年商品仕入状況	仕入数量	仕入単価	仕入価額
第１回　５月31日	3,400個	950円	3,230,000円
第２回　９月30日	3,500個	960円	3,360,000円
第３回　12月31日	1,000個	980円	980,000円
計	7,900個		7,570,000円

　　　(3)　年末商品棚卸数量　1,100個
　　　　　　　なお，30個は著しく陳腐化した商品で，１個当たりの年末処分可能価額は300円である。

《解答欄》

([　　個　] − [　　個　]) × [　　　円　　　] + [　　個　] × [　　　円　　　]
　　　　　　　　　　　　　　　　　　　　　　　　= [　　　円　　　]
　　　　　　　　　　　　　　　　　　　　　　　　　　　　（税務検定）

《解　答》

([1,100個] − [30個]) × [980円] + [30個] × [300円]
　　　　　　　　　　　　　　　　　　　　　= [1,057,600円]

《計算例題2》売上原価の計算　ケース1

　次の資料により，物品販売業を営む居住者福大太郎の本年分の売上原価金額を，福大太郎に最も有利になるように計算しなさい。なお，福大太郎は，開業以来引き続き青色申告書提出の承認を受けている。

〈資　料〉

損　益　計　算　書

自令和3年1月1日　至令和3年12月31日　（単位：円）

科　目	金　額	科　目	金　額
年初商品棚卸高	4,560,000	当年商品売上高	54,900,000
当年商品仕入高	33,600,000	年末商品棚卸高	4,000,000
営　業　費	13,800,000	雑　収　入	310,000
青色専従者給与	2,300,000	貸倒引当金戻入	190,000
当　年　利　益	5,140,000		
	59,400,000		59,400,000

1　棚卸資産の評価方法及び減価償却資産の償却方法について届出をしていない。
2　年末商品棚卸高は，先入先出法により評価しているが，最終仕入原価法によると4,100,000円であり，総平均法によると3,700,000円である。

《解答欄》

売上原価

[　　　　円] + [　　　　円] − [　　　　円] = [　　　　円]

(税務検定)

《解　答》

売上原価

[4,560,000円] + [33,600,000円] − [4,100,000円] = [34,060,000円]

《計算例題3》売上原価の計算　ケース2

次の資料により，物品販売業を営む居住者福大太郎（50歳）の本年分の売上原価金額を福大太郎に最も有利になるよう計算過程を明らかにして計算しなさい。なお，解答にあたっては，消費税について考慮する必要はない。

〈資　料〉

損 益 計 算 書

自令和3年1月1日　至令和3年12月31日　（単位：円）

科　目	金　額	科　目	金　額
年初商品棚卸高	4,883,000	当年商品売上高	38,277,000
当年商品仕入高	28,797,000	年末商品棚卸高	5,143,000
営　業　費	5,175,000	雑　収　入	2,176,400
当　年　利　益	6,922,700	貸倒引当金戻入	181,300
	45,777,700		45,777,700

1　福大太郎は開業以来青色申告書の提出の承認を受けているが，棚卸資産の評価方法及び減価償却資産の償却方法については届出をしていない。
2　年末商品棚卸高は総平均法により評価しているが，最終仕入原価法によると5,247,000円，移動平均法によると5,049,000円である。なお，年末商品棚卸高の中には，次のような著しく陳腐化した商品が含まれている。

	原　　価	年末処分可能金額
著しく陳腐化した商品	総　平　均　法…31,200円 最終仕入原価法…31,800円 後　入　先　出　法…30,600円	6,500円

（税務検定）

《解答欄》

売上原価

| 　　　　円 | ＋ | 　　　　円 | －（ | 　　　　円 | － | 　　　　円 |
| | | ＋ | 　　　　円 | ） ＝ | 　　　　円 | |

《解　答》

売上原価

年初商品　4,883,000円 ＋ 当年仕入　28,797,000円 －（ 年末商品　5,247,000円 － 陳腐化原価　31,800円
＋ 処分価値　6,500円 ）＝ 28,458,300円

《計算例題4》年末商品棚卸高の計算　ケース2

次の福大太郎商店の商品有高帳を参考に年末商品棚卸高を計算しなさい。

	仕　　入			売　　上			残　　額		
	数量	単価	金　額	数量	単価	金　額	数量	単価	金　額
			(円)			(円)			(円)
前年繰越							400	293.75	117,500
3月5日	500	400	200,000						
4月8日	600	425	255,000						
7月20日				1,200	750	900,000			
9月5日	200	410	82,000						
10月7日	300	400	120,000						
12月31日				500	750	375,000	300	?	?

（注1）　前年繰越の金額の内訳は，次のとおりである。
　　　　前年4月仕入分　　100個　　@260円　　　　26,000円
　　　　前年7月仕入分　　300個　　@305円　　　　91,500円
　　　　合　　　計　　　400個　　　　　　　　　117,500円
（注2）　年末棚卸商品300個は，すべて種類，品質及び型を同じくし，かつ，通常の差益率を同じくするものである。
　　　　また，期末における1個当たりの通常の販売価額は750円である。

《解　答》

1　先入先出法の場合（先に仕入れた商品から売却したと仮定する。期末の棚卸は，最近仕入れた商品が残っていると仮定）

　　　300個×400円＝120,000円

2　総平均法の場合（年初棚卸原価と当年仕入高を合計し，それを年初棚卸数量と仕入数量の合計で除し，平均単価を計算する。この単価で年末棚卸が残っていると仮定）

$$\frac{(年初棚卸原価)\ 117{,}500円 + (当年仕入高)\ 657{,}000円}{400個 + 1{,}600個} = 387.25円$$

　　　387.25円×300個＝116,175円

3 移動平均法の場合(異なる単価の商品を仕入れる度に,単価を平均する。年末棚卸は,最後に計算された単価で残っていると仮定)

3月5日 $\dfrac{117,500円+200,000円}{400個+500個}=352.77円$

4月8日 $\dfrac{352.77円\times900個+255,000円}{900個+600個}=381.66円$

9月5日 $\dfrac{381.66円\times300個+82,000円}{300個+200個}=392.99円$

10月7日 $\dfrac{392.99円\times500個+120,000円}{500個+300個}=395.61円$

395.61円×300個=118,683円

4 最終仕入原価法(法定評価方法)の場合(最後に仕入れた商品の単価で年末棚卸が残っていると仮定)

300個×400円=120,000円

5 売価還元法の場合

$\dfrac{(年初棚卸原価)\ \ (当年仕入高)}{\underset{年末棚卸売価}{300個\times750円}+900,000円+\underset{当年売上高}{375,000円}} \begin{array}{l}原価率\\=0.516333\end{array}$

750円×300(個)×0.51633=116,174円

第2節 有価証券の評価

　事業所得の金額の計算上必要経費に算入される**有価証券の譲渡原価**は，棚卸資産の場合と同じように年中に取得した有価証券の価額と年初と年末における有価証券の価額とを基として算定される。その算定の基礎となる年末の有価証券の価額の評価等について以下規定を設けている。また，譲渡所得又は雑所得の基因となる有価証券の取得費等についても規定を設けている。

1　有価証券の範囲

有価証券とは，以下に掲げるもの等をいう（法2①十七，令4）。
① 金融商品取引法第2条第1項に規定する国債証券，地方債証券，特別の決議により法人が発行する債券，資産流動化法の特定債券，社債券（相互会社の社債券を含む），日本銀行その他の特別の法律により設定された法人の発行する出資証券，株券（新株予約権付証券等を含む），投資信託の受益権，貸付信託，特定目的信託の受益権
② 国債に関する法律又は社債等登録法の規定により登録された国債又は地方債もしくは社債
③ 会社法（旧商法を含む）の規定による端数の部分，株式の引受けによる権利及び協同組織金融機関，特定目的会社等へ優先出資（優先出資の引受権を含む）
④ 合名会社，合資会社又は合同会社の社員の持分，法人税法に規定する協同組合等の組合員又は会員の持分その他法人の出資者の持分等
⑤ 株主又は投資主となる権利，優先出資者となる権利，特定社員又は優先出資社員となる権利その他法人の出資者となる権利
⑥ 金融商品取引法第2条第1項に定める証券又は証券のうち特定のもの（海外コマーシャルペーパー（CP），海外譲渡性預金（CD）など）
⑦ 金融商品取引法第2条に定める有価証券に表示されるべき権利（有価証

券が発行されていないものに限る）

2　事業所得の基因となる有価証券の評価方法

所得税法においては，**有価証券の評価の方法**として，**総平均法**及び**移動平均法**の2法を定め，そのうちいずれかの方法を選定し，その選定した方法により12月31日（年の中途において死亡し又は出国をした場合には，その死亡又は出国のとき。以下同じ）において有する有価証券の評価を行うこととしている（令105）。

3　有価証券の評価方法の選定及び届出

有価証券の評価の方法は，その種類ごとに選定し，事業所得の基因となる新たな種類の有価証券を取得した場合には，その取得した日の属する年分の確定申告期限までに，そのよるべき評価の方法を書面により納税地の所轄税務署長に届け出なければならない（令106）。

4　届出がない場合等の法定評価方法

評価の方法の届出がない場合又は届け出た評価の方法により評価しなかった場合には，**総平均法**により**評価した金額**を期末有価証券の評価額とする（令108①）。

税務署長は，居住者がその選定した評価の方法（評価方法の届出がない者の法定評価方法を含む）により評価しなかった場合において，その居住者が行った評価の方法が　2　の評価方法に該当し，かつ，その行った評価方法によっても各年分の事業所得の金額の計算を適正に行うことができると認めるときは，その行った評価の方法により計算した各年分の事業所得の金額を基礎として更正又は決定をすることができる（令108②）。

5　評価方法の変更

有価証券につき選定した評価の方法（その評価の方法を届け出なかった者がよるべきとされている法定評価方法を含む）を変更しようとする者は，納税地の所轄税

務署長の承認を受けなければならない（令107①）。

6 有価証券の取得価額

(1) 原　則

有価証券の評価額の計算の基礎となる有価証券の取得価額は，通常の場合は，以下のとおりである。

通常の方法により取得した有価証券の取得価額は，以下の区分に応じ，それぞれに掲げる金額による（令109①）。

① **払込みにより取得した有価証券**（次の②に該当するものを除く）……その払い込んだ金額とその払込みによる取得のため要した費用との合計額

　　　払込金額 ＋ 払込費用

② **有利な発行価額で新株その他これに準ずるものが発行された場合におけるその発行に係る払込みにより取得した有価証券**（株主又は社員として与えられたものを除く）……その有価証券の払込みに係る期日における価額

③ 発行法人に対し新たな払込み又は給付を要しないで取得したその発行法人株式（投資口を含む）又は新株予約権のうち，その発行法人の株主等として与えられる場合の株式又は新株予約権　0円

④ **購入した有価証券**……その購入の代価と購入手数料その他その有価証券の購入のために要した費用との合計額

　　　購入代価 ＋ 購入手数料

⑤ 上記①，②，③，④以外の方法により取得した**有価証券**……その取得のときにおけるその有価証券の取得のために通常要する価額

(2) 2回以上にわたり取得した同一銘柄の有価証券の取得費

$$\frac{譲渡時の有価証券の取得価額合計}{譲渡時に有していた有価証券数} = 1単位当たり金額（1円未満切上）$$

1単位当たり金額 × 譲渡した有価証券数 ＝ 譲渡した有価証券の取得費

(3) **5％基準の適用**

収入金額の5％を取得費としてみなすことができる（通38-16，措通37の10-14）。

$\left.\begin{array}{l}\boxed{実際の取得費}\ (1)\cdot(2)\\ \boxed{収入金額\times 5％}\end{array}\right\}$ 多い方を取得費

第4章 資産の償却

第1節 減価償却資産の償却費

【Point 20】

平成19年4月1日以後取得の減価償却費の計算は，以下の算式による（令102①）。

(1) 定額法　　取得価額×新定額法償却率
(2) 定率法
　① 償却額＝期首帳簿価額×新定率法償却率（月割計算なし）
　② 保証額＝取得価額×保証率
　③ ①≧②のとき　期首帳簿価額×新定率法償却率（期中取得は月割計算あり）
　　①＜②のとき　改訂取得価額×改訂定率法償却率（期中取得は月割計算あり）
　なお，法定償却方法（何も届出をしないときの償却方法）は定額法である。

建物，構築物，機械装置などの減価償却資産は，業務上使用又は時の経過により，物理的又は機能的陳腐化により価値が減少するものである。そこで，企業会計上これらの減価償却資産を取得するために要した費用は，その取得時に一時に必要経費に算入するのではなく，その資産の使用期間に応じて配分する必要がある。

所得税法上も，税負担の公平を図る見地から，その減価償却資産の範囲，減価償却の方法，耐用年数，その償却率等を法定している。ただし，所得税法においては，原則として強制償却の制度をとっている（法37，49，令102～136）。

1 減価償却資産の範囲

減価償却資産とは，不動産所得もしくは雑所得の基因となり，又は不動産所得，事業所得，山林所得もしくは雑所得を生ずべき業務の用に供される資産で，棚卸資産，有価証券及び繰延資産以外の資産のうち，次に掲げるもの（時の経過によりその価値の減少しないものを除く）をいう（法2①十九，令6）。

① **建物及びその附属設備**（暖冷房設備，照明設備，通風設備，昇降機等）
② **構築物**（ドック，橋，岸壁，さん橋，軌道，貯水池，坑道，煙突等）
③ **機械及び装置**
④ **船　舶**
⑤ **航空機**
⑥ **車両及び運搬具**
⑦ **工具，器具及び備品**（観賞用，興行用その他これらに準ずるものの用に供する生物を含む）
⑧ **無形固定資産**（営業権，漁業権，商標権，特許権，鉱業権，ソフトウェア等）
⑨ **牛，馬，果樹等**（上記⑦に該当するものを除く）

〈図表 4 − 1〉減価償却資産

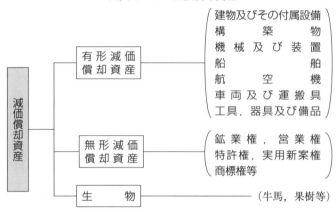

2　少額の減価償却資産の取得価額の必要経費算入

　平成11年分以後の所得税については，不動産所得，事業所得，山林所得又は雑所得を生ずべき事業の用に供した減価償却資産（国外リース資産を除く）で，その使用可能期間が１年未満であるもの，又は**その取得価額が10万円未満**（平成10年度は20万円未満）であるものについては，減価償却の対象とはしないで，その取得価額に相当する金額を，その資産を業務の用に供した年分のこれらの所得の金額の計算上必要経費に算入する（令138）。

3　一括償却資産の必要経費算入

　業務の用に供した減価償却資産で取得価額が20万円未満であるもの（国外リース資産の規定の適用があるものを除く）については，その減価償却資産の全部又は特定の一部を一括し，**その一括した減価償却資産（一括償却資産）の取得価額の合計額をその業務の用に供した年以後３年間の各年の費用とする方法**を選択したときは，通常の減価償却の方法により計算される償却費に代えて，その一括償却資産の取得価額の合計額（一括償却対象額）を３で除して計算した金額を各年分の事業所得等の金額の計算上必要経費に算入することができる（令139①）。なお，この規定は，平成11年分以後の所得税について適用される（平成10

第Ⅳ編　必要経費の計算　467

年政令第104号附則8②)。

(注)　上記の規定は，一括償却資産を業務の用に供した日の属する年分の確定申告書に一括償却対象額を記載した書類を添付し，かつ，その計算に関する書類を保存している場合に限り，適用される（令139②）。なお，その年において一括償却対象額につき必要経費に算入した金額がある場合には，その年分の確定申告書に，上記の規定により必要経費に算入される金額の計算に関する明細書を添付しなければならない（令139③）。

〈図表4－2〉少額減価償却資産と減価償却

	取得価額	減価償却の方法	
	30万円未満のもの（青色申告書を提出する中小企業者）※ 中小企業者とは常時従業員1,000人以下の青色事業者	取得価格30万円未満のものは，全額を必要経費。ただし，合計金額が300万円まで。超えた分は，通常の減価償却	
	20万円以上	資産計上のうえ行う通常の減価償却	
（一括償却資産）	20万円未満 10万円以上	選択	通常の減価償却	一括償却資産の取得価額の合計額 / 3
			3年間一括償却	
（少額減価償却資産）	10万円未満	全額必要経費算入	

(一括償却資産のケース)
　　15万円のパソコン，18万円の備品購入
　　$(15万円 + 18万円) \times \frac{1}{3} = 11万円$　　　一括償却資産の減価償却

(青色申告書を提出する中小企業者のケース)
　①　23万円のパソコン，21万円のレジ，25万円の応接セットを購入
　　　23万円＋21万円＋25万円＜300万円　　全額を必要経費に算入できる。
　②　35万円のパソコン
　　　30万円未満でないため，通常の減価償却

4 青色申告者の取得価額30万円未満の減価償却資産の必要経費算入

青色申告書を提出する中小企業者（常時従業員1,000人以下の青色事業者（措令5の3⑥））が，取得し，又は製作し，もしくは建設し，かつ，その個人の業務用に供した減価償却資産で**取得価額が30万円未満**のものは，取得価額の全額を必要経費に算入できる（措法28の2）。一個又は一組当たりの**取得価額の合計額のうち300万円に達する**までの取得価額を限度とする。取得価額の合計額が300万円を超える場合には，超える部分の資産は通常の減価償却の計算をする。

5 減価償却資産の償却の方法

所得税法においては，減価償却資産の償却の方法として，一般的には定額法，定率法，生産高比例法などの方法を定めており，これらの償却の方法のうちいずれかの方法を選択し，その選定した方法により減価償却資産の償却を行うこととしている（令120①）。

また，納税地の所轄税務署長の承認を受けた場合には，これらの償却の方法に代えて，その承認を受けた特別の方法により償却することができ，資産の種類によっては，所定の承認又は認定を受けて取替法又は特別な償却率による償却の方法により償却することができることとしている（令120の2，121，122）。

〈定額法と定率法の減価償却費の基本的な考え方の違い〉

取得価額　100万円
耐用年数　3年
新定額法償却率　0.334
新定率法償却率　0.833

定額法	取得価額×償却率＝減価償却費
1年目	100万円×0.334＝33.4万円
2年目	100万円×0.334＝33.4万円
3年目	100万円×0.334＝33.4万円

定率法	年初帳簿価額×償却率＝減価償却費
1年目	100万円×0.833＝83.3万円
2年目	取得価額　減価償却累計 （100万円－83.3万円）×0.833 ＝13.9万円
3年目	取得価額　減価償却累計 （100万円－83.3万円－13.9万円） ×0.833＝2.3万円

※取得価額－減価償却累計＝年初帳簿価額

第Ⅳ編　必要経費の計算　469

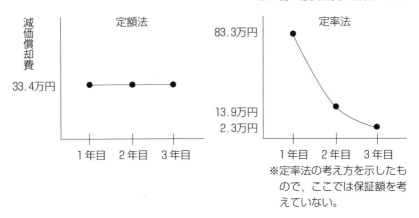

※定率法の考え方を示したもので，ここでは保証額を考えていない。

(1) **通常の償却の方法**

① **定　額　法**

　減価償却資産の取得価額に対して，その償却費が毎年同一となるようにその資産の耐用年数に応じた償却率を乗じて計算した金額を各年分の償却費として償却する方法をいう（令120①一イ）。

〈平成19年3月31日以前取得〉〈旧定額法〉

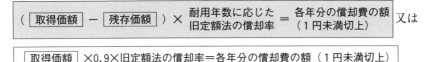

② **定　率　法**

　減価償却資産の取得価額（第2年目以後は，取得価額から償却費の累積額を控除した金額となる。このことを未償却残高又は年初帳簿価額という）に，その償却費が毎年一定の割合で逓減するように，その資産の耐用年数に応じた償却率を乗じて計算した金額を各年分の償却費として償却する方法をいう（令120①一ロ）。

〈平成19年3月31日以前取得〉〈旧定率法〉

（ 年初帳簿価額 ）× 耐用年数に応じた旧定率法の償却率 ＝ 各年分の償却費の額（1円未満切上）

年初帳簿価額＝取得価額－減価償却累計額＝年未償却残高

〈平成19年4月1日以後取得〉（買って新しいケース）〈新定率法〉

① 調整前償却額＝ 年初帳簿価額 × 新定率法 償却率（月割計算しない）
② 保証額＝取得価額×保証率
③ ①≧②のとき　　∴通常の減価償却
年初帳簿価額× 新定率法 償却率（年中取得は月割計算あり）（1円未満切上）

〈平成19年4月1日以後取得〉（古くなったケース）〈新定率法〉

① 調整前償却額＝ 年初帳簿価額 ×新定率法償却率（200％定率法又は250％定率法）（月割計算しない）
② 保証額＝取得価額× 保証率
③ ①＜②
改定取得価額（年初未償却残額）×改定定率法償却率（年中取得は月割計算あり）（1円未満切上）

（注1）　改定取得価額とは，調整前償却額が保証額に満たない場合，最初に満たないこととなる年の年初未償却残高をさす。

（注2）　償却限度額が保証額より少なくなった時から，改定取得価額に改定償却率をかけて減価償却の計算をする。これは定率法から定額法への実質的切り替えである。この切り替えで，耐用年数経過時に，1円を残し減価償却ができる。

（注3）　保証額は取得価額に保証率をかけて計算する。それは年初帳簿価額を「法定耐用年数－経過年数」で除した金額に該当する。1円を残し減価償却を完成させるための基準となるのが保証額である。

平成24年4月1日以後に取得した資産から200％定率法が適用になる。ただし，平成24年3月31日までに取得した資産については，従来の250％定率法の適用資産とみなすことができる。

また，平成24年分の所得税確定申告期限までに，届出書を提出すれば，すで

に250％定率法を適用している資産でも，200％定率法の適用資産とみなし200％定率法を適用できる。

〈新定率法の償却率〉

平成24年3月31日以前に取得した減価償却資産	定額法の償却率に2.5を乗じた割合（250％定率法）が原則だが，届出をすれば平成19年4月1日から平成24年3月31日までに取得したものは200％定率法の適用の特例あり
平成24年4月1日以後に取得した減価償却資産	定額法の償却率に2を乗じた割合（200％定率法）

（注） 定額法の償却率（1÷耐用年数）を2倍した数を定率法の償却率とする方法が200％定率法で，平成24年4月1日以後から適用される。定額法の償却率（1÷耐用年数）を2.5倍した数を定率法の償却率とする方法が250％定率法で，従来の定率法である。

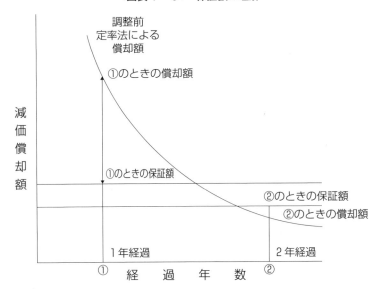

〈図表4－3〉 保証額の理解

①のとき
　調整前定率法の償却額 ＞ 保証額　のときの減価償却額は
　　　∴定率法償却額

②のとき
　調整前定率法の償却額 ＜ 保証額 のときの減価償却額は
　　　　∴改定取得価額×改定定率法償却額
　　　　　（この式は実質的には定率法から定額法への切り替え）
　※改定取得価額は，調整前定率法償却額が保証額に満たなくなった最初の年の年初未償却残高
　※保証額＝取得価額×保証率
　※保証率は1円を残し減価償却させるための基準

$$保証額 = \frac{年初帳簿価額}{法定耐用年数 - 経過年数}$$

③ 生産高比例法

鉱業用減価償却資産の取得価額をその資産の耐用年数（その資産に属する鉱区の採掘予定年数がその耐用年数より短い場合には，その鉱区の採掘予定年数）の期間内におけるその資産の属する鉱区の採掘予定数量で除して計算した一定単位当たりの金額に，各年におけるその鉱区の採掘数量を乗じて計算した金額をその年分の償却費として償却する方法をいう（令120①二十八）。

$$\frac{取得価額}{総採掘予定数量} × 各年の採掘数量 = 各年分の償却費の額$$

④ 営業権の償却方法

平成10年3月31日以前に取得した営業権の償却方法には，任意償却の方法と5分の1均等償却の方法とがある。①任意償却の方法とは，その営業権の取得価額をその取得をした日の属する年以後の各年において任意にその取得価額の範囲内の金額で償却する方法をいい（したがって，取得した年に全額の償却をすることもできる），②5分の1均等償却の方法とは，その営業権の取得価額の5分の1に相当する金額を各年分の償却費として償却する方法をいう（令120①五イ・ロ）。

平成10年4月1日以後に取得された**営業権の償却方法**は，月数按分はせずに**5分の1均等償却**の方法のみとなった（令132①）。

⑤ リース期間定額法

リース資産の取得価額（取得価額に残価保証額に相当する金額が含まれている場合

には，その取得価額からその残価保証額を控除）をそのリース資産のリース期間の月数で除して計算した金額にその年におけるそのリース期間の月数を乗じて計算した金額を各年分の償却費として償却する方法をいう（令120の2①六）。

$$\frac{リース資産の取得価額 - 残価保証額}{リース期間} \times \frac{その年のリース期間の月数}{12}$$

（注） 残価保証額とは，リース期間終了の時にリース資産の処分価額が所有権移転外リース取引に係る契約において定められている保証額に満たない時にその満たない部分の金額を賃借人がその賃貸人に支払うこととされている場合のその保証額をいう。

① 減価償却資産の償却率，改定償却率及び保証率

| 耐用年数 | 平成19年4月1日以後取得 ||||耐用年数| 平成19年3月31日以前取得 ||
||新定額法 償却率|新定率法（250%定率法）|||||旧定額法 償却率|旧定率法 償却率|
		償却率	改定償却率	保証率			
2	0.500	1.000	―	―	2	0.500	0.684
3	0.334	0.833	1.000	0.02789	3	0.333	0.536
4	0.250	0.625	1.000	0.05274	4	0.250	0.438
5	0.200	0.500	1.000	0.06249	5	0.200	0.369
6	0.167	0.417	0.500	0.05776	6	0.166	0.319
7	0.143	0.357	0.500	0.05496	7	0.142	0.280
8	0.125	0.313	0.334	0.05111	8	0.125	0.250
9	0.112	0.278	0.334	0.04731	9	0.111	0.226
10	0.100	0.250	0.334	0.04448	10	0.100	0.206
11	0.091	0.227	0.250	0.04123	11	0.090	0.189
12	0.084	0.208	0.250	0.03870	12	0.083	0.175
13	0.077	0.192	0.200	0.03633	13	0.076	0.162
14	0.072	0.179	0.200	0.03389	14	0.071	0.152
15	0.067	0.167	0.200	0.03217	15	0.066	0.142
16	0.063	0.156	0.167	0.03063	16	0.062	0.134
17	0.059	0.147	0.167	0.02905	17	0.058	0.127
18	0.056	0.139	0.143	0.02757	18	0.055	0.120
19	0.053	0.132	0.143	0.02616	19	0.052	0.114
20	0.050	0.125	0.143	0.02517	20	0.050	0.109
21	0.048	0.119	0.125	0.02408	21	0.048	0.104
22	0.046	0.114	0.125	0.02296	22	0.046	0.099
23	0.044	0.109	0.112	0.02226	23	0.044	0.095
24	0.042	0.104	0.112	0.02157	24	0.042	0.092
25	0.040	0.100	0.112	0.02058	25	0.040	0.088
26	0.039	0.096	0.100	0.01989	26	0.039	0.085
27	0.038	0.093	0.100	0.01902	27	0.037	0.082
28	0.036	0.089	0.091	0.01866	28	0.036	0.079
29	0.035	0.086	0.091	0.01803	29	0.035	0.076
30	0.034	0.083	0.084	0.01766	30	0.034	0.074
31	0.033	0.081	0.084	0.01688	31	0.033	0.072
32	0.032	0.078	0.084	0.01655	32	0.032	0.069
33	0.031	0.076	0.077	0.01585	33	0.031	0.067
34	0.030	0.074	0.077	0.01532	34	0.030	0.066
35	0.029	0.071	0.072	0.01532	35	0.029	0.064
36	0.028	0.069	0.072	0.01494	36	0.028	0.062
37	0.028	0.068	0.072	0.01425	37	0.027	0.060
38	0.027	0.066	0.067	0.01393	38	0.027	0.059
39	0.026	0.064	0.067	0.01370	39	0.026	0.057
40	0.025	0.063	0.067	0.01317	40	0.025	0.056
41	0.025	0.061	0.063	0.01306	41	0.025	0.055
42	0.024	0.060	0.063	0.01261	42	0.024	0.053
43	0.024	0.058	0.059	0.01248	43	0.024	0.052
44	0.023	0.057	0.059	0.01210	44	0.023	0.051
45	0.023	0.056	0.059	0.01175	45	0.023	0.050

46	0.022	0.054	0.056	0.01175	46	0.022	0.049
47	0.022	0.053	0.056	0.01153	47	0.022	0.048
48	0.021	0.052	0.053	0.01126	48	0.021	0.047
49	0.021	0.051	0.053	0.01102	49	0.021	0.046
50	0.020	0.050	0.053	0.01072	50	0.020	0.045

(注) 耐用年数省令別表第九及び別表第十には，耐用年数100年までの計数が規定されている。上記の定率法償却率は250％定率法に基づくものである。24年4月1日以後に取得した資産から200％定率法に償却率が縮減される。

② 減価償却資産の償却率，改定償却率及び保証率（平成24年4月1日以後取得の場合）

耐用年数	新定額法	新定率法（200％）			耐用年数	新定額法	新定率法（200％）		
		償却率	改定償却率	保証率			償却率	改定償却率	保証率
2	0.500	1.000	—	—	27	0.038	0.074	0.077	0.02624
3	0.334	0.667	1.000	0.11089	28	0.036	0.071	0.072	0.02568
4	0.250	0.500	1.000	0.12499	29	0.035	0.069	0.072	0.02463
5	0.200	0.400	0.500	0.10800	30	0.034	0.067	0.072	0.02366
6	0.167	0.333	0.334	0.09911	31	0.033	0.065	0.067	0.02286
7	0.143	0.286	0.334	0.08680	32	0.032	0.063	0.067	0.02216
8	0.125	0.250	0.334	0.07909	33	0.031	0.061	0.063	0.02161
9	0.112	0.222	0.250	0.07126	34	0.030	0.059	0.063	0.02097
10	0.100	0.200	0.250	0.06552	35	0.029	0.057	0.059	0.02051
11	0.091	0.182	0.200	0.05992	36	0.028	0.056	0.059	0.01974
12	0.084	0.167	0.200	0.05566	37	0.028	0.054	0.056	0.01950
13	0.077	0.154	0.167	0.05180	38	0.027	0.053	0.056	0.01882
14	0.072	0.143	0.167	0.04854	39	0.026	0.051	0.053	0.01860
15	0.067	0.133	0.143	0.04565	40	0.025	0.050	0.053	0.01791
16	0.063	0.125	0.143	0.04294	41	0.025	0.049	0.050	0.01741
17	0.059	0.118	0.125	0.04038	42	0.024	0.048	0.050	0.01694
18	0.056	0.111	0.112	0.03884	43	0.024	0.047	0.048	0.01664
19	0.053	0.105	0.112	0.03693	44	0.023	0.045	0.046	0.01664
20	0.050	0.100	0.112	0.03486	45	0.023	0.044	0.046	0.01634
21	0.048	0.095	0.100	0.03335	46	0.022	0.043	0.044	0.01601
22	0.046	0.091	0.100	0.03182	47	0.022	0.043	0.044	0.01532
23	0.044	0.087	0.091	0.03052	48	0.021	0.042	0.044	0.01499
24	0.042	0.083	0.084	0.02969	49	0.021	0.041	0.042	0.01475
25	0.040	0.080	0.084	0.02841	50	0.020	0.040	0.042	0.01440
26	0.039	0.077	0.084	0.02716					

(注) 平成19年4月1日より平成24年3月31日までに取得した減価償却資産で，定率法を採用している減価償却資産については，平成24年分の確定申告期限までに届出書を税務署長に提出したときは，200％定率法適用資産とみなすことができる。

6　減価償却方法の選定及び届出

　以下に掲げる者は，それぞれに掲げる日の属する年分の翌年3月15日の確定申告期限までに，**減価償却資産の区分**（事業所又は船舶ごとに償却の方法を選定しようとする場合には，**事業所又は船舶ごとの区分**）ごとに，よるべき償却の方法を選定して，書面により納税地の所轄税務署長に届け出なければならない。ただし，無形固定資産（鉱業権及び営業権を除く）及び生物（備品に該当するものを除く）については，その資産を取得した日において定額法を選定したものとみなされ，この届出を要しない（令123）。

(1)　新たに不動産所得，事業所得，山林所得又は雑所得を生ずべき業務を開始した者……**その業務を開始した日**

(2)　業務を開始した後すでにそのよるべき償却の方法を選定している減価償却資産（届出がない場合の法定償却の方法によるべきこととされているものを含む）以外の減価償却資産を取得した者……**その資産を取得した日**

〈図表4－4〉償却方法の届出期限

```
                    ┌─ 新たに業務を開始 ──→ 開業日 ──┐
減価償却方           │                                    │  それぞれの日の属
法の届出期    ──────┼─ 選定していた資産 ──→ 取得日 ──┤  する年の確定申告
限                   │  以外の資産を取得                  │  期限（翌年の3月
                    │                                    │  15日）までに届出
                    └─ 事業所ごとに償却                  │
                       方法を選定してお ──→ 開設日 ──┘
                       り，新たに事業所
                       を開設
```

```
       ┌────── 令和3年 ──────┬── 令和4年 ──┐
                                     3／15
       ├──────────×──────────┼──────×──────┤
                   ↓                        届
                新たに業務開始  ────────→  出
                                            期
                                            限
```

```
       ┌────── 令和3年 ──────┬── 令和4年 ──┐
                                     3／15
       ├───×──────×──────────┼──────×──────┤
       機械は   備品を ─────────────────→ 届
       届出済   取得                       出
                                           期
                                           限
```

7 選定できる償却の方法

選定することができる償却の方法の種類は，次に掲げる資産の区分に応じ，それぞれに掲げる方法である（令120①）。この場合，次の①，②及び④に掲げる資産については，設備の種類等の区分ごとに，選定しなければならない。なお，二以上の事業所を有する者は，事業所ごとに償却の方法を選定することができる（令123①）。

（平成19年3月31日以前取得）

① **建物**（鉱業用減価償却資産を除く）
　(イ)　平成10年3月31日以前に取得……**旧定額法又は旧定率法**
　(ロ)　平成10年4月1日以後に取得……**旧定額法**

② **建物の附属設備及びその他の有形の減価償却資産**（ 1 の①～⑦，ただし，次の⑧国外リース資産，③鉱業用減価償却資産及び⑦生物を除く）……**旧定額法又は旧定率法**

③ **鉱業用減価償却資産**（鉱業権及び国外リース資産を除く）……**旧定額法，旧定率法又は旧生産高比例法**

④ **無形固定資産**（⑤鉱業権を除く）……**旧定額法**

⑤ **鉱業権**……**旧定額法又は旧生産高比例法**

⑥ **営業権**
　(イ)　平成10年3月31日以前に取得……**任意償却の方法又は5年間均等償却法**
　(ロ)　平成10年4月1日以後に取得……**5年間均等償却**（月数按分しない）

⑦ **生物**……**旧定額法**

⑧ **国外リース資産**……**旧国外リース期間定額法**

（平成19年4月1日以降取得）

① **建物**（鉱業用減価償却資産を除く）……**新定額法**

② **建物の附属設備及びその他の有形の減価償却資産**（ 1 の①～⑦，ただし，次の⑧リース資産，③鉱業用減価償却資産及び⑦生物を除く）……**新定額法又は新定率法**

③ 鉱業用減価償却資産（⑤鉱業権及び⑧リース資産を除く）……**新定額法，新定率法又は新生産高比例法**

④ 無形固定資産（⑤鉱業権を除く）……**新定額法**

⑤ 鉱業権……**新定額法又は新生産高比例法**

⑥ 営業権……**5年間均等償却**

⑦ 生物……**新定額法**

⑧ リース資産……**リース期間定額法**

8 届出がなかった場合（法定償却方法）

償却の方法の届出がない場合の**法定償却方法**には，そのよるべき償却の方法は，次の掲げる資産の区分に応じ，それぞれに掲げる方法とされる（令125）。

① 一般（②以外）の減価償却資産……**定額法**

② 鉱業用減価償却資産（鉱業権を含む）……**生産高比例法**

9 減価償却方法の変更

減価償却資産につき選定した償却の方法（その償却の方法を届け出なかった者がよるべきこととされている法定償却の方法を含む）を変更しようとする者は，納税地の所轄税務署長の承認を受けなければならない（令124①）。

この場合，その承認を受けようとする者は，**その新たな償却の方法を採用しようとする年の3月15日**までに，その旨，変更しようとする理由その他所定の事項を記載した申請書を所轄税務署長に提出しなければならない（令124②）。税務署長は，その申請に基づいて承認又は却下の判定を行い書面によりその旨を通知する（令124④）が，その年12月31日までにその承認又は却下の処分がなかったときは，同日において自動的に承認があったものとみなされる（令124⑤）。

10 減価償却資産の取得価額

償却の基礎となる減価償却資産の取得価額は，以下による。

(1) **通常の方法により取得した減価償却資産**

通常の方法により取得した減価償却資産の取得価額は、以下の区分に応じ、それぞれ以下に掲げる金額による（令126①）。

① **購入した減価償却資産**……その資産の購入の代価とその資産を業務の用に供するために直接要した費用の額との合計額

上記の購入の代価には、引取運賃、荷役費、運送保険料、購入手数料、関税その他その資産の購入のために要した費用の額も含まれる。

② **自己の建設、製作又は製造に係る減価償却資産**……建設等のために要した原材料費、労務費、経費の額とその資産を業務の用に供するために直接要した費用の額との合計額

③ **自己が成育させた牛馬等**……以下の場合に応じ、それぞれ以下の金額

　㈤ **購入した牛馬等の場合**……①購入代価、②成育のために要した飼料費、労務費及び経費の額、③成育させた牛馬等を業務の用に供するために直接要した費用の額との合計額

　㈣ **㈤以外の方法により取得した牛馬等の場合**……①その取得のときにおけるその牛馬等の取得のために通常要する価額又は種付費及び出産費の額、②成育のために要した飼料費、労務費及び経費の額、③成育させた牛馬等を業務の用に供するために直接要した費用の額との合計額

④ **自己が成熟させた果樹等**……次の場合に応じ、それぞれ次の金額

　㈤ **購入した果樹等の場合**……①購入代価、②成熟のために要した肥料費、労務費及び経費の額、③成熟させた果樹等を業務の用に供するために直接要した費用の額との合計額

　㈣ **上記㈤以外の方法により取得した果樹等の場合**……①その取得のときにおけるその果樹等の取得のために通常要する価額又は種苗費の額、②成熟のために要した肥料費、労務費及び経費の額、③成熟させた果樹等を業務の用に供するために直接要した額との合計額

⑤ 上記①～④までの方法以外の方法により取得した減価償却資産……その取得のときにおけるその資産の取得のために通常要する価額とその資産を

業務の用に供するために直接要した費用の額

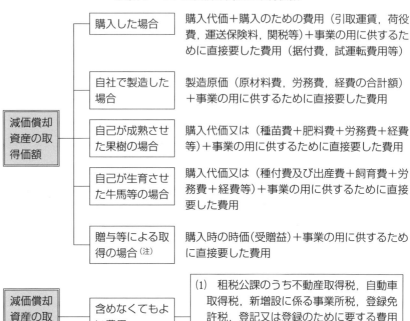

〈図表4-5〉減価償却資産の取得価額

減価償却資産の取得価額	購入した場合	購入代価＋購入のための費用（引取運賃，荷役費，運送保険料，関税等）＋事業の用に供するために直接要した費用（据付費，試運転費用等）
	自社で製造した場合	製造原価（原材料費，労務費，経費の合計額）＋事業の用に供するために直接要した費用
	自己が成熟させた果樹の場合	購入代価又は（種苗費＋肥料費＋労務費＋経費等）＋事業の用に供するために直接要した費用
	自己が生育させた牛馬等の場合	購入代価又は（種付費及び出産費＋飼育費＋労務費＋経費等）＋事業の用に供するために直接要した費用
	贈与等による取得の場合(注)	購入時の時価(受贈益)＋事業の用に供するために直接要した費用
減価償却資産の取得価額	含めなくてもよい費用	(1) 租税公課のうち不動産取得税，自動車取得税，新増設に係る事業所税，登録免許税，登記又は登録のために要する費用 (2) 固定資産の取得するために借り入れた借入金の利子

(注) 贈与等により取得の場合
　　A株式会社より機械　時価800,000円を贈与により取得
　　機 械 装 置　800,000 ／ 受　贈　益　800,000　(税法の考え方)
　　　　　⇩　　　　　　　　　　　⇩
　　減価償却資産であり　　　　　事業所得の
　　取得価額800,000　　　　　　　総収入金額

11　減価償却資産の耐用年数，償却率及び残存価額

　減価償却資産の償却費の額の計算上必要な耐用年数，その耐用年数に応じた償却率及び残存価額については，それぞれ「減価償却資産の耐用年数等に関する省令」に定められている。なお，耐用年数につき次の中古資産の耐用年数の

特例がある。

(1) **中古資産の耐用年数**

耐用年数の全部又は一部を経過したいわゆる中古資産を取得して業務の用に供した場合その資産の耐用年数は，その業務の用に供したとき以後の**使用可能期間の見積年数**によることができる（減令3）。

見積りが可能である場合の中古資産耐用年数
業務用に供した以後の使用可能期間年数

ただし，上記の使用可能期間の見積年数が明らかでないものについては，次の算式で計算した年数（**1年未満の端数はこれを切り捨てた年数**とし，その計算した**年数が2年に満たない場合には2年とする**）を耐用年数とすることに取り扱われている（耐用年数通達1-5-2ほか）。

見積りが困難である場合の中古資産の耐用年数
① 耐用年数の全部を経過した資産の耐用年数
法定耐用年数 $\times \dfrac{2}{10}$　（1年未満切捨，2年未満は2年）
② 耐用年数の一部を経過した資産の耐用年数
（法定耐用年数－経過耐用年数）＋（経過耐用年数 $\times \dfrac{2}{10}$）　（1年未満切捨，2年未満は2年）

(例) 特定耐用年数10年，2年8か月経過後に取得したケース

　　（10年－2年8か月）＋2年8か月×20％

　　＝（120か月－32か月）＋32か月×0.2＝94.4か月

　　＝7.86年→7年（残存耐用年数）　1年未満切捨

(注)① **耐用年数**とは，通常考えられる維持補修を加えた場合において，その減価償却資産の本来の用途又は用法により通常予定された効用をあげることのできる年数，すなわち効用持続年数をいうものである。

　② 平成19年3月31日以前に取得された減価償却資産についての**残存価額**とは，減価償却資産が耐用年数を経過したときにおいて想定される価額をいい，減価

償却資産の取得価額にその資産の残存割合を乗じて計算する（減令5）。なお，省令で定める残存割合は，建物，構築物，機械装置及び備品などの有形減価償却資産（坑道を除く）については10％，無形減価償却資産及び坑道については0％，生物（観賞用，興行用その他これに準ずる用に供する生物で備品に該当するものを除く）についてはその種類等に応じ5～50％となっている。

③ 平成19年4月1日以後に取得された減価償却資産については，残存価額は廃止された。耐用年数を経過した段階で，備忘価額の1円を残すだけで，あとは償却できる（令120の2①，令134①二）。

④ 取得した中古資産を取得後相当の期間内に改良等を行い，その改良等に要した費用が中古資産の取得価額の50％に相当する金額を超えるときは，使用可能年数を見積もりその見積使用可能年数により計算される。また，その改良等に要した費用がその資産の再取得価額の50％に相当する金額を超えるときは，法定耐用年数により計算される。

〈図表4－6〉中古資産の耐用年数

中古資産		取得状況	（残存耐用年数決定の算式） （1年未満切捨，2年未満は2年）
	原則→見積り		
	簡便法	①法定耐用年数の全部を経過したもの	法定耐用年数×20％
		②法定耐用年数の一部を経過したもの	（法定耐用年数－経過年数）＋経過年数×20％
		③中古資産の取得価額の50％を超える改良を加えた場合（④の場合を除く）	$\dfrac{改良費を含む取得価額}{\dfrac{改良費を含まない取得価額}{①又は②による中古資産の残存耐用年数}+\dfrac{改良費}{その資産の法定耐用年数}}$
		④改良費が再取得価額の50％を超える場合	法定耐用年数

(2) 耐用年数の短縮の特例

青色申告者は，その有する減価償却資産の材質又は製作方法が他の同種の資産と著しく異なること等のため，その資産の未経過使用可能期間（改正前は使用可能期間）が法定耐用年数に比し著しく短い場合には，納税地の所轄国税局長の承認を受けてその**承認を受けた使用可能年数**をもって耐用年数とすることができる（令130）。

(3) 償却可能限度額

減価償却資産（取替法及び特別な償却率による償却の方法を採用しているものを除く）の償却費の累積額が，以下に掲げる資産の区分に応じそれぞれに掲げる金額に達した場合には，その資産の償却費の額は，その達した金額をもって打ち切られる（令134①）。平成19年3月31日以前に取得した減価償却資産について，各年分において事業所得等の金額の計算上，必要経費に算入された金額の累積額が償却可能限度額（取得価額の95％）まで達している場合には，その達した年分の翌年分以後5年間で1円まで均等償却することとされた。

① **一般（②及び③以外）の減価償却資産**……平成19年3月31日以前取得は，その**取得価額の95％**に相当する金額（さらに95％償却後は平成19年3月31日以前取得の一般の減価償却資産は取得価額−1円まで償却できる）

　平成19年4月1日以後取得はその取得価額から1円を控除した金額に相当する金額

② **坑道及び無形固定資産**……その**取得価額**に相当する金額

③ **生物**（備品に該当するものを除く）……その取得価額からその生物に係る残存価額（1円）を控除した金額に相当する金額

④ **リース資産**……その取得価額から残価保証額を控除した金額に相当する金額

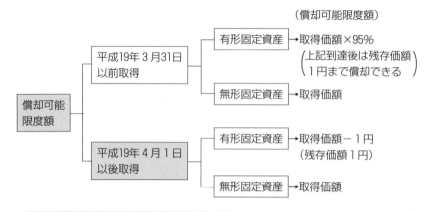

	償却可能限度額	償却方法
平成19年3月31日以前に取得した減価償却資産	取得価額の95％相当	旧定率法；旧定額法
	95％に達した場合には，さらに備忘価額1円まで償却可能	(取得価額×5％－1円) × 事業年度の月数/60
平成19年4月1日以後に取得した減価償却資産	備忘価額の1円まで償却可能	新定率法　新定額法

12　減価償却資産の減価償却費の計算

(1)　各年の償却費の計算

　その者の各年分の不動産所得の金額，事業所得の金額，山林所得の金額又は雑所得の金額の計算上必要経費に算入される減価償却資産の償却費の額は，その資産につきその者が採用している償却の方法に基づいて計算した金額とする（令131①）。

　この場合，**耐用年数省令に規定する耐用年数**（耐用年数の短縮の特例の適用を受けた耐用年数を含む）を適用するものについては，減価償却資産の種類の区分（その種類につき構造もしくは用途，細目又は設備の種類の区分が定められているものについては，これらの区分とし，また，事業所ごとに償却の方法を選定している場合にあっては事業所ごとのこれらの区分）ごとに，かつその耐用年数及びその者が採用

している償却費の方法の異なるごとに，その償却費の額を計算する（令131②，規32）。

(2) **年の中途で業務の用に供した減価償却資産の償却費**

年の中途において，①減価償却資産（営業権及び国外リース資産を除く）を業務の用に供した場合，②業務の用に供していた減価償却資産を業務以外の用に供した場合，③減価償却資産を有する者が死亡し又は出国をした場合には，その年分の必要経費に算入する償却費の額は，その年の業務の用に供した期間に対応する金額で，具体的には次に掲げる資産の区分に応じ，それぞれに掲げるところにより計算した金額とされる（令132①）。

(イ) **定額法，定率法又は取替法を採用している減価償却資産**……次の算式で計算した金額（1円未満切上）

$$1年分の償却費の額 \times \frac{その年における業務の用に供した後の期間又は業務の用以外の用に供するまでの期間もしくは死亡又は出国までの期間の月数（1か月未満の端数は1か月とする）}{12}$$

(ロ) **生産高比例法を採用している減価償却資産**……次の算式で計算した金額

$$1年分の償却費の額 \times \frac{その年における業務の用に供した後の期間又は業務の用以外の用に供するまでの期間もしくは死亡又は出国までの期間のその鉱区の採掘数量}{その年におけるその資産の属する鉱区の採掘数量}$$

〈図表4－7〉 期中取得の減価償却計算

(3) **減価償却計算の計算**

〈平成19年3月31日以前取得のケース〉

① 通常の減価償却計算

| 旧定額法 | →減価償却額＝取得価額0.9×旧定額法償却率 |

| 旧定率法 | →減価償却額＝年初帳簿価額×旧定率法償却率 |

② 減価償却累計が95％に達した時の減価償却計算

$$減価償却額 = (取得価額 \times 5\% - 1円) \times \frac{その事業年度の月数12か月}{60か月}$$

③ 減価償却累計が95％に達しそうな時の減価償却計算

$$減価償却額 = \left. \begin{array}{l} 通常の償却費 \\ (年初帳簿価額 - 取得価額 \times 5\%) \end{array} \right\} 少ない方$$

〈平成19年4月1日以降取得のケース〉

通常の減価償却計算

新定額法 →減価償却額＝取得価額×新定額法償却率

新定率法 →（買って新しいケース）

① 調整前償却額＝年初帳簿価額×新定率法償却率（月割計算しない）

② 保証額＝取得価額×保証率

③ ①＞②のときは　通常の減価償却

年初帳簿価額×新定率法償却率（期中取得は月割計算あり）

（古くなったケース）

① 調整前償却額＝年初帳簿価額×新定率法償却率（月割計算しない）

② 保証額＝取得価額×保証率

③ ①＜②ときは

減価償却額＝**改定**取得価額（年初帳簿価額）×**改定**定率法償却率（期中取得は月割計算あり）

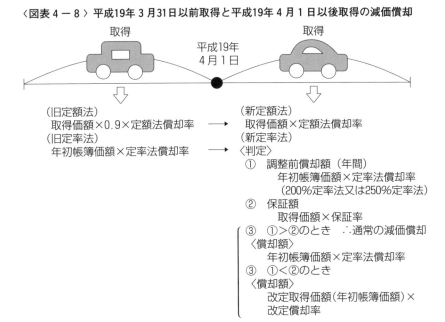

〈図表4－8〉平成19年3月31日以前取得と平成19年4月1日以後取得の減価償却

〈図表4－9〉平成24年3月31日以前取得と平成24年4月1日以後取得

13 非業務用資産の業務用に転用した場合の減価償却費の特例

　使用又は期間の経過により減価する資産で、業務の用に供していないものを業務の用に供した場合には、その資産の取得に要した費用、設備費、改良費の合計額からその業務の用に供した日までの期間の減価の額（**法定耐用年数の1.5倍の年数により定額法に準じて計算した金額**）を控除した金額をその業務の用に

供した日における償却後の価額として，その後の償却費の計算を行う（令135）。

この場合，昭和27年12月31日以前から引き続き所有していた資産を業務の用に供したものであるときは，原則として，その資産の昭和28年1月1日における相続税評価額の金額と同日後に支出した設備費及び改良費の合計額からそれを基として計算した同日以後業務の用に供した日までの期間の減価の額を控除し，その控除後の金額を業務の用に供した日における償却後の価額とされる（令136）。

《計算Point》減価償却費の計算

1 減価償却方法

① 有形減価償却資産　定額法，定率法　　（法定償却方法→定額法）

② 無形減価償却資産　定額法　　　　　　　　　　　↑
　　　　　　　　　　　　　　　　　　　　　　　届出なし

《減価償却方法》

資産区分	取得時期	償却方法
建物	平成10年3月31日以前取得	旧定率法・旧定額法
	平成10年4月1日から平成19年3月31日に取得	旧定額法
	平成19年4月1日以後平成28年3月31日以前取得	新定額法
建物，建物附属設備，構築物	平成28年4月1日以後取得	新定額法
建物，鉱業用減価償却資産及び牛馬，果樹等以外の有形減価償却資産	平成19年3月31日以前取得	旧定率法・旧定額法
	平成19年4月1日以後平成28年3月31日以前取得	新定率法（250%定率法又は200%定率法）・新定額法
建物，建物附属設備，構築物，鉱業用減価償却資産及び牛馬，果樹等以外の有形減価償却資産（機械装置，車両運搬具，工具等）	平成28年4月1日以後取得	新定率法　新定額法
無形減価償却資産及び生物（牛馬，果樹等）	平成19年3月31日以前取得	旧定額法
	平成19年4月1日以後取得	新定額法

鉱業用減価償却資産（鉱業権を除く）	平成19年3月31日以前取得	旧生産高比例法 旧定率法・旧定額法
	平成19年4月1日以後取得	新生産高比例法 新定率法（250％定率法又は200％定率法）・新定額法
鉱業権	平成19年3月31日以前取得	旧生産高比例法 旧定額法
	平成19年4月1日以後取得	新生産高比例法 新定額法
リース資産	国外リース資産　平成20年3月31日まで締結	国外リース期間定額法
	リース資産　　　平成20年4月1日以後締結	リース期間定額法

（注） 平成24年3月31日以前に取得されたもの……250％新定率法（定額法の償却率を2.5倍した償却率）
　　　平成24年4月1日以後に取得されたもの……200％新定率法（定額法の償却率を2倍した償却率）

<減価償却方法> 参考

取得時期 \ 資産の種類	～平成10年3月31日	平成10年4月1日～ 平成19年3月31日	平成19年4月1日～ 平成24年3月31日	平成24年4月1日～ 平成28年3月31日	平成28年4月1日～
有形減価償却資産／建物	① 旧定額法 ② 旧定率法（法定償却方法）	旧定額法	新定額法		
有形減価償却資産／建物附属設備　構築物	① 旧定額法 ② 旧定率法（法定償却方法）		① 新定額法 ② 250％新定率法　③ 200％新定率法（法定償却方法）		新定額法
有形減価償却資産／その他（機械装置，車両，工具等）	① 旧定額法 ② 旧定率法（法定償却方法）		① 新定額法 ② 250％新定率法　③ 200％新定率法（法定償却方法）		
無形減価償却資産及び生物（牛馬，果樹園等）	旧定額法		新定額法		
鉱業用減価償却資産（鉱業権を除く）	旧生産高比例法 旧定率法・旧定額法		新生産高比例法 新定率法（250％定率法又は200％定率法）・新定額法		
鉱業権	旧生産高比例法 旧定額法		新生産高比例法 新定額法		
リース資産／国外リース資産　リース資産	平成20年3月31日まで締結 国外リース期間定額法		平成20年4月1日以降締結 リース期間定額法		

2 **少額減価償却資産**

| 使用可能期間1年未満 取得価額10万円未満 | ⇒ | 少額減価償却資産 必要経費ＯＫ |

青色申告書を提出する中小企業者　取得価額30万円未満→必要経費ＯＫ

3

$$年償却費 \times \frac{業務供用月数（1か月未満切上げ）}{12}$$

（例）　2,000,000円で取得（平成28年1月2日）した車を平成28年3月5日より業務の用に供した。

〈定額法で償却率0.166〉

（解答）　3月5日～12月31日→10ヶ月

$$2,000,000円 \times 0.166 \times \frac{10ヶ月}{12ヶ月} = 276,666円$$

第Ⅳ編　必要経費の計算　491

〈図表4−10〉資本的支出と修繕費との区分

4 減価償却計算の総まとめ

	平成19年4月1日以後 取得資産ケース	平成19年3月31日以前 取得資産ケース
定額法	償却額 　取得価額×新定額法償却率	償却額 　取得価額×0.9×旧定額法償却率
定率法	（新定率法250%定率法又は200%定率法） (1) 判定 　① 調整前償却額（年間償却限度で月割なし） 　　税務上の年初簿価×新定率法償却率 　② 保証額 　　取得価額×保証率 　③ 償却額①≧保証額② 　　∴ 通常の減価償却 (2) 償却額（期中取得月割あり） 　年初税務上簿価×新定率法償却率	償却額 　税務上の年初簿価×旧定率法償却率
	(1) 判定 　① 調整前償却額（年間償却限度で月割なし） 　　税務上の年初簿価×新定率法償却率 　② 保証額 　　取得価額×保証率 　③ 償却額①＜保証額② (2) 償却額 　改定取得価額(税務上の年初簿価)×改定償却率	
減価償却累計額が95%に近いとき（定額法，定率法とも）	（償却が可能限度額に達しそうなケース） 償却額 　① 通常の償却額 　② 税務上の年初帳簿価額－1円 　③ ①と②少ない方	償却額 　① 通常の償却額 　② 税務上の年初帳簿価額－取得価額×5％ 　③ 　(ア) ②＞0円のケース 　　（95％に償却累計未達） 　　　∴ ①と② 少ない方 　(イ) ②≦0円のケース 　　（95％に償却累計到達） 　　 i 税務上年初帳簿価額－1円 　　 ii (取得価額×5％－1円)×$\frac{その事業年度月数}{60}$ 　　 iii ⅰとⅱの少ない方

《計算例題》減価償却費の計算

次の資料に基づき，福大太郎の本年分（令和3年度）の事業所得の金額の計算上必要経費に算入すべき償却費の額を計算しなさい。なお，償却方法は定額法である。青色申告書を提出する中小企業者には該当するものとする。

	取得価額	耐用年数	年初帳簿価額	事業の用に供した日	
建物	5,000,000円	30年	4,280,000円	平成18年×月	（償却率0.034）
倉庫	2,000,000	16	—	本年10月	（ 〃 0.063）
機械A	500,000	10	450,000	令和2年1月	（ 〃 0.100）
備品	1,500,000	15	—	本年4月	（ 〃 0.067）
車	1,000,000	5	—	本年11月	（ 〃 0.200）
機械B	180,000	10	—	本年8月	（ 〃 0.100）

(注) 車は製作後3年経過の中古資産である。
　また機械Bは，青色申告書を提出する中小企業者の取得価額30万円未満の対象とする。

(過去の税理士試験の問題)

《解答欄》

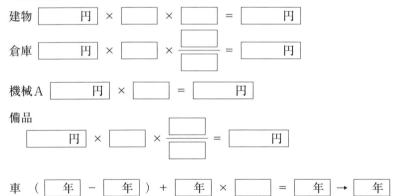

```
┌─────────────────────────────────────────────────────┐
│         │円│ × │ │ × │ │ × ─── = │    │円         │
│                                                      │
│ 機械B │   │円 < │   │円   ∴ │     │円            │
└─────────────────────────────────────────────────────┘
```

《解　答》

建物　$5,000,000$円 × 0.9 × 0.034 = $153,000$円（平成19年3月31日以前取得）

倉庫　$2,000,000$円 × 0.063 × $\dfrac{3}{12}$ = $31,500$円（平成19年4月1日以後取得）

機械A　$500,000$円 × 0.100 = $50,000$円

備品
$1,500,000$円 × 0.067 × $\dfrac{9}{12}$ = $75,375$円（平成19年4月1日以後取得）

車　（ 5年 － 3年 ）+ 3年 × 0.2 = 2.6年 → 2年 （平成19年4月1日以後取得）

$1,000,000$円 × 0.500 × $\dfrac{2}{12}$ = $83,333$円

機械B　$180,000$円 < $300,000$円　中小企業者に該当する青色申告者

∴ $180,000$円

第2節　繰延資産の償却

【Point 21】

> 繰延資産は，**商法上の繰延資産**と**税法上の繰延資産**に分けられ，その償却費は，原則として以下のように算定される（令137, 139）。
>
> ① 商法上の繰延資産
>
> $$\text{繰延資産の額} \times \frac{\text{その年の業務期間の月数}}{60}$$
>
> ② 税法上の繰延資産
>
> $$\text{繰延資産の額} \times \frac{\text{その年の業務期間の月数}}{\text{その支出の効果が及ぶ期間の月数}}$$

　所得税法において，その支出した費用につき，支出の効果が次期以降に数年に発現するものについては，この費用の効果の及ぶ次期以降にも負担させる必要があるため，その支出の効果の及ぶ期間を基礎として所定の方法により計算した金額を各年分の必要経費に算入することとしている（法37①, 50, 令137, 139）。

1　繰延資産の範囲

　繰延資産とは，不動産所得，事業所得，山林所得又は雑所得を生ずべき業務に関し個人が支出する費用のうち，その**支出の効果が支出の日以後1年以上に及ぶもの**で次に掲げるものをいう。ただし，資産の取得に要した金額とされるべき費用及び前払費用は含まれない（法2①二十, 令7①一・二）。

(1) 会計上の繰延資産

　① **開業費**（不動産所得，事業所得又は山林所得を生ずべき事業を開始するまでの間に開業準備のために特別に支出する費用をいう）

② **開発費**（新たな技術もしくは新たな経営組織の採用，資源の開発又は市場の開拓のために特別に支出する費用をいう）

(2) **税法上の独自の繰延資産**

上記のほか，次に掲げる費用で支出の効果がその支出の日以後1年以上に及ぶもの。

① 自己が便益を受ける公共的施設又は共同的施設の設置又は改良のために支出する費用
② 資産を賃借し又は使用するために支出する権利金，立退料その他の費用
③ 役務の提供を受けるために支出する権利金その他の費用
④ 製品等の広告宣伝の用に供する資産を贈与したことにより生ずる費用
⑤ 上記のほか，自己が便益を受けるために支出する費用

2 繰延資産の償却費の計算

繰延資産の償却費として，各年分の不動産所得の金額，事業所得の金額，山林所得の金額又は雑所得の金額の計算上，必要経費に算入する金額は，次に掲げる繰延資産の区分に応じ，それぞれに掲げる金額とする（令137）。

(1) **開業費，開発費**（会計上の繰延資産）……次の算式で計算した金額。ただし，これによらないで，その繰延資産の額の範囲内の金額を，その年分の確定申告書に記載して必要経費に算入する（任意償却）ことができる。

$$繰延資産の額 \times \frac{その年において業務を行っていた期間の月数\begin{pmatrix}繰越資産となる費用を支出した年は，\\その支出以後の期間の月数\end{pmatrix}}{60} = その年分の償却費の額\begin{pmatrix}未償却残額を超えるときは，\\その残額を限度とする\end{pmatrix}$$

(2) **上記(1)以外の繰延資産**（税法上の繰延資産）……次の算式で計算した金額

$$繰延資産の額 \times \frac{その年において業務を行っていた期間の月数\begin{pmatrix}繰越資産となる費用を支出した年は，\\その支出以後の期間の月数\end{pmatrix}}{支出の効果の及ぶ期間の月数} = その年分の償却費の額\begin{pmatrix}未償却残額を超えるときは，\\その残額を限度とする\end{pmatrix}$$

(注) ① 「期間の月数」を計算する場合に，1か月に満たない端数があるときは，これを1か月として計算する（令137②）。
② 繰延資産の「**支出の効果の及ぶ期間**」については，国税庁の通達がある。下記の表による。

〈図表4－11〉税法上の繰延資産の償却期間

種　類	細　目	償　却　期　間
公共的施設（道路，堤防等）の設置等負担金	負担者が専属的に使用する場合	施設等の耐用年数×0.7
	上記以外の施設又は工作物の設置又は改良の場合	その施設又は工作物の耐用年数の40％に相当する年数
共同的施設（アーケード，会館等）の設置等負担金	負担者が専属的に利用する場合	施設の耐用年数×0.7（10年限度）（土地取得負担金は45年）
	アーケード，街頭，アーチ，日よけ	5年　　　　　　短い方 耐用年数　　簡易な舗装，街頭等は支出年度の経費
建物を賃借するために支出する権利金等	賃借建物の新築に際して，賃借部分の建築費用の大部分を占める額で支払うのであって，建物の存続期間中賃借できるもの	建物の耐用年数×0.7
	借家権として転売できるもの	建物の見積残存耐用年数×0.7
	その他のもの	5年（賃借期間が5年未満で，かつ契約更新時に再び権利金の支払を要するときは賃借期間を限度）
電子計算機その他機器の賃借に伴い支出する費用		機器の耐用年数×0.7（賃借期間を限度）
役務の提供を受けるための権利金その他の費用（ノーハウの頭金等）		5年（設定契約の有効期間が5年未満である場合において，契約の更新に際して再び一時金又は頭金の支払を要することが明らかであるときは，その有効期間の年数）
広告宣伝用資産の贈与費用		贈与資産の耐用年数×0.7（5年限度）
同業者団体等の加入金（構成員としての地位を譲渡できるものを除く）		5年
職業運動選手等の契約金等		契約期間（契約期間の定めがない場合は3年）

(**注**) 1年未満の端数は切捨

3 少額の繰延資産となる費用の必要経費算入の特例

上記 1 の(2)に掲げる税法上の繰延資産（開業費，試験研究費及び開発費以外の繰延資産）となる費用のうち，その支出する金額が**20万円未満**であるものについては，上記 2 の計算の方法によらず，その支出する金額に相当する金額を，その支出する日の属する年分の不動産所得の金額，事業所得の金額，山林所得の金額又は雑所得の金額の計算上，必要経費に算入する（令139の2）。

20万円未満の判定は，広告宣伝用資産等の贈与費用は1個又は1組ごとに，建物を賃借するための権利金等は一契約ごとに，公共的施設の負担金や共同的施設の設置等負担金は一計画ごとに行う（通50-7）。

〈図表4-12〉繰延資産の償却

```
                    ┌─ 会計上の  ─┬─ 任意償却できる      （特例）
                    │  繰延資産    │
                    │              │              業務を行っていた月数（1月未満切上）
                    │              └─ 繰延資産の額× ─────────────────────── （原則）
繰延資産 ─┤                                            60か月
                    │
                    │              ┌─ 支出の効果の及ぶ
                    │              │  期間の月数で償却
                    └─ 税法固有の ─┤                                    業務を行っていた月数
                       繰延資産    │   繰延資産の額× ─────────────────────
                                   │                         支出の効果が及ぶ期間の月数
                                   │
                                   └─ 支出金額が  → 全額必要
                                      20万円未満      経費算入
```

《計算例題》繰延資産

令和3年度に，福大太郎が支出した以下の繰延資産の必要経費に算入すべき金額を計算しなさい。

(1) アーケードを設置するための負担金400,000円を平成28年4月に支出した。アーケードの耐用年数は16年である。
(2) 新たな技術のために特別支出した費用（開発費） 500,000円
(3) アーケード建設負担金　180,000円
　　アーケードの耐用年数は20年である。
(4) 事務所を賃借するために支出した権利金900,000円で，賃借期間は本年9月から3年間で，契約更新時に再び権利金を支払う契約である。
(5) 協会用の会館（本来の用の用に供されるためのもの）の建設負担金360,000円（耐用年数20年）。本年5月に支出し，建設工事は7月から開始している。
(6) 同業者団体の加入金を本年11月に240,000円支出した。この加入金は，構成員としての地位を譲渡できないこととなっている。

《解答欄》

(1) ［　　円　］ × ［　　か月　］ / ［　　年　］ ×12か月 ＝ ［　　円　］

(2) ［　　円　］

(3) ［　　円　］ ＜ ［　　円　］ ∴ ［　　円　］

(4) ［　　円　］ × ［　　か月　］ / ［　　年　］ ×12か月 ＝ ［　　円　］

(5) ［　　円　］ × ［　　か月　］ / ［　　年　］ ×12か月 ＝ ［　　円　］

(6) ［　　円　］ × ［　　か月　］ / ［　　年　］ ×12か月 ＝ ［　　円　］

《解　答》

(1) $\boxed{400,000円} \times \dfrac{\boxed{9か月}}{\boxed{5年} \times 12か月} = \boxed{60,000円}$

　　（注）　16年＞5年　∴5年

(2) 開発費は会計上の繰延資産なので任意償却

　　$\boxed{500,000円}$

(3) $\boxed{180,000円} < \boxed{200,000円}$　∴$\boxed{180,000円}$

(4) $\boxed{900,000円} \times \dfrac{\boxed{4か月}}{\boxed{3年} \times 12か月} = \boxed{100,000円}$

　　（注）　5年＞3年　短い方　∴3年

(5) $\boxed{360,000円} \times \dfrac{\boxed{6か月}}{\boxed{10年} \times 12か月} = \boxed{18,000円}$

　　20年×0.7＝14年＞10年　∴短い方　10年

(6) $\boxed{240,000円} \times \dfrac{\boxed{2か月}}{\boxed{5年} \times 12か月} = \boxed{8,000円}$

第5章 引当金

第1節 貸倒引当金

【Point 22】

貸倒引当金の繰入限度額は，個別に評価する貸金に対する貸倒引当金の繰入額とすべてについて一括して評価する貸金に対する貸倒引当金の繰入限度額との合計額である。

(1) **一括して評価する貸金に対する貸倒引当金**の繰入限度額の計算は，以下の算式によって計算される（令145）。

（割引手形を含む）

年末貸金の帳簿価額の合計額 $\times \dfrac{55}{1,000} = $ 貸倒引当金の繰入限度額

(2) **個別に評価する貸金等**について回収不能が見込まれる場合には，その損失見込額が貸倒引当金の繰入額である。

各種所得の金額の計算上必要経費に算入すべき費用は，償却費を除き，原則としてその年において債務の確定したものに限られる（法37①・②）。したがって，将来発生する費用又は将来実現する損失に対する引当金繰入額又は準備金

積立額は，法令において特に必要経費算入を認めたものを除いては，必要経費に算入できない。

それにもかかわらず所得税法は，青色申告者は，貸倒引当金，返品調整引当金，退職給与引当金，特別修繕引当金，製品保証等引当金の各勘定に繰り入れた金額は，その年分の事業所得等の必要経費に算入することができる（法52〜55の2）としている。

なぜならば，所得税法では費用の期間配分及び税負担の平準化などの見地から，青色申告者には，将来の損失に備えるための引当金として上記の貸倒引当金などの引当金規定を設け，所定の方法により計算した金額を限度としてその繰入額を必要経費に算入することができるとしているからである。

貸倒引当金ついては，平成10年度の税制改正で，以下の2つの金額を合計して貸倒引当金繰入額となった。

① 個別に評価する貸金の貸倒引当金繰入額

　個別に貸金等の一部について回収不能と見込まれる場合の損失見込額を繰入額とする（従来の債権償却特別勘定繰入額をさす）。

② 一括して評価する貸金の貸倒引当金繰入額

　①以外の対象貸金のすべてについて法定繰入率により計算した繰入額。

〈図表5－1〉貸倒引当金の繰入限度額

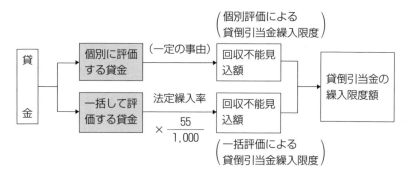

1　個別に評価する貸金に対する貸倒引当金

　不動産所得，事業所得又は山林所得を生ずべき事業を営む居住者が，その事業の遂行上生じた売掛金，貸付金，前渡金その他これらに準ずる金銭債権（貸金等）の**貸倒れその他これに類する事由による損失の見込額**として，各年（事業の全部を譲渡し又は廃止した日の属する年を除く）において貸倒引当金勘定に繰り入れた金額については，その金額のうち，その年12月31日（その者が年の中途において死亡した場合には，その死亡の時）においてその一部につきその損失が見込まれる貸金等の損失の見込額として次の(1)から(4)までに掲げる金額の合計額に達するまでの金額は，その繰入れをした年分の不動産所得，事業所得又は山林所得の金額の計算上，必要経費に算入される（法52①，令144①，規35の2，36）。

　この設定は，青色申告者に限らず認められる。

(1) 貸金等が次に掲げる事由に基づいてその弁済を猶予され，又は賦払により弁済される場合におけるその貸金等の額のうち，その事由が生じた年の翌年1月1日から5年を経過する日までに弁済されることとなっている金額以外の金額（担保権の実行その他によりその取立て又は弁済（以下この表において「取立て等」という）の見込みがあると認められる部分の金額を除く）

　イ　会社更生法又は金融機関の更生手続の特例等に関する法律の規定による**更生計画認可の決定**

　ロ　民事再生法の再生計画又は破産法の規定による強制**和議の認可の決定**

　ハ　会社法の規定による**特別清算に係る協定の認可**

　ニ　次に掲げる事由

　　　法令の規定による整理手続によらない関係者の協議決定で次に掲げるもの

　　　㋑　**債権者集会の協議決定**で合理的な基準により債務者の負債整理を定めているもの

　　　㋺　行政機関，金融機関その他第三者のあっせんによる**当事者間の協議**により締結された契約でその内容が㋑に準ずるもの

(2) 貸金等（①の規定の適用があるものを除く）に係る債務者につき，**債務超過**

の状態が相当期間継続しその営む業務に好転の見通しがないこと，**災害，経済事情の急変等**により多大な損害が生じたことその他の事由が生じていることにより，その貸金等の一部の金額につきその**取立て等の見込みがないと認められるときにおけるその一部の金額に相当する金額**

(3) 貸金等（(1)の規定の適用があるもの及び(2)の規定の適用を受けるものを除く）に係る債務者につき次に掲げる事由が生じている場合におけるその貸金等の額（その貸金等の額のうち，その債務者から受け入れた金額があるため実質的に債権とみられない部分の金額及び担保権の実行，金融機関又は保証機関による保証，債務の履行その他により取立て等の見込みがあると認められる部分の金額を除く）の**100分の50に相当する金額**

 イ　会社更生法又は金融機関の更生手続の特例等に関する法律の規定による**更生手続開始の申立て**

 ロ　民事再生法の規定による**再生手続開始の申立て**

 ハ　破産法の規定による**破産手続の開始の申立て**

 ニ　会社法の規定による**特別清算開始の申立て**

 ホ　**手形交換所**（手形交換所のない地域にあっては，その地域において手形交換業務を行う銀行団を含む）による**取引停止処分**

 ヘ　電子記録債権法に規定する電子債権記録機関による取引停止処分

(4) **外国の政府，中央銀行又は地方公共団体に対する貸金等**のうち，これらの者の長期にわたる**債務の履行遅滞**によりその経済的な価値が著しく減少し，かつ，その**弁済を受けることが著しく困難**であると認められる事由が生じている貸金等の額（その貸金等の額のうち，これらの者から受け入れた金額があるため実質的に債権とみられない部分の金額及び保証債務の履行その他により取立て等の見込みがあると認められる部分の金額を除く）の**100分の50に相当する金額**

第Ⅳ編　必要経費の計算　505

〈図表5－2〉個別評価する債権に係る貸倒引当金の繰入限度額

以下の事由により弁済を猶予され又は賦払により弁済される金銭債権の額のうち，以下の事由が生じた事業年度修了の日の翌日から5年を経過するまでに弁済されない金額（担保権の実行等により取立て等の見込みがあるものを除く）（**弁済猶予等があった場合**）

A	B	C
① 更正法等の規定による更生計画の認可の決定 ② 民事再生法による再生計画認可の決定 ③ 会社法による特別清算に係る協定の認可の決定 ④ 債権者集会の協議決定 ⑤ 行政機関，金融機関その他第三者のあっせんによる協議により締結された契約で内容が①に準ずる	① 債務超過が連続し好転の見通しなし ② 災害・経済事情の急変等により多大の損害 上記の事由により金銭債権の一部につき回収不能（取立等の見込がない場合）	① 更正手続開始申立て ② 再生手続開始申立て ③ 破産手続開始申立て ④ 特別清算開始申立て ⑤ 手形交換所の取引停止処分 ⑥ 電子記録債権法に規定する電子債権記録機関による取引停止処分 ⑦ 外国の政府等による金銭債権のうち長期にわたり債務の履行遅滞で経済的価値の減少しかも弁済が著しく困難（形式基準による場合）

A

全額を貸倒引当金の繰入限度額

（決定が平成28年なら）

その年12月31日において弁済猶予・賦払弁済される貸金等 － 事由が生じた年の翌日1月1日以後5年を経過するまでに弁済される金額

－ 担保等による取立等の見込額 ＝ 平成34年以後の弁済額・切捨額

B

取立て等の見込みがないと認められる一部金額

C

（当該金銭債権 － 実質的に債権と認められないもの － 担保実行や保証債務の履行により取立て等の見込みがある金額）× $\frac{50}{100}$

個別評価債権に係る貸倒引当金の繰入限度額　A＋B＋C

2　一括して評価する貸金に対する貸倒引当金

(1) **貸倒引当金繰入額の必要経費算入**

　事業所得を生ずべき事業を営む青色申告者が，その事業の遂行上生じた売掛金，貸付金などの貸金（ 1 の個別に評価する債権に係る貸倒引当金の設定の対象となったものを除く）について，その将来の貸倒れによる損失に備えるため，その貸金の貸倒れによる損失の見込額として，各年（事業の全部を譲渡し又は廃止した日の属する年を除く）において貸倒引当金勘定に繰り入れた金額がある場合には，その繰り入れた金額のうち，その年12月31日（年の途中において死亡した場合には，その死亡したとき）における貸金の額を基礎として所定の方法により計算した金額を限度とし，その年分の事業所得の金額の計算上，必要経費に算入する（法52①，令144，145）。

(2) **貸倒引当金の設定対象となる期末債権**（一括評価貸金）

　① 対象となる債権

　　貸倒引当金の設定の対象となる債権は，売掛金，貸付金，受取手形，割引手形，未収加工料，未収請負金，割賦未収金（棚卸方式により経理している場合はその取得価額に相当する金額）などの未収金その他事業の遂行上生じた債権である。

　② 次に掲げる事業債権は，貸倒引当金の設定の対象とされない（基52-17）。

　　(イ) 保証金，敷金，預け金その他これらに類する債権（土地等の担保として支払ったもので，金銭の回収と異なるため）

　　(ロ) 手付金，前渡金，その他これに類する債権で資産の取得の代価に充てられるもの（対価の支払の一部であり，あとで精算されるため）

　　(ハ) 前払給料，概算払旅費，前渡交際費等のように将来精算される費用の前払として一時的に仮払金，立替金等として経理されている債権（将来精算されるため）

　　(ニ) 仕入割戻しの未収金（仕入代金の戻りの性格をもち，あとで買掛金等と相殺されるため）

(3) 実質的に債権とみられないものの額

① 原　則　法（令114①）

　債務者から受け入れた金額がその債務者に対する債権と相殺適状になる場合又はその債権と相殺的な性格を有する場合は，その受け入れた金額に相当する債権は，貸倒引当金の設定の対象となる債権の金額から控除する。例えば，同一人に対する売掛金（又は受取手形）と買掛金とがあるような場合には，売掛金（又は受取手形）の金額から買掛金の額（同一人に対して有する売掛金の額を超えるときは，売掛金に相当する金額を限度とする）を控除する。

　具体的に，以下に掲げるような金額は，貸金の額に含まれない（基52-18）。

　イ　同一人に対する売掛金又は受取手形と買掛金又は支払手形とがある場合のその売掛金又は受取手形の金額のうち，買掛金又は支払手形の金額に相当する金額

　ロ　同一人に対する売掛金又は受取手形と買掛金とがある場合において，その買掛金の支払のため他から取得した受取手形を裏書譲渡したときのその売掛金又は受取手形の金額のうち，裏書譲渡をした手形（支払期日の到来していないものに限る）の金額に相当する金額

　ハ　同一人に対する売掛金とその者から受け入れたその事業に係る保証金とがある場合のその売掛金の額のうち，保証金の額に相当する金額

　ニ　同一人に対する売掛金とその者から受け入れた借入金とがある場合のその売掛金の額のうち，借入金の額に相当する金額

　ホ　同一人に対する完成工事の未収金とその者から受け入れた未成工事に対する受入金とがある場合のその未収金の額のうち，受入金の額に相当する金額

　ヘ　同一人に対する貸付金と買掛金とがある場合のその貸付金の額のうち，買掛金の額に相当する金額

　ト　専ら融資を受ける手段として他から受取手形を取得し，その見合いとして借入金を計上し，又は支払手形を振出した場合のその受取手形の金額のうち，借入金又は支払手形の金額に相当する金額

チ 使用人に対する貸付金とその使用人から受け入れた預り金とがある場合のその貸付金の額のうち，預り金の額に相当する金額

> 同一人に対する 貸金の合計額 と 債務の合計額
> ∴少ない方の金額

② 簡　便　法（昭和55年1月1日以後引き続き事業を営んでいる者に限る）（令145②）
簡便法による場合は，次の算式で求めた金額を実質的に債権とみられない債権の額として売掛金，貸付金等の額から控除する。

$$\text{年末における一括評価貸金の額} \times \frac{\text{平成27年及び平成28年の各年末における実質的に債権とみられない債権の額の合計額}}{\text{平成27年及び平成28年の各年末における売掛金，貸付金等の額の合計額}} \quad \left(\begin{array}{l}\text{割合は小数}\\\text{点以下3位}\\\text{未満切捨}\end{array}\right)$$

なお，割合に小数点以下第3位未満の端数が生ずるときは，その端数を切り捨てる。原則法と簡便法の金額を比較し，いずれか低い方の金額が実質的に債権とみられないものの額となる。

（注）　平成10年分及び平成11年分の所得税については，上記の規定中「平成10年1月1日」とあるのは「昭和55年1月1日」と，「平成10年及び平成11年」とあるのは「昭和55年及び昭和56年」と，「貸金の額の合計額」とあるのは「売掛金，貸付金その他これらに準ずる金銭債権の額の合計額」とする（平成10年政令104号附則9）。

(4) **繰入限度額の計算**

貸倒引当金繰入額のうち必要経費に算入される金額は，次の算式で計算した金額に達するまでの金額である（令145）。つまり，上記(2)の期末債権から(3)の実質的に債権とみられないものの額を差し引いた期末貸金の額に $\frac{55}{1,000}$（金融業では $\frac{33}{1,000}$）をかけた金額である。

$$\text{その年12月31日における年末貸金の額（年末一括評価貸金の額）} \times \frac{55}{1,000} \left(\text{金融業}\frac{33}{1,000}\right)$$

(5) **貸倒引当金勘定の処理**

貸倒引当金については，貸倒引当金勘定繰入額のうちその年分の事業所得の必要経費に算入された金額は，その繰り入れた年の翌年分の事業所得の総収入

金額に算入する（法52③）。

(6) 申告要件

貸倒引当金勘定繰入額の必要経費算入は，原則として，確定申告書にその必要経費算入に関する明細な記載がない場合には適用されない（法52④）。

《計算Point》
〈一括して評価する貸金に対する貸倒引当金の繰入限度額の計算〉

① 適用要件：青色申告者で事業所得を生ずべき事業を営む者

② 繰入限度額

（ 年末一括評価貸金の額 − 実質的に債権とみられないものの額 ）$\times \dfrac{55}{1,000}$
※割引手形は含む

③ 債権（一括評価貸金）とならないもの

イ 保証金，敷金
ロ 手付金，前渡金
ハ 前払給与，概算払旅費
→ 預け金，立替，前払的なものは除く

④ 実質的に債権とみられないもの

〈債権者から受け入れた金額と相殺できる分〉

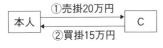

本人 ①売掛20万円 → C
②買掛15万円

①20万円 ＞ ②15万円

∴少ない方15万

《計算Pattern》一括して評価する貸金に対する貸倒引当金繰入限度額

① 年末一括評価貸金の額 [　　　]円

② 実質的に債権とみられないものの額 [　　　]円 ＜ [　　　]円
　　　　　　　　　　　　　　　　　　　　　　　∴[　　　]円

③ 繰入限度額

（ [①] − [②] ）$\times \dfrac{55}{1,000} =$ [　　　]円

又は（ 年末一括評価貸金額 － 実質的に債権とみられないもの ）× $\dfrac{55}{1,000}$ ＝繰入限度額

個別法と簡便法の少ない方の金額

貸倒引当金繰入限度額（個別評価がある場合）

(1) 個別評価の貸倒引当金繰入

① 弁済猶予等があった場合

（決定が平成28年なら）　平成29年・30年・31年・32年・33年

| その年12月31日において有する弁済猶予・賦払弁済される貸金等 | － | 事由が生じた年の翌年1月1日以後5年を経過する日までに弁済される金額（平成33年以前の弁済額）) | － | 担保に係る取立て等の見込額 | ＝ | 平成34年以後の弁済額・切捨額 |

② 取立て等の見込みがない場合

取立て等の見込みがないと認められるその一部の金額

③ 形式基準による場合（更生手続開始申立て，手形交換所取引停止処分等）

（貸金等の額－担保見込額－実質的に債権とみとめられないもの）×50％

④ ①＋②＋③

(2) 一括評価の貸倒引当金繰入

① 年末一括評価貸金の額

一括評価貸金に該当する債権 － 貸倒損失額・個別評価貸金等

② 実質的に債権とみとめられないものの額

　㋐ 原　則　法

　　同一人に対する　一括評価貸金の合計額／債務の合計額　｝少ない金額

　㋑ 簡　便　法

　　年末一括評価貸金の額 × $\dfrac{\text{平成27・28年の原則法により計算した実質的に債権とみとめられないものの額の合計額}}{\text{平成27・28年の年末一括評価貸金の額の合計額}}$　小数点3位未満切捨

ウ ⑦≧⑦ ∴ 少ない金額
③ ((2)①-(2)②) × $\frac{55}{1,000}$
(3) (1)+(2)

《計算例題1》貸倒引当金の計算　ケース1

物品販売業慶応商店の年末事業債権は次のとおりであり，貸倒引当金を税法の限度額まで繰り入れる。

売掛金（C商店に対するもの）　2,931,000円
　なお，C商店に対して買掛金が171,000円ある。
立替金（従業員の概算払旅費）　50,000円
前払金（商品仕入の内金）　208,000円

(税務検定)

《解答欄》

(□ 円 － □ 円) × □/1,000 ＝ □ 円
　　　　　（実質的に債権とみられない金額）

《解　答》

(2,931,000円 － 171,000円) × 55/1,000 ＝ 151,800円
　　　　　（実質的に債権とみられない金額）

《計算例題2》貸倒引当金の計算　ケース2

福大太郎商店の年末債権の金額は次のとおりであり，貸倒引当金の税法の限度額まで繰り入れる。

売　掛　金　　650,000円
受取手形　　　850,000円
　このうち250,000円はT商店に対するものであるが，同店からの借入金が

200,000円ある。

前 渡 金　　　33,000円

割引手形　　　300,000円

これは営業上取得した手形の割引に係るもの。この割引手形はすでに受取手形に含まれているものとする。

(税務検定)

《解答欄》

(□円 + □円 − □円 + □円) × □/1,000 = □円

（実質的に債権とみられない金額）

《解　答》

(650,000円 + 850,000円 − 200,000円 + 300,000円) × 55/1,000 = 88,000円

（実質的に債権とみられない金額）

《計算例題3》貸倒引当金の計算　ケース3

物品販売業を営む福大太郎の次の債権につき，貸倒引当金繰入限度額を計算しなさい。

(ア) 売 掛 金　　17,680,000円

このうちE商店に対するもの1,500,000円が含まれているが，同店とは相互に取引をしており，同店に対する買掛金が2,000,000円ある。

(イ) 受 取 手 形　　7,500,000円

このうち1,000,000円は，仕入先乙商店との間で交換された融通手形である。

(ウ) 従業員貸付金　　5,800,000円

このうち200,000円は，新年の得意先あいさつ回り費用として概算払いしたものであり，1月中旬には精算されるものである。

第Ⅳ編 必要経費の計算 513

(第28回税理士試験)

《解答欄》

{(☐ 円 － ☐ 円) ＋ ☐ 円 － ☐ 円
＋ ☐ 円 － ☐ 円 } × ☐/1,000 ＝ ☐ 円

《解答》

{(17,680,000円 － 1,500,000円) ＋ 7,500,000円 － 1,000,000円
＋ 5,800,000円 － 200,000円 } × 55/1,000 ＝ 1,555,400円

《計算例題4》貸倒引当金の計算 ケース4（個別に評価含む）

青色申告者慶応 進は物品販売業を営んでいるが，下記の資料により貸倒引当金勘定への繰入限度額を計算しなさい。

本年末債権の額

1 売　掛　金　2,800,000円　　2 受取手形　2,000,000円
3 貸　付　金　　500,000円　　4 敷　　金　　150,000円
5 前　渡　金　　200,000円　　6 未収収益　　 30,000円
7 仮　払　金　　 50,000円

(1) 売掛金のうち300,000円はA商店に対するものであり，当店はA商店よりの借入金が500,000円ある。
(2) 受取手形のうち100,000円は，A商店振出の約束手形である。
(3) 貸付金のうち400,000円は事業の遂行上生じたものであり，残額は事業とは無関係の友人に対するものである。
(4) 前渡金は，仕入代金の前渡し額である。
(5) 仮払金は，出張旅費の概算払い額である。
(6) 敷金は，賃借店舗に対するものである。
(7) 未収収益は，事業の遂行上生じた貸付金に対する未収利子である。

(8) 当期において得意先Bの振り出した手形が手形交換所の取引停止処分を受けている。当社の上記売掛金中に300,000円の債権が含まれている。

(税務検定類題)

《解答欄》

(1) 個別に評価する貸金に対する貸倒引当金の繰入

　　□円 × □/□ = □円

(2) 一括して評価する貸金に対する貸倒引当金の繰入
① 年末一括評価貸金の額 □円 + □円 +
　□円 + □円 − □円 = □円
② 実質的に債権にみられないものの額
　　□円 + □円 = □円 < □円
　　　　　　　　　　　　　∴ □円
③ 繰入限度額
　　(□円 − □円) × □/□ = □円

(3) 貸倒引当金の繰入限度額
　　(1) + (2) = □円

《解　答》

(1) 個別に評価する貸金に対する貸倒引当金の繰入

　　300,000円 × (ア) 50/100 = 150,000円

(2) 一括して評価する貸金に対する貸倒引当金の繰入
① 年末一括評価貸金の額 2,800,000円 + 2,000,000円 +
　400,000円 + 30,000円 − (ア) 300,000円 = 4,930,000円

②　実質的に債権にみられないものの額

　　300,000円 ＋ 100,000円 ＝ 400,000円 ＜ 500,000円

　　　　　　　　　　　　　　　　　∴ 400,000円

③　繰入限度額

　　(4,930,000円 － 400,000円) × $\dfrac{55}{1,000}$ ＝ 249,150円

(3)　貸倒引当金の繰入限度額

　　(1) ＋ (2) ＝ 399,150円

第2節 貸倒損失

　不動産所得，事業所得又は山林所得を生ずべき事業について，その**事業の遂行上生じた売掛金，貸付金，前渡金その他これに準ずる債権**につき**貸倒れ**など**次に掲げる事由**により**損失**が生じた場合には，その損失の金額を，その損失の生じた日の属する年分のこれらの所得の金額の計算上，必要経費に算入する（法51②，令141）。

① 債権が貸倒れになったこと
② 販売した商品の返戻又は値引（これらに類する行為を含む）により収入金額が減少することとなったこと
③ 保証債務の履行に伴う求償権の全部又は一部を行使することができないこととなったこと
④ 不動産所得の金額，事業所得の金額もしくは山林所得の金額の計算の基礎となった事実のうちに含まれていた無効な行為により生じた経済的成果がその行為の無効であることに基因して失われ，又はその事実のうちに含まれていた取り消すことのできる行為が取り消されたこと

　(注)　この規定は，不動産所得，事業所得又は山林所得を生ずべき事業の遂行上生じた債権についての規定である。事業と称するに至らない程度の業務上生じたものについては，それが，①例えば，未収家賃などのように収入金額に算入されるものが回収不能となったときは，その収入金額に算入された年分にさかのぼって所得金額が改訂され（法64①），②例えば，非営業貸金の元本が回収不能となったような場合は，その損失の金額はその所得の金額を限度として必要経費に算入される（法51④）。

1　事業の遂行上生じた売掛金，貸付金等に準ずる債権

　事業の遂行上生じた売掛金，貸付金，前渡金その他これに準ずる債権には，販売業者の売掛金，金融業者の貸付金及びその未収入利子，製造業者の下請業者に対して有する前渡金，工事請負業者の工事未収金，自由職業者の役務の提供の対価に係る未収金，不動産貸付業者の未収賃貸料，山林経営業者の山林売

却代金の未収金等のほか，以下のようなものも含まれる（基51-10）。

① 自己の事業の用に供する資金の融資を受ける手段として他から受取手形を取得し，その見合いとして借入金を計上し，又は支払手形を振り出している場合のその受取手形に係る債権
② 自己の製品の販売強化，企業合理化等のため，特約店，下請先等に貸し付けている貸付金
③ 事業上の取引のため，又は事業の用に供する建物等の賃借のために差し入れた保証金，敷金，預け金等の債権
④ 使用人に対する貸付金又は前払給料，概算払旅費等

2 貸倒損失の金額

事業の遂行上生じた売掛金，貸付金等の貸倒れによる損失は，その損失が事業を営んでいるときに生じたものである場合には，その損失が生じた年分の必要経費に算入することになる（法51②）が，事業を廃止した後に生じたものである場合には，事業を廃止した年分又はその前年分の必要経費になる（法63）。以下に掲げる場合には，その金額を貸倒れと判定する。

(1) **貸金等の全部又は一部の切捨てをした場合の貸倒れ**（法律上の貸倒れ）

貸金等について次に掲げる事実が発生した場合には，その貸金等の額のうちそれぞれ次に掲げる金額は，その事実の発生した日の属する年分の貸金等に係る事業の所得の金額の計算上必要経費に算入する（基51-11）。

イ **会社更生法**の規定による更生計画の認可の決定があったこと……**その決定により切り捨てられることとなった部分の金額**
ロ **会社法**の規定による特別清算に係る協定の認可もしくは整理計画の決定又は破産法の規定による強制和議の認可決定があったこと……これらの**決定により切り捨てられることとなった部分の金額**
ハ 法令の規定による整理手続によらない関係者の**協議決定**で，次に掲げるものにより切り捨てられたこと……**その切り捨てられることとなった部分の金額**

(イ)　**債権者集会**の協議決定で合理的な基準により債務者の負債整理を定めているもの

　　(ロ)　行政機関又は金融機関その他の第三者のあっせんによる**当事者間の協議**により締結された契約でその内容が(イ)に準ずるもの

　ニ　債務者の債務超過の状態が相当期間継続し，その貸金等の弁済を受けることができないと認められる場合において，その債務者に対し債務免除額を書面により通知したこと……その通知した債務免除額

(2)　**回収不能の貸金等の貸倒れ**（事実上の貸倒れ）

　貸金等につきその**債務者の資産状況，支払能力等**からみてその全額が回収できないことが明らかになった場合には，債務者に対して有する貸金等の全額について貸倒れになったものとしてその明らかになった日の属する年分の貸金等に係る事業の所得の金額の計算上必要経費に算入する。この場合において，その貸金等について担保物があるときは，その担保物を処分した後でなければ貸倒れとすることはできない（基51-12）。

(3)　**一定期間取引停止後弁済がない場合等の貸倒れ**（事実上の貸倒れ）

　債務者について次に掲げる事実が発生した場合には，その債務者に対して有する**売掛債権**（売掛金，未収請負金その他これらに準ずる債権をいい，貸付金その他これに準ずる債権を含まない）の**額から備忘価額（1円以上）**を控除した残額を貸倒れになったものとして，売掛債権に係る事業の所得の金額の計算上必要経費に算入することができる（基51-13）。

　イ　**債務者との取引の停止をした時**（最後の弁済期又は最後の弁済の時が停止をした時以後である場合には，これらのうち最も遅い時）**以後1年以上を経過したこと**（その売掛債権について担保物のある場合を除く）

　ロ　同一地域の債務者について有する売掛債権の総額がその取立てのために要する旅費その他の費用に満たない場合において，その債務者に対し支払を督促したにもかかわらず弁済がないこと

第Ⅳ編　必要経費の計算　519

〈図表5－3〉貸倒損失と貸倒引当金の繰入

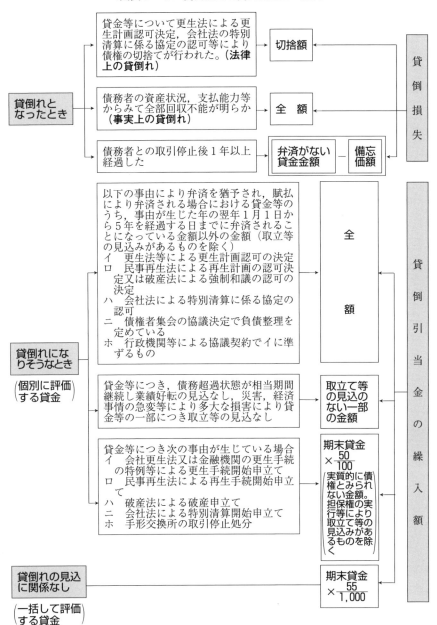

〈図表5－4〉貸倒損失と貸倒引当金の違い

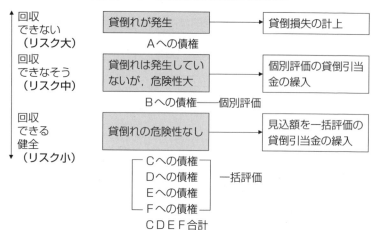

第3節　個人事業者に係る事業再生税制

　平成26年度税制改正で，個人事業者に係る以下の2つの税制が創設された。
① 　青色申告書を提出する個人が**債務処理計画等**により**債務免除**を受けた場合で，一定の手続に関する準則に定められた方法により**減価償却資産**及び**繰延資産**の**評定**を行っているときは，これらの資産の評価損の額に相当する金額は，その免除を受けた日の属する年分の不動産所得の金額，事業所得の金額又は山林所得の金額の計算上**必要経費に算入**する特例が設けられた。
　　ただし，その必要経費に算入する金額は，この特例を適用しないで計算した，その年分の不動産所得の金額，事業所得の金額又は山林所得の金額を**限度とする**（措法28の2の2）。
② 　居住者が，個人の有する債務について**破産法の規定による免責許可の決定**，**再生計画認可の決定そのほか資力を喪失して債務を弁済することが著しく困難であると認められる事由**により債務の免除を受けた場合には，免除により受ける経済的利益については**総収入金額**に**算入しない**（所法44の2①）。
　　ただし，免除により受ける経済的利益のうち，次に掲げる金額に相当する部分は**総収入金額**に**算入する**。この規定の適用はない。
　ⅰ）その免除を受けた年において，その経済的利益がないものとしてその債務を生じた業務に係る各種所得の金額を計算した場合にその各種所得の金額の計算上生じる**損失の金額**
　ⅱ）その免除を受けた年において，その経済的利益をその債務が生じた業務に係る各種所得の計算上総収入金額に算入して計算した場合に生じる各種所得の金額から純損失の繰越控除により**控除**すべきこととなる金額

第4節　退職給与引当金

【Point 23】

> 　退職給与引当金勘定に繰り入れた金額のうち，必要経費に算入される限度額は，次の①，②，③の算式で計算した金額のうちいずれか少ない方の金額とする。ただし，**労働協約**により定められた退職給与の支給に関する規程を有する場合及び**就業規則**等で退職給与規程を税務署長に提出する際に，**労働者団体の意見を記載した書面**等一定の書類を添付している場合には，次の①と②の算式で計算した金額のうちいずれか少ない方の金額がその限度額とされる（令154①，②）。
>
> ① $\begin{pmatrix} 期末退職給与 \\ の要支給額 \end{pmatrix} - \begin{pmatrix} 前年末から引き続き在職する全使用人 \\ の前年末における退職給与の要支給額 \end{pmatrix}$
>
> ② $\begin{pmatrix} 期末退職給与 \\ の要支給額 \end{pmatrix} \times \dfrac{40}{100} - \begin{pmatrix} その年末における前年から繰り越 \\ された退職給与引当金勘定の金額 \end{pmatrix}$
>
> ③ $\begin{pmatrix} その年末現在において在職する使用人 \\ に係る給与でその年分の事業所得の必 \\ 要経費に算入されるものの総額 \end{pmatrix} \times \dfrac{6}{100}$

1　退職給与引当金勘定繰入額の必要経費算入

　青色申告書を提出する者で事業所得を生ずべき事業を営むもののうち，以下に掲げる**退職給与規程**を定めているものが，その事実上の使用人（その事業を営む者と生計を一にする配偶者その他の親族を除く。以下同じ）の退職により支給する退職給与に充てるため，各年において退職給与引当金勘定に繰り入れた金額については，その繰入額のうち一定の金額に達するまでの金額は，その年分の事業所得の必要経費に算入する（法54①，令153）。

(1) 退職給与規程の範囲

　退職給与規程とは，以下の規程をいう（令153）。

　① 労働協約により定められた退職給与の支給に関する規程

② 労働基準法等の規定により行政官庁に届け出た就業規則により定められる退職給与の支給に関する規程
③ 労働基準法の規定による就業規則の作成及び届出義務のない者があらかじめ納税地の所轄税務署長に届け出た退職給与の支給に関する規程

2 退職給与引当金の繰入限度額

退職給与引当金勘定繰入額のうち必要経費に算入される金額は，以下に掲げる金額のうちいずれか低い金額である。ただし，**労働協約により退職給与の支給に関する規程を定めている者**及び上記 **1** の(1)②③の就業規則等で退職給与規程を税務署長に提出する際に，**労働者団体の意見を記載した特定の書面を提出した者**については，次の(3)の給与支給額基準は適用されない（令154）。

(1) 要支給額の増加額基準（発生額基準）

$$\begin{pmatrix}その年の期末退職\\給与の要支給額\end{pmatrix} - \begin{pmatrix}その年の期末において在職する使用人の\\うち前年末から引き続き在職する者の全\\員の前年末における退職給与の要支給額\end{pmatrix}$$

(注) 「退職給与の要支給額」とは，使用人の全員が自己の都合により退職したと仮定した場合に退職給与規程により各使用人について計算される退職給与の額の合計額である。

(2) 累積限度額基準

$$\begin{pmatrix}その年の期末退職\\給与の要支給額\end{pmatrix} \times \frac{20}{100} - \begin{pmatrix}その年の期末における前年から繰越\\された退職給与引当金勘定の金額\end{pmatrix}$$

(3) 給与支給額基準

$$\begin{pmatrix}その年の期末において在職する使用人（日日雇入れられ\\る者，臨時雇用の者その他退職給与の支給の対象となら\\ないものを除く）に係る給料，賃金，賞与等の給与でそ\\の年分の事業所得の必要経費に算入されるものの総額\end{pmatrix} \times \frac{6}{100}$$

〈図表5-5〉退職給与引当金の繰入限度額の計算方法

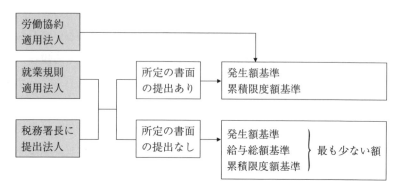

《計算例題》退職給与引当金の計算

　慶応　進は，労働基準法の規定による就業規則（行政官庁に届出済）において従業員退職給与規程を定めているが，この規程による退職金（自己都合による場合）の要支給額等は，次のとおりである。

(1) 本年中の給与総額　　　　　　　　　　　　　　　　　5,600,000円

　　ただし，慶応　進と生計を一にする親族及び本年中に退職した者の給与は含まれない。

(2) 年末要支給額　　　　　　　　　　　　　　　　　　　　700,000円

(3) 年末要支給額の計算の対象となった者の前年末要支給額　550,000円

(4) 本年中の退職金支給額　　　　　　　　　　　　　　　　 50,000円

(5) 本年中の退職者の前年末における要支給額　　　　　　　 45,000円

(6) 前年末における退職給与引当金の額　　　　　　　　　　150,000円

(注)　税務署長に対し，退職給与規定についての労働者の意見等を記載した書面の提出はしていない。

　上記の資料に基づき，退職給与引当金の取り崩し額及び繰入額を計算しなさい。

（第19回税理士試験）

第Ⅳ編 必要経費の計算 525

《解答欄》
〈退職給与引当金繰入額の計算〉
① 発生額基準 [　　　　]円 －[　　　　]円 ＝[　　　　]円

② 累積限度額基準 [　　　　]円 × [　]／[　]
　　－([　　　　]円 －[　　　　]円) ＝[　　　　]円

③ 給与支給額基準 [　　　　]円 × [　]／[　] ＝[　　　　]円

④ ①，②，③のうち最も少ない金額 [　　　　]円

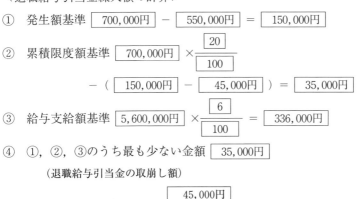

《解　答》
〈退職給与引当金繰入額の計算〉
① 発生額基準 700,000円 － 550,000円 ＝ 150,000円
② 累積限度額基準 700,000円 × 20／100
　　－(150,000円 － 45,000円) ＝ 35,000円
③ 給与支給額基準 5,600,000円 × 6／100 ＝ 336,000円
④ ①，②，③のうち最も少ない金額 35,000円
　　（退職給与引当金の取崩し額）
　　　　　　　　45,000円

3　使用人が退職し退職金を支払った場合

　退職金を支払った場合には，退職給与引当金勘定の金額のうち，その退職した人がその退職した年の前年12月31日において自己の都合により退職するものと仮定した場合に支払われるべき退職金に相当する金額（従業員に係る前期末退職給与の要支給額相当額）を取り崩して総収入金額に算入する。さらに，支払った退職金は，その全額を必要経費に算入する（法54②，令155）。

4 申告書の記載要件

退職給与引当金勘定への繰入額の必要経費算入については,確定申告書にその必要経費への算入に関する明細の記載がある場合に限り適用される(法54④)。

ただし,その記載がない場合でも,税務署長がその記載のなかったことについてやむをえない事情があると認めるときは,これを適用することができる(法54⑤)。

第6章 生計を一にする親族が受ける事業上の対価

【Point 24】

1 原 則

(1) 事業を営む居住者が同一生計親族に支払う**賃借料・支払利子・報酬・給与**その他の対価の額は,原則としてその事業の所得金額の計算上**必要経費に算入しない**。

(2) 事業を営む居住者が同一生計親族の所有する金銭,金銭以外の物又は権利を事業の用に供する場合には,その金銭・物又は権利は居住者が所有するものとみなし,これらの**資産に係る費用**は居住者の事業の所得金額の計算上**必要経費に算入**する。

2 例 外

(1) **青色専従者給与**(青色申告者)

　　給与支払額のうち,青色専従者給与に関する届出書に記載された支給額の範囲内で,相当と認められる金額を必要経費に算入する。

(2) **事業専従者控除**(白色申告者)

$$\frac{\text{事業専従者が従事する不動産所得の金額,事業所得の金額又は山林所得の金額の合計額}}{1 + \text{事業専従者の数}}$$

50万円(配偶者である場合は86万円)

いずれか少ない**金額**が事業専従者1人当たりの事業専従者控除額となる

第1節　原　　則

　居住者と生計を一にする配偶者その他の親族がその居住者の営む不動産所得，事業所得又は山林所得を生ずべき事業に従事したことその他の事由によりその**事業から対価を支払いを受ける場合**には，その対価は次のように取り扱われる（法56）。

① その**居住者の支払う対価**については，その者のその事業に係る不動産所得の金額，事業所得の金額又は山林所得の金額の計算上，**必要経費に算入しない**（居住者の所得金額の計算上）。

② その**親族のその対価に係る各種所得の金額の計算上必要経費に算入されるべき金額**は，その居住者のその事業に係る不動産所得の金額，事業所得の金額又は山林所得の金額の計算上，**必要経費に算入する**（居住者の所得金額の計算上）。

③ その親族の受ける対価の額及びその対価に係る各種所得の金額の計算上必要経費に算入されるべき金額は，その親族の各種所得の金額の計算上ないものとみなす（親族の所得金額の計算上）。

　個人単位課税の原則により事業を営む者が，居住者と生計を一にする配偶者その他の親族に給与等を支払う場合に居住者の必要経費に算入できることになると，世帯内で所得の分散が恣意的になされることになる。このようなことを防ぐために，世帯単位課税を実施したものである。

(注) 生計を一にするとは，日常生活のお金のやりくり（財布）を共通していることをさす。一緒に住んでいることをさすのではない。
　　例えば，親族間では，生活費・学資等の送金が行われることがあるが，これは生計を一にしているものと取り扱われる。

第Ⅳ編　必要経費の計算　529

〈図表6－1〉親族に支払った対価

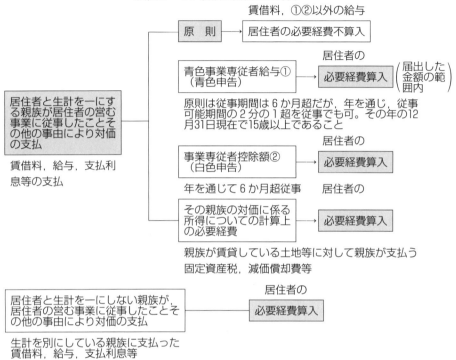

　青色事業専従者給与の必要経費算入の適用を受けようとする者は、以下の期間までに青色事業専従者給与に関する届出書を税務署長に提出しなければならない。

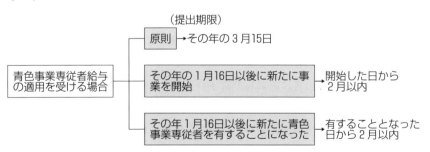

第2節　例　　外

1　青色専従者給与額の必要経費算入

(1) 青色申告書を提出するにつき税務署長の承認を受けている居住者と生計を一にする配偶者その他の親族（**年齢15歳未満である者を除く**）で，**専らその居住者の不動産所得，事業所得又は山林所得を生ずべき事業に従事**するもの（「**青色事業専従者**」という）が，その事業から支払を受ける給与の金額で，次の①と②の双方に該当するものは，その居住者のその給与の支給に係る年分の不動産所得の金額，事業所得の金額又は山林所得の金額の計算上必要経費に算入し，かつ，その青色事業専従者のその年分の給与所得の収入金額とする（法57①）。

① その居住者の提出した**青色専従者給与に関する届出書に記載されている方法**に従いその届出書に**記載されている範囲内**において支給する給与であること

② その給与の金額がその**労務に従事した期間，労務の性質**及びその**提供の程度，その事業の種類及び規模，その事業と同種の事業でその規模が類似するものが支給する給与の状況**などにてらし青色事業専従者の労務の対価として相当なものであること

(2) 上記(1)の適用を受けようとする居住者は，**その年の3月15日まで**（その年1月16日以後新たに事業を開始した場合には，その事業を開始した日から2か月以内）に青色事業専従者の氏名，その職務の内容及び給与の金額並びにその給与の支給期などを記載した書類（**青色専従者給与に関する届出書**）を納税地の所轄税務署長に提出しなければならない（法57②）。なお，青色専従者給与に関する届出書に記載した給与の金額等を変更する場合には，その変更の届出書を提出しなければならない（法164②）。

(3) (1)において，その配偶者及び親族が，**事業に専ら従事**しているかどうかは原則として，**その年を通じて6か月を超える期間**その事業に専ら従事し

ていたかどうかにより（令165），年齢が15歳未満であるかどうかは，原則として，その年12月31日の現況による（法57⑦）。

ただし，次の①・②のいずれかに該当するときは，その事業に従事することができると認められている期間を通じてその期間の**2分の1を超える期間**その事業に専ら従事すればよいとされる（令165①）。

① その青色申告者の経営する事業が年の中途における開業，廃業，休業又は青色申告者の死亡，その事業が季節営業であることその他の理由により，その年中を通じて営まれなかったこと
② その事業に従事する者の死亡，長期にわたる病気，婚姻その他相当の理由によりその年中を通じてその青色申告者と生計を一にする親族としてその事業に従事することができなかったこと

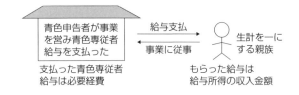

《所得税法の判例研究》 ちょっと気楽にコーヒーブレイク（弁・税事件）（宮岡事件）

弁護士業を営む原告である夫が，**税理士業を営む妻**と顧問税理士契約を締結し，税理士報酬を支払ったため，その報酬を経費として申告した。しかし，課税庁は，所得税法56条に規定する「生計を一にする配偶者」に対して支払ったものに該当するため，経費として認められないとして更正決定をした事件がある。

これに対して最高裁（平成17年6月24日判決）は，（弁・弁事件）服部事件の最高裁判断を先例の拘束力として引用し，「居住者と生計を一にする配偶者その他の親族が，居住者と別に事業を営む場合であっても，そのことを理由に所得税法56条の適用を否定することはできず，同条の要件を満たす限り，その適用があるべきとした（最高裁平成16年11月2日第三小法廷判決）。このように解しても憲

法14条1項（租税平等原則）に違反するものではないことは，昭和60年3月27日大法廷判決の趣旨に徴して明らかである（平成16年11月2日第三小法廷判決）と判示し，納税者の敗訴とした。つまり，妻へ支払った税理士報酬は，経費と認められなかった。

《所得税法の判例研究》☕ちょっと気楽にコーヒーブレイク（弁・弁事件）（服部事件）

　弁護士業を営む原告である夫が，**弁護士業を営む妻**に報酬を支払い，経費として申告した事件がある。課税庁は，所得税法56条に規定する「生計を一にする配偶者」に対して支払ったものに該当するため，経費として認められないとして更正決定をした。納税者は，夫婦であっても独立した事業者間では，所得を親族に対して恣意的に分散して不当に税負担の軽減を図ることは困難であること。所得税法56条適用要件のうち「居住者と**生計を一にする配偶者その他の親族**」には，自ら事業主として，居住者と別に独立して事業に従事する者は含まれないと解すべきである。また，「居住者の営む事業所得を生ずべき事業に従事したこと**その他の事由**」には，自ら独立した事業主である親族が，居住者の事業に従事したことは含まないと解すべきと主張した。

　これに対して，この最高裁判決（平成16年11月2日第三小法廷判決）は，所得税法56条の要件につき「居住者と生計を一にする配偶者その他の親族が居住者と別に事業を営む場合であっても，そのことを理由に同条の適用を否定することをできず，同条の要件を満たす限り適用があるというべきである。」と判示し，所得税法56条の適用を誤ったものではなく，憲法14条1項の租税平等原則に違反するものではないとした。つまり，妻へ支払った弁護士報酬は経費として認められず，納税者は敗訴した。

2　事業専従者控除額の必要経費算入

　居住者（　1　に該当する居住者を除く）と生計を一にする配偶者その他の親族（年齢15歳未満である者を除く）で，もっぱらその居住者の営む不動産所得，事業

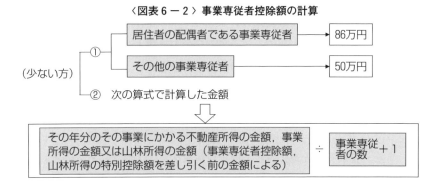

〈図表6－2〉事業専従者控除額の計算

所得又は山林所得を生ずべき事業に従事するもの（「**事業専従者**」という）がある場合には，事業専従者1人につき，次の①か②の金額のうち，いずれか低い金額をその居住者のその年分の不動産所得の金額，事業所得の金額又は山林所得の金額の計算上，必要経費とみなす（法57③）。この場合，その必要経費とみなされる金額は，その事業専従者の給与所得の収入金額とみなされる（法57④）。

なお，この規定の適用を受けるためには確定申告書にその控除に関する事項を記載しなければならないが，確定申告書の提出をその記載がなかった場合でもそれについて税務署長においてやむをえない事情があると認めるときは，その適用を受けられる（法57⑤，⑥）。

また，その**親族が専ら事業に従事しているかどうかは，その年を通じて6か月を超える**期間その事業に専ら従事しているかどうかにより（令165）判定し，その年齢が15歳未満であるかどうかは，原則としてその年12月31日の現況により判定する（法57①）。

なお青色専従者，事業専従者の規定の適用を受けた者は控除対象配偶者，扶養親族に該当しない。また，配偶者特別控除の対象からも除外される。

《計算例題》事業所得の必要経費

次の中で居住者福大太郎の事業所得の金額の計算上必要経費に該当するものには○をつけるとともに，その金額も書きなさい。

1　居住者福大太郎は，製造業を営んでいる。生計を一にする妻の所有の土地を工場の敷地として賃借している。そこで地代を本年分100,000円支払った。
　また，妻はその土地に対して固定資産税を35,000円支払っている。

2　居住者福大太郎は，製造業を営んでいる。妻が所有する工場を借りているので，賃借料として年額230,000円支払った。また，この工場の減価償却費は110,000円であり，この土地の固定資産税は妻が90,000円支払っている。

3　居住者福大太郎は，製造業を営んでいる。生計を一にする長女が2月から12月まで福大太郎の事業に従事している。労務の対価として相当として認められる金額は1,500,000円であり，あらかじめ「青色専従者給与に関する届出書」を提出している。生計を別にし独立した長男に対しては，給与として1,800,000円支払をしている。

4　居住者福大太郎は，製造業を営んでいる。事業用駐車場は二男の所有であり，賃借料として地代120,000円を二男に支払った。なお，この土地の固定資産税は二男が10,000円負担している。なお，二男と福大太郎は生計は別である。

5　居住者福大太郎は，製造業を営んでいる。生計を一にする三男がアルバイトで夏休みだけ福大太郎の工場で働いたので90,000円の給与を支払った。このアルバイト代は労務の対価として相当である。また，二女は本年5月に他家に嫁ぎ，夫の控除対象配偶者とされている。この二女に対して1月分から4月分の給与を320,000円支払った。この金額も税務署長に届け出た金額の範囲内で，かつ労務の対価としても相当と認められる。

三女も生計を一にしており，三女の専従者給与に対して税務署長に届け出をしていないが，事業従事程度から相当と認められる190,000円の給与を支払った。

6　福大太郎は，生計を別にする父親に，事業上の借入金利子180,000円を支払った。

《解答欄》

	必要経費に該当するものには○それ以外は×	必要経費となる金額
1　地　代		
固定資産税		
2　賃借料		
減価償却費		
固定資産税		
3　青色専従者給与　長女		
給　与　　　　長男		
4　地　代		
固定資産税		
5　青色専従者給与　三男		
青色専従者給与　二女		
青色専従者給与　三女		
6　借入金の利子		

《解　答》

	必要経費に該当するものには○それ以外は×	必要経費となる金額
1　地　代	×	必要経費とならない
固定資産税	○	35,000円
2　賃借料	×	必要経費とならない
減価償却費	○	110,000円
固定資産税	○	90,000円
3　青色専従者給与　長女	○	1,500,000円
給　与　　　　　長男	○	1,800,000円
4　地　代	○	120,000円
固定資産税	×	必要経費とならない
5　青色専従者給与　三男	×	必要経費とならない
青色専従者給与　二女	○	320,000円
青色専従者給与　三女	×	必要経費とならない
6　借入金の利子	○	別生計なので必要経費となる

《解答の解説》

1　地代100,000円及び固定資産税35,000円は，妻の不動産所得の計算上はないものとされる。

2　賃借料230,000円及び固定資産税90,000円，減価償却費の110,000円は，妻の不動産所得の計算上はないものとされる。

3　別生計なので，親族に支払ったものであるが必要経費となる。

4　固定資産税は法56，57条の適用があれば必要経費だが，別生計で法56，57条の適用がないので必要経費とならない。

5　三男は従事できる期間の2分の1を超えていないので，青色事業専従者給

与とならない。

　二女は5月に婚姻したが，福大太郎と同一生計に従事することが可能と認められる期間の2分の1を超えて従事しているので，青色事業専従者の要件を満たしている。三女は青色事業専従者の届出をしていないので，認められない。

《実務上のPoint》

　家族に支払った給与は原則として必要経費にはならないが，青色申告者が支払う青色専従者給与ならば，全額必要経費となる。

　例えば，居住者と生計を一にする長女に支払ったアルバイト代は必要経費とはならない。生計を一にしない姪に支払ったアルバイト代は必要経費となる。

　もちろん，受け取った給与はその人の給与収入となるので，所得税，住民税がかかり，月々の給料から源泉徴収もされる。

第7章 青色申告特別控除

【Point 25】

1　原　　則

　青色申告特別控除額は，原則として，次に掲げる金額のうちいずれか低い金額である。

　　　　少ない方 ┬① 10万円
　　　　　　　　 └② 青色申告特別控除額を控除する前の不動産所得の金額，事業所得の金額又は山林所得の金額の合計額

2　特　　則

　事業所得又は不動産所得を生ずべき事業を営む者（現金基準の適用を受ける者を除く）が，その年分にこれらの所得に係る取引を正規の簿記の原則に従い記録している場合には，その年分の青色申告特別控除額は，次に掲げる金額のうちいずれか低い金額である。

　　　　少ない方 ┬① 65万円（電磁的記録の備付け及び保存，又はe-Taxを使用）
　　　　　　　　 └② 青色申告特別控除を控除する前の不動産所得の金額又は事業所得の金額の合計額

第1節　一般の青色申告者

　青色申告者（次の第2節に該当する者を除く）は，不動産所得の金額，事業所得の金額又は山林所得の金額の計算上，次の①と②のうちいずれか低い方の金額を「**青色申告特別控除額**」として，その年分の不動産所得の金額，事業所得の金額又は山林所得の金額から控除する（措法25の2）。

- ① 10万円
- ② 青色申告特別控除額を控除する前の不動産所得の金額，事業所得の金額又は山林所得の金額の合計額

　青色申告特別控除額は，不動産所得の金額，事業所得の金額，山林所得の金額の順に控除する（措法25の2②）。

《計算Pattern》

不動産所得	×××	(1) 総収入金額
		(2) 必要経費
		(3) 青色申告特別控除額
		(1)－(2)≦10万円　∴少ない方
		(4) 不動産所得の金額
		(1)－(2)－(3)

※　青色申告特別控除の控除の順序はまずは不動産所得から，次に事業所得，山林所得から控除する。

第2節　特定の青色申告者

〈55万円控除〉

(1) **不動産所得**又は**事業所得**を生ずべき事業を営む**青色申告者**（現金主義によっている小規模青色申告者を除く）が，その事業につき帳簿書類を備え付けてこれに青色承認年分の**不動産所得の金額**又は**事業所得の金額**に係る取引を記録している場合（これらの所得の金額に係る一切の取引の内容を詳細に記録している場合として大蔵省令で定める場合に限る）つまり，**正規の簿記の原則**に従い取引を記録している場合には不動産所得の金額又は事業所得の金額の計算上，次に掲げる金額のうちいずれか低い金額を「**青色申告特別控除**」として，その年分の不動産所得の金額又は事業所得の金額から控除する（法25の2③）。

① 55万円
② 青色申告特別控除額を控除する前の不動産所得の金額又は事業所得の金額（社会保険診療報酬部分が含まれている場合はその部分を除く）の合計額

(2) 上記の**青色申告特別控除額**は，不動産所得の金額又は事業所得の金額から順次控除する。

(3) この**55万円の青色申告特別控除額**は，確定申告書に同項の規定の適用を受けようとする旨及び青色申告特別控除を受ける金額の計算に関する事項の記載並びに帳簿書類に基づき財務省令で定めるところにより作成された貸借対照表，損益計算書その他不動産所得の金額又は事業所得の金額の計算に関する明細書の添付があり，かつ，その確定申告書をその提出期限までに提出した場合に限り，適用する。この場合において，青色申告特別控除額は，その金額として記載された金額に限るものとする。

(注) 不動産所得及び事業所得が赤字で山林所得が黒字の場合は，山林所得金額の計算上，第1節で述べた10万円の青色申告特別控除を適用する。

〈65万円控除〉

令和2年（2020年）分以後の所得税の申告について，青色申告特別控除の見

直しが行われた。

上記の(1)(2)(3)にかかわらず，正規の簿記の原則により記帳している方で，次のいずれかに該当する方については，65万円の青色申告特別控除の適用を受けることができる。

(1) その年分の事業に係る仕訳帳及び総勘定元帳について，電子計算機を使用して作成する国税関係書類の保存方法等の特例に関する法律に定めるところにより**電磁的記録の備付け及び保存**を行っていること。

(2) その年分の所得税の確定申告書，貸借対照表及び損益計算書の提出を，その提出期限までに**e-Taxを使用**して行うこと。

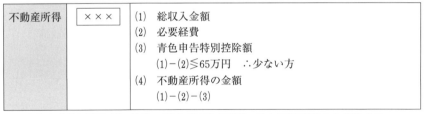

① 65万円
② 青色申告特別控除額を控除する前の不動産所得の金額又は事業所得の金額（社会保険診療報酬部分が含まれている場合はその部分を除く）の合計額

(3) 上記の青色申告特別控除額は，不動産所得の金額又は事業所得の金額から順次控除する。

《計算Pattern》

不動産所得	×××	(1) 総収入金額
		(2) 必要経費
		(3) 青色申告特別控除額
		(1)-(2)≦65万円　∴少ない方
		(4) 不動産所得の金額
		(1)-(2)-(3)

※ 青色申告特別控除額の控除の順序は不動産所得，次に事業所得から控除する。

令和2年（2020年）分以降の所得税申告における青色申告特別控除

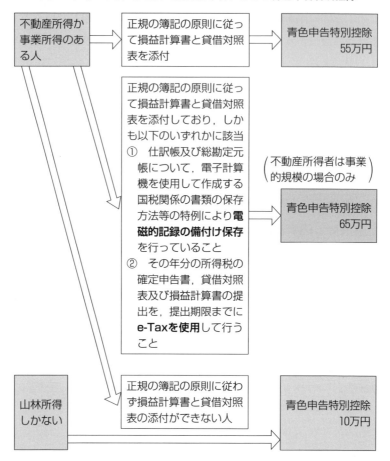

第Ⅴ編

収入及び費用の帰属時期の特例

第1節 延払条件付販売等に係る収入及び費用の帰属時期

　居住者が，平成11年以後の各年において，**延払条件付販売等**に該当する**棚卸資産の販売**もしくは**工事**（製造を含み，長期大規模工事に該当するものを除く）の請負又は**役務の提供**（以下**資産の販売等**という）をした場合において，その資産の販売等に係る収入金額及び費用の額につき，その資産の販売等に係る目的物又は役務の引渡し又は提供の日の属する年以後の各年において**延払基準**の方法により経理したときは，その経理した収入金額及び費用の額は，その各年分の事業所得の金額の計算上，総収入金額及び必要経費に算入する。ただし，その資産の販売等に係る収入金額及び費用の額につき，同日の属する年の翌年以後のいずれかの年において延払基準の方法により経理しなかった場合は，その経理しなかった年の翌年分以後の年分の事業所得の金額の計算については，経理しなかった年分の総収入金額及び必要経費に算入する（法65①，令189①）。

(1) **延払条件付販売等**

　延払条件付販売等とは，以下の要件に適合する条件を定めた契約に基づき，その条件により行われる**資産の販売等**をいう（法65③）。**資産の販売等**とは，棚卸資産の販売もしくは工事（製造を含む）の請負又は役務の提供をいう。

① 月賦，年賦その他の賦払の方法により（**賦払回数**）**3回以上**に**分割**して対価の支払を受けること

② その資産販売等に係る目的物又は役務の引渡し又は提供の期日の翌日から最後の**賦払金の支払期日までの期間**（**賦払期間**）が**2年以上**であること

③ その資産の販売等の目的物の引渡しの期日までに**支払期日の到来する賦払金の額の合計額**がその販売等の対価の額の**3分の2以下**であること

(2) **延払基準の方法**

　延払基準の方法とは，以下の算式によって計算したその年の利益の額に係る収入金額及び費用の額を，その年分の収入金額及び費用の額とする方法をいう

（令188）。

《計算Pattern》延払基準

〈延払条件付販売等の判定〉

ア　賦払期間≧2年

イ　賦払回数≧3回

ウ　引渡期日までに支払期日が到来する賦払金の合計額≦対価×$\frac{2}{3}$

∴アイウをみたし延払条件付販売等，そして延払基準の経理をしている。

∴延払基準の適用

① その年分の収入金額

② その年分の費用の額

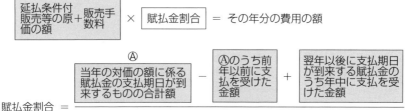

「**賦払金割合**」とは，延払条件付販売等の対価の額のうちに，その対価の額に係る賦払金であってその年においてその**支払の期日が到来するものの合計額**（その賦払金につき既にその年の**前年以前に支払を受けている**金額がある場合には，その金額を**除く**ものとし，その年の**翌年以後において支払の期日が到来する賦払金につきその年中に支払を受けた金額**がある場合には，その金額を含む）の占める割合をいう。

〈図表1-1〉延払基準の例

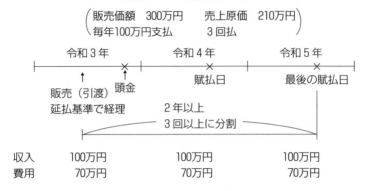

〈図表1-2〉延払基準の経理やめた時の例

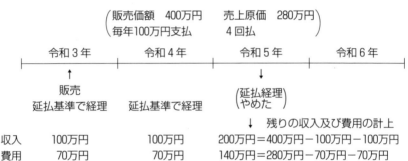

第2節 長期工事の請負に係る収入及び費用の帰属時期

居住者が，**長期大規模工事の請負**をしたときは，その着手の日の属する年からその目的物の引渡しの日の属する年の前年までの各年分の事業所得の金額の計算上，その長期大規模工事の請負に係る収入金額及び費用の額のうち，その各年分の収入金額及び費用の額として**工事進行基準の方法**により計算した金額を，総収入金額及び必要経費に算入することとされる（法66①・②）。

(1) **長期大規模工事**

「**長期大規模工事**」とは，工事（製造を含む）のうち，次に掲げる要件のすべてに該当するものをいう（法66①，令192①）。

① その着手の日からその工事に係る契約において定められている目的物の引渡しの期日までの期間が**1年以上**であること

② その工事の請負の対価の額（その支払が外国通貨で行われるべきこととされている工事については，その工事に係る契約の時における外国為替の売買相場による円換算額とする）が，**10億円以上**であること

〈図表1－3〉 工事進行基準の例

	令和元年	令和2年	令和3年	令和4年	令和5年
	↑着工年 工事進行基準で経理	工事進行基準	工事進行基準	工事進行基準	工事進行基準
(工事原価)	200万円 ↓対応	200万円 ↓対応	200万円 ↓対応	200万円 ↓対応	200万円 ↓対応
(工事売上)	1,000万円	1,000万円	1,000万円	1,000万円	1,000万円

（工事請負価額　5,000万円
工事原価　1,000万円（年200万円の5年間の工事））

(2) 長期大規模工事以外の工事の請負

居住者が，工事（その着手の日の属する年（着工の年）中にその目的物の引渡しが行われないものに限るものとし，長期大規模工事に該当するものを除く）の請負をした場合において，その工事の請負（**損失が生ずると見込まれるものを除く**）に係る収入金額及び費用の額につき，着工の年からその工事の目的物の引渡しの日の属する年の前年までの各年において**工事進行基準の方法**により経理したときは，その経理した収入金額及び費用の額は，各年分の事業所得の金額の計算上，総収入金額及び必要経費に算入することとされる。

ただし，工事請負に係る収入金額及び費用の額につき，着工の年の翌年以後のいずれかの年において工事進行基準の方法により経理しなかった場合，工事の請負に係る収入金額及び費用の額（経理しなかった年の前年分以前の各年分において総収入金額及び必要経費に算入されたものを除く）は，その工事の目的物の引渡日の属する年分の総収入金額及び必要経費に算入する（法66②）。

〈図表１−４〉長期大規模工事以外の工事で途中で工事進行基準の経理やめた時

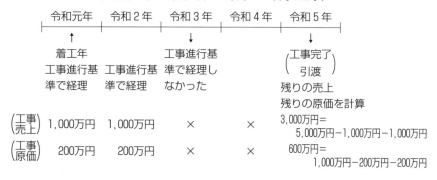

(3) 工事進行基準の方法

工事進行基準の方法とは，次の算式により計算される金額をその年分の収入金額及び費用の額とする方法をいう（令192③）。

〈長期大規模工事の判定〉

ア　請負金額≧10億円

イ　工事期間≧1年

∴アイをみたし長期大規模工事なので，工事進行基準の適用（強制）

① **その年分の収入金額（工事売上）**

② **その年分の費用の額（工事原価）**

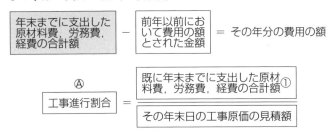

「**工事進行割合**」とは，その年末日における工事原価の見積額のうちに工事のために既に要した原材料費，労務費その他の経費の額の合計額の占める割合その他の工事の進行の度合を示すものとして合理的と認められるものに基づいて計算した割合をいう（令192③）。

〈図表1-5〉　工事収益の収入費用帰属時期

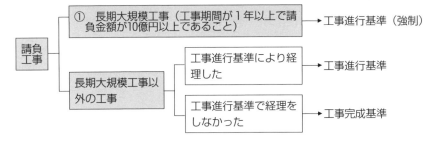

《計算Point》

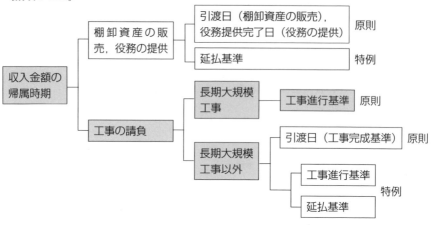

《計算Pattern 1》延払条件付販売等

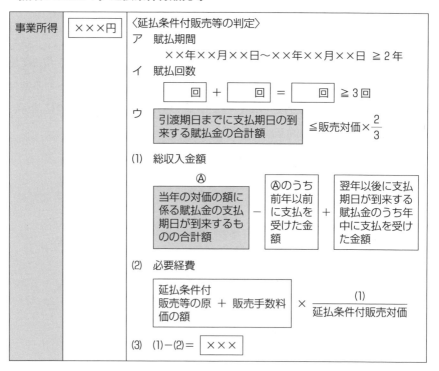

《計算Pattern 2》 工事進行基準

| 事業所得 | ×××円 | 〈長期大規模工事の判定〉
ア　請負金額 ≧10億円
イ　工事期間 ≧１年
　　　∴アイをみたしている長期大規模工事なので，工事進行基準の適用あり。
(1) 総収入金額
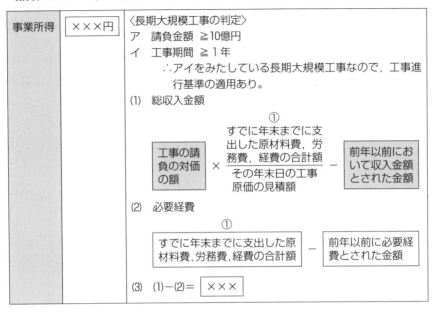
(2) 必要経費
(3) (1)－(2)＝ ××× |

《計算例題１》 延払条件付販売

　居住者福大太郎は，令和３年10月に分割払いで商品を販売した。事業所得の金額を計算しなさい。販売価額は6,500,000円，売上原価3,600,000円，販売手数料300,000円，賦払期間は令和３年10月５日から令和６年３月31日で，月末払いで30回払（頭金を除く）で支払を受ける契約である。

　本年中に支払期日が到来する賦払金（200,000円×３か月＝600,000円）は，すべて入金されている。頭金は契約により500,000円，商品の引渡しと同時に受け取った。

　福大太郎は，青色申告書提出の承認を受けている。そして，延払基準の経理をしている。

《解答欄》

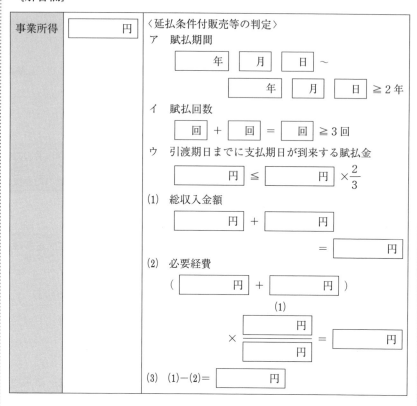

《解　答》

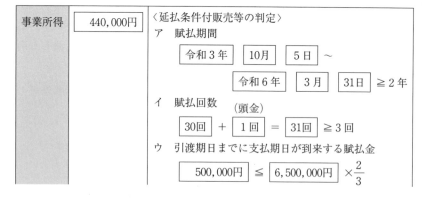

第Ⅴ編　収入及び費用の帰属時期の特例

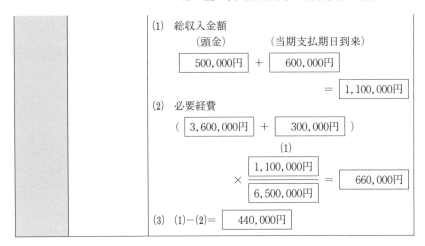

《計算例題２》　工事進行基準

次に掲げる資料により，福大太郎の令和３年分の事業所得の金額を計算しなさい。福大太郎は，工事の請負について，工事進行基準により経理している。

令和２年９月１日から工事を着工し，引渡期日は令和５年10月31日である。工事の請負金額は1,200,000,000円，本年末日における工事原価の見積総額は600,000,000円，本年末までに支出した原材料費，労務費，経費の合計額は360,000,000円，本年中に支出した原材料費，労務費，経費の額は200,000,000円であった。

《解答欄》

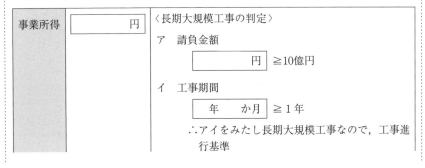

554

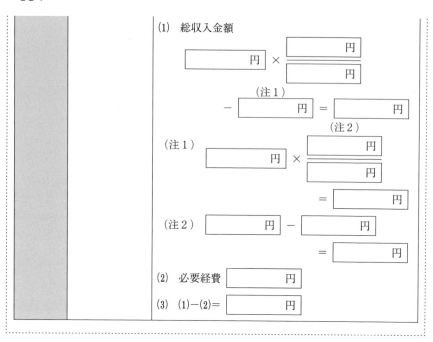

《解答》

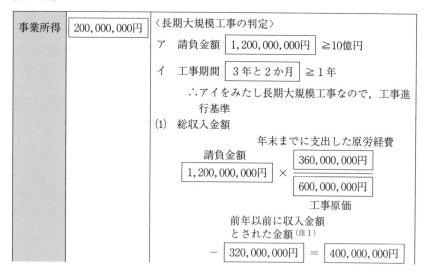

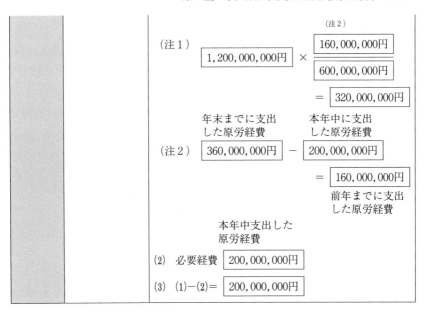

第3節 青色小規模事業者の収入及び費用の帰属時期

青色小規模事業者は，不動産所得の金額又は事業所得の金額（山林の伐採又は譲渡に係るものを除く）の計算上，売上代金等について，その年に現金（物を含む）で収入した金額をその収入した年の収入金額とし，仕入代金，費用等について現金（物を含む）で支出した金額をその支出した年の必要経費とすることができる（法67）。現金主義で所得計算をすることができる。

1 青色小規模事業者の要件

青色小規模事業者とは，次の(1)～(3)までの要件を満たす者をいう。
(1) 不動産所得又は事業所得を生ずべき業務を営む青色申告者であること（令195）
(2) **現金主義**による所得計算を行おうとする年の前々年分の不動産所得及び事業所得の金額（事業専従者給与額等を控除する前の金額）の合計額が**300万円以下**の者であること（令195）
(3) 現金主義による所得計算を行おうとする年の最初の年の**3月15日**（その年1月16日以後の新規開業者は開業後2月以内）までに現金主義による旨の届出書を提出している者であること（令197①）

なお，現金主義による所得計算を行っていた者で，その後，その計算を行わなくなった者が再び現金主義による所得計算を行おうとする場合は，その者はあらかじめ現金主義によることの税務署長の承認を受けている者であること（令195）。

2 現金主義の例外

次の規定の適用については，**現金基準の方法**による経理によらず，一般の発生主義会計によっている者と同じ経理の方法による（令196）。

(1) 法第39条(棚卸資産等の自家消費の場合の総収入金額算入),法第40条(棚卸資産の贈与等の場合の総収入金額算入),法第42条(国庫補助金等の総収入金額不算入),法第43条(条件付国庫補助金等の総収入金額不算入)の規定
(2) 法第49条(償却費),法第51条第1項及び第4項(業務用固定資産の損失の金額の必要経費算入)の規定

第VI編 課税標準

第1章 課税標準の計算

　居住者の所得に対して課される所得税又は非居住者の総合課税に係る所得に対して課される**所得税の課税標準**は，総所得金額，上場株式等に係る配当所得の金額，土地等に係る事業所得等の金額，短期譲渡所得の金額，長期譲渡所得の金額，一般株式等に係る譲渡所得等の金額，上場株式等に係る譲渡所得等の金額，先物取引に係る雑所得等の金額，退職所得金額及び山林所得金額である（法22①，措法28の5，31，32，37の10）。

　この課税標準は，以下の7つの算式で計算した金額である。この場合，①不動産所得の金額，事業所得の金額，山林所得の金額又は譲渡所得の金額の計算上生じた損失の金額があるときは，一定の順序によりその損失の金額を他の各種所得の金額から控除し（**損益通算**），その控除後の各種所得の金額に基づいて次の計算を行い，また，②前年以前3年内に生じた繰越控除の対象となる純損失の金額又は雑損失の金額があるときは，一定の順序により，次の算式で計算した金額からその損失の金額を控除して（**純損失の繰越控除，雑損失の繰越控除**），課税標準を計算する（法22②・③，措法28の4，28の5，31，32，37の10）。

① $\boxed{\begin{array}{c}\text{総所得}\\\text{金額}\end{array}} = \binom{\text{利子所得}}{\text{の金額}} + \binom{\text{配当所得}}{\text{の金額}} + \binom{\text{不動産所}}{\text{得の金額}}$

$+ \binom{\text{事業所得}}{\text{の金額}} + \binom{\text{給与所得}}{\text{の金額}} + \binom{\text{短期保有資産の}}{\text{譲渡所得の金額}} + \binom{\text{雑所得}}{\text{の金額}}$

$+ \left\{\binom{\text{長期保有資産の}}{\text{譲渡所得の金額}} + \binom{\text{一時所得}}{\text{の金額}}\right\} \times \frac{1}{2}$
　　　　　↓
　　　（総合長期）

② 上場株式等に係る配当所得等の金額 ＝ (上場株式等の配当等に係る利子所得の金額及び配当所得の金額)

③ 土地等に係る事業所得等の金額 ＝ (譲渡した年の1月1日における所有期間が5年以内の特定の土地等の譲渡に係る事業所得の金額)
　＋ (譲渡した年の1月1日における所有期間が5年以内の特定の土地等の譲渡に係る雑所得の金額)

④ 短期譲渡所得の金額 ＝ (譲渡した年の1月1日における所有期間が5年以内の土地建物等譲渡に係る譲渡所得の金額)
　↓
　（分離短期）

⑤ 長期譲渡所得の金額 ＝ (譲渡した年の1月1日における所有期間が5年超の土地建物等の譲渡に係る譲渡所得の金額)
　↓
　（分離長期）

⑥ 一般株式等に係る譲渡所得等の金額 ＝ (一般株式等の譲渡に係る事業所得の金額) ＋ (一般株式等の譲渡に係る譲渡所得の金額)
　＋ (一般株式等の譲渡に係る雑所得の金額)

⑦ 上場株式等に係る譲渡所得等の金額 ＝ (上場株式等の譲渡に係る事業所得の金額) ＋ (上場株式等の譲渡に係る譲渡所得の金額)
　＋ (上場株式等の譲渡に係る雑所得の金額)

⑧ 先物取引に係る雑所得等の金額 ＝ (先物取引（商品先物取引，金融商品先物取引等）に係る差金等を決済したことによる事業所得の金額，譲渡所得の金額及び雑所得の金額)

⑨ 退職所得金額 ＝ (退職所得の金額)

⑩ 山林所得金額 ＝ (山林所得の金額)

所得税は，個人に帰属する所得をすべて総合し，これに超過累進税率を適用して課税するのを原則とする。しかし，以下の理由から，上記のように7つに計算が分けられている。

　①所得の性格に応じその担税力に即した課税を行う趣旨から，一時的，偶発的に生ずる退職所得，山林所得，譲渡所得（総合長期保有は**2分の1課税**）又は一時所得（**2分の1課税**）については，各種所得の金額の計算段階における担税力の調整（特別控除額の控除，退職所得の2分の1計算）をする必要がある。②超過累進税率を緩和する措置として，総合課税されるものとは区別して退職所得・山林所得についての分離課税の制度（山林所得についてはさらに五分五乗方式による税率の調整）がある。③特別措置として，資本蓄積のために，上場株式等に係る配当等による配当所得，土地等・建物等の譲渡による所得，有価証券の譲渡及び先物取引による所得については，比例税率による源泉分離課税の制度がとられている。また，④土地政策のため，特定の土地建物等の譲渡所得については特別税率による分別課税の制度がとられている。

第Ⅵ編 課税標準 563

損益通算

【Point 26】

> 不動産所得の損失額,事業所得の損失額,山林所得の損失額及び譲渡所得の損失額に限り,他の各種所得の金額から控除できる。これを**損益通算**という。他の各種所得の損失額は切り捨てる。

第1節 損益通算の意義

居住者に対する所得税は,その者の総所得金額,上場株式等に係る配当所得等の金額(分離課税を選択),土地等に係る事業所得等の金額,短期譲渡所得の金額,長期譲渡所得の金額,一般株式等に係る譲渡所得等の金額,上場株式等に係る譲渡所得等の金額,先物取引に係る雑所得等の金額,退職所得金額及び山林所得金額を課税標準として課税されるが,これらを計算する場合において,**不動産所得の金額,事業所得の金額,山林所得の金額,又は譲渡所得の金額**
(事業所得の金額及び譲渡所得の金額にあっては,一般株式等に係る譲渡所得等,上場株式等に係る譲渡所得等の金額,土地建物等に係る譲渡所得及び先物取引に係る事業所得がないものとして計算した金額。措法37の10⑥四)の計算上生じた損失の金額があるときは,一定の順序により,これを他の各種所得の金額(一般株式等に係る譲渡所得等の金額,上場株式等に係る配当所得等の金額,上場株式等に係る譲渡所得等の金額,土地建物等に係る譲渡所得の金額,先物取引に係る雑所得の金額を除く)から控除する

(法69①)。これを「**損益通算**」という。
(1) **土地等又は建物等の譲渡損失**

　土地等又は建物等の譲渡所得の金額の計算上生じた損失の金額（不動産所得の損失，事業所得の損失，山林所得の損失，総合短期譲渡所得の損失，総合長期譲渡所得の損失）について，土地等又は建物等の譲渡による所得以外の所得との損益通算及び翌年以降の繰越はできない。つまり，土地等又は建物等の譲渡損失は，土地等又は建物等の分離課税の譲渡所得内（土地建物等の長期譲渡所得と土地建物等の短期譲渡所得の相互間）での損益通算しかできないこととなった（措法31①，32①）。

　また，土地又は建物等の譲渡による譲渡所得以外の所得の金額の計算上生じた損失の金額（不動産所得の損失，事業所得の損失，山林所得の損失，総合短期譲渡所得の損失，総合長期譲渡所得の損失）についても，土地又は建物等の譲渡による譲渡所得の金額との損益通算が認められない（措法31，32，平成16年改正法附27）。ただし，分離長期と分離短期間での損益相殺は可能である（措法31，32）。

(2) **特定居住用財産の譲渡損失の損益通算**

　個人が有する家屋又は土地等でその年1月1日において所有期間が**5年を超える**（家屋とともに敷地を譲渡した場合には，家屋及び敷地の所有期間が両方とも5年超でなければならない）居住用に供しているものを譲渡した場合（**特定居住用財産の譲渡損失**でその個人が譲渡契約の前日において譲渡資産に係る住宅借入金を有する場合に限る。ローンを返済できない者を保護するためである）において，**譲渡損失の金額**（**住宅借入金から譲渡対価の額を控除した残額を限度**）があるときは，その譲渡損失の金額について，その譲渡資産の譲渡による所得以外の所得との通算及び翌年以降3年内の各年分（合計所得金額が3,000万円以下である年分に限る）の総所得金額等から繰越控除を認めることとされた。

(3) **居住用財産買換えの場合の譲渡損失の損益通算**

　個人が居住用財産を譲渡した日の1月1日において**所有期間が5年を超える居住用財産**を譲渡し，譲渡した年の前年1月1日から翌年12月31日までの間に買換資産を取得し，居住用に供したとき又は供する見込みであるときも，一定要件の下で，**居住用財産の買換えによる譲渡損失も損益通算の適用がある**（措

法41の5①)。その譲渡資産の譲渡による譲渡所得の金額の計算上生じた損失の金額のうち，その譲渡した年分の長期譲渡所得の金額の計算上生じた損失の金額（その長期譲渡所得の金額の計算上生じた損失の金額のうち，短期譲渡所得の金額の計算上控除する金額がある場合は，その金額を控除した金額）に達するまでの金額を**居住用財産の譲渡損失の金額**という。ただし，買換資産を取得した年の年末に買換資産（家屋の床面積は50㎡以上であること）の**借入金等の残高がある場合のみ**適用できる(措法41の5⑦一)。居住用財産買換えの場合の譲渡損失で損益通算しても控除しきれない**譲渡損失の繰越控除の適用**は，合計所得金額が3,000万円以下である年分に限る。居住用財産買換えの場合の譲渡損失の損益通算は，売った土地が500㎡を超える場合，その超える部分の損失は除く。

〈図表2－1〉 損益通算できる損失とできない損失との区別

損益通算できる損失	損益通算できない損失
次の所得の計算上生じた損失 (1) 不動産所得 (2) 事業所得 (3) 山林所得 (4) 譲渡所得（総短，総長）	次の所得の計算上生じた損失 (1) 配当所得 (2) 給与所得 (3) 一時所得 (4) 雑所得

〈図表2－2〉 他の所得との損益通算

譲渡損失の種類	他の所得との損益通算
土地又は建物等の譲渡（分短, 分長）による譲渡所得計算上の損失	できない（損失は生じなかったものとみなす） （赤字分短と黒字分長との相殺、赤字分長と黒字分短の相殺はできる） （それでも損失がまだある）
所有期間が5年を超える特定居住用財産の譲渡損失で譲渡契約前日に**譲渡資産に係る借入金**があること **（借入金－譲渡対価）を限度** 譲渡損は分長・分短から控除し残った損失が譲渡損失	できる
所有期間が5年を超える居住用財産を買換えたが譲渡損失 **（買換資産に係る新たな借入金がある場合のみ適用）** 譲渡損は分長・分短から控除し残った損失が譲渡損失	できる
総合課税の譲渡所得計算上の損失	できる（まずは一時所得から控除）
㊷の赤字 ㊙の赤字 ㊁の赤字 ㊽（総短, 総長）の赤字	できる。ただし分離短期や分離長期との損益通算はできない

第2節　損益通算の順序

　損益通算は，その損失の金額が「不動産所得又は事業所得の損失」であるか，「譲渡所得の損失」であるか，あるいは「山林所得の損失」であるかにより，控除する順序を異にし，次の順序に従って行う（令198）。

(1)　経常所得間の通算

　不動産所得の金額又は事業所得の金額の計算上生じた損失の金額（分離課税の適用のある株式等及び先物取引に係る事業所得を除く）は，これをまず他の**利子所得**の金額（分離課税の適用を受けた上場株式等に係る利子所得の金額を除く），**配当所得**の金額（分離課税を選択した上場株式等に係る配当所得を除く），**不動産所得**の金額，**事業所得**の金額（分離課税の適用のある株式等に係る事業所得を除く），**給与所得**の金額及び**雑所得**の金額（分離課税の適用のある株式等に係る雑所得及び先物取引による雑所得の金額を除く）（以下これらの金額を「**経常所得の金額**」という）から控除する（令198一）。

> 経常所得の金額＝利子所得＋配当所得＋不動産所得＋事業所得＋給与所得＋雑所得

(2)　譲渡・一時所得の通算

　譲渡所得の金額の計算上生じた損失の金額は，まず，一時所得の金額から控除する（令198二）。

　　(注)　譲渡所得の金額の計算上生じた損失の金額には，居住用財産の買換え等の場合の譲渡損失の金額を除き，分離課税とされる株式等及び土地建物等の譲渡による損失は含まれず，これらの居住用財産に係る譲渡損失及び総合課税とされる資産の譲渡による損失に限られる。

(3)　経常所得に損失が残る場合の通算

　不動産所得の金額又は事業所得の金額の計算上生じた損失の金額を，(1)により経常所得の金額から控除してもなお控除しきれない場合には，その控除しきれない損失の金額は，これを譲渡所得の金額及び一時所得の金額（(4)の通算が行われる場合は，その通算後の金額）から順次控除する（令198三）。

この場合，譲渡所得の金額のうちに，短期譲渡所得に係る部分（総合課税の短期譲渡所得の部分）と長期譲渡所得に係る部分（総合課税の長期譲渡所得の部分）とがあるときは，まず短期譲渡所得の金額（総合短期譲渡所得の金額）から控除する。

上記による通算を行ってもなお損失が残る場合は，これを，まず山林所得の金額から控除し，なお控除しきれない損失の金額は退職所得の金額から控除する（令198五）。

(4) **譲渡・一時所得に損失が残る場合の通算**

譲渡所得の金額の計算上生じた損失の金額（居住用財産に係る譲渡損失及び総合課税の譲渡所得の金額の計算上生じた損失）を，(2)により一時所得の金額から控除してもなお控除しきれない場合には，その控除しきれない損失の金額は，これを経常所得の金額（(1)の通算が行われる場合は，その通算後の金額）から控除し，なお控除しきれない損失の金額は，山林所得の金額，退職所得の金額（どちらも(3)の通算が行われるときは，その通算後の金額）から順次控除する（令198四・五）。

なお，経常所得の金額のうちに分離課税の土地等に係る事業所得等の金額があるときは，まずその金額から控除する。

(5) **山林所得の損失の損益通算**

山林所得の金額の計算上生じた損失の金額は，これをまず経常所得の金額（(1)と(4)の通算が行われるときは，その通算後の金額）から控除し，なお控除しきれない損失の金額があるときは譲渡所得の金額及び一時所得の金額（(2)と(3)の通算が行われるときは，その通算後の金額）から順次控除し，なお控除しきれない損失の金額があるときは退職所得の金額（(3)と(4)の通算が行われるときは，その通算後の金額）から控除する（令198六）。

なお，山林所得の損失の金額を譲渡所得から控除する場合の順序は，(3)の場合と同様である。

(6) **不動産所得に係る損益通算の特例**（必要経費に算入された土地等の取得に係る**負債利子**）

個人の各年分の不動産所得の金額の計算上生じた損失の金額がある場合にお

いて，その年分の不動産所得の金額の計算上必要経費に算入した金額のうちに不動産所得を生ずべき業務の用に供する**土地又は土地の上に存する権利**（以下「**土地等**」という）**を取得するために要した負債の利子**（借入金の利子）があるときは，その損失の金額のうちその負債の利子の額に相当する部分の金額は，**損益通算の規定の適用**については，**生じなかったものとみなされる**（措法41の4）。

次に掲げる区分に応じ，それぞれ次に掲げる金額を，損益通算上，生じなかったものとする（措令26の6①）。

① その年分の不動産所得の金額の計算上必要経費に算入した土地等を取得するために要した負債の利子の額がその不動産所得の金額の計算上生じた損失の金額を超える場合……その損失の金額

② その年分の不動産所得の金額の計算上必要経費に算入した土地等を取得するために要した負債の利子の額がその不動産所得の金額の計算上生じた損失の金額以下である場合……その損失の金額のうちその負債の利子の額に相当する金額

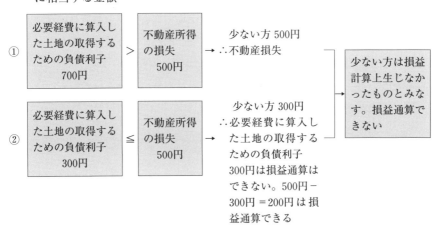

この特例は，節税対策として使われてきたワンルームマンション等の購入に対して，借入金の利子を必要経費算入による節税対策を抑制するために規定されたと思われる。①・②をまとめると，以下の算式となる。

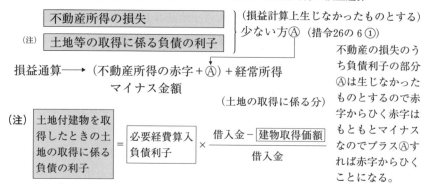

(7) 生活に通常必要でない資産から生ずる所得の赤字の損益通算

　生活に通常必要でない資産に係る所得の金額の計算上生じた損失の金額があるときは，その損失の金額のうち，競走馬（その規模，収益の状況その他の事情に照らし事業と認められるものの用に供されるもの以外の競走馬）の譲渡による譲渡所得の金額の計算上生じた損失の金額は，競走馬の保有に係る雑所得の金額から控除することができるが，それ以外の損失及びそれにより控除しきれない部分の損失は生じなかったものとみなされる（法69②，令200①・②）。

　したがって，次に掲げる損失の金額は，損益通算の対象とはならない。

　①　配当所得の損失の金額（法69①）

　②　一時所得の損失の金額（法69①）

　③　雑所得の損失の金額（法69①）

　④　生活に通常必要でない資産に係る損失の金額（ただし，上記の競走馬の譲渡損失は競走馬の保有に係る雑所得から控除される）（法69②）

　生活に通常必要でない資産について所得金額の計算上生じた損失の金額，例えば別荘の譲渡損は他の資産の譲渡所得とは内部通算はできるが，他の所得との損益通算はできない（法69②，令200）。

《計算Point》
1 損益通算とは，不動産所得（不），事業所得（事），山林所得（山），譲渡所得（譲）（総合短期，総合長期）の赤字を他の黒字の金額から控除すること。**一時所得，雑所得，配当所得**の損失金額は損益通算できない。また，土地建物等の譲渡に係る所得の金額の計算上生じた損失金額，不動産所得の金額の計算上生じた損失金額のうち，不動産所得を生ずべき業務の用に供する土地等の取得に係る借入金の利子の金額のうち必要経費に算入された金額，生活に通常必要ない資産に係る所得の金額の計算上生じた譲渡損失金額（内部通算で他の譲渡所得から控除しきれない部分の金額）も損益通算できない。ただし，特定居住用財産である土地，建物等の譲渡による損失等は，損益通算はできる。

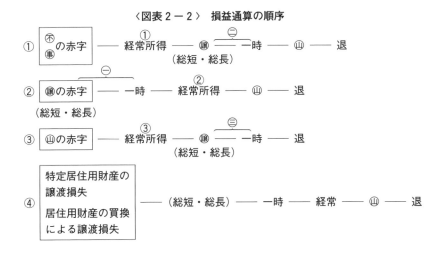

〈図表2－2〉 損益通算の順序

経常所得の金額とは，利子，配当，不動産，事業，給与，雑所得の金額の合計をいう。また，図表の譲は，総合課税の長期又は短期の譲渡所得をさす。

2 損益通算の順序
なお，不，事，譲，山の赤字を経常所得と通算する場合は①─②─③と譲・一時と通算する場合は㊀─㊁─㊂となる。

《計算Pattern》損 益 通 算（不動産所得の損失）

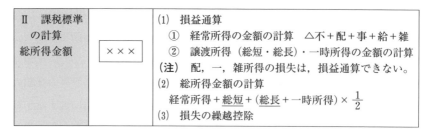

総短とは総合短期譲渡所得の金額，総長とは総合長期譲渡所得の金額をさす。

《計算例題》損 益 通 算

次のような所得（△印は損失）のある居住者慶応　進の総所得金額を計算しなさい。

		Aのケース	Bのケース
1	事業所得の金額	1,300,000円	1,300,000円
2	不動産所得の金額	△ 860,000円	860,000円
3	雑所得の金額	△ 170,000円	△ 170,000円
4	給与所得の金額	640,000円	640,000円
5	総合課税の長期譲渡所得の金額	△ 950,000円	△ 950,000円
6	一時所得の金額	80,000円	△ 80,000円
7	総合課税の短期譲渡所得の金額		800,000円

《解答欄》

　　計算式の□の中に，＋，－，×，÷のうち適正な符号を記入しなさい。

Aのケース

(イ) 経常所得の金額の計算

　　□円□□円□□円
　　　　＝□円

(ロ) 譲渡所得・一時所得の金額の計算

　　□円□□円＝□円

(ハ) 総所得金額の計算

　　[　　円] [　] [　　円] = [　　円]

Bのケース

(イ) 経常所得の金額の計算

　　[　　円] [　　円] [　　円] [　　円]
　　　　　　　　　　　　　　= [　　円]

(ロ) 譲渡所得・一時所得の金額の計算

　　[　　円] [　] [　　円] = [　　円]

(ハ) 総所得金額の計算

　　[　　円] [　] [　　円] = [　　円]

(税務検定)

《解　答》

Aのケース

(イ) 経常所得の金額の計算

（雑所得の赤字はダメ）

[1,300,000円] + [640,000円] − [860,000円]
　　　　　　　= [1,080,000円]

(ロ) 譲渡所得・一時所得の金額の計算

　　（一時）　　　　（総長）
[80,000円] − [950,000円] = [△ 870,000円]

(ハ) 総所得金額の計算

[1,080,000円] − [870,000円] = [210,000円]

Bのケース

(イ) 経常所得の金額の計算

[1,300,000円] + [860,000円] + [640,000円]
　　　　　　　= [2,800,000円]

(ロ) 譲渡所得・一時所得の金額の計算

　　　（総短）　　　（総長）　　（一時所得の赤字はダメ）
　　　800,000円 － 950,000円 ＝ △150,000円

(ハ) 総所得金額の計算

　　2,800,000円 － 150,000円 ＝ 2,650,000円

《計算Point》特定居住用財産の譲渡損失の損益通算と繰越控除

特定居住用財産
① その年1月1日において所有期間が5年を超える居住用財産（譲渡資産）
② 譲渡契約の締結日の前日，譲渡資産に係る住宅借入金（返済期間10年以上）が残っていること

→ 譲渡 → 譲渡損失が発生

損　益　通　算

（損益通算の対象となる特定居住用財産の譲渡損失の金額）

少ない方　　住宅借入金の残り － 譲渡対価

特定居住用財産の譲渡損失の金額(注)

（損　益　通　算）
→総短→総長→一時→経常→山林→退職

譲渡対価－（取得費＋譲渡費用）＝△特定居住用財産の譲渡損
△特定居住用財産の譲渡損＋分長＋分短
　　　　　　　　　　　　　＝△特定居住用財産の譲渡損失の金額(注)

特定居住用財産の譲渡損は，まず分長，分短から控除，まだ控除しきれないのが，特定居住用財産の譲渡損失の金額(注)で損益通算される

損益通算の対象となる特定居住用財産の譲渡損失の金額

繰　越　控　除

損益通算しても控除しきれない特定居住用財産の譲渡損失の金額（**通算後譲渡損失の金額**）

一定の要件のもとで3年間の繰越控除を認める
（特定居住用財産の譲渡損失の繰越控除の要件）
① その年の前年以前3年内の年において生じた通算後譲渡損失の金額があること
② （合計所得金額≦3,000万円）であること

第Ⅵ編　課税標準　575

特定居住用財産（マイホーム）の譲渡損失の損益通算及び繰越控除の特例を受けるための添付書類等（措法41の5の2）	
① 今回の売買契約書 ② 売却した土地・建物の購入価格等がわかる書類 ③ 給与所得者の場合は源泉徴収票	自分で内訳書を作成する等で必要な書類
① 譲渡所得の内訳書（確定申告書付表兼計算明細書）[土地・建物用]（税務署で交付） ② 特定居住用財産の譲渡損失の金額の明細書（税務署で交付） ③ 特定居住用財産の譲渡損失の損益通算及び繰越控除の対象となる金額の計算書［措置法41の5の2用］（税務署で交付） ④ 売却したマイホームに係る住宅借入金等の残高証明書（マイホーム売却の契約を締結した日の前日のもの） ⑤ 売却したマイホーム（家屋及び敷地）の登記事項証明書（所有期間が5年を超えることを明らかにするもの） ⑥ 譲渡契約締結日の前日において，住民票に記載されていた住所と，売却した居住用財産の所在地が異なる場合は，戸籍の附票の写し等	添付書類

《計算Pattern》特定居住用財産の譲渡損失の損益通算

特定居住用財産の譲渡損失と総短・総長の通算があるケース

Ⅰ 各種所得金額の計算 譲渡所得	総合 (1) 譲渡損益 (2) 通算 　① 総合 　　総合と総長との通算 　② 特定居住用財産の譲渡損失 　　ア　特定居住用財産の譲渡損 　　　　譲渡対価－（取得費＋譲渡費用）＝△譲渡損 　　イ　住宅借入金　－　譲渡対価 　　ウ　アイ少ない金額 　　　　(2)②ウ→総短→総長との通算 (3) 特別控除 土地建物等 (1) 譲渡損益 (2) 通算 　分短と分長との通算

特定居住用財産の譲渡損失と総短・総長の通算がないケース

Ⅱ 課税標準の計算 　総所得金額	×××	(1) 損益通算 　ア ┌ 特定居住用財産の譲渡損 ┐ 　　│　譲渡対価－(取得費＋譲渡費用)＝△譲渡損 　イ │ 住宅借入金 － 譲渡対価 　ウ └ アイ少ない金額 　　　(1)ウ＋一時所得＝△△△ (2) 総所得金額の計算 　　△△△＋経常所得＝×××

《計算Point》居住用財産の買換等の場合の譲渡損失の損益通算と繰越控除

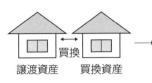

譲渡資産　買換資産

（居住用財産の買換等の場合の譲渡損失）
① その年1月1日において所有期間が5年を超える居住用財産を譲渡
② 取得した年の12月31日に買換資産に係る住宅借入金（返済期間10年以上）を組んでいること
③ 売却した年の過去2年間に3,000万円の特別控除を受けていないこと → 居住用財産の譲渡損失が発生
④ 居住用財産（買換資産）を取得し，居住の用に供したこと又は供する見込みであること
⑤ 買換資産（家屋）の床面積が50㎡以上であること

損　益　通　算
（損益通算の対象となる居住用財産の譲渡損失の金額）

（損　益　通　算）

^(注) →総短→総長→一時→経常→山林→退職

譲渡対価－（取得費＋譲渡費用）＝△居住用財産の譲渡損
△居住用財産の譲渡損＋分長＋分短
　　　　　　　＝△居住用財産の譲渡損失の金額^(注)

居住用財産の譲渡損は，まず分長，分短から控除，まだ控除しきれないのが，^(注)でその後，損益通算される。

繰　越　控　除
損益通算しても控除しきれない居住用財産の譲渡損失の金額
（通算後譲渡損失の金額）
　　一定の要件のもとで3年間の繰越控除を認める
（住居用財産の置換等の場合の譲渡損失の繰越控除の要件）
① その年の前年以前3年内の年において生じた通算後譲渡損失の金額があること
② その年12月31日において買換資産に係る新たな住宅借入金を有すること
③ （合計所得金額≦3,000万円）であること

居住用財産（マイホーム）の買換え等の場合の譲渡損失の損益通算及び繰越控除の特例を受けるための添付書類等（措法41の5）	
① 今回の売買契約書 ② 売却した土地・建物の購入価額等からわかる書類 ③ 給与所得者の場合は源泉徴収票	自分で内訳書を作成する等で必要な書類
① 譲渡所得の内訳書（確定申告書付表兼計算明細書）［土地・建物用］（税務署で交付） ② 居住用財産の譲渡損失の金額の明細書（税務署で交付） ③ 居住用財産の譲渡損失の損益通算及び繰越控除の対象となる金額の計算書［措置法41の5用］（税務署で交付） ④ 新しく取得したマイホームに係る住宅借入金等の残高証明書 ⑤ 売却したマイホーム（家屋及び敷地）の登記事項証明書（所有期間が5年を超えること及び敷地の面積を明らかにするもの） ⑥ 新しく取得したマイホーム（家屋及び敷地）の登記事項証明書その他の書類 ⑦ 譲渡契約締結日の前日において，住民票に記載されていた住所と，売却した居住用財産の所在地が異なる場合は，戸籍の附票の写し等	添付書類

《計算Pattern》居住用財産の置換等の場合譲渡損失の損益通算

居住用財産の譲渡損失と総短・総長の通算があるケース（例）

Ⅰ 各種所得金額の計算 譲渡所得		総合 (1) 譲渡損益 (2) 通算 　① 総合 　　総合と総長との通算 　② 居住用財産の譲渡損失 　　　居住用財産の譲渡損 　　△居住用財産譲渡損Ⓐ（分短・分長との通算後譲渡損） 　　Ⓐ→総短→総長との通算＝通算後Ⓑ (3) 特別控除
		土地建物等 (1) 譲渡損益 　① 分短　×××　譲渡益 　② 分長居住用　△譲渡損 (2) 通算 　分短と分長との通算＝①＋②＝△通算後譲渡損Ⓐ

| Ⅱ課税標準の計算
総所得金額 | ×× × | (1) 損益通算
通算後Ⓑ＋一所＝△△△
(2) 総所得金額
△△△＋経常所得 |

居住用財産の譲渡損失と総短・総長の通算がないケース

Ⅰ各種所得金額の計算 譲渡所得 分離長期	△×× ×	土地建物等 譲渡損益 居住用分長　△×× ×　Ⓐ
Ⅱ課税標準の計算 総所得金額	×× ×	(1) 損益通算 居住用財産の譲渡損 △居住用（分長）譲渡損Ⓐ Ⓐ＋一時所得＝△△△ (2) 総所得金額の計算 △△△＋経常所得＝×××

《計算例題》**特定居住用財産の譲渡損失と損益通算**

次の資料により，慶応　進の**特定居住用財産の譲渡損失の損益通算**を行い，令和3年度の各種所得金額と課税標準を計算しなさい。

令和3年9月に，慶応　進は居住用財産（家屋，敷地）を16,000,000円で譲渡し，6,000,000円の損失となった。この居住用財産は湘南銀行からの借入金（借入期間25年）によって取得した。今回の譲渡契約の前日の借入金残高は20,000,000円である。

その他，令和3年度には，不動産所得の金額7,000,000円，分譲短期譲渡所得の金額1,500,000円がある。

《解答欄》

I 各種所得の金額の計算 譲渡所得 分離長期	［　　　］円	土地建物等 (1) 譲渡損益 　　分短 ［　　　］円 　　分長 ［　　　］円 (2) 通算 　　［　　　］円 ＋ ［　　　］円 　　　　　　　　　＝ ［　　　］円
不動産所得	［　　　］円	
II 課税標準の計算 総所得金額	［　　　］円	損益通算 　　［　　　］円 ＞ ［　　　］円 　　－ ［　　　］円 ＝ ［　　　］円 　　　　　少ない金額∴ ［　　　］円 　　［　　　］円 ＋ ［　　　］円 　　　　　　　　　＝ ［　　　］円

《解 答》

I 各種所得の金額の計算			
譲渡所得 分離長期	△4,500,000円	土地建物等 (1) 譲渡損益 　　分短　1,500,000円 　　分長（居住用財産）　△6,000,000円 (2) 通算 　　特定居住用譲渡損　　　　分短 　　　△6,000,000円　＋　1,500,000円 　　　　　　　　　　　特定居住用譲渡損失 　　　　　　　　　＝　△4,500,000円	
不動産所得	7,000,000円		
II 課税標準の計算 総所得金額	3,000,000円	損益通算 　特定居住用譲渡損失　　　借入金の残り 　　4,500,000円　＞　20,000,000円 　　　　　　　譲渡対価 　　　－　16,000,000円　＝　4,000,000円 　　　　　　少ない金額 ∴　4,000,000円 　　△4,000,000円　＋　7,000,000円 　　　　　　　　　　＝　3,000,000円	

第3章 純損失及び雑損失の繰越控除

【Point 27】

> 繰越控除は，所得金額及び税額計算を平準化する趣旨から，前年以前に生じた損失を本年の課税標準の計算上控除する制度である。これは，所得税の原則である暦年単位課税に反する。したがって，制度上，実施するに当たり制約が設けられている。

第1節 純損失の繰越控除

(1) **純損失の意義**

各種所得の金額の計算上生じた損失の金額（**不動産所得の金額，事業所得の金額，山林所得の金額**又は**譲渡所得の金額**の計算上生じた損失（譲渡所得の金額の計算上生じた損失は，総合短期・総合長期の損失のみ）について，損益通算の方法に従って，他の各種所得の金額からの控除を行っても，控除しきれない場合のその控除不足額を**純損失**という（法2①二十五）。

> 純損失の金額とは，損益通算の対象となる損失（不動産所得，事業所得，山林所得，譲渡所得の損失）を損失を生じた年に他の各種所得と損益通算しても，しきれない金額　　　　　（注）譲渡所得の損失は総合短期及び総合長期の損失のみ

(2) 繰越控除

確定申告書を提出する居住者のその年（青色申告書を提出している年に限る）の**前年以前3年内の各年に生じた純損失の金額**（前年以前において控除されたもの及び純損失の繰戻しによる還付を受けるべき金額の基礎となったもの，居住用財産の買換え等の場合の譲渡損失に係る純損失及び特定居住用財産の譲渡損失に係る純損失の金額を除く）がある場合には，一定の順序により，その**純損失の金額**はその年分の総所得金額，土地等に係る事業所得等の金額，退職所得金額又は山林所得金額の計算上（課税標準の計算上）控除する（法70①・②）。

その繰越損失の金額からは，居住用財産の買換え等の場合の譲渡損失の損益通算及び繰越控除に規定する特定純損失の金額並びに特定居住用財産の譲渡損失の損益通算及び繰越控除に規定する特定純損失の金額を除く。

この場合，その純損失の金額は，それを生じた年分につき青色申告書を提出しているかどうかにより異なり，①**青色申告書を提出している年分**について生じた純損失についてはその金額とされる。②青色申告書以外の確定申告書（白色）を提出している年分について生じた純損失の金額については**被災事業用資産の損失**の金額又は変動所得の金額の計算上生じた損失の金額に限られる（法70②，令202）。控除する年は，青色申告，白色申告を問わず控除する。

なお，**被災事業用資産の損失の金額**とは，棚卸資産，事業用固定資産，事業に係る繰延資産又は山林の災害による損失の金額（その災害に関連するやむを得ない支出を含み，保険金，損害賠償金等により補てんされる部分を除く）で，変動所得の金額の計算上生じた損失の金額に該当しないものをいう（法70③）。

(3) 繰越控除の順序

その年分に繰り越された純損失の金額の控除は，以下の順序により行う（法70①・②，令201）。

① 控除する純損失の金額が前年以前3年内の2以上の年に生じたものである場合には，これらの年のうち**最も古い年に生じた純損失の金額**から順次控除する。

② 前年以前3年内の一の年において生じた純損失の金額の控除は，以下に

より行う。

(イ) 繰り越した純損失の金額のうち**総所得金額の計算上生じた損失の部分の金額，土地等に係る事業所得等の金額の計算上生じた損失の部分の金額**があるときは，これをその年分の総所得金額，土地等に係る事業所得等の金額の順に控除する。

　この場合において，総所得金額の計算上生じた純損失の金額は，総所得金額，土地等に係る事業所得等の金額の順に控除する。

　土地等に係る事業所得等の金額の計算上生じた純損失の金額は，土地等に係る事業所得等の金額，総所得金額の順に控除する

(ロ) 繰り越した純損失の金額のうち**山林所得金額の計算上生じた損失の部分の金額**があるときは，これをまずその年分の山林所得金額から控除する。

(ハ) (イ)による控除をしても，なお控除しきれない総所得金額，土地等に係る事業所得等の金額の計算上生じた損失の部分の金額は，その年分の山林所得金額 ((ロ)の控除が行われる場合には，その控除後の金額)，退職所得金額から順次控除する。

(ニ) (ロ)による控除をしても，なお控除しきれない山林所得金額の計算上生じた損失の部分の金額は，その年分の総所得金額，土地等に係る事業所得等の金額 ((イ)の控除が行われる場合には，その控除後) から順次控除し，次に退職所得金額 ((ハ)の控除が行われる場合には，その控除後の金額) から控除する。

③ その年分の各種所得の金額の計算上生じた損失の金額がある場合又は雑損失の繰越控除も行われる場合には，まず**損益通算**を行い，次に**純損失の繰越控除**を行った後に**雑損失の繰越控除**を行う。この場合，繰り越した純損失の金額及び繰り越した雑損失の金額が前年以前3年以内の2以上の年に生じたものであるときは，これらの年のうち，**最も古い年に生じた純損失の金額又は雑損失の金額から順次控除する**（令201，204，措令26の7②）。

第Ⅵ編 課税標準 585

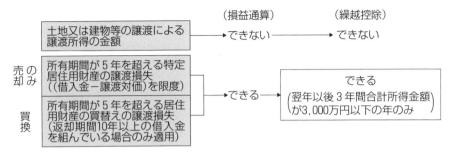

〈図表3-1〉純損失の繰越控除の仕組み

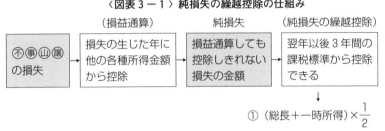

① (総長+一時所得)×$\frac{1}{2}$
② ①の計算後に損失の繰越控除

〈図表3-2〉純損失の繰越控除

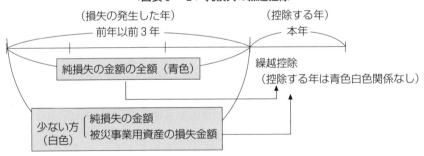

〈図表3－3〉 前年3年内の同一年に生じた純損失の繰越控除の順序

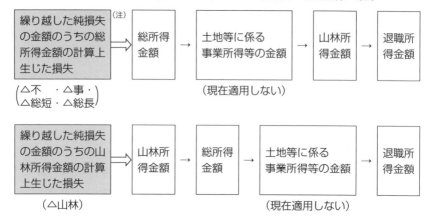

（注） 古い年に生じた純損失の金額から控除する。繰り越した純損失の金額のうちの総所得金額の計算上生じた損失は、まずは同一種類の課税標準である総所得金額から控除する。そののちに、課税標準の順番で控除する。

《計算Pattern》純損失の繰越控除

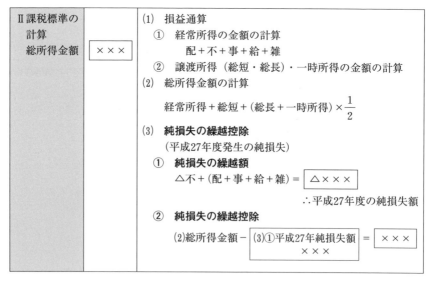

《計算例題》純損失の繰越控除

次の資料により，福大太郎の課税標準を計算しなさい。なお，福大太郎は3年前より青色申告書を期限内に提出しており，純損失の繰越控除の適用を受けるための要件を満たしている。

1 平成28年度の所得
　(1) 事業所得の金額　　　3,200,000円
　(2) 不動産所得の金額　△1,500,000円
　(3) 譲渡所得の金額
　　　分離長期　　　　　2,400,000円
　　　総合長期　　　　　　600,000円
　(4) 一時所得の金額　　　　800,000円
2 平成27年度（前年度）の所得
　(1) 事業所得の金額　　　　900,000円
　(2) 不動産所得の金額　△1,200,000円

《解答欄》

Ⅰ課税標準の計算		(1) 損益通算
総所得金額	円	① 経常所得の金額の計算
長期譲渡所得の金額	円	円 ＋ 　　円
		＝ 　　円
		② 譲渡所得・一時所得の金額の計算
		(2) 総所得金額の計算
		円 ＋ (　　円
		＋ 　　円) × $\frac{1}{2}$ ＝ 　　円
		(3) 純損失の繰越控除
		① 平成27年度の純損失の繰越額
		円 ＋ 　　円
		＝ 　　円
		∴平成27年度の純損失額 　　円

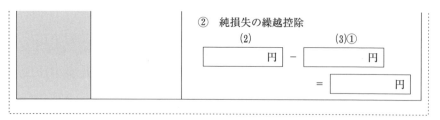

《解　答》

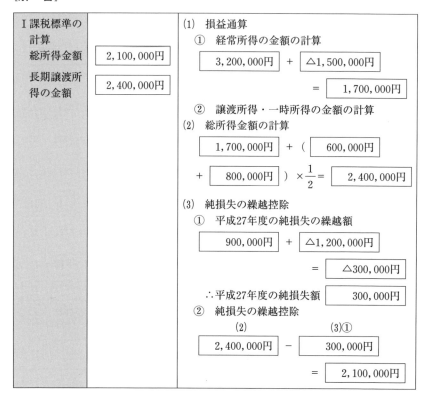

第2節　雑損失の繰越控除

(1) 雑損失の意義

雑損控除の対象となる**資産の災害，盗難，横領による損失の金額**が雑損控除の各区分に応ずる**足切限度額**を超える場合のその超える部分の金額を**雑損失**という（法2①二十六）。

> 雑損失の金額とは，雑損控除の対象となる損失額が足切限度額を超える場合のその超える部分の金額

足　切　額

区　　分	足　　切　　額
災害関連支出が**5万円以下の場合**（ない場合を含む）	その年分の課税標準の合計額 $\times \dfrac{1}{10}$
災害関連支出が**5万円を超える場合**	(1)　損失の金額 －（災害関連支出 － 5万円） (2)　その年分の課税標準の合計額 $\times \dfrac{1}{10}$ (3)　(1)≧(2)　∴少ない金額
その年分の課税標準が**すべて災害関連支出である場合**	(1)　5万円 (2)　その年分の課税標準の合計額 $\times \dfrac{1}{10}$ (3)　(1)≧(2)　∴少ない金額

雑損失の金額とは，**資産の災害，盗難，横領**による損失の金額（保険金等で補てんされる部分の金額は除かれる）が，その年分の総所得金額，上場株式等に係る配当所得等の金額（分離課税の適用を受けたもの），土地等に係る事業所得等の金額，短期譲渡所得の金額，長期譲渡所得の金額，一般株式等に係る譲渡所得等の金額，上場株式等に係る譲渡所得等の金額，先物取引に係る雑所得等の金額，山林所得金額及び退職所得金額の合計額の**10分の1相当額**（上記の損失の金額に5万円を超える災害関連支出の金額が含まれているときは，この10分の1相当額と損失の金額からその5万円を超える部分の金額を控除した金額とのいずれか低い金額）を超

える場合における，その超える部分の金額をいう（法2①二十六）。

(2) **繰越控除**

確定申告書を提出する居住者のその年の前年以前3年内の各年において生じた**雑損失の金額**で，その損失の生じた年分の**課税標準から雑損控除しきれなかった金額**（雑損失の生じた年分に雑損控除として控除されたもの及び前年以前において繰越控除されたものを除く）は，一定の順序により，その申告書に係る年分の総所得金額，上場株式等に係る配当所得の金額（分離課税を選択したもの。上場株式等の配当等に係る配当所得及び利子所得の金額の合計額をいう），土地等に係る事業所得等の金額，短期譲渡所得の金額，長期譲渡所得の金額，一般株式等に係る譲渡所得等の金額，上場株式等に係る譲渡所得等の金額，先物取引に係る雑所得等の金額，退職所得金額又は山林所得金額の計算上（課税標準の計算上）控除する（法71①）。

(3) **繰越控除の順序**

その年分に繰り越された雑損失の金額の控除は，次により行う。

① 控除する雑損失の金額が前年以前3年内の二以上の年に生じたものである場合には，これらの年のうち**最も古い年に生じた雑損失の金額**から順次控除する。

② 前年以前3年内の一の年において生じた雑損失の金額で前年以前において控除されなかった部分に相当する金額があるときは，これをその年分の総所得金額，上場株式等に係る配当所得の金額（分離課税を選択したもの），土地等の係る事業所得等の金額，短期譲渡所得の金額，長期譲渡所得の金額，一般株式等に係る譲渡所得等の金額，上場株式等に係る譲渡所得等の金額，先物取引に係る雑所得等の金額，山林所得金額又は退職所得金額から順次控除する。

③ 純損失の繰越控除で既述したがその年の各種所得の金額の計算上生じた損失の金額がある場合又は純損失の繰越控除も行われる場合には，まず損益通算を行い，次に**純損失の繰越控除**を行った後に**雑損失の繰越控除**を行う。この場合，繰り越した純損失の金額及び繰り越した雑損失の金額が前

年以前3年内の二以上の年に生じたものであるときは、これらの年のうち**最も古い年に生じた純損失の金額又は雑損失の金額**から順次控除する（令201三，204①一・②）。

〈図表3－4〉雑損失の繰越控除の仕組み

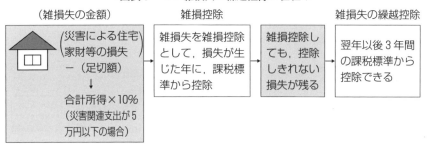

〈図表3－5〉雑損失の繰越控除

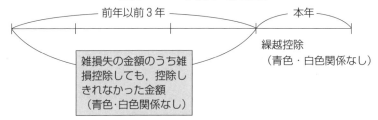

〈図表3－6〉 雑損失の繰越控除の順序

雑損失 ⇒ 総 → 短 → 長 → 上配 → 一般株式譲 → 上場株式譲 → 先 → 山 → 退
　　　　　　　　　　適用税率の高い順に控除

〈図表3－7〉 前年以前3年内に生じた純損失と雑損失の控除の順序

	3年前	2年前	1年前
純　損　失	①	③	⑤
雑　損　失	②	④	⑥

(注)　古い年に生じた純損失の金額又は雑損失の金額から控除する。

《計算Pattern》雑損失の繰越控除　平成28年度

Ⅱ課税標準の計算	
総所得金額	×××
上場株式等に係る配当所得の金額	×××
短期譲渡所得の金額	×××
長期譲渡所得の金額	×××
一般株式等に係る譲渡所得等の金額	×××
上場株式等に係る譲渡所得等の金額	×××
先物取引に係る雑所得等の金額	×××
山林所得金額	×××
退職所得金額	×××
課税標準の合計額	○○○

(1) 損益通算
　① 経常所得の金額の計算
　　　配＋不＋事＋給＋雑
　② 譲渡所得（総短・総長）・一時所得の金額の計算

(2) 総所得金額の計算
　　経常所得＋総短＋（総長＋一時所得）×$\frac{1}{2}$

(3) 雑損失の繰越控除
　（平成27年度発生の雑損失）
　① 雑損失の繰越額
　　　課税標準合計額－雑損失控除額＝△×××
　　　　　　　　　　　　　　　∴雑損失の繰越額
　② 雑損失の繰越控除
　　　(2) － (3)① ＝ ×××

（注） 課税標準の合計額とは，損失の繰越控除後の以下の各種所得金額の合計額である。

　　　＝ ○○○

　　合計所得金額とは，損失の繰越控除前の以下の各種所得金額の合計額である。

　　　＝ ○○○ ＋純損失の繰越額A＋雑損失の繰越額B

　合計所得金額とは，純損失，雑損失等の繰越控除をしないで計算した総所得金額，上場株式等に係る配当所得の金額，土地等に係る事業所得等の金額，分離短期譲渡所得の金額（特別控除前），分離長期譲渡所得の金額（特別控除前），一般株式等に係る譲渡所得等の金額，上場株式等に係る譲渡所得等の金額，先物取引に係る雑所得等の金額，山林所得金額（特別控除後）及び退職所得金額の合計額をいう（法2①三十）。**課税標準**とは，合計所得金額から純損失，雑損失の繰越控除した後の合計額をいう。

《**計算例題**》**雑損失の繰越控除**

次の資料により，慶応　進の令和3年分の課税標準を計算しなさい。なお，慶応　進は前年において，期限内に確定申告書を提出しており，雑損失の繰越控除の適用要件は満たしている。

1　令和3年度の所得
  (1)　事業所得の金額　　　　△500,000円
  (2)　不動産所得の金額　　　1,600,000円
  (3)　譲渡所得の金額
        分離短期　　　　3,000,000円
        総合長期　　　　　300,000円
  (4)　一時所得の金額　　　　　700,000円
2　令和2年度（前年度）の資料
  (1)　令和2年度の総所得金額　1,200,000円
  (2)　令和2年度の雑損控除額　1,800,000円
        その他の所得控除額　　　900,000円

《**解答欄**》

Ⅱ 課税標準の計算		(1) 損益通算
総所得金額	［　　　　円］	① 経常所得金額の計算
短期譲渡所得の金額	［　　　　円］	［　　円］ ＋ ［　　円］
		＝ ［　　円］
		② 譲渡所得（総短・総長）・一時所得の金額の計算
		(2) 総所得金額の計算

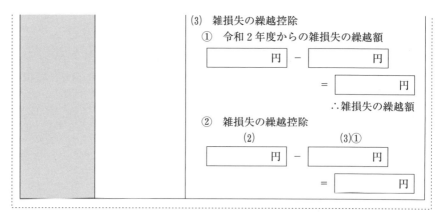

《解 答》

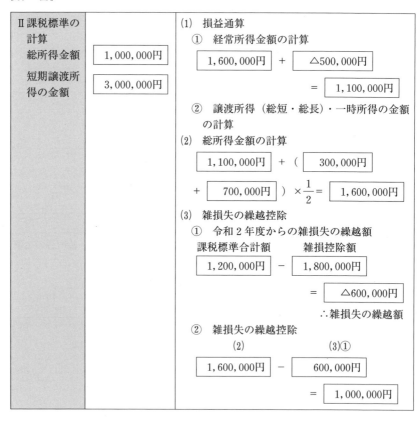

第3節 居住用財産の買換え等の場合の譲渡損失の繰越控除

　確定申告書を提出する個人のその年の前年以前3年間の年において生じた**通算後譲渡損失の金額**（前年以前の年に控除された金額を除く）を有する場合（青色・白色は問わない）は，その個人がその年12月31日において，通算後譲渡損失金額に係る**買換資産の住宅借入金等の金額**を有しているときは，その年又はその年以前において，他の居住用財産の譲渡損失の金額について，この繰越控除の適用を受け，又は受けている場合を除き，**通算後譲渡損失の金額**は，総所得金額，土地等に係る事業所得等の金額，短期譲渡所得の金額，長期譲渡所得の金額，退職所得金額又は山林所得金額の計算上（課税標準の計算上）控除する（措法41の5）。

　ただし，その個人の年分の合計所得金額が3,000万円以下でなければならない。**3,000万円を超える年**においては，この居住用財産の買換え等の場合の譲渡損失の繰越控除は適用しない。

(1) 居住用財産の譲渡損失の金額

　居住用財産の譲渡損失の金額とは，個人が平成10年1月1日から令和3年12月31日までの期間内に，譲渡年の1月1日における**所有期間5年超の居住用財産の譲渡**（親族その他特殊関係者に対する譲渡，贈与又は出資による譲渡を除く）をした場合において，その譲渡年の前年1月1日から**譲渡年の翌年12月31日**までに買換資産の取得等（代物弁済としての取得を除く）をしてその取得をした年の12月31日において，その買換資産に係る**住宅借入金等**により居住用財産（居住の用に供する家屋及び敷地で，**家屋は床面積が50平方メートル以上のものに限る**）を取得し，かつ，取得年の翌年12月31日までに居住の用に供し，又は供する見込みであるときにおけるその**居住用財産の譲渡による譲渡所得の損失の金額**のうち，その譲渡年分の**長期譲渡所得の金額及び短期譲渡所得の金額**の計算上控除しても控除しきれない金額をいう。

(2) **通算後譲渡損失の金額**

　通算後譲渡損失の金額とは，損益通算しても控除しきれない居住用財産の買換えの場合の譲渡損失の金額である。純損失の金額のうち，**居住用財産の譲渡損失の金額**に係るものをいう。その繰越控除の対象となる**居住用財産の譲渡による譲渡損失の金額**のうち，その**譲渡損失が生じた年の純損失の金額**（繰越控除の対象となる居住用財産の譲渡損失を含めて損益通算の方法により計算された純損失）から以下に掲げる①又は②の金額（純損失の金額に相当する金額を限度）を**控除した金額**に達するまでの金額（その居住用財産の譲渡損失の金額に係る譲渡資産のうちに土地又は土地の上に存する権利で面積が500平方メートルを超えるものが含まれている場合には，その土地又は土地の上に存する権利のうち当該500平方メートルを超える部分に相当する金額を除く）である（措令26の7⑪）。

① 居住用財産の譲渡損失が生じた年分が青色申告書の提出年分である場合は，**居住用財産の譲渡損失が生じた年分の不動産所得の金額，事業所得の金額，山林所得の金額及び譲渡所得の金額**（分離課税とされる土地建物等の譲渡所得の金額を除く）の計算上生じた損失の金額の合計額

② 居住用財産の譲渡損失が生じた年分が青色申告書の提出年分でない場合は，変動所得の損失の金額及び被災事業用資産の損失の金額の合計額

　（注）　青色申告者の場合，繰越控除の対象となる居住用財産の譲渡損失が生じた年に損益通算の対象となる所得の損失の金額と黒字の所得の金額がある場合には，翌年以後に繰り越すことができる居住用財産の譲渡による譲渡所得の損失は，他の所得の赤字よりも先に他の黒字の金額から控除する。したがって，その居住用財産の譲渡損失の金額が他の黒字の所得の金額より少ないときは，その譲渡損失はないものとみなされる。

第Ⅵ編 課税標準 597

〈図表3-8〉居住用財産の買換え等の場合の譲渡損失の繰越控除

| 居住用財産の買換え等の場合の譲渡損失の繰越控除の適用要件 | ① 前年以前3年内に通算後譲渡損失を有する。
② その年分の合計所得金額 ≦ 3,000万円
③ その年12月31日において**買換資産に係る**住宅借入金を有する。 |

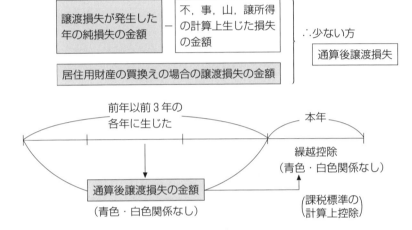

不・事・山・譲渡所得の計算上生じた損失の金額がある場合の繰越控除の順序

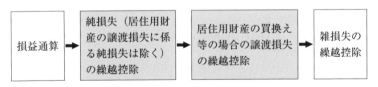

《計算Pattern》

居住用財産の買換え等の場合の譲渡損失発生年が**青色申告者**であり，純損失の**繰越控除**がある場合

Ⅱ課税標準		
	(1)	損益通算
	(2)	経常所得＋総短＋（総長＋一時）× $\frac{1}{2}$
	(3)	損失の繰越控除
		① 純損失の繰越控除
		(イ) 繰越額
		譲渡所得発生年の純損失 － 居住用財産の買換えの場合の譲渡損失に係る特定純損失の金額(注)
		(注) 譲渡損失発生年の純損失 － 不・事・山・譲（長譲及び短譲を除く）所得の計算上生じた損失合計 ≧ 居住用財産の買換えの場合の譲渡損失
		∴少ない方（通算後譲渡損失）Ⓐ
		(ロ) 控　除
		② 居住用財産の買換えの場合の譲渡損失の繰越控除
		＜判定＞
		買換資産に係る住宅借入金がある
		合計所得金額≦3,000万円　∴適用
		(イ) 通算後譲渡損失の金額（繰越額）Ⓐ
		(ロ) 控　除
		③ 雑損失の繰越控除

特定居住用財産の譲渡損失の繰越控除

　確定申告書を提出する個人のその年の前年以前3年間の年において生じた**通算後譲渡損失の金額**（前年以前の年に控除された金額を除く）を有する場合は，その年又はその年以前において他の居住用財産の譲渡損失の金額について，この繰越控除の適用を受け，又は受けている場合を除き，その通算後譲渡損失金額は，総所得金額の金額，土地等に係る事業所得等の金額，短期譲渡所得の金額，長期譲渡所得の金額，退職所得金額又は山林所得金額の計算上（課税標準の計算上）控除する（措法41の5の2）。

　ただし，その個人のその年分の合計所得金額が3,000万円を超える年においては，この特定居住用財産の譲渡損失の繰越控除は適用しない。

(1) **特定居住用財産の譲渡損失の金額**

　損益通算の対策となる**特定居住用財産の譲渡損失の金額**とは，個人が，譲渡年の1月1日における所有期間5年超の**居住用財産の譲渡**をした場合（譲渡契約締結日の前日において譲渡資産の住宅借入金等の金額を有する場合に限る）において，その譲渡資産の譲渡による譲渡所得の金額の計算上生じた損失の金額として一定の方法で計算した金額のうち，以下の①又は②の**いずれか少ない金額**をいう（措法41の5の2⑦，措令26の7の2）。

① 譲渡年分の**長期譲渡所得の金額の計算上生じた損失の金額**（その年分の短期譲渡所得の金額から控除する金額がある場合には，その控除する金額に相当する金額を控除した金額）に達するまでの金額（**特定居住用財産の譲渡損失の金額**）

② 譲渡契約締結日の前日における**譲渡資産の住宅借入金等**の金額の合計額からその**譲渡資産の譲渡の対価の額を控除**した金額（**借入金－譲渡対価**）

(2) **通算後譲渡損失の金額**

　通算後譲渡損失の金額とは，損益通算しても控除しきれない特定居住用財産の譲渡損失の金額である。純損失の金額のうち**特定居住用財産の譲渡損失の金**

額に係るものをいう（措法41の5の2⑦三，措令26の7の2⑧）。

<図表3－9> 特定居住用財産の譲渡損失の繰越控除

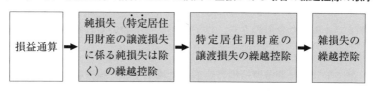

不・事・山・譲渡所得の計算上生じた損失の金額がある場合の繰越控除の順序

損益通算 → 純損失（特定居住用財産の譲渡損失に係る純損失は除く）の繰越控除 → 特定居住用財産の譲渡損失の繰越控除 → 雑損失の繰越控除

《計算Pattern》

特定居住用財産の譲渡損失発生年が**青色申告者**であり，純損失の繰越控除がある場合

Ⅱ課税標準	(1) 損益通算
	 (2) 経常所得＋総短＋(総長＋一時)×$\frac{1}{2}$
	 (3) 損失の繰越控除
	  ① 純損失の繰越控除
	   (イ) 繰越額
	    純損失－$\overset{(注)}{\text{特定居住用財産の譲渡損失}}$
	        に係る特定純損失の金額
	   (注) 特定居住用 　　不・事・山・譲　　特定居
	     財産の譲渡 －　(長譲及び短譲を　≧　住用財
	     損失発生年　　除く)所得の計算　　　産の譲
	     の純損失　　上生じた損失合計　　渡損失
	        ∴少ない方(通算後譲渡損失)Ⓐ
	   (ロ) 控　除
	  ② 特定居住用財産の譲渡損失の繰越控除
	   ＜判定＞
	    合計所得金額≦3,000万円　∴適用あり
	   (イ) 通算後譲渡損失の金額(繰越額)Ⓐ
	   (ロ) 控　除
	  ③ 雑損失

第5節　上場株式等の譲渡損失の繰越控除

1　上場株式等の譲渡損失の繰越控除の特例

　その年に譲渡した**上場株式等**について**譲渡損失**が生じている場合，その上場株式の譲渡損失の金額は，その損失が生じた年の他の上場株式等の譲渡益と相殺し，又は損失が残った損失金額は，その年分の上場株式等に係る配当所得等の金額の計算上控除する（**損益通算**）ことができる。損益通算後に残った損失金額（**上場株式等に係る譲渡損失の金額**）は，その年の翌年以後3年間にわたって繰り越して，順次その翌年以後の**上場株式等に係る譲渡所得等の金額**及び申告分離課税の適用を受けた**上場株式等に係る配当所得等の金額**の計算上控除することができる（措法37の12の2）。

　(注1)　平成27年分以前の各年分に生じた上場株式等の譲渡損失の金額は，上場株式等に該当しない株式等の譲渡所得等の金額からも控除することができる（旧措法37の12の2）。

　(注2)　特定中小会社の非上場株式の譲渡損失については，上場株式等の損失の繰越控除と同様な制度が設けられている（措法37の12の2）。

(1)　上場株式等の範囲

　上場株式等とは，以下に掲げる株式等をいう（措法37の11②，措令25の9②）。

①　金融商品取引所で上場されている株式等
②　外国金融商品市場において売買されている株式等
③　公募証券投資信託の受益権
④　特定株式投資信託の受益権
⑤　特定公社債
⑥　上場新株予約権付社債
⑦　公募特定目的信託の社債的受益権
⑧　公募公社債投資信託の受益権
⑨　公募公社債等運用投資信託の受益権等

(2) **繰越控除**（措令25の11の2⑧）

確定申告書を提出する個人のその年の以前3年内の各年において生じた**上場株式等に係る譲渡損失の金額**（前年以前に控除されたものを除く）は，その年分の上場株式等に係る譲渡所得等の金額及び上場株式等に係る配当所得等の金額（損益通算の規定の適用がある場合は，その適用後の金額）を限度として，その年分の上場株式等に係る譲渡所得等の金額及び上場株式等に係る配当所得等の金額の計算上控除する。

(3) **上場株式等に係る譲渡損失の金額**（損益通算後の損失の残り）

上場株式等に係る譲渡損失の金額とは，上場株式等の譲渡により生じた損失の金額のうち，その年分の上場株式等に係る譲渡所得等の金額の計算上控除しても，控除しきれない部分の金額（損益通算の規定の適用を受けて控除されたものを除く）をいう（措法37の12の2⑥）。

(4) **控除する順序**（措令25の11の2⑧）

イ 上場株式等に係る譲渡損失の金額が前年以前3年内の2以上の年に生じたものである場合には，これらの年のうち**最も古い年分**のその上場株式等に係る譲渡損失の金額から順次控除する。

ロ 繰越上場株式等の譲渡損失が平成28年分以後に生じたものである場合には，**上場株式等に係る譲渡所得等の金額**から控除し，なお控除しきれない損失の金額があるときは，分離課税の適用を受けた**上場株式等の配当所得等の金額**から控除する。

ハ 同一年に上場株式等に係る譲渡損失の金額と雑損失がある場合には，その雑損失についての繰越控除の適用がある場合には，同一年に生じた上場株式等の譲渡損失について繰越控除を行った後にその雑損失の繰越控除を行う。

〈図表3－10〉上場株式等に係る譲渡損失の内部通算，損益通算，繰越控除

| （内部通算） | （損益通算） | （繰越控除） |

| ①
平成28年以降に生じた**上場株式等の譲渡損失の金額**（申告分離） | → | 損失の発生年の他の上場株式等の譲渡益と通算 | → | 内部通算後の損失の残り
上場株式等に係る譲渡損失の金額② | → | ②の譲渡損失金額はその年の**上場株式等に係る配当所得**（申告分離・上場）と損益通算可能 | → | 損益通算後の損失の残り
上場株式等に係る譲渡損失の金額③ | → | 翌年以後**3年間**の上場株式等に係る譲渡所得等の金額及び上場株式等に係る配当所得等の金額の計算上控除 |

⇩
上場株式等の配当（総合課税）と上場株式等の譲渡損とは損益通算不可能

⇩
損失の繰越控除をするには，口座の種類に関係なく，確定申告が必要

《計算Pattern》上場株式等に係る譲渡損失の金額の繰越控除（令和4年度）

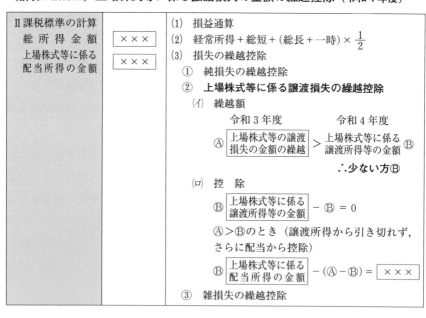

2 特定株式の譲渡損失の繰越控除

(1) 特定株式に係る譲渡損失の金額

特定株式に係る譲渡損失の金額とは，特定中小会社の**設立の日**からその特定中小会社（その特定中小会社であった株式会社を含む）が発行した株式の**上場等の日の前日**までの期間内に，その**払込みにより取得した特定株式の譲渡**（親族その他特別関係者に対する譲渡等を除く）したことにより生じた損失の金額及び特定株式の譲渡により生じた損失の金額とみなされた価値喪失株式に係る損失の金額のうち，その年分の一般株式等に係る譲渡所得等の金額の計算上控除しても控除しきれない部分の金額として一定の方法により計算した金額をいう（措法37の13の2⑧，措令25の12の2⑨〜⑪）。

> （注）特定中小会社の特定株式とは，以下に掲げる株式会社に応じ，以下に掲げる各株式をいう（措法37の13①）。
> イ 中小企業の新たな事業活動の促進に関する法律に規定する特定新規中小企業者に該当する株式会社により発行される株式
> ロ 設立の日以後10年を経過していない国内法人である中小企業者に該当する特定の株式会社により発行される株式で中小企業等投資事業有限責任組合契約に関する法律に規定する特定の中小企業等投資事業有限責任組合に係る中小企業等投資事業有限責任組合契約に従って取得をされるもの等

(2) 損益通算

その年に特定株式に係る譲渡損失の金額が生じた場合には，その年分の上場株式等に係る譲渡所得等の金額を限度として，その年分の上場株式等に係る譲渡所得等の金額の計算上控除する（措法37の13の2④）。

(3) 繰越控除

特定中小会社の株式（「特定株式」）を払込みにより取得（新株引受権の行使による取得に係る経済的利益について非課税規定の適用を受けるものを除く）した者（その取得をした日においてその者を判定の基礎となる株主として選定した場合にその特定中小会社が法人税法上の同族会社に該当することとなるときにおけるその株主その他特定の者を除く）について，その年の該当以前3年内に生じたその**特定株式に係る譲渡損失の金額**（前年以前においてこの繰越控除の適用を受けて控除されたものを除く）は，一定の要件のもとに，その年分の一般株式等に係る譲渡所得等の金額及び

上場株式等に係る譲渡所得等の金額（特定株式の取得に要した金額の控除等は，特定株式に係る譲渡損失の損益通算の適用がある場合には適用後の金額）を限度として，その年分の一般株式等に係る譲渡所得等の金額及び上場株式等に係る譲渡所得等の金額の計算上控除する（措法37の13の2⑦）。

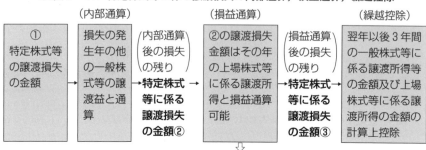

〈図表3－11〉特定株式等に係る譲渡損失の内部通算，損益通算，繰越控除

第6節　先物取引による損失の繰越控除

　確定申告書を提出する居住者のその年の前年以前3年内の各年において生じた**先物取引の差金等決済に係る損失の金額**（先物取引の差金等決済に係る損失の金額とは，先物取引の差金等決済により生じた損失の金額のうち，その年分の先物取引に係る雑所得等の金額の計算上控除してもなお控除しきれない部分の金額をいう）は，その申告書に係る年分の先物取引に係る雑所得等の金額を限度として，その年分の先物取引に係る雑所得等の金額の計算上控除する（措法41の15）。

　その年の前年以前3年内の二以上の年において生じた場合には，最も古い年に生じた先物取引の差金等決済に係る損失の金額から順次控除する。

　先物取引の差金等決済に係る損失の金額と雑損失の金額の両方が生じた場合には，先物取引の差金等決済に係る損失の金額を優先して控除する（措令26の26①）。

第Ⅶ編
所　得　控　除

所得控除

　所得控除は，課税所得金額の計算上，合計所得金額から控除される。**合計所得金額**とは，総所得金額，上場株式等に係る配当所得等の金額（分離課税の適用），土地等に係る事業所得等の金額，特別控除後の短期譲渡所得の金額もしくは長期譲渡所得の金額，一般株式等に係る譲渡所得等の金額，上場株式等に係る譲渡所得等の金額，先物取引に係る雑所得等の金額，退職所得金額，山林所得金額の合計額をいう。

　所得控除の種類として，雑損控除から基礎控除まで15種類設けられている。

第1節　所得控除の意義

　所得控除は，**個人的事情**（障害者，老年者等），**最低生活費の保障**，災害にあった場合や医療費を支払った時の**担税力**がなくなったことを考慮するもの，**社会政策上の要請**に応える等を考慮して，以下の規定がある。

〈図表１－１〉所得控除の意義による分類

①	個人的事情を考慮するためのもの	障害者控除，寡婦（寡夫）控除，勤労学生控除
②	最低生活費の保障のためのもの	配偶者控除，扶養控除，基礎控除
③	担税力の減殺を考慮するためのもの	雑損控除，医療費控除
④	社会政策上の要請によるもの	社会保険料控除，小規模企業共済等掛金控除，寄付金控除，生命保険料控除，地震保険料控除
⑤	税負担の調整のためのもの	配偶者特別控除

第2節 所得控除の順序

所得控除は，次の順序により控除する（法87）。

① 所得控除の順番は，まず，**雑損控除を優先**し，他は同順位である。

② どの所得金額から控除するかは，総所得金額→土地等に係る事業所得等の金額→特別控除後の短期譲渡所得の金額→特別控除後の長期譲渡所得の金額→上場株式等に係る配当所得の金額→一般株式等に係る譲渡所得の金額→上場株式等に係る譲渡所得等の金額→先物取引に係る雑所得等の金額→山林所得金額→退職所得金額の順に控除する。そして，課税総所得金額等を計算する。

なお，雑損控除については，控除不足額が生じた場合には翌年以降3年間に繰り越して控除できるが，その他の控除額については，控除不足額は切り捨てる。

③ 分離課税の短期譲渡所得の金額及び長期譲渡所得の金額から所得控除を行う場合に，租税特別措置法の特別控除（**居住用財産**（土地・建物）を譲渡した場合は，短期又は長期を問わず**3,000万円の特別控除等**）の適用があるときは，これを短期譲渡所得の金額及び長期譲渡所得の金額から，まずその特別控除額を控除し，次に所得控除額を控除する（措法31，32）。

④ これらの所得控除後の残額を，それぞれ課税総所得金額，土地等に係る課税事業所得等の金額，課税短期譲渡所得金額，課税長期譲渡所得金額，株式等に係る課税譲渡所得等の金額，先物取引に係る雑所得等の金額，課税山林所得金額，課税退職所得金額という（法89②，措法28の4，28の5，31，32，37の10）。

《**計算Pattern**》

所得控除の計算

（優先）	雑 損 控 除	×××	
↕ 順	医 療 費 控 除	×××	
	社会保険料控除	×××	
	小規模企業共済等掛金控除	×××	
	生命保険料控除	×××	
	地震保険料控除	×××	
	寄 付 金 控 除	×××	
↕ 不同	障 害 者 控 除	×××	
	寡 婦 控 除	×××	
	勤労学生控除	×××	
	配 偶 者 控 除	×××	
	配偶者特別控除	×××	
	扶 養 控 除	×××	
	基 礎 控 除	380,000円	
	所得控除額合計	×××	

雑損控除

(1) **雑損控除の意義**

　居住者又はその居住者と生計を一にする配偶者その他の親族（その年の課税標準が基礎控除の額に相当する金額が48万円以下の者に限る）が有する資産（被災事業用資産の損失の適用を受ける資産又は生活に通常必要でない資産を除く）について**災害，盗難，横領による損失**（災害等に関連して支出した金額を含む）が生じた場合には，以下の算式により計算した金額をその居住者のその年分の総所得金額，上場株式等に係る配当所得の金額，土地等に係る事業所得等の金額，特別控除後の短期譲渡所得の金額，特別控除後の長期譲渡所得の金額，一般株式等に係る譲渡所得等の金額，上場株式等に係る譲渡所得等の金額，先物取引に係る雑所得等の金額，山林所得金額又は退職所得金額から控除する（法72）。これを**雑損控除額**という。

〈原則法〉

　損失の金額＝損害額－保険金で補てんされる金額

① その年中の損失の金額のうちに含まれる災害関連支出が5万円以下（又は0）の場合

$$\boxed{\text{その年中の損失の金額}} - \boxed{\text{合計所得金額×10％}} = \boxed{\text{雑損控除額}}$$
$$\text{(足 切 額)}$$

② その年中の損失の金額に含まれる災害関連支出が5万円を超える場合

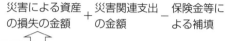

$$= \boxed{\text{雑損控除額}}$$

③ その年中の損失の金額のすべてが災害関連支出である場合

$$\boxed{\text{その年中の損失の金額}} - \boxed{\substack{\text{5万円と合計所得金額×10％}\\\text{とのいずれか低い方の金額}}} = \boxed{\text{雑損控除額}}$$
$$\text{(足 切 額)}$$

〈簡便法〉

(2) 対象資産

　雑損控除の対象となる資産は，自己又は自己と生計を一にする配偶者その他の親族（その総所得金額，上場株式等に係る配当所得の金額，土地等に係る事業所得等の金額，短期譲渡所得の金額，長期譲渡所得の金額，一般株式等に係る譲渡所得等の金額，上場株式等に係る譲渡所得等の金額，山林所得金額及び退職所得金額の合計額（課税標準合計額）が基礎控除額の48万円以下である親族に限る）の有する資産である。ただし，次の資産は含まない（法72①，令205①，措法28の4⑥，28の5③，31⑤，32⑤，37の10⑥，措令18の5㉔，19⑩，20④，21⑩，25の8⑪）。

① 生活に通常必要でない資産
② 棚卸資産
③ 事業用の固定資産及び繰延資産
④ 山林

　したがって，**居住用家屋，衣服，家財，現金や時価30万円以下の貴金属，絵**

画等が雑損控除の対象となる。

(3) **損失の評価**

雑損控除の対象とする損失の金額は，**時価ベース**で評価する（令206③）。

災害等に関連して支出をした場合には，その支出した金額も雑損控除の対象となる（令206①）。

平成26年度改正で，資産が減価償却資産の場合は，損失の金額を資産の取得価額から減価償却累計額を控除した金額も可能となる。原価ベースで評価することも可能となった。資産の取得から譲渡までの間に，業務用に供されたことのない資産については，その資産の耐用年数の1.5倍の年数により旧定額法の償却率により求めた1年当たりの減価償却費相当額に，その資産の取得から譲渡までの期間の年数を乗じて計算する。

〈図表2-1〉生活用資産の譲渡及び災害等により損失

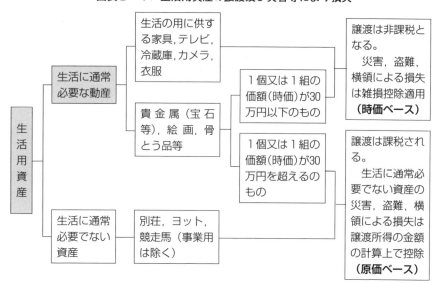

(注) 競走馬の譲渡損のみは内部通算をまず行い、その後に生じている譲渡損は、競走馬保有に係る雑所得の範囲内で控除できる。他の生活に通常必要でない資産の譲渡損は譲渡所得の計算上、内部通算はできるが損益通算はできない。

(4) **雑損失の繰越控除**

　雑損控除の対象となる資産の災害、盗難、横領による損失の金額が雑損控除の足切限度額を超える部分を**雑損失**という。

　その年分の雑損失の金額のうちその年分の課税標準から控除しきれない部分の金額は、**雑損失の繰越控除**として**翌年以後3年間**に繰り越し、翌年以後の課税標準の計算上控除できる（法71、措法28の4⑥、28の5③、31⑤、32⑤、37の10⑥）。

(5) **災害減免法との関係**

　合計所得金額が**1,000万円以下**である者が、災害により雑損控除の対象となる資産のうち住宅又は家財についてその**時価の50％以上**の被害を受けたときは、**雑損控除に代え**、次に掲げる場合に応じ、次の**所得税の軽減免除**を受けることができる。この軽減免除と雑損控除は、その選択によりいずれか一方だけが適用される（災害減免法2、同令1）。

(1) 合計所得金額が500万円以下の場合……所得税額の全部
(2) 合計所得金額が500万円を超え750万円以下の場合……所得税額の50%
(3) 合計所得金額が750万円を超え1,000万円以下の場合……所得税額の25%

災害減免法における所得税の減免の申請については、期限後申告、更正の請求又は修正申告においてできる。

〈図表2-2〉雑損控除と災害減免法

	所得税法(雑損控除)	災害減免法
損失の発生原因	災害、盗難、横領	災害に限る
対象資産等	生活に通常必要な資産であること(棚卸資産や事業用固定資産、生活に通常必要でない資産を除く)	損失額が住宅又は家財の$\frac{1}{2}$以上であること 対象は住宅、家財に限る
控除額の計算・所得税の軽減額	所得控除額 (イ)と(ロ)のうちいずれか多い金額 (イ)損失の金額－所得金額の$\frac{1}{10}$ (ロ)損失の金額のうち災害関連支出の金額－5万円	(その年の所得金額)(所得税の軽減・免除額) 500万円以下………所得課税の全額免除 500万円超 　750万円以下……50%の軽減 750万円超 　1,000万円以下…25%の軽減
申告の際必要な書類	(イ)源泉徴収票 (ロ)り災証明 (ハ)災害等に関連してやむを得ない支出をした金額についての領収書 *損失額は翌年以降3年間繰り越せる	(イ)源泉徴収票 (ロ)り災証明 (ハ)損失額の明細書

〈図表2－3〉雑損控除（法72）

	雑 損 控 除
損失発生原因	災害・盗難・横領
資産の所有者	(1) 居住者（本人） (2) 生計を一にする親族 　（課税標準の合計額≦380,000）
対象資産	生活に通常必要な資産である以下のもの ・居住用家屋 ・家財 ・衣服 ・現金 ・時価30万円以下の宝石等
損失額	＜時価ベース又は原価ベース＞ 損失発生直前の時価　又は　損失発生直前の簿価 － 損失発生直後の時価 ＋ 災害等関連支出 － 保険金等の額
雑損控除額	損失額 － 足切額 災害等関連支出の金額により3通り | 区　分 | 足　切　額 | |---|---| | 災害関連支出が5万円以下の場合（ない場合を含む） | その年分の課税標準の合計額×$\frac{1}{10}$ | | 災害関連支出が5万円を超える場合 | (1) 損失の金額－(災害関連支出－5万円) (2) その年分の課税標準の合計額×$\frac{1}{10}$ (3) (1)≷(2) ∴少ない金額 | | その年の損失の金額がすべて災害関連支出である場合 | (1) 5万円 (2) その年分の課税標準の合計額×$\frac{1}{10}$ (3) (1)≷(2) ∴少ない金額 |

雑損控除額	〈簡便法〉 $\underbrace{\text{災害による資産の損失の金額} + \text{災害関連支出の金額} - \text{保険金等による補填}}$ 　　　　　　　　　　　　　　　↑ 　　　　　　その年中の損失の金額　　－　合計所得金額　×10%　　いずれか 　　　　　　その年中の損失の金額のうち災害関連支出の金額　－　5万円　　多い方の＝雑損控除額 　　　　　　　　　　　　　　　　　　　　　　　　　　　　　　　金額
雑損失の繰越控除	雑損控除しても控除しきれない場合は，雑損失の繰越控除として翌年以後3年間の課税標準の計算上控除する。

(参考) 合計所得金額と総所得金額等

合計所得金額	**合計所得金額とは** 　以下の①と②の合計額に，退職所得金額，山林所得金額を加算した金額。 ① 事業所得，不動産所得，給与所得，総合課税の利子所得・配当所得・短期譲渡所得及び雑所得の合計額（損益通算後） ② 総合課税の長期譲渡所得と一時所得の合計額（損益通算後）の2分の1 　退職所得金額は，確定申告が不要な場合でも計算上，加算する必要がある。 　申告分離課税の所得がある場合，それらの所得金額（長（短）期譲渡所得については特別控除前の金額）の合計額を加算した金額。 　ただし，繰越控除^(注)の**適用前**の金額をいう。
総所得金額等	**総所得金額等とは** 　以下の①と②の合計額に，退職所得金額，山林所得金額を加算した金額。 ① 事業所得，不動産所得，給与所得，総合課税の利子所得・配当所得・短期譲渡所得及び雑所得の合計額（損益通算後） ② 総合課税の長期譲渡所得と一時所得の合計額（損益通算後）の2分の1 　退職所得金額は，確定申告が不要な場合でも計算上，加算する必要がある。 　申告分離課税の所得がある場合，それらの所得金額（長（短）期譲渡所得については特別控除前の金額）の合計額を加算した金額。 　ただし，以下の**繰越控除**を受けている場合は，その**適用後**の金額をいう。

（注）繰越控除
　　　純損失や雑損失の繰越控除
　　　居住用財産の買換え等の場合の譲渡損失の繰越控除
　　　特定居住用財産の譲渡損失の繰越控除
　　　上場株式等に係る譲渡損失の繰越控除
　　　特定中小会社が発行した株式に係る譲渡損失の繰越控除
　　　先物取引の差金等決済に係る損失の繰越控除

第3章

医療費控除

(1) **医療費控除の意義**

　居住者が，各年において，自己又は自己と生計を一にする配偶者その他の親族に係る医療費を支払った場合において，その年中に支払った医療費の金額（保険金，損害賠償金その他これらに類するものにより補てんされる部分の金額を除く）の合計額が，その居住者のその年分の総所得金額，上場株式等に係る配当所得の金額，土地等に係る事業所得等の金額，短期譲渡所得の金額，長期譲渡所得の金額，一般株式等に係る譲渡所得等の金額，上場株式等に係る譲渡所得等の金額，先物取引に係る雑所得等の金額，退職所得金額及び山林所得金額の合計額（**合計所得金額**という）の**100分の5**に相当する金額（その金額が10万円を超える場合は，10万円）を超えるときは，その超える部分の金額（その金額が200万円を超える場合は**200万円**）を，その居住者のその年分の総所得金額，上場株式等に係る配当所得の金額，土地等に係る事業所得等の金額，特別控除後の短期譲渡所得の金額もしくは長期譲渡所得の金額，一般株式等に係る譲渡所得等の金額，上場株式等に係る譲渡所得等の金額，先物取引に係る雑所得等の金額，退職所得金額又は山林所得金額から控除する（法73①）。これを**医療費控除**という（法73③）。この控除額は，したがって以下の算式で計算した金額である。

医療費は，その年中に現実に支払ったものに限って控除の対象となる（**現金主義**）。そのため未払となっている医療費は，現実に支払がなされるまでは控除の対象とはならない（基73-2）。

$$\begin{pmatrix} 医療費控除額 \\ (最高限度200万円) \end{pmatrix} = \begin{pmatrix} 医療費 \\ 支払額 \end{pmatrix} - \begin{pmatrix} 保険等で補て \\ んされる金額 \end{pmatrix} - \begin{pmatrix} 合計所得金額 \times 5\% \\ 10万円 \end{pmatrix} \begin{matrix} 少ない \\ 方の額 \end{matrix}$$

(**注**) 医療費から控除される保険金等は，病院ごとの個別対応で控除される。

(2) 医療費控除の範囲

医療費控除の対象となる「医療費」とは，以下のものの対価のうち，その病状に応じて一般的に支出される水準を著しく超えない部分の金額とされる（法73②，令207，基73-3）。

① 医師又は歯科医師による診療又は治療，歯の矯正，不妊治療等
② 治療又は療養に必要な医薬品の購入や医療器具代
③ 病院，診療所又は助産所へ収容されるための人的役務の提供
④ あん摩マッサージ師，はり師，きゅう師，柔道整復師等による施術
⑤ 保健婦，看護婦又は准看護婦による療養上の世話
⑥ 助産婦による分べんの介助
⑦ 通院や入院のための交通費（タクシー代は原則含まれない。しかし，電車，バスなど公共交通機関を利用できない場合を除く），食事代（出前や外食は除く）
⑧ 医師の診療を受けるために直接必要な入院中の食事代や部屋代，付添人への報酬
⑨ 6か月以上寝たきり老人のおむつ代で，医師が証明した「おむつ使用証明書」があるもの
⑩ 自己の日常最低限の用を足すために供される義手，義足，松葉づえ，補聴器，義歯等の購入のための費用（インプラント費用），医師が治療を必要とした歯の矯正費用
⑪ 治療や療養に必要な医薬品（薬屋さんで買ったかぜ薬，胃腸薬等）
⑫ 健康診断費用で，その結果重大な疾病が見つかり治療を受ける場合
⑬ 本人の都合等により個室を使用する場合に支払う差額ベッド代について

は，医療費控除の対象とならない。本人の都合ではなく，緊急入院等医師の指示により支払う差額ベッド代は，医療費控除の対象となる場合がある。

⑭　治療を受けるために直接必要としない近視や遠視のための眼鏡，補聴器等の購入費用は，医療費には含まれない。医師等により診療を受けるために直接必要な補聴器は含まれる。補聴器の購入に対して，治療に適合に関する診療情報提供書の提出が税務署から求められる場合がある。

平成12年度4月から介護保険法が施行され，それにあわせて医療費控除の改正が行われた。

介護保険制度において寝たきりや痴呆等で常時介護を必要とする状態にある者（要介護者）で，**指定介護老人福祉施設**（特別養護老人ホーム）に入所している者が，介護費に係る自己負担額及び食費に係る自己負担額として支払った額の**2分の1**に相当する金額は医療費控除の対象となる。

平成29年分の確定申告から，医療費の領収書の添付は必要がなくなった。しかし，自分で5年間保存しなければならないことと，医療費の明細書の作成が義務付けられた。医療保険者から送付される医療費通知書（お知らせ）は，医療費の明細書の代わりとなる。なお，平成29年分から平成31年分までは，領収書の添付や提示も認められる。

また，**医療系居宅サービス**（訪問看護，訪問リハビリテーション，短期入所療養介護又は**居宅療養管理指導**）の提供とその**医療系サービスと併せて提供を受ける一定の居宅サービスの費用**に係る自己負担額は，医療費控除の対象となる。

医療費には，いわゆる整形美容のための費用，インフルエンザの予防接種，疾病を予防するための費用，診断書の作成費用，健康増進のために供されるものの購入費用等は含まれない。また，健康診断のための人間ドッグの費用は含まれない。健康診断費用で，その結果異常がなければ，医療費とはならない。ただし，健康診断の結果，重大な疾病が発見され，引き続き治療を受けるときは，この人間ドック費用は医療費に含まれる（基73-4，73-5）。

見舞い等のための菓子代，医師への謝礼金は，医療費とはならない。

(3) **医療費控除とされない保険金**

医療費控除を計算する場合，支払った医療費から以下の保険金などで補てんされる額を差し引く。

① 健康保険組合，共済組合等から支給を受ける出産育児一時金，家事療養費，高額医療費，出産手当金等の給付金

② 損害保険契約や生命保険契約等により支払を受ける傷害保険金や医療保険金，入院給付金等

③ 医療費の補てんを目的として受ける損害賠償金

《介護保険制度の下で提供される施設サービス・居宅サービス等の対価と医療費控除》

施設サービスの対価	① 指定介護老人福祉施設及び指定地域密着型介護老人福祉施設	⇨	施設サービス対価（介護費，食費及び居住費）として支払った金額の2分の1
	② 介護老人保健施設，特定介護療養型医療施設及び介護医療院	⇨	施設サービス対価（介護費，食費及び居住費）として支払った金額
	上記のうち，日常生活費及び特別サービス費用を除く		
居宅サービス等の対価	サービス対価が医療費控除の対象となる居宅サービス	訪問看護，訪問リハビリテーション，介護予防訪問看護，介護予防訪問リハビリテーション，通所リハビリテーション，介護予防通所リハビリテーション，居宅療養管理指導，短期入所療養介護等	
	上記の居宅サービスと併せて利用する場合の医療費控除の対象	訪問介護（生活援助（調理，洗濯，掃除等の家事の援助）中心型は除く），訪問入浴介護，介護予防訪問入浴介護，通所介護，認知症対応型通所介護，地域支援事業の訪問型サービス（生活援助中心型（調理，洗濯，掃除等の家事の援助）を除く）等	

《計算例題》**医療費控除を受けられる医療費の判定**

以下の資料に基づき，医療費控除を受けることができるものを選びなさい。

(1) 美容や健康増進のための費用

(2) 予防のための費用

(3) 医師の指示による予防のための費用

(4) 予防接種費用
(5) 治療のためのあんま，マッサージ，はり，きゅう
(6) 人間ドック費用
(7) 入院の部屋代
(8) 治療に必要な差額ベッド代
(9) 医師の指示でない差額ベッド代
(10) 病院での食事代
(11) 妊娠中の定期検診，検査費用
(12) 分娩までの医師や看護師に支払う費用
(13) 通院のための交通費
(14) 入院費
(15) 健康診断費用
(16) 人間ドック費用
(17) 医師の処方による漢方薬
(18) 健康増進のための漢方薬
(19) ビタミン剤や健康ドリンク
(20) 治療のためのメガネ代
(21) 近視，遠視のためのメガネ代
(22) おむつ代（医師による証明書がある）
(23) 義手，義足，松葉つえ
(24) パジャマのクリーニング代
(25) 医師への謝礼
(26) 虫歯の治療費
(27) 美容のための歯列矯正
(28) ホワイトニング費用，歯垢の除去費用
(29) 治療にかかわる補聴器
(30) 妊娠確認のための検査費用
(31) 人間ドックの健康診断の結果，病気が発見されたとき

《解　答》医療費控除の対象となるもの

(3), (5), (7), (8), (10), (11), (12), (13), (14), (17), (20), (22), (23), (26), (29), (31)

(4)　セルフメディケーション税制（医療費控除の特例）(措法41の17の2，措令26の27の2，措規19の10の2)

　平成28年度の税制改正により，自分自身の健康は責任を持って自分で管理するというセルフメディケーションの視点から，健康の保持増進及び疾病の予防への取組みとして一定の取組み（予防接種，健康診断等）を行う居住者が，平成29年1月1日から令和8年12月31日までの間に，いわゆるスイッチOTC医薬品の購入費用を年間1万2千円を超えて支払った場合には，その購入費用（年間10万円を限度）のうち1万2千円を超える額を所得控除できる。

　この規定は，平成29年分以後の確定申告書を平成30年1月1日以後に提出する場合について適応される。

　セルフメディケーション税制の対象とされる医薬品の具体的な品目一覧は，厚生労働省ホームページに掲載の「対象品目一覧」にある。

　対象商品を購入した際には，レシートに対象製品であることが表記されている。

　ほとんどの対象医薬品については，その医薬品のパッケージにセルフメディケーション税制の対象である識別マークが掲載されている。

レシートの★印などの一例

① 特例の適用要件

　次の取組み，つまり以下の検診等又は予防接種（医師の関与があるものに限る）を受けていることを要件とする（限定）（措法26の27の2①，厚生労働省告示第181号）。

(ア)　予防接種
　(イ)　がん検診
　(ウ)　定期健康診断（事業主健診）
　(エ)　特定健康診査（いわゆるメタボ検診）又は特定保健指導
　(オ)　健康診査（いわゆる人間ドック等で，医療保険者が行うもの）

　上記(ア)～(オ)の取組みは，その年分の確定申告を行う本人が行ったものでなければならない。生計を一にする親族等のみが取組みを行っていても，この特例を適用できない。
　以下の一定の取組みを行ったことを明らかにする書類の添付又は提示が必要である（領収書は原本，結果通知表は検診結果部分を黒塗り又は切り取った写しで可）。
　(ア)　インフルエンザの予防接種又は定期予防接種（高齢者の肺炎球菌感染症等）の領収証又は予防接種済証
　(イ)　市区町村のがん検診の領収証又は結果通知表
　(ウ)　職場で受けた定期健康診断の結果通知表
　　　(注)　結果通知表に「定期健康診断」という名称又は「勤務先名称」の記載が必要。
　(エ)　特定健康診査の領収証又は結果通知表
　　　(注)　領収証や結果通知表に「特定健康診査」という名称又は「保険者名」の記載が必要。
　(オ)　人間ドックやがん検診を始めとする各種健診の領収証又は結果通知表
　　　(注)　領収証や結果通知表に「勤務先名称」又は「保険者名」の記載が必要。
　(カ)　(ウ)から(オ)について，領収証や結果通知表を用意できない場合は，勤務先又は保険者から交付を受けた一定の取組みを行ったことの証明書

②　控除対象医薬品

　スイッチＯＴＣ医薬品が対象となる。スイッチＯＴＣ医薬品とは，要指導医薬品及び一般用医薬品のうち，医療用から転用された医薬品（類似の医療用医薬品が医療保険給付の対象外のものを除く）をいう。

③ 控 除 額

申告する者の所得金額に関係なく，年間1万2千円を超える金額が控除金額となる。控除限度額は，8万8千円である。

(i)（特例）（セルフメディケーション税制）

$$\boxed{\text{支払った特定一般用医薬品等購入費の合計額}} - \text{保険金などで補填される金額} - 12{,}000\text{円} = \text{最高限度}（8万8千円）$$

(ii)（原則）（医療費控除）

$$\left(\begin{array}{c}\text{医療費}\\\text{支払額}\end{array} - \text{保険金}\right) - \left(\begin{array}{c}\text{合計所得金額×5\%}\\ 10万円\end{array}\text{の少ない方}\right)$$

(iii)（i特例）と（ii原則）の多い方

④ 医療費控除との関係

この特例（セルフメディケーション税制）は医療費控除の特例であり，従来の医療費控除との選択適用となっている。

納税者が更正の請求又は修正申告書を提出するときにおいて，選択した控除の適用を変更することはできない。

⑤ 添付書類等

医療費控除の適用を受ける者は，医療費控除の明細書（内訳書）又は医療保険者等の医療費通知書を確定申告書の提出の際に添付しなければならないこととされた。

この場合において，税務署長がその適用を受ける者に対し，確定申告期限等から5年間，当該明細書に係る医療費の領収書（次の①・②を除く）の提示又は提出を求めたときは，当該領収書を提示又は提出しなければならない。

① 確定申告書の提出の際に，医療保険者等の医療費通知書を添付した場合における当該医療費通知書に係る医療費の領収書

② 電子申告（e-Tax）を行った際に，医療保険者等から通知を受けた医療費通知情報でその医療保険者等の電子署名及びその電子署名に係る電子証明書が付されたものを送信した場合における当該医療費通知情報に係る医療費の領収書

セルフメディケーション税制における「健康の維持増進等の取組み（一定の取組み）を行ったことを明らかにする書類」①の(ア)～(カ)については，引き続き添付又は提示が必要となる。

《医療費控除の特例と医療費控除の制度比較》

選択適用

	医療費控除の特例（セルフメディケーション税制）	医療費控除（原則）
対象者の要件	申告者が，以下の一定の取組みを行っていること ① 特定健康診査 ② 予防接種 ③ 定期健康診断 ④ 健康診査 ⑤ がん検診	
医療費等の支払対象者	① 自己 ② 自己と生計を一にする配偶者とその他親族	
対象となる医療費等	スイッチＯＴＣ医薬品の購入費用	医療費等
医療費控除上限額	１万２千円を超える金額で，８万８千円まで	医療費 － 保険で補填 － [合計所得×５％ 10万円 の少ない方の金額]
適用対象	平成29年１月１日から令和８年12月31日まで	
添付書類	① セルフメディケーション税制の明細書 ② 医薬品購入費の明細書には，取組みに関する事項を記載 　　当該居住者が，その年中に一定の取組み（健康診断等）を行ったことを明らかにする書類の添付は不要（令和３年分以後）	医療費控除の明細書（内訳書） 医療費の領収証等は添付は不要
その他	① 医療費控除の特例（セルフメディケーション税制）と医療費控除は，選択適用する ② 確定申告後は，更正の請求又は修正申告での変更は不可	

セルフメディケーション税制については，令和4年分以後の所得税から対象医薬品の見直し（専門的な知見を活用して決定）が行われる。

(イ) 所要の経過措置（5年未満）を講じた上で，**対象となるスイッチOTC医薬品**から，**療養の給付に要する費用の適正化の効果が低い**と認められるものを**除外**する。

(ロ) スイッチOTC医薬品と同種の効能又は効果を有する要指導医薬品又は一般用医薬品（スイッチOTC医薬品を除く）で**療養の給付に要する費用の適正化の効果が著しく高い**と認められるもの（**3薬効程度**）を対象に加える。

令和3年分以後の確定申告書を令和4年1月1日以後に提出する場合に申告添付書類の簡素化がはかられる。

改正前は確定申告の際に，健康保険法等の規定に基づき行われる健康審査等の健康保持等及び疾病の予防への取組みを行ったことを明らかにする第三者作成書類（健康診断の結果通知書等）の提出が求められていたが，手続きを簡素化するために，その提出を不要とされる。ただし，確定申告書の提出の際に添付すべき医薬品購入費の明細書には，その取組みに関する事項を記載しなければならない。

この場合，税務署長はe-Taxの場合と同様に，確定申告期限から5年間，その**第三者作成書類の提示又は提出**を求めることができ，納税者はそれに応じなければならない。

第4章

社会保険料控除

(1) 社会保険料控除の意義

　居住者が，各年において，自己又は自己と生計を一にする配偶者その他の親族の負担すべき**社会保険料を支払った場合**又は居住者の**給与から控除される場合**には，その支払った金額又はその控除される金額を，その居住者のその年分の総所得金額，上場株式等に係る配当所得の金額，土地等に係る事業所得等の金額，特別控除後の短期譲渡所得の金額もしくは長期譲渡所得の金額，一般株式等に係る譲渡所得等の金額，上場株式等に係る譲渡所得等の金額，先物取引に係る雑所得等の金額，退職所得金額又は山林所得金額から控除する（法74①）。これを**社会保険料控除**という（法74③）。

　この社会保険料控除の控除額は，その年中に実際に支払った社会保険料の金額又は給与から実際に控除された**社会保険料の金額の全額**(注)である(**現金主義**)。

　　(注)　生計を一にする配偶者その他の親族が受け取る年金から引き落されている国民健康保険料や後期高齢者医療保険料，介護保険料は，居住者の控除対象とはならない。

　長女が扶養親族となっており，バイト等で給与収入があり，社会保険料が給

与から差し引かれている場合は，それを居住者の社会保険料控除とすることはできない。

長女が自分で給与から支払っているのであり，居住者が支払っているのではないからである。

(2) 社会保険料の範囲

社会保険料控除の対象となる社会保険料とは，次に掲げるもの等をいう（法74②，令208）。

① 健康保険の保険料
② 国民健康保険の保険料又は国民健康保険税
③ 高齢者の医療の確保に関する法律の保険料
④ 介護保険の保険料
⑤ 雇用保険の保険料
⑥ 国民年金，農業者年金，厚生年金保険及び船員保険の保険料，国民年金基金及び厚生年金基金の掛金
⑦ 国家公務員共済組合，地方公務員等共済組合及び私立学校教職員共済組合の掛金
⑧ 労働者災害補償保険の特別加入者が負担するいわゆる労災保険料

社会保険料（国民年金保険料）控除証明書

被保険者氏名　福大太郎　様
住　所

年中（1月1日から　　月　　日まで）に納付していただいた国民年金保険料の額は、次のとおりであることを証明します。

証明日　　年　月　日
歳入徴収官　厚生労働省年金局事業管理課長

年中の納付済保険料額

①納付済額	納付済保険料の証明額		円

（ご参考）

②見込額	証明日以後　年中に納付が見込まれる保険料額		円
③合計額	①納付済額＋②見込額（見込額がある場合に表示）		円

● 「①納付済額」欄の証明額は、令和3年1月1日から12月31日（または証明日）までに納付された保険料額です。
● 「②見込額」は、引き続き令和3年末までに納付された場合の保険料額を表示しています。
● 以下の場合は、②見込額・③合計額が表示されません。
　・他の年金制度（厚生年金保険等）に加入されている場合
　・令和4年3月または令和5年3月までの保険料を前納されている場合
　・保険料の未納期間がある場合　など

納付状況の内訳

年＼月	納付対象月										
	1	2	3	4	5	6	7	8	9	10	11	12

● 「済」は、令和3年中に納付された月を、「見」は令和3年中に納付が見込まれる月を示しています。
● 11月分保険料（口座振替の早割の方は12月分保険料）は、翌年の第1営業日が口座振替日のため、翌年分の控除対象です。

◎ 社会保険料控除（年末調整・確定申告）を申告される方へ
● 「③合計額」に記載がある方は、「③合計額」欄の額を、記載がない方は、「①納付済額」欄の額を申告してください。
● 令和3年12月31日までに、「①納付済額」欄または「③合計額」欄の額以外の保険料を納付された場合は、その分の領収証書を添付等して申告してください。

XXXX XXXX XXX

国民健康保険税納付確認書

（税金の申告のみに使用してください）

（〒　　　）

福大太郎　様

記　号　番　号	
納　付　期　間	○○年　1月　1日から △△年12月31日まで
①特別徴収分	¥0
②普通徴収分	¥98,100
③＝①＋②合計納付済額	¥98,100

国保係　扱

第5章 小規模企業共済等掛金控除

(1) **小規模企業共済等掛金控除の意義**

居住者が，各年において，**小規模企業共済等掛金**を支払った場合には，その支払った金額を，その者のその年分の総所得金額，上場株式等に係る配当所得の金額，土地等に係る事業所得等の金額，特別控除後の短期譲渡所得の金額もしくは長期譲渡所得の金額，一般株式等に係る譲渡所得等の金額，上場株式等に係る譲渡所得等の金額，先物取引に係る雑所得等の金額，退職所得金額又は山林所得金額から控除する（法75①）。これを**小規模企業共済等掛金控除**という（法75③）。

この控除額は，その年中に実際に**支払った小規模企業共済等掛金の金額**である（現金主義）。

(2) **小規模企業共済等掛金の範囲**

小規模企業共済等掛金控除の対象となる**小規模企業共済等掛金等**とは，①**小規模企業共済法**に規定する**第１種共済契約に基づく掛金**及び②いわゆる**心身障**

害者扶養共済制度に基づく掛金，③**確定拠出年金法の企業型年金加入者掛金又は個人型年金**をいう（法75②）。

　①の**小規模企業共済制度**とは，小規模企業の経営者（代表取締役や取締役などの役員）又は個人事業主などが加入するものであり，老齢等により廃業や退職したときには一定の共済金の支給を受けることができる。これにより，その後の生活の安定あるいは事業の再建などのための資金をあらかじめ準備しておく共済制度である。いわば事業主の退職金制度といわれるものである。

　②の**心身障害者扶養共済制度**は，加入者が心身障害者を扶養する人で，地方公共団体に掛金を払込み，心身障害者の扶養のために，地方公共団体が，給付金を定期的に支給する制度である。

　③の**確定拠出年金法の年金**とは，日本版401Kと呼ばれるものであり，加入者が前もって運用方法を選択する年金制度である。企業型年金規約の承認を受けた企業が実施する企業型年金加入者掛金と国民年金基金連合会が主体となる個人型年金がある。

　掛金は，小規模企業共済等掛金控除として控除できる。また，取得した共済金は一時払いで受ける共済金については退職所得として，分割で受ける共済金については公的年金等の雑所得として取り扱われる。

第6章

生命保険料控除

(1) **生命保険料控除（平成23年12月31日以前契約）（旧契約）**

　居住者が，平成23年12月31日以前に締結した保険契約（旧契約）について各年において，本人又は親族（**別生計も可**）を受取人とする①**生命保険契約等に係る保険料又は掛金**（⑪の個人年金保険料を除く。**生命保険料**という）及び⑪**個人年金保険契約等に係る保険料又は掛金**（個人年金保険料という）を支払った場合には，それぞれ次に定める金額をその者のその年分の総所得金額，上場株式等に係る配当所得の金額，土地等に係る事業所得等の金額，特別控除後の短期譲渡所得の金額もしくは長期譲渡所得の金額，一般株式等に係る譲渡所得等の金額，上場株式等に係る譲渡所得等の金額，先物取引に係る雑所得等の金額，退職所得金額又は山林所得金額から控除する（法76）。支払った保険料の金額は，保険会社から受け取った契約者配当金（剰余金の分配）を差し引いた金額である。

　これらの控除を**生命保険料控除**という（法76③）。

　この生命保険料控除額は，以下の算式によって計算する。

旧契約（平成23年12月31日以前契約）

```
┌─────────────────┐   ┌─────────────────┐
│支払った一般の生命保険│   │支払った個人年金保険料│
│料の金額を下記の①〜④│ + │の金額を下記の①〜④の│ = 生命保険料控除
│の算式に当てはめて計算│   │算式に当てはめて計算し│
│した金額（最高5万円）│   │た金額（最高5万円）　│
└─────────────────┘   └─────────────────┘
```

〈図表6－1〉平成23年12月31日以前契約の旧契約の生命保険料のみを支払った場合の生命保険料控除額

	支払った生命保険料	控　除　額
①	25,000円以下	全　額
②	25,000円超　50,000円以下	支払保険料×$\frac{1}{2}$＋12,500円
③	50,000円超　100,000円以下	支払保険料×$\frac{1}{4}$＋25,000円
④	100,000円超	50,000円

(2) 平成24年1月1日以後契約（新契約）

　居住者が，各年において，本人又は親族（別生計を含む）を受取人とする次の，**イ一般の生命保険料**（一般の新生命保険料及び一般の旧生命保険料の各保険料をいう），**ロ介護医療保険料**又は**ハ個人年金保険料**（新個人年金保険料及び旧個人年金保険料の各保険料をいう）を支払った場合には，イ，ロ，ハに掲げる場合に応じ，それぞれの支払保険料の区分に定める金額の合計額（合計額が12万円を超える場合は12万円）をその者のその年分の総所得金額，上場株式等に係る配当所得の金額，土地等に係る事業所得等の金額，特別控除後の短期譲渡所得の金額もしくは特別控除後の長期譲渡所得の金額，株式等に係る譲渡所得等の金額，先物取引に係る雑所得等の金額，退職所得金額又は山林所得金額から控除する（法76）。

　これらの控除を**生命保険料控除**という（法76⑪）。

　平成24年分以後の所得税から，平成24年1月1日以後締結した新契約に係る一般生命保険料控除，新個人年金契約に係る個人年金保険料控除及び介護医療保険料控除については，それぞれ次の表が適用され，それぞれの適用限度額は

4万円となる。

したがって，新契約に係る一般の生命保険料控除，新個人年金契約に係る個人年金保険料控除，介護医療保険料控除の合計は，それぞれの限度額が4万円ずつ3種類なので，最大12万円が控除できる。

〈図表6－2〉平成24年1月1日以後に契約した新契約の生命保険料のみを支払った場合の生命保険料控除額（平成24年分以後）

支払った生命保険料	控除額
① 20,000円以下	全額
② 20,000円超　40,000円以下	支払保険料×$\frac{1}{2}$＋10,000円
③ 40,000円超　80,000円以下	支払保険料×$\frac{1}{4}$＋20,000円
④ 80,000円超	40,000円

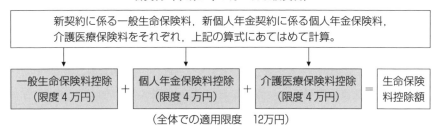

新契約（平成24年1月1日以後契約）

新契約に係る一般生命保険料，新個人年金契約に係る個人年金保険料，介護医療保険料をそれぞれ，上記の算式にあてはめて計算。

一般生命保険料控除（限度4万円）＋個人年金保険料控除（限度4万円）＋介護医療保険料控除（限度4万円）＝生命保険料控除額

（全体での適用限度　12万円）

（注）1　新契約については，主契約又は特約の保障内容に応じ，その保険契約等に係る支払保険料等を各保険料控除に適用する。
（注）2　異なる複数の保障内容が一の契約で締結されている保険契約等は，その保険契約等の主たる保障内容に応じて保険料控除を適用する。
（注）3　剰余金の分配や剰余金の割戻し（剰余金の分配等）については，主契約と特約のそれぞれの支払保険料等の金額の比に応じて剰余金の分配等の金額を按分し，それぞれの支払保険料等の額から差し引く。

(3) **平成23年12月31日以前に締結した保険契約（旧契約）と平成24年1月1日以後契約（新契約）がある場合**

平成24年1月1日以後に締結した新契約と平成23年12月31日以前に締結した

旧契約の支払保険料について，一般生命保険料控除又は個人年金保険料控除の適用を受ける場合，上記(1)・(2)にかかわらず，一般生命保険料控除又は個人年金保険料控除の控除額は，それぞれ以下に掲げる金額の合計額（**上限4万円**）とする。

① **旧契約の支払保険料**については，上記(1)〈図表6－1〉で計算した金額
② **新契約の支払保険料**については，上記(2)〈図表6－2〉で計算した金額

新契約と旧契約の一般生命保険料，新個人年金契約に係る個人年金保険料，介護保険料をそれぞれ支払った場合		
一般生命保険料控除 ① 新契約〈図表6－2〉で計算 ② 旧契約〈図表6－1〉で計算 ③ ①＋②（限度4万円）(注)	介護保険料控除 〈図表6－2〉 で計算（限度4万円）	個人年金保険料控除 ① 新契約〈図表6－2〉で計算 ② 旧契約〈図表6－1〉で計算 ③ ①＋②（限度4万円)(注)

（　全　体　で　の　最　高　限　度　12　万　円　）

(注) 旧契約のみである場合は5万円，新契約及び旧契約に係る保険料の両方を支払った場合において，**旧契約に係る控除額だけで4万円を超えるときは，旧契約に係る控除額**とすることができる。

(4) 生命保険契約等の範囲

生命保険料控除の対象となる生命保険契約等，個人年金保険契約又は介護保険契約等は，以下に掲げる契約をいう（法76③・④，令210，211，212）。

① 新生命保険契約等

「**新生命保険契約等**」とは，以下に掲げる契約のうち，その契約に基づく保険金，年金，共済金又は一時金（これらに類する給付を含む）の受取人のすべてをその保険料もしくは掛金の払込みをする者又は配偶者その他の親族とするものをいう。

(イ) 「生命保険会社又は外国保険事業者の締結した生命保険契約のうち生存又は死亡に基因して保険金等が支払われるもの（保険期間が5年未満のいわゆる生存保険の契約及び外国保険事業者が国外で締結した契約等を除く）

(ロ) 旧簡易生命保険契約のうち生存又は死亡に基因して保険金等が支払われ

るもの

(ハ) 農業協同組合及び農業協同組合連合会の締結した生命共済契約，漁業協同組合・水産加工業協同組合，共済水産業協同組合連合会の締結した生命共済契約，消費生活協同組合連合会の締結した生命共済契約（共済期間が5年未満のいわゆる生存共済の契約を除く）

(ニ) 確定給付企業年金規約（適格退職年金契約を含む）（法法84③）

(ホ) その他財務大臣の指定する特定の生命共済に係る契約（小規模企業共済事業団の締結した第二種共済契約等）

② **旧生命保険契約等**

「**旧生命保険契約等**」とは，平成23年12月31日以前に締結した次に掲げる契約（同日以前に失効し，同日後に復活したものを含む）又は同日以前に承認を受けた確定給付企業年金に係る規約もしくは認可を受けた基金の確定給付年金に係る規約（新規約を除く）のうち，これらの契約又は規約に基づく保険金等の受取人のすべてをその保険料もしくは掛金の払込みをする者又は配偶者その他の親族とするものをいう（法76⑥）。

(イ) 上記①に掲げる(イ)の生命保険会社等の保険契約，(ロ)の簡易生命保険契約又は(ハ)の農業協同組合等の生命共済契約

(ロ) 生命保険会社もしくは外国生命保険会社等又は損害保険会社もしくは外国損害保険会社等の締結した身体の傷害又は疾病その他これらに類する事由に基因して保険金等が支払われる保険契約（①の(イ)の保険契約，保険金等の支払事由が身体の傷害のみに基因することとされているもの，保険期間が5年未満のいわゆる生存保険の契約，外国旅行期間内の疾病又は身体の傷害などに基因して支払われる保険契約及び外国生命保険会社等が国外において締結したものを除く）のうち，病院又は診療所に入院し又は傷害又は疾病にかかったことにより医療費を支払ったこと（「医療費等支払事由」）に基因して保険金等が支払われるもの

(ハ) 確定給付企業年金に係る規約

③ 新個人年金保険契約等

「**新個人年金保険契約等**」とは，平成24年1月1日以後に締結した上記①の新生命保険契約等の(イ)・(ロ)・(ハ)の新契約（年金の給付を目的とするもののうち一定の要件を満たすもの（「年金給付契約」）に限る。同日前に失効し，同日以後に復活したものを除く）又は他の保険契約に附帯して締結した新契約のうち，以下の要件の定めのあるものをいう（法76⑧）。

(イ) 年金の受取人は，保険料，掛金の払込みをする者又は配偶者が生存している場合には，これらの者のいずれかとするものであること

(ロ) 保険料又は掛金の払込みは，年金支払開始日前10年以上の期間にわたって定期に行うものであること

(ハ) 個人に対する年金の支払は，その受取人が60歳に達した日以後の日で，10年以上の期間又は受取人が生存している期間にわたって定期に行うものであること等の要件

④ 介護医療保険契約等

「**介護医療保険契約等**」とは，平成24年1月1日以後に締結した以下に掲げる新契約（失効した同日前に失効し，同日以後に復活したものを除く）又は他の保険契約に附帯して締結した新契約のうち，これらの新契約に基づく保険金等の受取人のすべてをその保険料もしくは掛金の払込みをする者又はその配偶者その他の親族とするものをいう（法76⑦）。

(イ) 生命保険会社もしくは外国生命保険会社等又は損害保険会社もしくは外国損害保険会社等の締結した身体の傷害又は疾病その他これらに類する事由に基因して保険金等が支払われる保険契約（①の(イ)の保険契約，保険金等の支払事由が身体の傷害のみに基因することとされているもの，保険期間が5年未満のいわゆる生存保険の契約，海外旅行期間内の疾病又は身体の傷害などに基因して支払われる保険契約及び外国生命保険会社等が国外において締結したものを除く）のうち，病院又は診療所に入院し又は傷害又は疾病にかかったことにより医療費を支払ったこと（「医療費等支払事由」）に基因して保険金等が支払われるもの

(ロ) 疾病又は身体の傷害その他これらに類する事由に基因して保険金等が支払われる旧簡易生命保険契約又は生命共済契約等（上記①の(ロ)・(ハ)に該当するもの，保険金等の支払事由が身体の傷害のみに基因するものその他特定のものを除く）のうち医療費等支払事由に基因して保険金等が支払われるもの

〈図表6－3〉 生命保険料控除額の計算

平成23年12月31日以前契約の生命保険料控除（旧契約）(1)+(2)（全体で限度10万円）	(1)	一般の生命保険料を下記の式にあてはめて計算（限度5万円）
	(2)	個人年金保険料を下記の式にあてはめて計算（限度5万円）

平成23年12月31日以前契約の生命保険料控除額　Ⓐ

	支払った生命保険料	控　除　額
①	25,000円以下	全　額
②	25,000円超　50,000円以下	支払保険料×$\frac{1}{2}$＋12,500円
③	50,000円超　100,000円以下	支払保険料×$\frac{1}{4}$＋25,000円
④	100,000円超	50,000円

平成24年1月1日以後契約の生命保険料控除（新契約）(1)+(2)+(3)（全体で限度12万円）	(1)	一般の生命保険料を下記の式にあてはめて計算（限度4万円）
	(2)	個人年金保険料を下記の式にあてはめて計算（限度4万円）
	(3)	介護保険料を下記の式にあてはめて計算（限度4万円）

改正生命保険料控除額（平成24年分以後）　Ⓑ

	支払った生命保険料	控　除　額
①	20,000円以下	全　額
②	20,000円超　40,000円以下	支払保険料×$\frac{1}{2}$＋10,000円
③	40,000円超　80,000円以下	支払保険料×$\frac{1}{4}$＋20,000円
④	80,000円超	40,000円

第Ⅶ編　所得控除　643

【旧制度】
令和3年分 生命保険料控除証明書(一般用)

ご加入者　慶応 進　様

記号 証券番号	保険種類	保険期間
888-222-5555	養老	25年

(1)保険料	(2)配当金
360,000円	25,000円

加入年月	払込方法	証明額(1)-(2)
5年 5月	年12回	335,000円

令和3年9月までの払込額を上記のとおり証明いたします。
《ご参考》
12月までに下記期間の保険料をお払込の場合は含めて申告してください。

(3)10月〜12月までの月額保険料　40,000円

申告額（年間払込保険料－配当金）　455,000円

証明日令和3年10月10日

福大生命保険相互会社

令和　年生命保険料控除証明書〔個人年金・一般・介護医療用〕

ご契約者　福大太郎　様

年金受取人	福大太郎　様	年金受取人生年月日 ○年○月○日
保険証券番号 ＊＊＊＊＊＊＊＊＊＊	年金種類 新年金確定	年金支払期間 ○年
契約日 ○年○月○日	払込方法 年12回払	年金支払開始日 ○年○月○日	保険料支払期間 ○年

年　月までのお支払額を下記のとおり証明いたします。

新制度	年金	個人年金支払料(a)　円　80000	配当金(相当額)(b)　円　0	個人年金証明額(ab)　円　80000
	年金	一般生命保険料(c)　円　20000	配当金(相当額)(d)　円　0	一般証明額(cd)　円　20000
	介護医療	介護医療保険料(e)　円　7000	配当金(相当額)(f)　円　0	介護医療証明額(ef)　円　7000

なお、12月末までにお振込みの場合は下記金額をご申告ください

新制度	年金	個人年金支払料(a)　円　110000	配当金(相当額)(b)　円　0	個人年金証明額(ab)　円　110000
	年金	一般生命保険料(c)　円　25000	配当金(相当額)(d)　円　0	一般証明額(cd)　円　25000
	介護医療	介護医療保険料(e)　円　10000	配当金(相当額)(f)　円　0	介護医療証明額(ef)　円　10000

証明日　○年○月○日

○○生命保険株式会社

《計算Pattern》

生命保険料控除の計算の総まとめ（旧契約・新契約の両方があるとき）

(1) 一般生命保険契約
　① 新契約　表Ⓑで計算
　② 旧契約　表Ⓐで計算
　③ ①+②（限度4万円）(注)
(2) 介護医療保険
　　表Ⓑで計算（限度4万円）
(3) 個人年金保険契約
　① 新契約　表Ⓑで計算
　② 旧契約　表Ⓐで計算
　③ ①+②（限度4万円）(注)
(4) 生命保険料控除
　　(1)+(2)+(3)=（限度12万円）

（注）旧契約のみである場合は5万円、新契約及び旧契約に係る保険料の両方を支払った場合において、旧契約に係る控除額だけでも4万円を超えるときは、旧契約に係る控除額とすることができる。

[参考]

以下の資料により、福大太郎の令和3年分の生命保険料控除額を計算しなさい。

福大太郎が本年中に支払った保険料は、次のとおりである。

① 本人を受取人とする一般の生命保険料（平成24年1月1日以後締結分）

　　　　　　50,000円

② 本人を受取人とする一般の生命保険料（平成23年12月31日以前締結分）

　　　　　　150,000円

③ 妻を受取人とする介護医療保険料（平成24年1月1日以後締結分）　90,000円

④ 妻を受取人とする個人年金保険料（平成23年12月31日以前締結分）　180,000円

(1) 一般の生命保険

円

区　分	支払額	計算額	控除額
新生命保険料	50,000	50,000×1/4+20,000 =32,500	50,000 旧契約に係る控除額のみでも4万超のときは旧契約の控除額
旧生命保険料	150,000	50,000	

(2) 介護医療保険　　　　　　　40,000円
(3) 個人年金保険（旧契約）の控除額　50,000円
(4) 生命保険料控除額　　　　　(1)+(2)+(3)

　一般の生命保険料50,000円＋介護医療保険料40,000円
　　＋個人年金保険料50,000円＝140,000円＞120,000円

∴生命保険料控除限度120,000円

(注) 新契約と旧契約の一般の生命保険料の適用を受ける場合の控除額は，それぞれの保険料に係る控除額の合計額となり，その限度額が4万円とされている。すなわち，旧生命保険料控除額が5万円で新保険料控除額が3万円であればその合計額が8万円となり，控除できるのは限度額の4万円となる。しかし，旧契約の一般の生命保険料だけの適用を受ける場合の控除額は5万円となるので，この場合には，（新契約に係る3万円，旧契約に係る5万円，新旧契約の合計の場合の限度額4万円のうち）一番大きい金額となる旧生命保険料だけによる控除額を一般の生命保険料控除額とすることができる。

〔所得税質疑応答事例61　国税庁〕

第7章

地震保険料控除

(1) **地震保険料控除の意義**

　居住者が各年において自己もしくは自己と生計を一にする配偶者その他の親族の有する家屋で常時その居住の用に供するもの又はこれらの者の有する生活に通常必要な家財（「家屋等」という）を保険又は共済の目的とし，かつ，地震もしくは噴火又はこれらによる津波を直接又は間接の原因とする火災，損壊，埋没又は流失による損害（「地震等損害」という）によりこれらの資産について生じた損失の額をてん補する保険金又は共済金が支払われる損害保険契約等に係る地震等損害部分の保険料又は掛金（一定のものを除く。「地震保険料」という）を支払った場合（**現金主義**），損害保険契約等に係る地震等損害部分の保険料又は掛金（「地震保険料等」という）の合計額（地震保険料に係る剰余金を控除した残額で最高5万円）をその年分の総所得金額，上場株式等に係る配当所得の金額，土地等に係る事業所得等の金額，特別控除後の短期譲渡所得の金額もしくは長期譲渡所得の金額，一般株式等に係る譲渡所得等の金額，上場株式等に係る譲渡所得等の金額，先物取引に係る雑所得等の金額，退職所得金額又は山林所得金額

（総所得金額等）から控除する（法77①）。この控除を**地震保険料控除**という（法77①）。

経過措置として，平成18年12月31日までに締結した長期損害保険契約等（上記(1)の適用を受ける保険料等に係るものを除く）に係る保険料等については，従前の損害保険料控除（最高1万5千円）が適用されます（改正法附則10②二）。

上記の地震保険料と長期損害保険料の規定を適用する場合には，合わせて5万円が限度となります（改正法附則10②三）。

なお，**長期契約**とは，保険契約等の期間が10年以上で満期返戻金等の支払規約のある契約をいう。

〈図表7－1〉 地震保険料控除額

保険契約	支払った保険料等	地震保険料控除額
① 損害保険契約等に係る地震保険料		支払った地震保険料の金額（50,000円が限度）
② 長期損害保険料（平成18年12月31日までに契約）	（支払った保険料）10,000円以下の場合	支払保険料の全額
	10,000円超20,000円以下の場合	支払保険料の合計 $\times \dfrac{1}{2} + 5,000$ 円
	20,000円超の場合	15,000円
③ ①の地震保険料と②の長期損害保険料の両方がある場合	①の地震保険料の控除額＋②の長期損害保険料の控除額が50,000円以下の場合	①の控除額＋②の控除額
	①の地震保険料の控除額＋②の長期損害保険料の控除額が50,000円超の場合	50,000円

(2) **控除の対象となる損害保険契約等の範囲**

地震保険料控除の対象となる損害保険契約等は，次に掲げる契約をいう（法77，令214，規40の7）。

① 損害保険会社又は外国保険会社等の締結した損害保険契約（外国保険事業

者の国外において締結した契約を除く）

② 農業協同組合及び農業協同組合連合会の締結した建物更生共済・火災共済又は身体の傷害に関する共済に係る契約，及び農業協同組合の締結した医療費の支出に関する共済に係る契約

③ 農業共済組合及び農業共済組合連合会の締結した火災共済その他建物を共済の目的とする共済に係る契約

④ 漁業協同組合，水産加工業協同組合又は共済水産協同組合連合会の締結した建物もしくは動産の共済期間中の耐存を共済事故とする共済に係る契約，火災共済に係る契約又は身体の傷害に関する共済契約

⑤ 火災共済協同組合の締結した火災共済に係る契約

⑥ 消費生活協同組合連合会の締結した火災共済に係る契約

⑦ 消費生活協同組合連合会等の締結した自然災害共済に係る契約

⑧ その他財務大臣の指定する特定の火災共済に係る契約

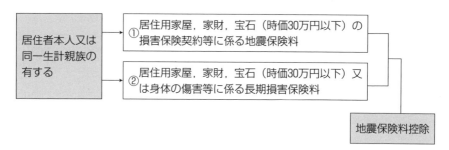

```
┌─────────────────────────────────────────────┐
│ 令和3年分                                     │
│         地震保険料控除対象保険料証明書         │
│                                               │
│  ご加入者    慶応  進                         │
│  ┌──────────────┬──────────────┬──────────┐  │
│  │ ご契約者番号 │ 契約年月日   │ 保険種類 │  │
│  │ 320-98753    │ 20.10.30     │ 火災     │  │
│  ├──────────────┼──────────────┼──────────┤  │
│  │ 保険料払込方法│ 契約期間    │満期返戻金│  │
│  │   年払い     │   25年       │   有     │  │
│  ├──────────────┴──────────────┴──────────┤  │
│  │ 火災保険金額                            │  │
│  │     3,000万円                           │  │
│  ├──────┬──────────┬────────┬────────────┤  │
│  │地 震 │控除対象保険料│割戻金│ 証 明 額 │  │
│  │保険料│  18,000円  │ 一円 │ 18,000円 │  │
│  ├──────┼──────────┼────────┼────────────┤  │
│  │損 害 │控除対象保険料│割戻金│ 証 明 額 │  │
│  │保険料│    0円     │ 一円 │    0円   │  │
│  └──────┴──────────┴────────┴────────────┘  │
│  令和3年10月30日                              │
│                   西南海上火災保険株式会社    │
└─────────────────────────────────────────────┘
```

[例] 地震保険料38,000円,平成18年に契約した長期損害保険料20,000円である。地震保険料控除額を求めなさい。

(解答) ① 地震保険料 38,000円（地震保険料に係る控除限度額）

② 長期損害保険料 20,000円

$$20,000円 \times \frac{1}{2} + 5,000円 = 15,000円$$

(長期損害保険料に係る控除限度額)

③ 控除額 ①+② 38,000円+15,000円＞50,000円

∴ 地震保険料控除額 50,000円

(①と②の両方がある場合の控除額)

第8章

寄付金控除

(1) **寄付金控除の意義**

　居住者が，各年において，特定寄付金を支出した場合（現金主義）において，その年中に支出した**特定寄付金の額の合計額**（その合計額がその年分の総所得金額，上場株式等に係る配当所得の金額，土地等に係る事業所得等の金額，短期譲渡所得の金額及び長期譲渡所得の金額，一般株式等に係る譲渡所得等の金額，上場株式等に係る譲渡所得等の金額，先物取引に係る譲渡所得等の金額，退職所得金額並びに山林所得金額の合計額（合計所得金額）の100分の40に相当する金額を超える場合は，**その100分の40に相当する金額**）**が2千円を超えるとき**は，その超える金額を，その者のその年分の総所得金額，上場株式等に係る配当所得の金額，土地等に係る事業所得等の金額，特別控除後の短期譲渡所得の金額もしくは長期譲渡所得の金額，一般株式等に係る譲渡所得等の金額，上場株式等にかかる譲渡所得等の金額，先物取引に係る雑所得等の金額，退職所得金額又は山林所得金額から控除する（法78①）。この控除を**寄付金控除**という（法78①）。

　この寄付金控除額の計算は，以下の算式による。

$$\left(\begin{array}{l}\text{特定寄付金の額}\\ \text{合計所得金額}\times 40\%\end{array}\right.\text{少ない方の額}\right)-2,000\text{円}=\text{寄付金控除額}$$

この**合計所得金額**とは、純損失、雑損失等の繰越控除をしないで計算した総所得金額、上場株式等に係る配当所得の金額、土地等に係る事業所得等の金額、分離短期譲渡所得の金額（特別控除前）、分離長期譲渡所得の金額（特別控除前）、一般株式等に係る譲渡所得等の金額、上場株式等に係る譲渡所得等の金額、先物取引に係る雑所得等の金額、山林所得金額（特別控除後）及び退職所得金額の合計額をいう（法2①三十）。合計所得金額から純損失、雑損失の繰越控除した後を**課税標準**という。

(2) **特定寄付金の範囲**

寄付金控除の対象となる**特定寄付金**とは、次に掲げる寄付金（国・地方公共団体に対する寄付金、指定寄付金、特定公益増進法人等に対する寄付金及び政治活動に関する寄付金）をいう。ただし、学校の入学に関してする寄付金は除かれる（法78②、令215、216、217）。また、国又は地方公共団体等に対する贈与等で、租税特別措置法の規定によりその譲渡所得、山林所得又は雑所得が非課税とされるもののその譲渡所得、山林所得又は雑所得に相当する部分の金額も除かれる（措法40⑤）。町内会、商工会議所等に対する寄付は法人税法上は寄付金控除の対象になっているが、所得税法上では、特定寄付金に該当しない。

① **国又は地方公共団体**（港務局を含む）**に対する寄付金**（その寄付をした者がその寄付によって設けられた設備を専属的に利用することその他特別の利益がその寄付をした者に及ぶと認められるものを除く）

② 〈指定寄付金〉**公益社団法人、公益財団法人、その他公益を目的とする事業を行う法人又は団体に対する寄付金**（その法人の設立のためにされる寄付金等を含む）のうち、広く一般に募集され、教育又は科学の振興、文化の向上、社会福祉への貢献その他公益の増進に寄与するための支出で緊急を要するものに当てられることが確実であると認められるものとして財務大臣の指定した寄付金（告示される）

③ 〈特定公益増進法人に対する寄付金〉公益法人その他特別の法律により設立された法人のうち、教育又は科学の振興、文化の向上、社会福祉への貢献その他公益の増進に寄与するものとして政令で定める以下に掲げるものに

対するその法人の主たる目的である業務に関連する寄付金（①・②の寄付金に該当するものを除く）

　(イ)　独立行政法人

　(ロ)　地方独立行政法人のうち，一定の業務を主たる目的とするもの

　(ハ)　自動車安全運転センター，総合研究開発機構，日本原子力研究所，核燃料サイクル開発機構，海洋科学技術センター，日本私立学校振興・共済事業団，日本育英会，日本赤十字社，社会福祉法人

　(ニ)　公益社団法人及び公益財団法人

　(ホ)　私立学校法第3条に定める学校法人で学校（特定の専修学校及び各種学校を含む）の設置を主たる目的とするもの又は私立学校法第64条第4項の定めにより設立された法人で専修学校もしくは各種学校の設置を主たる目的とするもの

　(ヘ)　社会福祉法人等

④　〈政治活動に関する寄付金〉政治資金規正法に定める政党，政治資金団体等に規定する政治活動に関する寄付で，同法に定める報告書により報告されたものも特定寄付金とみなされる（措法41の18）。

⑤　〈認定特定非営利活動法人（認定ＮＰＯ）に対する寄付金〉
　　特定非営利活動に係る事業に関連する寄付に限る。特定非営利活動寄付金特別控除の適用を受けるものを除く（措法41の18の2）。

⑥　〈特定公益信託への寄付についての寄付金控除〉
　　特定公益信託のうち，その目的が教育又は科学の振興，文化の向上，社会福祉への貢献その他公益の増進に著しく寄与するものとされるもの（令217の2③）の信託財産とするために支出した金銭（法78③）。

⑦　特定新規中小法人が発行した特定新規株式で，払込みにより取得したもの

⑧　ふるさと納税（都道府県，市区町村に対する寄付金）

(注1)　政治活動に関する寄付のうち，政党又は政治活動団体への寄付については，所得税法の特別控除（政党等寄付金特別控除）を選択適用できる（措法14の18②）。

第Ⅶ編 所得控除 653

政党等や一定の公益社団法人等に対する寄付は，所得税法の特別控除を選択適用できる。自分の申告の時の税率が30％より低い場合，政党等への寄付は税額控除である政党等寄付金の特別控除の方が有利。
(注2) 認定NPO法人に対する寄付は，特別控除を選択適用できる。
自分の申告の時の税率が40％より低い場合，認定ＮＰＯ法人への寄付も，税額控除である特定非営利活動寄付金（認定ＮＰＯ法人等）の特別控除の方が有利。

(参考１) 公益社団法人等（公益社団法人，私立学校法第３条に定める学校法人等）への個人寄付

公益社団法人等に対する寄付とは，平成23年以後に個人が支払った**特定寄付金**のうち，次の(1)から(4)までに掲げる法人及び平成28年以後の(5)に掲げる法人等（公益社団法人等）に対するもので一定の要件を満たすものについては，支払った年分の所得控除として以下の寄付金控除の適用を受けるか，又は以下の算式で計算した金額（その年分の所得税額の25％相当額を限度）について税額控除の適用を受けるか，いずれか有利な方を選択することができる。

(1) 公益社団法人及び公益財団法人
(2) 私立学校法第３条に規定する学校法人及び同法第64条第４項の規定により設立された法人
(3) 社会福祉法人
(4) 更生保護法人
(5) 国立大学法人，公立大学法人，独立行政法人国立高等専門学校機構又は独立行政法人日本学生機構

税額控除（寄付金）

（寄付金額－2,000円）×40％
減税額は税額控除前の算出税額の25％が限度　　（100円未満切捨）

所得控除（寄付金）

少ない方 { 寄付金額－2,000円 / 合計所得金額の40％ } ×所得税率

(参考)法人が公益社団法人等へ寄付した場合(法人税法)

特定寄付金であり,以下の一般寄付金の損金算入限度額まで損金算入可能

$$\left[\left(期末資本金等の額 \times \frac{事業年度の月数}{12} \times \frac{3.75}{1,000}\right) + \left(寄付金支出前の所得金額 \times \frac{6.25}{100}\right)\right] \times \frac{1}{2}$$
$= 寄付金の損金算入限度額$

(参考2)ふるさと納税

ふるさと納税は,故郷など自分が自由に自治体に寄付することである。この寄付金は,下記の(1)の所得税の寄付金控除にプラスして,(2)(3)の住民税の控除を受けられる。

このふるさと納税の税額控除の特徴は,(3)住民税の特例控除にある。(1)所得税の寄付金控除や,(2)住民税の基本控除で控除されなかった税額が控除できる。

しかも,寄付をした自治体から特産品等が送られてくる仕組みである。

(ふるさと納税の寄付金控除)

(1) 所得税から控除

   (寄付金額−2,000円)×所得税の適用税率

(2) 住民税から控除(基本控除)

   (寄付金額−2,000円)×10%

(3) 住民税からさらに控除(特例部分の控除)

   (寄付金額−2,000円)×(100%−10%−所得税の適用税率)
                            ↓   ↓
                          (2)の部分 (1)の部分

   ⇩

   この特例部分の控除は,個人住民税の所得税額の20%までを限度

平成31年度税制改正大綱によれば,令和元年6月1日以後に支出された寄付金について,総務大臣は,地方財政審議会の意見を聴いた上で,**以下の基準に適合**する地方団体をふるさと納税(個人住民税の特別控除)の対象として指定する

ことになる。
① 寄付金の募集を適正に実施する地方団体であること
② ①の地方団体で返礼品を送付する場合には，
　㈤　返礼品の返礼割合を**3割以下**とすること
　㈹　返礼品を**地場産品**とすること

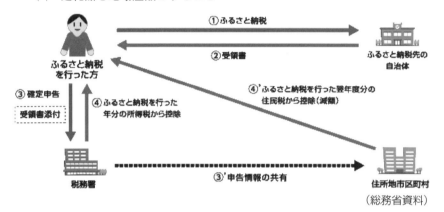

（総務省資料）

（ワンストップ特例）

以下のいずれの要件にもあてはまる人は，確定申告は不要である（**ワンストップ特例**）。

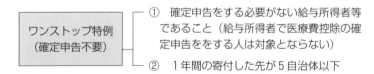

ただし，寄附税額控除に係る申告特例申請書を寄付した自治体に提出する。住民税から控除される。また所得税の控除相当分の税額が住民税からも控除され，上記の確定申告をしてふるさと納税の寄付金控除を受けた場合と同額が住民税から控除される。

〈図表〉 ワンストップ特例と確定申告によるふるさと納税

	ワンストップ特例	確定申告によるふるさと納税
寄附先の数の制限	1年間で寄附先は5自治体までの人	寄附先の数に制限はない
提出方法	寄附のたびに各自治体に申請書を提出すること	確定申告において，寄附金受領証明書を確定申告書とともに税務署に提出すること

　　　　　　　　　　　↓　　　　　　　　　　↓
　　　　　（住民税から全額　　　（所得税からの控除と住民
　　　　　　控除される）　　　　　税からの控除がある）

第9章 障害者控除

(1) **障害者控除の意義**（平成23年分以後）

居住者が障害者である場合，居住者に**障害者である控除対象配偶者又は扶養親族**がある場合には，その者のその年分の総所得金額，上場株式等に係る配当所得の金額，土地等に係る事業所得等の金額，特別控除後の短期譲渡所得の金額もしくは長期譲渡所得の金額，一般株式等に係る譲渡所得等の金額，上場株式等に係る譲渡所得等の金額，先物取引に係る雑所得等の金額，退職所得金額又は山林所得金額から**障害者1人につき27万円**（居住者が**特別障害者**である場合には40万円，居住者の控除対象配偶者又は扶養親族が**同居の特別障害者**である場合には**75万円**）を控除する（法79①・②）。この控除を**障害者控除**という（法79③）。

居住者の扶養親族又は控除対象配偶者が**同居の特別障害者**である場合には，**障害者控除額**は特別障害者控除額40万円の額に35万円を加算し**75万円**となった。

(2) **障害者の範囲**

障害者控除の対象となる障害者とは，心身喪失の常況にある者，失明者その他の精神又は身体に障害がある者で，次に掲げる者をいう（法2①二十八，令10）。

① 心身喪失の常況にある者又は児童相談所，知的障害者更生相談所，精神

衛生センターもしくは精神保健指定医の判定により知的障害者とされた者
② 精神に障害のある者で，厚生労働大臣又は都道府県知事からその障害の程度が国民年金法施行令別表又は厚生年金法施行令別表第1に定める障害の状態と同程度の状態にある旨の証明書類の交付を受けている者
③ 身体障害者福祉法の規定により交付を受けた身体障害者手帳に身体上の障害がある者として記載されている者
④ 戦傷病者特別援護法の規定により戦傷病者手帳の交付を受けている者
⑤ 原子爆弾被爆者の医療等に関する法律の規定による厚生労働大臣の認定を受けている者
⑥ 常に就床を要し，複雑な介護を要する者
⑦ 以上のほか，精神又は身体に障害のある年齢65歳以上の者で，障害の程度が①又は③に準ずるものとして市町村長（特別区の区長）等の認定を受けている者

(3) 特別障害者

特別障害者とは，障害者のうち，精神又は身体に，**重度の障害**があるものとして定められている次に掲げる者をいう（法2①二十九，令10②）。

① (2)の①に掲げる者のうち，心身喪失の常況にある者又は児童相談所，知的障害者更生相談所，精神衛生センターもしくは精神保健指定医の判定により**重度の知的障害者**とされた者
② (2)の②に掲げる者のうち，厚生労働大臣又は都道府県知事からその障害の程度が国民年金法施行令別表又は厚生年金法施行令別表第1に定める**1級の障害**の状態と同程度の状態にある旨の証明書類の交付を受けている者
③ (2)の③に掲げる者のうち，**身体障害者手帳に身体上の障害の程度が1級又は2級である者として記載されている者**
④ (2)の④に掲げる者のうち，戦傷病者手帳の精神上又は身体上の障害の程度が，恩給法に規定する特別項症から第3項症までである者として記載されている者
⑤ (2)の⑤又は⑥に掲げる者

⑥ (2)の⑦に掲げる者のうち，その障害の程度が①又は③に掲げる者に準ずるものとして市町村長（特別区の区長）等の認定を受けている者

(4) **同居特別障害者**

同居特別障害者とは，居住者の控除対象配偶者又は扶養親族が特別障害者で，かつ，居住者又は配偶者もしくは居住者と生計を一にするその他の親族のいずれかと同居を常況としている者をいう（法79③）。

〈図表 9 － 1 〉　障害者控除額

障害者の区分	控除額
居住者が障害者	27万円
居住者が特別障害者	40万円
居住者の扶養親族又は控除対象配偶者が障害者	27万円
居住者の扶養親族又は控除対象配偶者が同居の特別障害者	75万円

障害者	身体障害者手帳や戦傷病者手帳，精神障害者保護福祉手帳の発行を受けている方
	65歳以上の方で障害の程度が障害者に準ずるものとして市町村長等の認定を受けている方
	精神保健指定医などにより，知的障害者と判定された方
特別障害者	身体障害者手帳に一級又は二級と記載されている方
	精神障害者手帳に一級と記載されている方
	いつも病床にいて，複雑な介護を受けなければならない方
	重度の知的障害者と判定された方

第10章 寡婦控除・ひとり親控除

(1) **寡婦控除**（所法80）

居住者が寡婦である場合に，居住者のその年分の総所得金額，退職所得金額又は山林所得金額等から27万円を控除する（所法80①）。

(2) **寡婦の範囲**

寡婦とは，次に掲げる者でひとり親に該当しないものをいう（所法2①三十）。令和2年度の改正により，令和2年分以後に適用される（平成2年所法等改正附則2）。

① 夫と離婚した後婚姻をしていない者のうち，㋑扶養親族を有すること，㋺合計所得金額が500万円以下であること，㋩その者と事実上婚姻関係と同様の事情があると認められる者がいないことの要件を満たすもの

② 夫と死別した後婚姻をしていない者又は夫の生死の明らかでない者のうち，上記①㋺及び㋩に掲げる要件を満たすもの

(注) 1 納税者が寡婦やひとり親に該当するかどうかの判定は，その年の12月31日

（その者がその年の中途において死亡し，又は出国する場合には，その死亡又は出国の時の現状による（所法85①）。
　2　合計所得金額とは，総所得金額，分離課税の配当所得等の金額，分離課税の長期（短期）譲渡所得金額（特別控除前），株式等に係る譲渡所得等の金額，先物取引に係る雑所得等の金額，退職所得金額及び山林所得金額の合計額をいう。ただし，純損失や雑損失の繰越控除，居住用財産の買換え等の場合の譲渡損失の繰越控除，特定居住用財産の譲渡損失の繰越控除，上場株式等に係る譲渡損失の繰越控除，特定中小会社が発行した株式に係る譲渡損失の繰越控除又は先物取引の差金等決済に係る損失の繰越控除の適用を受けている場合には，その適用前の金額による。

(3)　ひとり親控除（所法81）

　居住者がひとり親である場合に，居住者のその年分の総所得金額，退職所得金額及び山林所得金額等から35万円を控除するものである（所法81①）。

(4)　ひとり親の範囲

　ひとり親とは，現に婚姻をしていない者又は配偶者の生死の明らかでない者のうち，①その者と生計を一にする子（他の者と同一生計配偶者又は扶養親族とされている者を除き，総所得金額等の合計額が48万円以下であるものに限る）を有すること，②合計所得金額が500万円以下であること，③その者と事実上婚姻関係と同様の事情があると認められる者がいないことの要件を満たすものをいう（所法2①三十一，所令11の2，所規1の4）。

　イ　その者が住民票に世帯主と記載されている者である場合には，その者と同一の世帯の住民票に世帯主との続柄が世帯主の未届の夫又は未届の妻その他これらと同一の内容である旨の記載がされた者がいないこと
　ロ　その者が住民票に世帯主と記載されている者でない場合には，その者の住民票に世帯主との続柄として未届の夫又は未届の妻その他これらと同一の内容である旨の記載がされていないこと

　ひとり親控除は，令和2年度の改正により，令和2年分以後に適用される（令和2年所法等改正附則2）。

寡婦（女性）控除		ひとり親（男性又は女性）控除
夫と離婚した後婚姻をしていない人 （離別）	夫と死別した後婚姻をしていない人又は夫が生死不明の人 （死別）	現に婚姻をしていない人又は夫若しくは妻が生死不明の人（死別，離婚，未婚を問わない） （離別，死別，未婚）
住民票に未届の夫その他これらと同一の内容である旨の記載がされていないこと（つまり事実婚は対象外となる）	住民票に未届の夫その他これらと同一の内容である旨の記載がされていないこと（つまり事実婚は対象外となる）	住民票に未届の妻又は未届の夫その他これらと同一の内容である旨の記載がされていないこと（つまり事実婚は対象外となる）
子以外の扶養親族を有すること	子以外の扶養親族を有していても，有していなくても可	総所得金額等の合計額が**48万円以下**の生計を一にする**子がいること**（他の者と同一生計配偶者又は扶養親族とされている者を除く）
合計所得金額が500万円以下であること	合計所得金額が500万円以下であること	合計所得金額が500万円以下であること
寡婦控除額27万円		ひとり親控除額35万円

第11章 勤労学生控除

(1) **勤労学生控除の意義**

居住者が勤労学生である場合には，その者のその年分の総所得金額，上場株式等に係る配当所得の金額，土地等に係る事業所得等の金額，特別控除後の短期譲渡所得の金額もしくは長期譲渡所得の金額，一般株式等に係る譲渡所得等の金額，上場株式等に係る譲渡所得等の金額，先物取引に係る雑所得等の金額，退職所得金額又は山林所得金額から**27万円**を控除する（法82①）。この控除を**勤労学生控除**という（法82②）。

(2) **勤労学生の範囲**

勤労学生控除の対象となる**勤労学生**とは，次に掲げる者で，自己の勤労に基づいて得た事業所得，給与所得，退職所得又は雑所得（**「給与所得等」**という）を有するもののうち，合計所得金額が**75万円以下**であり，かつ，合計所得金額の

うち給与所得等以外の所得の合計額が10万円以下であるものをいう（法2①三十二）。

　この場合の**合計所得金額**とは，純損失又は雑損失の繰越控除をしないで計算した合計所得金額をいう。

① 　学校教育法第1条に規定する学校の学生，生徒又は児童
② 　国，地方公共団体又は私立学校法第3条に規定する学校法人，同法第64条第4項（私立専修学校及び私立各種学校）の規定により設立された法人もしくはこれらに準ずる法人の設置した専修学校及び各種学校の生徒で，一定の課程（令11の3）を履修するもの
③ 　職業訓練法人の行う職業訓練法に規定する認定職業訓練を受ける者で一定の課程を履修するもの

　なお，勤労学生に該当するかどうかの判定は，その年12月31日（年の中途で死亡又は出国した者については，その死亡又は出国のとき）の現況による（法85①）。

第Ⅶ編 所得控除 665

配偶者控除

(1) **配偶者控除の意義**

　居住者が**控除対象配偶者**（居住者の**配偶者の合計所得金額が48万円以下**で，かつ**居住者の合計所得金額が1,000万円以下**）を有する場合には，その居住者のその年分の総所得金額，上場株式等に係る配当所得の金額，土地等に係る事業所得等の金額，特別控除後の短期譲渡所得の金額もしくは長期譲渡所得の金額，一般株式等に係る譲渡所得等の金額，上場株式等に係る譲渡所得等の金額，先物取引に係る雑所得等の金額，退職所得金額又は山林所得金額から居住者の合計所得金額が900万円以下の場合**38万円**，居住者の合計所得金額が900万円超950万円以下の場合には26万円，居住者の合計所得金額が950万円超1,000万円以下の場合には13万円を控除する。この場合，その控除対象配偶者が，**老人控除対象配偶者**である場合には居住者の合計所得金額が900万円以下の場合には**48万円**，居住者の合計所得金額が900万円超950万円以下の場合には32万円，居住者の合計所得金額が950万円超1,000万円以下の場合には16万円を控除する（法83，措法41の

16)。これらの控除を**配偶者控除**という（法83③）。

(2) 控除対象配偶者・老人控除対象配偶者

同一生計配偶者とは，居住者の配偶者でその居住者と生計を一にするもの（青色事業専従者として給与の支払を受けるもの及び事業専従者に該当するものを除く）のうち，**合計所得金額が48万円以下である者**であるものをいう（法2①三十三）。配偶者控除の対象となる控除対象配偶者とは，同一生計配偶者のうち**合計所得金額が1,000万円以下である居住者の配偶者**をいう。

同一生計配偶者 （所法2①三十三）	居住者の配偶者でその居住者と生計を一にするもの（青色事業専従者等を除く）のうち，**合計所得金額が48万円以下である者**をいう。
控除対象配偶者 （所法2①三十三の二）	同一生計配偶者のうち，**合計所得金額が1,000万円以下である居住者の配偶者**をいう。

この場合の**合計所得金額**とは，純損失又は雑損失の繰越控除を適用しないで計算した合計所得金額をいう。

老人控除対象配偶者とは，控除対象配偶者のうち**年齢70歳以上**の者である（法2①三十三の二）。

なお，居住者の配偶者が老人控除対象配偶者又はその他の控除対象配偶者に該当するかどうか又は居住者に配偶者がないかどうかの判定は，その年の12月31日（居住者が年の中途において死亡又は出国したときは，その死亡又は出国のとき）の現況による。ただし，その判定に係る者がその当時すでに死亡している場合には，その死亡のときの現況による（法85③）。

ただし，**青色事業専従者**又は**事業専従者**とした配偶者は，控除対象配偶者又は扶養親族とはならない（法57①・③）。

二以上の居住者の控除対象配偶者又は扶養親族に該当する者を，いずれの居住者の控除対象配偶者又は扶養親族とするかの判定の基礎となる申告には，予定納税額の減額承認申請書，確定申告書，給与所得者の扶養控除等申告書及び従たる給与についての扶養控除等申告書，公的年金等の受給者の扶養控除等申

告書がある。

　控除対象配偶者又は老人控除対象配偶者を有する居住者について適用する配偶者控除の額は，以下のとおりである（所法83①一〜三）。なお，合計所得金額が1,000万円を超える居住者については，配偶者控除の適用はできない（所法2①三十三の二）。

〈図表12−1〉　配偶者控除額

居住者の合計所得金額	控除額（配偶者の合計所得金額が48万円以下の場合に限る）	
	控除対象配偶者	老人控除対象配偶者
900万円以下	38万円	48万円
900万円超　950万円以下	26万円	32万円
950万円超　1,000万円以下	13万円	16万円

第13章

配偶者特別控除

　居住者が生計を一にする**配偶者**(他の居住者の扶養親族とされる者,青色事業専従者に該当する者で給与の支払を受ける者及び事業専従者に該当する者を除く)を有する場合には,居住者のその年分の総所得金額,上場株式等に係る配当所得の金額,土地等に係る事業所得等の金額,特別控除後の短期譲渡所得の金額もしくは長期譲渡所得の金額,一般株式等に係る譲渡所得等の金額,上場株式等に係る譲渡所得等の金額,先物取引に係る雑所得等の金額,退職所得金額又は山林所得金額から,次の区分に応じ次の金額を控除する(法83の2)。この控除を「**配偶者特別控除**」という(法83の2④)。

　なお,この控除は,**合計所得金額が1,000万円以下の居住者に適用される**(法83の2③)。したがって,合計所得金額が1,000万円を超える居住者には,適用されない。

　この場合の合計所得金額とは,純損失又は雑損失の繰越控除を適用しないで

計算した合計所得金額をいう。

式によれば，次に掲げる区分に応じ計算した金額となる。

配偶者特別控除の対象となる配偶者の合計所得金額を48万円超133万円以下とし，その控除額は以下のとおりである。なお，合計所得金額が1,000万円を超える居住者については，配偶者特別控除の適用はできない（所法83の2①一～三）。

〈図表13－1〉 配偶者特別控除額

① 居住者の合計所得金額900万円以下

配偶者の合計所得金額		控除額
48万円超	95万円以下	38万円
95万円超	100万円以下	36万円
100万円超	105万円以下	31万円
105万円超	110万円以下	26万円
110万円超	115万円以下	21万円

配偶者の合計所得金額		控除額
115万円超	120万円以下	16万円
120万円超	125万円以下	11万円
125万円超	130万円以下	6万円
130万円超	133万円以下	3万円

② 居住者の合計所得金額900万円超950万円以下

配偶者の合計所得金額		控除額
48万円超	95万円以下	26万円
95万円超	100万円以下	24万円
100万円超	105万円以下	21万円
105万円超	110万円以下	18万円
110万円超	115万円以下	14万円

配偶者の合計所得金額		控除額
115万円超	120万円以下	11万円
120万円超	125万円以下	8万円
125万円超	130万円以下	4万円
130万円超	133万円以下	2万円

③ 居住者の合計所得金額950万円超1,000万円以下

配偶者の合計所得金額		控除額
48万円超	95万円以下	13万円
95万円超	100万円以下	12万円
100万円超	105万円以下	11万円
105万円超	110万円以下	9万円
110万円超	115万円以下	7万円

配偶者の合計所得金額		控除額
115万円超	120万円以下	6万円
120万円超	125万円以下	4万円
125万円超	130万円以下	2万円
130万円超	133万円以下	1万円

配偶者控除の適用のある人には，配偶者特別控除は適用されない。

また，青色事業専従者又は事業専従者とした配偶者は，配偶者特別控除は適用されない。配偶者の合計所得金額が133万円を超えるものにも適用されない。

第14章

扶養控除

(1) **扶養控除の意義**（平成23年分以後）

居住者が扶養親族を有する場合には，その年分の総所得金額，上場株式等に係る配当所得の金額，土地等に係る事業所得等の金額，特別控除後の短期譲渡所得の金額もしくは長期譲渡所得の金額，一般株式等に係る譲渡所得等の金額，上場株式等に係る譲渡所得等の金額，先物取引に係る雑所得等の金額，退職所得金額又は山林所得金額から，①年少扶養親族（扶養親族のうち，年齢16歳未満の者）については控除はなく，②扶養親族のうち，**年齢が16歳以上19歳未満の扶養親族**については38万円を控除し，**特定扶養親族**（扶養親族のうち19歳以上23歳未満の者）については63万円を控除する。年齢が23歳以上70歳未満の**成年扶養親族**については38万円を控除する。

扶養親族が**老人扶養親族**であるときは**48万円**を控除し（法84①），**同居老親等**

に該当する老人扶養親族であるときは58万円を控除する（措法41の14），これらの控除を**扶養控除**という（法84）。

(2) 扶養親族・特定扶養親族・老人扶養親族

扶養親族とは，①居住者の親族（その居住者の配偶者を除く），②児童福祉法第27条第1項第3号の規定により里親に委託された児童（いわゆる里子），及び③老人福祉法の規定により都道府県知事から養護を委託された老人で，その居住者と生計を一にする者（青色事業専従者として給与の支払を受けるもの及び事業専従者に該当するものを除く）のうち，**合計所得金額が48万円以下**である者をいう（法2①三十四）。ただし，年齢16歳未満の者については，以下の控除対象扶養親族には該当しない。

したがって，扶養控除の対象となる**控除対象扶養親族**とは，扶養親族のうち，年齢16歳以上の者をいう（旧法2①三十四の二，法2①三十四の六）。

特定扶養親族とは，扶養親族のうち，年齢19歳以上23歳未満の者をいう（法2①三十四の二）。

成年扶養親族とは，扶養親族のうち，年齢23歳以上70歳未満の者をいう（法2①三十四の三）。

老人扶養親族とは，扶養親族のうち，年齢70歳以上の者をいう（法2①三十四の五）。

〈図表14－1〉 扶養親族等

①	年少扶養親族	扶養親族のうち，年齢16歳未満の者をいう。
②	特定扶養親族	扶養親族のうち，年齢19歳以上23歳未満の者をいう（法2①三十四の二）。
③	成年扶養親族	扶養親族のうち，年齢23歳以上70歳未満の者をいう（法2①三十四の三）。
④	老人扶養親族	扶養親族のうち，年齢70歳以上の者をいう（法2①三十四の五）。
⑤	同居老親等	老人扶養親族のうち，居住者又はその配偶者の直系尊属であり，かつ，居住者又はその配偶者のいずれかと同居を常況している者をいう（措法41の16①）。

なお,その者が居住者の扶養親族,控除対象扶養親族,特定成年扶養親族,その他の成年扶養親族,特定扶養親族又は老人扶養親族に該当するかどうかの判定は,その年12月31日(居住者が年の中途において死亡又は出国したときは,その死亡又は出国のとき)の現況による。ただし,その判定に係る者がその当時すでに死亡している場合は,その死亡のときの現況による(法85③)。

青色事業専従者又は事業専従者とした親族は,扶養親族とはならない(法57①・③)。

〈図表14—2〉 扶養控除額

扶養親族の区分		控除額(各1人分)
① 年少扶養親族(16歳未満)		0万円
② 16歳以上19歳未満の扶養親族		38万円
③ 特定扶養親族	19歳以上23歳未満	63万円
④ 一般の23歳以上70歳未満の成年扶養親族(上記の①から③以外の扶養親族)		38万円
⑤ 老人扶養親族(70歳以上)	同居老親等以外の人	48万円
	同居老親等	58万円

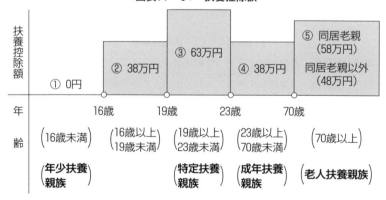

〈図表14—3〉 扶養控除額

(3) 日本国外に居住する親族に係る扶養控除

令和5年以後に、以下の改正がなされる。

① その対象となる親族から、年齢30歳以上70歳未満の非居住者であって、以下に掲げる者のいずれにも該当しないものを控除する（所法2①三十四の二）。

　イ　留学により国内に住所及び居所を有しなくなった者

　ロ　障害者

　ハ　その適用を受ける居住者からその年において生活費又は教育費に充てるための支払を38万円以上受けている者

（注）上記イ又はハに掲げる者に該当するものとして扶養控除の適用を受ける場合には、従前の親族関係書類（上記イに該当する場合については、従前の送金関係書類も含む）に加え、次の書類を確定申告書に添付又は提示する必要がある（所法120③三、所令262④）。

・上記イに掲げる者に該当する旨を証する書類……外国政府又は外国の地方公共団体が発行した留学の在留資格に相当する資格をもって外国に在留することにより非居住者となったことを証する書類（所規47の2⑨）

・上記ハに該当することを明らかにする書類……送金関係書類でその親族への支払金額が38万円以上であることを明らかにするもの（所規47の2⑩）

② 給与等及び公的年金等に係る源泉徴収税額の計算において、年齢30歳以上70歳未満の非居住者である親族が上記①イに掲げる者に該当するものとして扶養控除に相当する控除の適用を受ける居住者は、その非居住者である親族が上記①イに掲げる者に該当する旨を証する書類等を提出等しなければならないこととするほか、給与所得者の扶養控除等申告書等の記載事項について所要の整備を行う（所法194①七、④、195①四、④、203の6①六、③）。

③ 給与等の年末調整において、年齢30歳以上70歳未満の非居住者である親族が上記①ハに掲げる者に該当するものとして扶養控除に相当する控除の適用を受けようとする居住者は、その非居住者である親族が上記①ハに掲げる者に該当することを明らかにする書類を提出等しなければならない（所法194⑤⑥）。

この改正は、令和5年分以後の所得税又は令和5年1月1日以後に支払を受けるべき給与等及び公的年金等について適用される（改正法附則3、7①、8⑧、9③）。

第15章 基礎控除

　合計所得金額（純損失・雑損失の繰越控除前）が2,500万円以下の居住者については，その者のその年分の総所得金額，上場株式等に係る配当所得の金額，土地等に係る事業所得等の金額，特別控除後の短期譲渡所得の金額もしくは長期譲渡所得の金額，一般株式等に係る譲渡所得等の金額，上場株式等に係る譲渡所得等の金額，先物取引に係る雑所得等の金額，退職所得金額又は山林所得金額から以下の金額を控除する（法86①）。この控除を**基礎控除**という（法86②）。

〈図表15－1〉　基礎控除額

合計所得金額	基礎控除額
2,400万円以下	48万円
2,400万円超　2,450万円以下	32万円
2,450万円超　2,500万円以下	16万円
2,500万円超	なし

《所得控除すべての計算Point と計算Pattern》

① **医療費控除** 自己又は自己と同一生計親族の医療費を支払った場合

(注) 健康増進剤，美容整形はあたらない。

《控除額》

支払医療費－保険金－（合計所得金額×5％と10万円の少ない方）

＝ 医療費控除額 （ただし，最高200万円まで）

② **社会保険料控除** 自己又は自己と同一生計親族の負担する社会保険料を支払った場合

(注) 国民健康保険料，厚生年金保険料，国民年金保険料等。

《控除額》 支払った金額の全額

③ **地震保険料控除** 損害保険契約等に係る地震保険料を支払っている場合及び自己又は自己と同一生計親族の有するイ居住用家屋ロ生活に通常必要な動産を保険目的とする平成18年12月31日までに契約した長期の損害保険料を支払った場合

保険契約	支払った保険料等	地震保険料控除額
① 損害保険契約等に係る地震保険料		支払った地震保険料の金額（50,000円が限度）
② 長期損害保険料（平成18年12月31日までに契約）	（支払った保険料）10,000円以下の場合	支払保険料の全額
	10,000円超 20,000円以下の場合	支払保険料の合計×$\frac{1}{2}$＋5,000円
	20,000円超の場合	15,000円
③ ①の地震保険料と②の長期損害保険料の両方がある場合	①の地震保険料の控除額＋②の長期損害保険料の控除額が50,000円以下の場合	①の控除額＋②の控除額
	①の地震保険料の控除額＋②の長期損害保険料の控除額が50,000円超の場合	50,000円

④ **生命保険料控除** 保険金の受取人のすべてを自己又は親族とする生命保険料を支払った場合

（平成23年12月31日以前契約の生命保険料控除額）Ⓐ

《控除額》

支払った保険料	控除額
25,000円以下	全額
25,000円超　50,000円以下	支払保険料×$\frac{1}{2}$＋12,500円
50,000円超　100,000円以下	支払保険料×$\frac{1}{4}$＋25,000円
100,000円超	50,000円

（注）生命保険料に一般の旧生命保険料と旧個人年金保険料に該当するものがあるとき（個別に計算）

　　↓　　　　　　　　　↓
　個人年金保険料　　　生命保険料
　　↓　　　　　　　　　↓
　生命保険料控除　　　生命保険料控除
　　　　　→ 合わせて10万円まで ←

第Ⅶ編 所得控除 677

(平成24年1月1日以後契約の生命保険料控除額) Ⓑ

《控除額》

支払った保険料	控除額
20,000円以下	全額
20,000円超　40,000円以下	支払保険料×$\frac{1}{2}$+10,000円
40,000円超　80,000円以下	支払保険料×$\frac{1}{4}$+20,000円
80,000円超	40,000円

(注) 生命保険料に，新個人年金保険料と一般の新生命保険料と介護医療保険料に該当するものがあるとき（個別に計算）

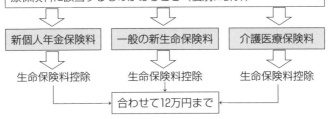

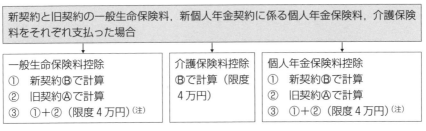

(全 体 で の 最 高 限 度 12 万 円)

(注) 旧契約のみである場合は5万円，新契約及び旧契約に係る保険料の両方を支払った場合において，旧契約に係る控除額だけで4万円を超えるときは，旧契約に係る控除額とすることができる。

⑤ **障害者控除** 自己が障害者である場合又は障害者の控除対象配偶者もしくは扶養親族がある場合

（平成23年分以後）

《控除額》

障害者の区分	控除額
居住者が障害者	27万円
居住者が特別障害者	40万円
居住者の扶養親族又は控除対象配偶者が障害者	27万円
居住者の扶養親族又は控除対象配偶者が同居の特別障害者	75万円

⑥ **勤労学生控除** 自己が勤労学生である場合

合計所得金額が75万円以下（給与収入のみだと130万円以下）の学生

《控除額》 27万円

⑦ **配偶者控除** 居住者に控除対象配偶者（同一生計で合計所得金額が48万円未満である場合）がいる場合

　控除対象配偶者又は老人控除対象配偶者を有する居住者について適用する配偶者控除の額は、以下のとおりである（所法83①一～三）。

　なお、合計所得金額が1,000万円を超える居住者については、配偶者控除の適用はできない（所法2①三十三の二）。

〈図表12－2〉 配偶者控除額

居住者の合計所得金額	配偶者の合計所得金額が48万円以下の場合のみに限る　控除額	
	控除対象配偶者	老人控除対象配偶者
900万円以下	38万円	48万円
900万円超　950万円以下	26万円	32万円
950万円超　1,000万円以下	13万円	16万円

⑧ **配偶者特別控除**(居住者の合計所得金額が**1,000万円を超えるときは適用なし**)

配偶者特別控除の対象となる配偶者の合計所得金額が48万円超133万円以下,合計所得金額が1,000万円を超える居住者については,配偶者特別控除の適用はできない。

① 居住者の合計所得金額900万円以下

配偶者の合計所得金額		控除額
48万円超	95万円以下	38万円
95万円超	100万円以下	36万円
100万円超	105万円以下	31万円
105万円超	110万円以下	26万円
110万円超	115万円以下	21万円

配偶者の合計所得金額		控除額
115万円超	120万円以下	16万円
120万円超	125万円以下	11万円
125万円超	130万円以下	6万円
130万円超	133万円以下	3万円

② 居住者の合計所得金額900万円超950万円以下

配偶者の合計所得金額		控除額
48万円超	95万円以下	26万円
95万円超	100万円以下	24万円
100万円超	105万円以下	21万円
105万円超	110万円以下	18万円
110万円超	115万円以下	14万円

配偶者の合計所得金額		控除額
115万円超	120万円以下	11万円
120万円超	125万円以下	8万円
125万円超	130万円以下	4万円
130万円超	133万円以下	2万円

③ 居住者の合計所得金額950万円超1,000万円以下

配偶者の合計所得金額		控除額
48万円超	95万円以下	13万円
95万円超	100万円以下	12万円
100万円超	105万円以下	11万円
105万円超	110万円以下	9万円
110万円超	115万円以下	7万円

配偶者の合計所得金額		控除額
115万円超	120万円以下	6万円
120万円超	125万円以下	4万円
125万円超	130万円以下	2万円
130万円超	133万円以下	1万円

⑨ **扶養控除** 居住者が扶養親族(同一生計で合計所得金額38万円未満)を有する場合

《控除額》

	区分		控除額
ア	年少扶養親族(16歳未満)		0万円
イ	16歳以上19歳未満の扶養親族		38万円
ウ	特定扶養親族	19歳以上23歳未満	63万円
エ	成年扶養親族(23歳以上70歳未満) (上記以外の扶養親族)		38万円
オ	老人扶養親族(70歳以上)		48万円
カ	同居老人扶養親族 　(同居者又は配偶者と同居を常況の 　70歳以上の老人)		58万円

⑩ **寄付金控除**

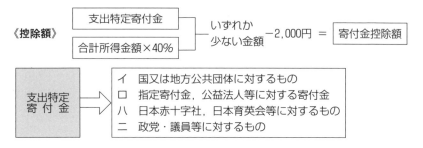

⑪ 寡婦・ひとり親控除

寡婦（女性）控除		ひとり親（男性又は女性）控除
夫と離婚した後婚姻をしていない人 （離別）	夫と死別した後婚姻をしていない人又は夫が生死不明の人 （死別）	現に婚姻をしていない人又は夫若しくは妻が生死不明の人（死別，離婚，未婚を問わない） （離別，死別，未婚）
住民票に未届の夫その他これらと同一の内容である旨の記載がされていないこと（つまり事実婚は対象外となる）	住民票に未届の夫その他これらと同一の内容である旨の記載がされていないこと（つまり事実婚は対象外となる）	住民票に未届の妻又は未届の夫の他これらと同一の内容である旨の記載がされていないこと（つまり事実婚は対象外となる）
子以外の扶養親族を有すること	子以外の扶養親族を有していても，有していなくても可	総所得金額等の合計額が48万円以下の生計を一にする子がいること（他の者と同一生計配偶者又は扶養親族とされている者を除く）
合計所得金額が500万円以下であること	合計所得金額が500万円以下であること	合計所得金額が500万円以下であること
寡婦控除額27万円		ひとり親控除額35万円

⑫ 雑損控除

居住者が，本人又は生計を一にする配偶者やその他の親族（合計所得金額が基礎控除額相当額以下の者）の有する生活用資産（日常生活に必要な住宅・家財など）について災害，盗難，横領等による損失が生じた場合に，雑損控除額が所得から控除される。

《控除額》

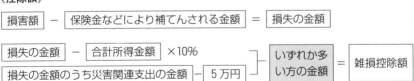

⑬ **小規模企業共済等掛金控除**

　居住者が小規模企業共済等掛金を支払った場合は，その金額が所得から控除される。

《控除額》　　支払った金額の全額

（参考）非居住者の所得控除

日本国内に住所などがない，いわゆる非居住者の所得控除は，以下の3つである。

(1) 雑損控除

　非居住者は，日本国内にある資産のみ雑損控除。日本に住む居住者は，海外資産であっても国内資産であっても，要件を満たしていれば，雑損控除の対象となる。

(2) 寄付金控除

　非居住者が日本の寄付金控除の対象となる特定寄付金に該当すれば，寄付金控除は認められる。

　ただし，ふるさと納税をした場合は，非居住者は住民税の支払がないので住民税が控除できない。

(3) 基礎控除

　非居住者であっても控除できる。

⑭ 基礎控除

《控除額》

合計所得額（注）	基礎控除額
2,400万円以下	48万円
2,400万円超　2,450万円以下	32万円
2,450万円超　2,500万円以下	16万円
2,500万円超	なし

（注）合計所得金額は，純損失・雑損失の繰越控除適用前の金額。

《所得控除総括表》

	種類	内容	控除額
①	雑損控除	災害，盗難，横領により生活用資産などに受けた災害	（損失額－所得の10％） （損失額のうち災害関連支出額）－5万円 } いずれか多い額
②	医療費控除	本人，生計を一にする配偶者や親族のために支払った医療費	支払医療費－（医療費を補てんする金額）－（10万円か所得の5％のいずれか少ない額）（最高200万円）
③	社会保険料控除	本人，生計を一にする配偶者や親族の健康保険料，公的年金等の保険料	全額
④	小規模企業共済等掛金控除	小規模企業共済事業団に支払った第一種共済契約の掛金，心身障害者共済掛金	全額
⑤	生命保険料控除	平成24年1月1日以後契約の本人，配偶者，その他の親族を受取人とした一般の生命保険料	**最高4万円**　　　（式による）
		平成24年1月1日以後契約の本人，配偶者，その他の親族を受取人とした新個人年金保険料	**最高4万円**　　　（式による）
		平成24年1月1日以後契約の本人，配偶者，その他の親族を受取人とした介護医療保険料	**最高4万円**　　　（式による）

⑥	地震保険料控除	18年12月31日まで契約の長期の居住用の家屋，動産などにかけた火災保険料，傷害保険料，医療費用保険料及び地震保険料	**最高5万円**	（式による）
⑦	寄付金控除	特定寄付金を支払ったとき	(特定寄付金の支払額)／(所得の40％) いずれか少ない額 −2千円	
⑧	障害者控除	本人，控除対象配偶者，扶養親族が傷害者であるとき（平成23年以後）	居住者が障害者	27万円
			居住者が特別障害者	40万円
			居住者の扶養親族又は控除対象配偶者が障害者	27万円
			居住者の扶養親族又は控除対象配偶者が同居の特別障害者	75万円
⑨	寡婦・ひとり親控除	別表Aを参照	27万円	
		別表Bを参照	35万円	
⑩	勤労学生控除	本人が勤労学生で所得が一定額以下のとき	27万円	
⑪	配偶者控除	配偶者の所得が一定金額以下のとき（平成23年以降）	**別表Cを参照**	
⑫	配偶者特別控除	配偶者の所得が一定金額以下のとき	**最高38万円（別表Dを参照）** （式による）	
⑬	扶養控除	所得が一定金額以下の親族	年少扶養親族(16歳未満)	0万円
			扶養親族のうち(16歳以上19歳未満)	38万円
			特定扶養親族(19歳以上23歳未満)	63万円
			成年扶養親族(上記以外の扶養親族のうち年齢23歳以上70歳未満)	38万円
			老人扶養親族（70歳以上）	48万円
			同居老親（70歳以上）	58万円
⑭	基礎控除	本人の控除	**別表Eを参照**	

　サラリーマンの場合，①・②・⑦の適用を受けるためには，確定申告をしなければならない。

別表A（寡婦）

夫と離婚した後婚姻をしていない人	夫と死別した後婚姻をしていない人又は夫が生死不明の人
住民票に未届の夫その他これらと同一の内容である旨の記載がされていないこと（つまり事実婚は対象外となる）	住民票に未届の夫その他これらと同一の内容である旨の記載がされていないこと（つまり事実婚は対象外となる）
子以外の扶養親族を有すること	子以外の扶養親族を有していても，有していなくても可
合計所得金額が500万円以下であること	合計所得金額が500万円以下であること

別表B（ひとり親）

現に婚姻をしていない人又は夫若しくは妻が生死不明の人（死別，離婚，未婚を問わない） （離別，死別，未婚）
住民票に未届の妻又は未届の夫その他これらと同一の内容である旨の記載がされていないこと（つまり事実婚は対象外となる）
総所得金額等の合計額が48万円以下の生計を一にする子があること（他の者と同一生計配偶者又は扶養親族とされている者を除く）
合計所得金額が500万円以下であること

別表C

居住者の合計所得金額	配偶者の合計所得金額が48万円以下の場合に限る 控除額	
	控除対象配偶者	老人控除対象配偶者
900万円以下	38万円	48万円
900万円超　950万円以下	26万円	32万円
950万円超　1,000万円以下	13万円	16万円

別表D

① 居住者の合計所得金額900万円以下

配偶者の合計所得金額		控除額
48万円超	95万円以下	38万円
95万円超	100万円以下	36万円
100万円超	105万円以下	31万円
105万円超	110万円以下	26万円
110万円超	115万円以下	21万円

配偶者の合計所得金額		控除額
115万円超	120万円以下	16万円
120万円超	125万円以下	11万円
125万円超	130万円以下	6万円
130万円超	133万円以下	3万円

② 居住者の合計所得金額900万円超950万円以下

配偶者の合計所得金額		控除額
48万円超	95万円以下	26万円
95万円超	100万円以下	24万円
100万円超	105万円以下	21万円
105万円超	110万円以下	18万円
110万円超	115万円以下	14万円

配偶者の合計所得金額		控除額
115万円超	120万円以下	11万円
120万円超	125万円以下	8万円
125万円超	130万円以下	4万円
130万円超	133万円以下	2万円

③ 居住者の合計所得金額950万円超1,000万円以下

配偶者の合計所得金額		控除額
48万円超	95万円以下	13万円
95万円超	100万円以下	12万円
100万円超	105万円以下	11万円
105万円超	110万円以下	9万円
110万円超	115万円以下	7万円

配偶者の合計所得金額		控除額
115万円超	120万円以下	6万円
120万円超	125万円以下	4万円
125万円超	130万円以下	2万円
130万円超	133万円以下	1万円

別表E

合計所得額（注）		基礎控除額
	2,400万円以下	48万円
2,400万円超	2,450万円以下	32万円
2,450万円超	2,500万円以下	16万円
2,500万円超		なし

（注）合計所得金額は，純損失・雑損失の繰越控除適用前の金額。

《計算例題１》所得控除の計算　ケース１

　福大太郎は，65歳である。以下の資料により，令和３年度分所得控除額を計算しなさい。

　福大太郎は本年５月に歯の治療を行い，その治療費174,000円を支払っている。さらに，太郎は本年７月に日本育英会に対し，現金で150,000円の寄付をしている。

　本年末現在太郎と生計を一にし，かつ，同居している親族は，次のとおりである。

　　妻（62歳）……無職・無収入
　　長男（30歳）……会社員・給与所得の金額　　5,000,000円
　　次男（22歳）……大学生・家庭教師によるアルバイト収入　240,000円
　　太郎の母（88歳）……無職・無収入

　なお，長女（25歳・無職・無収入）が同居していたが，本年７月に結婚し他家に嫁いでいる。

　また，本年の居住者福大太郎の合計所得金額は4,365,000円とする。

（税務検定）

《解答欄》

① 医療費控除

② 寄付金控除

③ 配偶者控除

　　　　円

④ 配偶者特別控除

　　　　円

⑤ 扶養控除

　　次男　　　　太郎の母

　　　円　＋　　　円　＝　　　円

⑥ 基礎控除

　　　　円

所得控除計　①＋②＋③＋④＋⑤＋⑥＝　　　円

《解　答》

① 医療費控除

174,000円 － [100,000円 / 4,365,000円 × 5%] 少ない方

＝ 74,000円

② 寄付金控除

[4,365,000円 × 40% / 150,000円] 少ない方 － 2,000円

＝ 148,000円

③ 配偶者控除　居住者の合計所得金額が900万円以下なので，配偶者控除は38万円

380,000円

④ 配偶者特別控除

0円

⑤ 扶養控除

$$\boxed{\underset{\text{次男}}{630{,}000\text{円}}} + \boxed{\underset{\text{太郎の母}}{580{,}000\text{円}}} = \boxed{1{,}210{,}000\text{円}}$$

その年の12月31日の現況で扶養親族を判断する。長女はその年7月に結婚しているので，扶養親族とならない。

⑥ 基礎控除　居住者の合計所得金額が2,400万円以下なので，基礎控除48万円

$\boxed{480{,}000\text{円}}$

所得控除計　①＋②＋③＋④＋⑤＋⑥＝ $\boxed{2{,}292{,}000\text{円}}$

《計算例題2》所得控除の計算　ケース2

次の資料により，物品販売業を営む居住者慶応　進（67歳）の令和3年度分の所得控除額を慶応　進に最も有利になるよう計算過程を明らかにして計算しなさい。なお，合計所得金額は8,296,220円である。

〈資　料1〉　慶応　進は，本年中に次の支出をしている。

1　慶応　進の歯の治療費　　　　　　　　　220,000円
2　国民健康保険料及び国民年金保険料　　　392,000円
3　妻佑美を受取人とする一般の生命保険料　300,000円（平成27年契約）
4　進本人を受取人とする個人年金保険料　　 61,000円（平成27年契約）
5　住宅に対する地震保険料（年契約）　　　 12,000円

〈資　料2〉　本年末現在慶応　進と生計を一にし，かつ，同居している親族は，次のとおりである。

1　妻　　　（45歳）（佑美）　無職・無収入
2　長　男　（25歳）（清）　　青色事業専従者
3　長　女　（23歳）（春子）　大学生・アルバイトによる給与収入　360,000円
4　次　女　（20歳）（初乃）　専門学校生・アルバイトによる給与収入　240,000円
5　進の父　（85歳）（栄）　　無職・無収入

（税務検定）

所得控除額	医療費控除	＿＿＿円	＿＿＿円 － ＿＿＿円 ＿＿＿円 ① ×5% ＿＿＿円 ② ①・②のうちいずれか少ない方の金額 ＝ ＿＿＿円
	社会保険料控除	＿＿＿円	
	生命保険料控除	＿＿＿円	1　一般の生命保険料控除 ＿＿＿円 ＞ ＿＿＿円 ∴ ＿＿＿円 2　個人年金保険料控除 ＿＿＿円 ×$\frac{1}{4}$＋ ＿＿＿円 ＝ ＿＿＿円 3　生命保険料控除 ＿＿＿円 ＋ ＿＿＿円 ＝ ＿＿＿円
	地震保険料控除	＿＿＿円	1　地震保険限度 ＿＿＿円 ＜ 50,000円 ∴ ＿＿＿円 2　長期保険限度　＿＿＿円 3　控除額　1＋2＝ ＿＿＿円
	配偶者控除	＿＿＿円	
	配偶者特別控除	＿＿＿円	

扶養控除	円	円 + 　　　円	
		+ 　　　円 = 　　　円	
基礎控除	円		
所得控除額合計	円		

《解　答》

所得控除額	医療費控除	120,000円	220,000円 − 8,296,220円 × 5% ①100,000円 ②414,811円 ①・②のうちいずれか少ない方の金額 = 120,000円
	社会保険料控除	392,000円	
	生命保険料控除	75,250円	1　一般の生命保険料控除　　300,000円 > 80,000円　　∴ 40,000円　2　個人年金保険料控除　　61,000円 × $\frac{1}{4}$ + 20,000円　　= 35,250円　3　生命保険料控除　　40,000円 + 35,250円　　= 75,250円
	地震保険料控除	12,000円	1　地震保険限度　　12,000円 < 50,000円　　∴ 12,000円

所得控除額			
		2 長期保険限度	0円
		3 控除額 1+2＝	12,000円
	配偶者控除	380,000円	居住者の合計所得金額が900万円以下なので，配偶者控除は38万円
	配偶者特別控除	0円	
	扶養控除	1,590,000円	（長女） （次女） 380,000円 ＋ 630,000円 （進の父） ＋ 580,000円 ＝ 1,590,000円 長男は青色事業専従者なので，扶養親族とならない。
	基礎控除	480,000円	居住者の合計所得金額が2,400万円以下なので，基礎控除は48万円
	所得控除額合計	3,049,250円	

《計算例題3》所得控除の計算

次の資料により，居住者福大太郎（52歳）の令和3年度分の各所得控除額を太郎に最も有利になるよう計算過程を明らかにして計算しなさい。なお，本年度の合計所得金額は10,548,000円とする。

〈資　料1〉　太郎は，本年中に次の支出をしている。

1　妻の母の歯の治療費　　　　　　380,000円
2　国民健康保険料　　　　　　　　774,300円
3　日本赤十字社に対する寄付金　　500,000円
　　これは本年7月に現金で寄付したものである。
4　住宅に対する損害保険料（長期）　9,000円　（平成18年以前に契約）
5　太郎が妻のためにかけた生命保険料　200,000円　（平成24年3月に契約）

〈資　料2〉　本年末現在太郎と生計を一にし，かつ，同居している親族は次のとおりである。

第Ⅶ編 所得控除 693

1 妻 (48歳) 無職・無収入
2 長　男 (22歳) 大学生・アルバイトによる給与収入　510,000円 (特別障害者)
3 長　女 (20歳) 専門学校生・アルバイトによる給与収入　330,000円
4 太郎の母 (70歳) 無職・無収入
5 妻 の 母 (68歳) 無職・無収入

(税務検定)

《解答欄》

所得控除額	医療費控除	円	円 − 円 ×5% 円 ① 　　　　　円 ② ①・②のうちいずれか少ない方の金額 ＝ 円
	社会保険料控除	円	
	生命保険料控除	円	円 ＞ 8万円 ∴ 円
	地震保険料控除	円	① 地震保険限度 円 ② 長期保険限度 円 ③ 控除額 ①＋② ＝ 円
	寄付金控除	円	円 ×40％＝ 円 ① 円 ② − 円 ①・②のうちいずれか少ない方の金額 ＝ 円
	配偶者控除	円	

配偶者特別控除	円	※いずれかを○でかこむこと　　円 ＞ 　　円　　故に適用（あり・なし）	
障害者控除	円		
扶養控除	円	円 ＋ 　　円 ＋ 　　円　　　　　＋ 　　円 ＝ 　　円	
基礎控除	円		
所得控除額合計	円		

《解　答》

所得控除額	医療費控除	280,000円	380,000円 ─ 10,548,000円　　　　　　　　　 100,000円 ①　　　×5％ 527,400円 ②　　①・②のうちいずれか少ない方の金額　　＝ 280,000円
	社会保険料控除	774,300円	
	生命保険料控除	40,000円	200,000円 ＞ 8万円 ∴ 40,000円
	地震保険料控除	9,000円	①　地震保険限度　　　　　0円　②　長期保険限度　　　9,000円　③　控除額　①＋②＝　9,000円

所得控除額			
	寄付金控除	498,000円	10,548,000円 ×40% = 500,000円 ① 4,219,200円 ② − 2,000円 ①・②のうちいずれか少ない方の金額 = 498,000円
	配偶者控除	0円	居住者の合計所得金額が1,000万円を超えているので，配偶者控除は適用できない
	配偶者特別控除	0円	※いずれかを○でかこむこと 10,548,000円 > 10,000,000円 故に適用（あり・なし）
	障害者控除	750,000円	長男が特別障害者
	扶養控除	2,220,000円	長男　　　　長女　　　　妻の母 630,000円 + 630,000円 + 380,000円 　　　　太郎の母 + 580,000円 = 2,220,000円
	基礎控除	480,000円	居住者の合計所得金額が2,400万円以下なので，基礎控除は48万円
	所得控除額合計	5,051,300円	

《実務上のPoint》

(1) 夫より妻の所得が多いときは，妻の方が税率が高いので，妻の方の所得から扶養控除した方が得策といえる。

(2) 災害や盗難が住宅や家財にあった場合は，雑損控除の適用がある。また，災害減免法の適用もあり，税金は安くなる。損害額がかなり大きく，年の所得を超えるときは，繰越控除を受けられる雑損控除の方が有利である。

(3) 医療費控除は，原則として医療費が年間10万円を超えると受けられる。相手の要件として同一生計とか，所得が年間48万円以下というものがない。(1)

のケースと同じで夫より妻の所得が多いときは，妻が申告した方が得策といえる。

(4) アルバイトの学生は，所得金額が75万円以下のときは勤労学生控除として27万円が本人の所得から引ける。つまり，給与所得控除の55万円と所得金額75万円の計130万円までは，アルバイトしても所得税は無税といえる。

第Ⅷ編

税 額 計 算

第1章

税額計算の通則

第1節 税額計算の仕組み

　総所得金額，上場株式等に係る配当所得の金額（分離課税），土地等に係る事業所得等の金額，特別控除後（居住用財産の譲渡所得からは所有期間にかかわりなく3,000万円の特別控除が差し引ける）の短期譲渡所得の金額並びに長期譲渡所得の金額，一般株式等に係る譲渡所得等の金額，上場株式等に係る譲渡所得等の金額，先物取引に係る雑所得等の金額，山林所得金額及び退職所得金額から，**所得控除額**を順次控除し，その残額として求められた課税総所得金額，上場株式等に係る課税配当所得の金額，土地等に係る課税事業所得等の金額，課税短期譲渡所得金額，課税長期譲渡所得金額，一般株式等に係る課税譲渡所得等の金額，上場株式等に係る課税譲渡所得等の金額，先物取引に係る課税雑所得等の金額，課税山林所得金額及び課税退職所得金額に超過累進税率又は比例税率を適用して**算出税額**を求め，次にその金額から**税額控除**（配当控除額，住宅取得控除額）を行い，**その年分の所得税額**（差引所得税額）を求める（法89）。

　さらに，差引所得税額から，源泉徴収税額，外国税額控除額を差し引いて申告納税額（100円未満切捨て）を算出する。最後に，**申告納税額**から**予定納税額**を差し引いて納付すべき税額を計算する。

第Ⅷ編 税額計算 699

〈図表1-1〉税額計算の仕組み

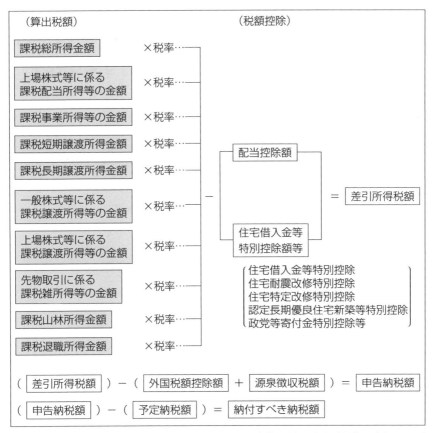

(**注**) 一般株式等に係る譲渡所得等の金額と上場株式等に係る譲渡所得等の金額は,平成27年までは課税標準を計算するときは株式等に係る譲渡所得等の金額とされる。

第2節 課税総所得金額に対する税額，課税退職所得金額に対する税額及び課税山林所得金額に対する税額

1 課税総所得金額に対する税額の計算

課税総所得金額に対する所得税額は，以下の算式により計算した金額である（法89）。

課税総所得金額×超過累進税率

超過累進税率は，最低5％から最高40％までの6段階税率とされており，この超過累進税率による税額の速算式は，以下のとおりである（法89）。

〈図表1－2〉所得税の税額表（平成27年分以後）

課税総所得金額A	税額の計算式
195万円以下	A×5％
195万円超　330万円以下	A×10％ －　9.75万円
330万円超　695万円以下	A×20％ － 42.75万円
695万円超　900万円以下	A×23％ －　63.6 万円
900万円超　1,800万円以下	A×33％ － 153.6 万円
1,800万円超　4,000万円以下	A×40％ － 279.6 万円
4,000万円超	A×45％ － 479.6 万円

2 上場株式等に係る課税配当所得等の金額に対する税額の計算

居住者が平成21年1月1日以後に支払を受ける上場株式等の配当所得等（平成28年以後は，一般利子等以外の利子所得を含む）については，分離課税の適用を受けたものはその居住者の選択で，総所得金額に含めず，他の所得と区分して，以下の算式により計算することができる（措法8の4，37の12の2）。

上場株式等に係る課税配当所得金額 × 15％

3　課税退職所得金額に対する税額の計算

課税退職所得金額に対する所得税額は，以下の算式により計算した金額である（法89）。

$$\boxed{\text{課税退職所得金額} \times \text{超過累進税率}}$$

課税退職所得金額に対する税額の速算式は，以下のとおりである（法89）。

〈図表１－３〉所得税の税額表（平成27年分以後）

課税総所得金額A		税額の計算式
	195万円以下	A×5％
195万円超	330万円以下	A×10％ － 9.75万円
330万円超	695万円以下	A×20％ － 42.75万円
695万円超	900万円以下	A×23％ － 63.6 万円
900万円超	1,800万円以下	A×33％ － 153.6 万円
1,800万円超	4,000万円以下	A×40％ － 279.6 万円
4,000万円超		A×45％ － 479.6 万円

4　課税山林所得金額に対する税額の計算

課税山林所得金額に対する所得税額は，以下の算式により計算した金額である（法89）。

$$\boxed{\left\{ \left(\text{課税山林所得金額} \times \frac{1}{5} \right) \times \text{超過累進税率} \right\} \times 5}$$

課税山林所得金額に対する超過累進税率による税額の速算式は，以下のとおりである（法89）。

〔課税山林所得金額×$\frac{1}{5}$〕		〔税額の速算式〕
	195万円以下	A×5％
195万円超	330万円以下	A×10％ － 9.75万円
330万円超	695万円以下	A×20％ － 42.75万円
695万円超	900万円以下	A×23％ － 63.6 万円
900万円超	1,800万円以下	A×33％ － 153.6 万円
1,800万円超	4,000万円以下	A×40％ － 279.6 万円
4,000万円超		A×45％ － 479.6 万円

5 課税短期譲渡所得金額に対する税額の計算

課税短期譲渡所得金額に対する所得額は，以下の算式により計算した金額である（措法32）。

> 課税短期譲渡所得金額×30％

6 課税長期譲渡所得金額に対する税額の計算

課税長期譲渡所得金額に対する所得税は，以下の算式により計算した金額である（措法31）。

> 課税長期譲渡所得金額×15％

7 一般株式等に係る課税譲渡所得等の金額に対する税額の計算

一般株式等に係る課税譲渡所得等の金額に対する所得税は，以下の算式により計算した金額である（措法37の10①）。

> 一般株式等に係る課税譲渡所得等の金額×15％

8 上場株式等に係る課税譲渡所得等の金額に対する税額の計算

上場株式等に係る課税譲渡所得等の金額に対する所得税は，以下の算式により計算した金額である（措法37の11①）。

> 上場株式等に係る課税譲渡所得等の金額×15％

9 先物取引に係る雑所得等の税額の計算

個人が先物取引（差金等決済のものに限り，現物等の引渡しによるものを除く）をしたことによる雑所得又は事業所得については，以下の算式により計算した金額である（措法41の14）。

> 先物取引に係る課税雑所得等の金額×15％

第3節 土地建物等の譲渡所得の税額計算の特例

1 課税短期譲渡所得金額に対する税額の計算

土地建物等でその年1月1日において所有期間が5年以下のものを譲渡したことによる譲渡所得,すなわち**課税短期譲渡所得金額に対する所得税**については,土地の投機的取引を抑制するため,以下により重課する措置がとられている。

課税短期譲渡所得金額に対する所得税額は,以下の金額とされる(措法32①・②)。

> 課税短期譲渡所得金額×30%

居住用財産に係る短期譲渡所得である場合には,課税短期譲渡所得金額は居住用財産の場合の**3,000万円**の特別控除を控除した金額とされる。

居住用財産の譲渡所得の特別控除は3,000万円を限度として譲渡所得の金額の計算上控除する。控除の順序は分離短期,分離長期の順で行う。

なお,国又は地方公共団体に対する土地等の譲渡等の譲渡等の場合には,上記の算式の30%は15%として計算する。

(注) 3,000万円の特別控除を受けた場合には,その年,その翌年分及び翌々年分の申告で住宅借入金特別控除の適用ができない。その年,前年又は前々年において,既にこの規定(3,000万円の特別控除)の適用を受けている場合には,住宅借入金特別控除の適用はできない。①配偶者,直系血族,②生計を一にする親族(①を除く),③同族会社等に譲渡する場合には,3,000万円の特別控除は適用されない。

2 課税長期譲渡所得金額に対する税額の計算

土地建物等でその年1月1日において**所有期間が5年を超えるものの譲渡**(建物又は構築物の所有を目的とする借地権等の設定が譲渡とみなされる場合の譲渡を含む)したことによる譲渡所得(以下「**長期譲渡所得**」という)については,他の所得と分離し,その長期譲渡所得の譲渡益(損益通算及び繰越控除の適用がある場

合には，これらを適用した後の金額。以下「**長期譲渡所得の金額**」という）から長期譲渡所得の特別控除額（居住用財産の譲渡の場合は**3,000万円**，収用等の場合は**5,000万円**，先行取得した土地等の場合は**1,000万円**）及び所得控除額を控除した金額をいわゆる課税長期譲渡所得金額という。

この**課税長期譲渡所得金額**に対する所得税については，土地政策を税制面から促進するため，他の所得と区分して，次により課税される（措法31～31の3）。

(1) **原　　則**

課税長期譲渡所得金額に対する所得税額は，以下に掲げる算式により計算した金額である（措法31）。

　　　　課税長期譲渡所得金額

　　　| 課税長期譲渡所得金額×15% |

(注) ① 長期譲渡所得の特別控除額は，収用交換等の場合の特別控除5,000万円，居住用財産を譲渡した場合の特別控除3,000万円等に関する特例の適用がある場合には，それぞれの特別控除額によることになる。
　　② 課税長期譲渡所得の金額に1,000円未満の端数があるとき又はその全額が1,000円未満であるときは，その端数金額又はその全額を切り捨てる（通法118①）。
　　③ 個人が**平成21年1月1日から平成22年12月31日**までの間に取得した国内にある土地等で，その譲渡の年の1月1日において**所有期間が5年を超える**ものの譲渡をした場合には，その年中のその譲渡に係る譲渡所得の金額から**1,000万円を控除**する（適用は平成27年以降）（措法35の2）。
　　④ 個人事業者が**平成21年1月1日から平成22年12月31日**までに，国内にある土地等を取得し，その取得の日を含む事業年度の確定申告書の提出期限までに**土地等の先行取得**した場合の特例の適用を受ける旨の届出書を提出している場合，その取得の日を含む事業年度の終了の日以後10年以内にその事業者の所有する**他の土地等（事業用土地等）**の譲渡した場合には，その先行して取得した土地等について，**他の土地等の譲渡益の80％相当額**（その先行取得の土地等が平成22年1月1日から平成22年12月31日までの期間内に取得をされたものである場合には60％相当額）を限度として**圧縮記帳**できる（措法37の9の5）。（土地等を先行取得した場合の譲渡所得課税の特例）

土地や建物の売却

課税長期譲渡所得	所得税15%（住民税5％）
課税短期譲渡所得	所得税30%（住民税9％）

⑤ 平成26年度の改正で，マンションの借家権を有する者が，マンションの建替え等の円滑化に関する法律の規定により，マンションの敷地の売却に伴い資産の移転等に係る補償金の交付を受けた場合においては，補償金をその交付目的に従って資産の移転等の費用に充てたときは，一定の要件の下で，その費用に充てた金額は，各種所得金額の計算上，総収入金額に算入しない。

《計算例題》 譲渡所得の税額計算

慶応　進が本年中（令和3年度）に譲渡した資産は，次のとおりである。次の資料により税額計算を行いなさい。

譲渡資産	所有期間	譲渡対価	取得費等	譲渡費用
土地A	25年	30,000,000円	3,060,000円	1,200,000円
土地B	4年	20,000,000円	12,000,000円	2,900,000円

なお，課税総所得金額は8,000,000円とする。

《解答欄》

I　各種所得の金額の計算

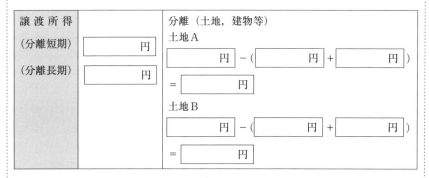

II　課税所得金額の計算

Ⅲ 納付税額の計算

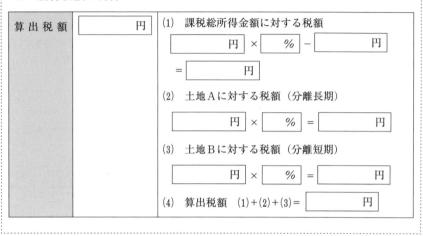

《解　答》
Ⅰ　各種所得金額の計算

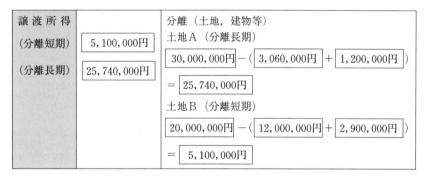

Ⅱ　課税所得金額の計算

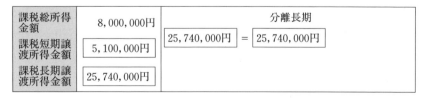

Ⅲ　納付税額の計算

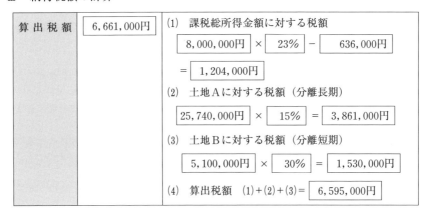

(2) 例　外

① 優良住宅の造成等のために土地等を譲渡した場合の長期譲渡所得に対する特例

その年1月1日における所有期間が5年を超える土地等の譲渡が、**優良住宅地等のための譲渡**に該当する場合には、その優良住宅地等に係る課税長期譲渡所得金額に対する所得税額は、他の課税長期譲渡所得金額と区分し、以下の算式により計算した金額とされる（措法31の2）。

イ　**優良住宅地等のための譲渡に係る課税長期譲渡所得の金額≦2,000万円の場合**

優良住宅地等のための譲渡に係る課税長期譲渡所得の金額×10%

ロ　**優良住宅地等のための譲渡に係る課税長期譲渡所得の金額＞2,000万円の場合**

200万円 +（優良住宅地等のための譲渡に係る課税長期譲渡所得の金額 − 2,000万円）×15%

（注）「**優良住宅地等に係る課税長期譲渡所得金額**」とは、課税長期譲渡所得金額のうち以下に該当することについて、国又は地方公共団体から証明書等により照明がなされた優良住宅地のための土地等の譲渡に該当するものに係る部分の金額をいう（措法31の2②〜④）。

【優良住宅地の造成等のための譲渡】
① 国，地方公共団体その他これに準ずる法人に対する土地等の譲渡
② 独立行政法人都市再生機構，土地開発公社等に対する宅地もしくは住宅供給等の業務を行うために直接必要な土地等の譲渡
③ 収用交換等による土地等の譲渡
④ 都市再開発法による第1種市街地再開発事業に対するその事業の用に供するための土地等の譲渡
⑤ 密集市街地における防災街区整備促進法による防災街区整備事業施行者に対する土地等の譲渡
⑥ 密集市街地における防災街区整備促進法に定める防災再開発促進地区の区域内の認定建替計画（新築建築物の敷地面積の合計が500平方メートル以上であること）に係る建築物の建替えを行う事業の認定事業者に対する土地等の譲渡
⑦ 都市再生事業（一定の要件を満たすもの）の認定事業者に対する土地等の譲渡で，その土地等がその都市再生事業の用に供されるもの
⑧ 都市再生整備事業（一定の要件を満たすもの）の認定整備事業者に対する土地等の譲渡で，その事業の用に供されるもの
⑨ マンションの建替え円滑化のため，良好な居住環境の確保に資するものとしてマンションの建替事業施行者に対する土地等の譲渡で，その土地等がその事業の用に供されるもの
⑩ 建築面積が150平方メートル以上の建築物の建築をする事業（事業施行土地の面積が500平方メートル以上）を行う者に対する土地等の譲渡（市街地区域又は用途地域内にあるものの譲渡）で，その土地等がその事業の用に供されるもの
⑪ 地上4階以上の中高層耐火建築物の建築をするための事業（1,000平方メートル以上などの要件を満たす，いわゆる特定民間再開発事業（平成26年度改正で都市再生特別措置法の認定区域整備事業計画を含む）に供するために，既成市街地等内にあるその事業の用に供するための土地等の譲渡
⑫ 都市計画法の開発許可又は土地区画整理事業の認可を受けて行われる一団の宅地の面積が1,000平方メートル以上の一団の宅地の造成の用に供するための土地等の譲渡
⑬ 都市計画法の開発許可を受けて行われる一団の宅地（住宅建設用）（1,000平方メートル以上の要件に該当するもの）の造成の用に供するための土地等の譲渡
⑭ 開発許可を必要としない場合において住宅建設用団地（面積が1,000平方メートル以上のもの等の要件に該当するもの）の造成の用に供するための土地等の譲渡
⑮ 一団の住宅又は中高層耐火共同住宅（一団の住宅は建設個数25戸以上のもの，中高層耐火共同住宅は独立住居部分15以上のもの）の建設の用に供するための土地等の譲渡
⑯ 住宅又は中高層耐火共同住宅（床面積50平方メートル以上200平方メートル以下，宅地面積100平方メートル以上500平方メートル以下の要件に該当するもの）の建設を行う個人・法人に対して土地区画整理事業施行地内仮換地指定を受けた土地等の

譲渡につき，仮換地指定効力発生の日から３年を経過する日の属する年の12月31日までの間に行われる土地等の譲渡
⑰　平成26年度改正で，マンションの建替え等の円滑化に関する法律に規定するマンションの敷地売却に伴う売渡し請求又は分配金取得に基づくマンションの敷地売却を施行する者に対する土地等の譲渡で，一定の要件を満たすもの
⑱　平成26年度改正で，都市開発事業等の用に供される土地等の譲渡を行う一定の都市再生推進法人に対するその業務を行うために直接必要な土地等の譲渡

② **居住用財産に係る長期譲渡所得に対する特例**

譲渡した年の１月１日における**所有期間が10年を超える居住用財産に係る課税長期譲渡所得金額**（居住用財産の譲渡の場合の**3,000万円の特別控除後**）に対する所得税額は，他の課税長期譲渡所得金額と区分し，以下の算式により計算した金額とされる（措法31の３）。

イ　**居住用財産に係る課税長期譲渡所得金額≦6,000万円以下の場合**

居住用財産に係る課税長期譲渡所得金額×10%

ロ　**居住用財産に係る課税長期譲渡所得金額＞6,000万円を超える場合**

居住用財産に係る課税長期譲渡所得金額×15％－300万円

又は

600万円＋(居住用財産に係る課税長期譲渡所得金額－6,000万円)×15％

(注)　①　「**居住用財産**」とは，次に掲げるものをいう。
　　　(イ)　現に本人が居住している**家屋**で国内にあるもの
　　　(ロ)　(イ)の**家屋**で居住の用に供さなくなったもの（その居住の用に供さなくなった日から同日以後３年を経過する日の属する年の12月31日までの間に譲渡されるものに限る）
　　　(ハ)　(イ)又は(ロ)に掲げる**家屋**及びその家屋の**敷地**である土地等家屋とともにその敷地を譲渡した場合は，家屋及び敷地の所有期間が**ともに10年超**でなければならない（措通31の３－３）
　　　(ニ)　(イ)の家屋が災害により滅失した場合において，本人がその家屋を引き続き所有していたならば，その年の１月１日における**所有期間が10年を超える**家屋の**敷地**であった土地等（**災害があった日から同日以後３年を経過する日**の属する年の12月31日までの間に譲渡されるものに限る）
　　②　その居住用財産の譲渡先が本人の配偶者その他その人と特別の関係にある

者である場合や，その譲渡について相続等により取得した居住用財産（又は特定居住用財産）の買換え特例等の適用を受ける場合又は前年又は前々年に(ハ)の適用を受けている場合は，(ハ)の規定は適用できない。

所有期間が10年超の居住用財産の売却の税率

課税長期譲渡所得（所有期間10年超） 6,000万円までの金額	所得税10%（住民税4%）
6,000万円を超える部分の金額	所得税15%（住民税5%）

〈図表1－4〉居住用財産譲渡の3つの特典

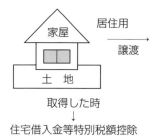

① 3,000万円の特別控除（所有期間に関係なし）
② 軽減税率10%ないし15%
③ 所有期間が5年超の特定居住用財産の譲渡損失は（借入金－譲渡対価）を限度として損益通算ができる。譲渡損失の繰越控除
④ 居住用財産の買換え，居住用財産の譲渡損失は損益通算，繰越控除ができる
⑤ 災害の場合（雑損控除又は災害減免法の適用あり）

〈図表1－5〉家屋とともに敷地を譲渡した場合の税額軽減

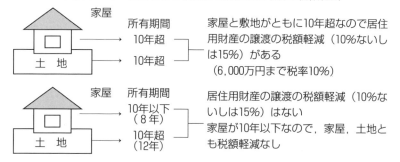

《実務上のPoint》
　居住用財産を所有期間10年超で売却する場合は，軽減税率は10％ないしは15％であり，とても有利となる。さらに，居住用財産の3,000万円の特別控除については，所有期間に関係なく適用がある。したがって，特別控除と軽減税率でかなり節税できることになる。
　この場合の住民税は，
① 　長期譲渡所得が6,000万円までのとき……長期譲渡所得×4％
　　　　　　　　　（内訳：道府県民税1.3％，市町村民税2.7％，合計で住民税4％）
② 　長期譲渡所得が6,000万円を超えるとき……長期譲渡所得×5％－60万円
　　　　　　　　　（内訳：道府県民税1.6％，市町村民税3.4％，合計で住民税5％）

《所有者不明土地について土地収用法の特例の規定による収用があった場合》
　令和元年6月1日以後に，所有者不明土地の利用の円滑化等に関する特別措置法に規定する土地収用法の特例の規定による収用があった場合は，収用交換等の場合の譲渡所得の5,000万円特別控除を適用することができる。
　所有者不明土地の利用の円滑化等に関する特別措置法に規定する土地収用法の特例の規定による収用があった場合は，収用交換等によって譲渡した資産の全部について，収用等に伴い代替資産を取得した場合の課税の特例の適用を受けない場合には，収用交換等の場合の譲渡所得の5,000万円特別控除を適用することができる。

《空き家の特別控除》（措法35③）
　相続又は遺贈により取得した被相続人**居住用家屋**又は被相続人**居住用家屋の敷地**等を，平成28年4月1日から令和5年12月31日までの間に売って，下記の一定の要件に当てはまるときは，譲渡所得の金額から最高3,000万円まで控除することができる。これを，被相続人の居住用財産（空き家）に係る譲渡所得の特別控除の特例という。

空き家の特別控除の特例措置の適用要件	
① 被相続人が単独で居住し，亡くなった後に空き家の状態 ② 相続後 3 年経過した年の12月31日までに譲渡 ③ 旧耐震基準建築物を除却又は家屋は耐震リフォームをしたものに限る ④ 売却代金が 1 億円以下 ⑤ 親子や夫婦等の特別な関係がある人に売ったものでないこと ⑥ 同一の被相続人から相続により取得した家屋又は敷地の売却について，この特例を受けていないこと ⑦ 次の㈱又は㈹の売却をしたこと 　㈱ 相続又は遺贈により取得した被相続人**居住用家屋を売る**か，被相続人**居住用家屋とともに**被相続人居住用**家屋の敷地等**を売ること 　㈹ 相続又は遺贈により取得した被相続人居住用家屋の全部の取壊し等をした後に被相続人居住用家屋の敷地等を売ること	→	空き家・敷地の譲渡所得から3,000万円を特別控除（譲渡所得を限度）

(注 1) 被相続人居住用家屋

　　相続の開始の直前において被相続人の居住の用に供されていた家屋で，次の三つの要件のすべてに当てはまるもの（主として被相続人の居住の用に供されていた一の建築物に限る）をいう。

　① 昭和56年 5 月31日以前に建築されたこと
　② 区分所有建築登記がされている建物でないこと
　③ 相続の開始の直前において**被相続人以外に居住をしていた人がいなかった**こと

(注 2) 被相続人居住用家屋の敷地等

　　相続の開始の直前において被相続人居住用家屋の敷地の用に供されていた土地又はその土地の上に存する権利をいう。なお，相続の開始の直前においてその土地が用途上不可分の関係にある 2 以上の建築物（母屋と離れ等）のある一団の土地であった場合には，その土地のうち，その土地の面積にその 2 以上の建築物の床面積が合計のうちに一の建築物である被相続人居住用家屋（母屋）の床面積の占める割合を乗じて計算した面積に係る土地の部分に限る。

《低未利用土地等の長期譲渡所得の特別控除》（措法35の 3 ）

　個人が，令和 2 年 7 月 1 日から令和 4 年12月31日までの間において，都市計画区域内のある一定の低未利用土地等を500万円以下で売った場合は，その年

の低未利用土地等の譲渡に係る譲渡所得の金額から100万円特別控除を適用することができる。

低未利用土地等の長期譲渡所得の特別控除の特例措置の適用条件	
① 個人が、都市計画区域内の土地等を譲渡（令和2年7月1日から令和4年12月31日までの間） ② その年1月1日において所有期間から5年を超えること ③ 譲渡対価が500万円以下であること ④ その譲渡後には，その低未利用土地等の利用がされること ⑤ その資産の譲渡について、収用の特別控除や買換などの特例を受けていないこと ⑥ 売却先は配偶者や一定の親族でない第三者であること	➡ 低未利土地の譲渡所得から100万円を特別控除（譲渡所得を限度）

第4節 譲渡所得の特別控除に関する特例

　土地建物等に係る譲渡所得の計算には特別な措置が配慮されており，譲渡所得は長期譲渡所得と短期譲渡所得とに区分される。

1　居住用財産の譲渡の特別控除

　個人が主として居住の用に供している家屋及びその敷地である土地等の譲渡には，短期の譲渡であるか長期の譲渡であるかを問わず**3,000万円**を限度として譲渡所得の金額の計算上控除する。

　同一年中に譲渡した居住用財産のうちに分離課税の長期保有のものと短期保有のもの両者がある場合には，まず短期保有のものの短期譲渡所得から3,000万円を控除する。まだ控除不足額がある場合には，その不足額を長期譲渡所得から控除する。

2　居住用財産の譲渡

　この特別控除の適用を受ける**居住用財産の譲渡**とは，以下の譲渡をいう。

① 　居住用**家屋**の譲渡及びその**家屋**とともにするその**敷地**である土地等の譲渡

② 　**災害**により滅失した居住用家屋の敷地である土地等の譲渡でその家屋が**居住の用に供されなくなった日から3年を経過**する日の属する年の12月31日までにされるもの

③ 　居住用家屋でその者の**居住の用に供されなくなったもの**又はその家屋とともにするその敷地である土地等の譲渡でその家屋が居住の用に供されなくなった日から**3年を経過**する日の属する年の12月31日までにされるもの

3 適用除外

この居住用財産の譲渡所得の特別控除の特例は，以下に掲げる譲渡には適用されない（措法35①，措令23②，20の3①）。

① 配偶者その他の特殊関係者に対する譲渡
② 固定資産の交換，収用交換，買換え等他の課税の繰延又は特別控除の規定の適用を受ける譲渡

〈図表1－6〉家屋とともに敷地を譲渡

家屋とともに敷地を譲渡，所有期間に関係なく，3,000万円の特別控除あり（短期保有のものから先に控除）

〈図表1－7〉居住用財産の譲渡と3,000万円の特別控除

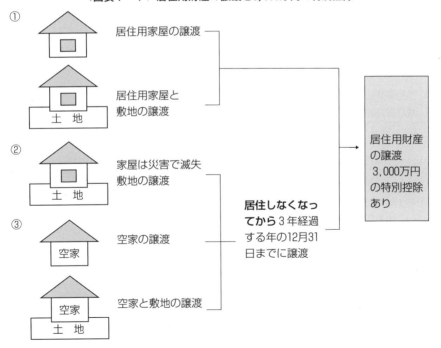

マイホームを売却した場合の3,000万円の特別控除を受けるための添付書類等（措法35①）	
① 今回のマイホーム売買契約書 ② 売却した土地・建物の購入価格等がわかる書類 ③ 給与所得の場合は源泉徴収票	自分で内訳書を作成する等で必要な書類
① 譲渡所得の内訳書（確定申告書付表兼計算明細書）［土地・建物用］（税務署で交付） ② 売却時に住んでいないなど、譲渡契約締結日の前日において、住民票に記載されていた住所と売却した居住用財産の所在地が異なる場合は、戸籍の附票の写し等（市町村等で交付）	添付書類 3,000万円の特別控除・軽減税率の特例にも共通する書類
軽減税率の適用を受けるための添付書類（措法31の3）	
売却したマイホーム（家屋及び敷地）の登記事項証明書（法務局で交付）	添付書類 （軽減税率）

③ 前年及び前々年にこの特例又は居住用財産の買換えもしくは交換の特例の適用を受けている場合の譲渡

《計算Point》

〈図表1-8〉特別控除の種類と特別控除額の総まとめ〈参考〉

内　　容	特　別　控　除　額
土地収用等、都市計画法により資産が収用等された時	収用交換等の特別控除（措法33の4） 5,000万円
居住用財産を譲渡した時	居住用財産の特別控除（措法35） 3,000万円
平成21年1月1日から又は22年12月31日までに取得をした国内にある土地等で、その年1月1日において所有期間が5年超のものを譲渡した場合	特定期間に取得した土地等の長期譲渡所得の特別控除（措法35の2） 1,000万円
特定土地区画整理事業等のため土地等が買い取られた時	特定土地区画整理事業等の特別控除（措法34） 2,000万円
特定住宅地造成事業等のために土地が買い取られた時	特定住宅地造成事業等のための特別控除（措法34の2） 1,500万円
その年1月1日において所有期間が5年超の低未利用土地等を譲渡した場合	低未利用土地等の長期譲渡所得の特別控除（措法35の3） 100万円

(注) ① 同一年において，上記2つ以上の規定の適用を受けるときは，その特別控除の合計額（特別控除の合計額が5,000万円を超えるときはその年において5,000万円）
② 同一資産については，上記2つ以上の規定の適用は受けることはできない。
③ 平成26年度改正で，特定の民間住宅地造成事業のために土地等を譲渡した場合の1,500万円の特別控除の適用対象に，通行障害既存耐震不適格建築物に該当するマンションの敷地の用に供されている土地等がマンション敷地売却を施行する者に一定の要件の下で買い取られる場合を追加する。
④ 平成26年度改正で，特定の民間住宅地造成事業のために土地等を譲渡した場合の1,500万円の特別控除の適用対象に，一定の都市再生推進法人が行う都市再生整備計画又は立地適正化計画に記載された公共施設の整備に関する事業の用に供するために土地等が買い取られる場合を追加する。

《計算例題》 譲渡所得の税額計算　居住用土地，建物のケース

福大太郎が居住用に供していた土地と建物を令和3年10月5日に譲渡した。譲渡所得の金額，算出税額を計算しなさい。

品　目	譲渡価格	取得価額	譲渡費用
建　物	20,000,000円	10,000,000円	500,000円
土　地	45,000,000円	18,000,000円	1,000,000円

	取　得　日	譲　渡　日
	平成21年5月5日	令和3年10月5日
	平成20年10月10日	令和3年10月5日

(注) この建物と同種の減価償却資産の耐用年数は20年である。
旧定額法償却率　20年（0.050），30年（0.034）

《解答欄》

I 各種所得の金額の計算 譲渡所得 分離長期	□円	分離（土地，建物等） 分離長期（建物） 　　　　　　　　　　取得費 (注)　譲渡費用 □円 − (□円 + □円) = □円 (注) ① 減価償却累計額 　　□円 × 0.9 × 0.034 × □年 　　= □円 　ア　耐用年数 □年 × 1.5倍 = □年 　　　　　　　　　　　　　　（1年未満切捨） 　イ　非業務用期間 　　　平成21年5月5日～令和3年10月5日 　　　= □年□か月 → □年（6か月未満切捨） ② 取得費 　　□円 − □円 　　= □円 分離長期（土地） □円 − (□円 + □円) = □円
IV 課税所得金額の計算 課税長期譲渡所得金額	□円	特別控除　課税長期譲渡所得 □円 − □円 = □円 　　　　　　　　　　　　　（千円未満切捨）
V 納付税額の計算	□円	課税長期譲渡所得金額に対する税額 □円 × □% = □円

《解　答》

I 各種所得の金額の計算 譲渡所得 分離長期	39,172,000円	分離（土地，建物等） 分離長期（建物） 　　　　　　　　　　　取得費（注）　　譲渡費用 20,000,000円 －（6,328,000円 ＋ 500,000円） ＝ 13,172,000円 （注） 　① 減価償却累計額 　　　10,000,000円 × 0.9 × 0.034 × 12年 　　　＝ 3,672,000円 　　ア 耐用年数 20年 × 1.5倍 ＝ 30年 　　　　　　　　　　　　　　（1年未満切捨） 　　イ 非業務用期間 　　　　平成21年5月5日～令和3年10月5日 　　　　＝ 12年5か月 → 12年（6か月未満切捨） 　② 取得費 　　　10,000,000円 － 3,672,000円 　　　＝ 6,328,000円 分離長期（土地） 　　　　　　　　　　取得費　　　譲渡費用 45,000,000円 －（18,000,000円 ＋ 1,000,000円） ＝ 26,000,000円
IV 課税所得金額の計算 課税長期譲渡所得金額	9,172,000円	特別控除　課税長期譲渡所得 39,172,000円 － 30,000,000円 ＝ 9,172,000円 　　　　　　　　　　　　　　（千円未満切捨）
V 納付税額の計算	917,000円	課税長期譲渡所得金額に対する税額 9,172,000円 × 10％ ＝ 917,000円

居住用と収用の総まとめ〈参考〉

	居住用		収用等	
	特別控除 (措法35)	特定居住用財産の買換え (措法36の2)	特別控除 (措法33の4)	収用等に伴い代替資産取得の課税繰越 (措法33)
適用要件	① 居住用財産を(所有期間は関係なし)譲渡すること ② 居住用財産の譲渡について、他の課税の特例を受けていないこと	① その年1月1日において**所有期間10年超**の居住用財産を譲渡すること(譲渡資産の譲渡日で判定) ② **居住期間**10年以上の居住用財産を譲渡すること ③ 買換資産の建物の面積は50㎡以上、土地500㎡以下であること ④ 居住用財産を取得し、居住の用に供すること又は供する見込であること ⑤ 譲渡資産の譲渡に係る対価の額が1億円以下であること ⑥ 居住用財産を譲渡した場合の特別控除、又は居住用財産を譲渡した場合の長期譲渡所得の課税特例を受けていないこと	① 棚卸資産以外の譲渡所得及び山林所得の基因となる資産 ② 買取り等の申出後、6か月以内に譲渡 ③ 土地収用法等の規定により収用され補償金を取得 ④ 課税の繰延べの特例を受けていないこと	① 棚卸資産以外の譲渡所得及び山林所得の基因となる資産を譲渡資産とし、取得資産(代替資産)は原則として同種の資産その他これに準ずる資産であること ② 土地収用法等の規定により資産が収用され、補償金を取得 ③ 収用等の特別控除の適用を受けていないこと (代替資産の取得期限) 原則…収用等のあった年の12月31日までに取得 特例…収用等のあった日から2年以内に取得する見込み
計算パターン	(3,000万円の特別控除あり) 分短からまず控除し、引ききれないときは分長から控除する (所有期間10年超の税額計算) 居住用課税長期×10%(軽減税率) (所有期間10年以下) 通常の課短(30%) 通常の課長(15%) (所有期間10年以下は通常の税率)	(判定) 収入金額>買換資産の取得価額 (譲渡あり) (1) 総収入金額 　収入金額－買換資産の取得価額 (2) 取得費・譲渡費用 (譲渡資産＋譲渡 の取得費　費用) ×(1)/収入金額 (3) 譲渡損益 (1)－(2) (注) 5％基準の適用あり (税額計算) 通常の課長(15%)	(5,000万円の特別控除あり) 収用された資産に係る分離短期譲渡所得の金額及び分離長期譲渡所得の金額から5,000万円を控除 (土地等の税額計算) 〈特別控除適用後軽減〉 課短×15% (課短のみ軽減) 通常の課長(15%) (建物等の税額計算) 通常の課短(30%) 通常の課長(15%) (建物等は通常)	(判定) 補償金>代替資産の取得価額 ∴譲渡あり (1) 総収入金額 　補償金－代替資産の取得価額 (2) 取得費 譲渡資産の取得費 ×(1)/補償金 (3) 譲渡益 (1)－(2) (土地等の税額計算) 〈課税繰延べ適用後〉 課短×15% (課短のみ軽減) 通常の課長(15%) (課長は通常) (建物等の税額計算) 通常の課短(30%) 通常の課長(15%) (建物等は通常)

第Ⅷ編 税額計算

交換と買換の総まとめ〈参考〉

	固定資産の交換 (法58)	特定事業用資産の買換え (措法37)	
		(譲渡資産)	(取得資産)
適用要件	① 同一種類の固定資産の交換 ② 取得資産を譲渡資産の譲渡直前の用途と同一の用途に供すること ③ 譲渡資産の時価と取得資産の時価との差額が、いずれか大きい時価の20％以下 ④ 取得資産及び譲渡資産は、それぞれ所有期間が1年以上であること ⑤ 取得資産は、相手方において交換のために取得したものでないこと 取得資産の取得時期は、譲渡資産の取得時期を引き継ぐ 〈対象資産〉 ① 土地（借地権等） ② 建物 ③ 機械装置等	1号 既成市街地等内の建物又はその敷地 （所有期間10年超）	既成市街地等外の土地等、建物、構築物、機械装置
		6号 土地等、建物等 （所有期間10年超）	土地等（注）、建物、構築物
		（注）事務所、工場、作業場、研究所、営業所、店舗、倉庫、住宅その他これらに類する施設（福利厚生施設を除く）の敷地の用に供されるもので一定のもの又は駐車場の用に供されるもので一定のもので、その**面積が300m²以上**のものに限る。 〈面積制限〉5倍 買換えにあたる部分の金額 ＝ 取得した土地価額 × $\dfrac{譲渡資産の面積 \times 5}{取得資産の面積}$	
計算パターン	（判定） 譲渡資産時価 − 取得資産時価 ≦ 譲渡資産の時価と取得資産時価いずれか大きい時価 ×20％ ∴交換適用あり （譲渡差金取得のケース） (1) 総収入金額 　譲渡資産の時価－取得資産の時価 (2) 取得費・譲渡費用 　（注） 　（譲渡資産の取得費＋譲渡費用） 　× $\dfrac{(1)}{取得資産時価＋交換差金(1)}$ (3) 譲渡損益 　(1)－(2) （注）5％基準の適用あり （交換差金の支払又は等価交換のケース） 　譲渡資産時価≦取得資産時価 　∴譲渡なし （税額計算） 　通常の課短（30％） 　通常の課長（15％）	(1) 総収入金額 　　　　　（注1） 　収入金額－基礎価額×80％ （注1） 少ない金額 $\begin{pmatrix}買換資産の取得価額\\収入金額（譲渡対価）\end{pmatrix}$ →基礎価額 (2) 取得費・譲渡費用 　　　（注2） 　（譲渡資産取得費＋譲渡費用）× $\dfrac{(1)}{収入金額（譲渡対価）}$ (3) 譲渡損益 　(1)－(2) （注2）取得費は5％基準の適用あり （税額計算） 　通常の課短（30％） 　通常の課長（15％）	

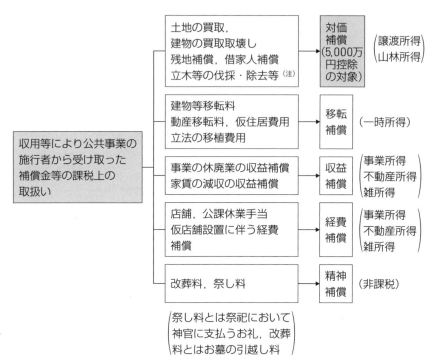

（注）建物等の取壊から発生した立木等の伐採等による立木等の売却代金は5,000万円控除特例対象とはならない。

第5節 平均課税制度

　居住者が，以下の変動所得，臨時所得を有する場合で，その適用要件に当てはまる場合は平均課税をしなければならない。

1　変動所得及び臨時所得の意義

(1) **変動所得の範囲**（法2①二十三，令7の2）
　① 漁獲又はのりの採取から生ずる所得　　（注） 基通2-30参照
　② はまち，まだい，ひらめ，かき，うなぎ，ほたて貝又は真珠（真珠貝を含む）の養殖から生ずる所得
　③ 原稿又は作曲の報酬に係る所得
　④ 著作権の使用料に係る所得

(2) **臨時所得の範囲**（法2①二十四，令8）
　① 職業野球の選手等の役務提供に関する契約金で，3年以上の期間，かつ，報酬年額の2倍以上のもの
　② 不動産等の使用に関する権利金・頭金等で，3年以上の期間，かつ，使用料年額の2倍以上のもの
　　　（注） 土地の貸付けで譲渡所得に該当するものを除く。
　③ 休止・転換・廃止に関する補償金で，3年以上の期間に係るもの
　④ 業務用資産につき災害等により生じた被害を補てんするための補償金で，3年以上の期間に係るもの

(3) **青色申告特別控除額**

$$\text{青色申告特別控除額} \times \frac{\text{変動所得又は臨時所得の金額}}{\text{所得の金額（控除前）}} \left[\begin{array}{l}10万円又は\\50万円を限度\end{array}\right]$$

2 適用判定 (法90①)

変動所得＋臨時所得≧総所得金額×20％……適用有

(注) その年の (変動所得) ≦ $\left\{\begin{array}{l}\text{前年分}\\(\text{変動所得})\end{array} + \begin{array}{l}\text{前前年分}\\(\text{変動所得})\end{array}\right\} \times \dfrac{1}{2}$ のときは臨時のみで判定する。

《税額計算Point》

(1) 平均課税対象金額

$\left\{\begin{array}{l}\text{その年の}\\\text{変動所得}\end{array} - \begin{array}{l}\text{前年・前前年}\\\text{の平均額}\end{array}\right\} + \begin{array}{l}\text{その年の}\\\text{臨時所得}\end{array}$

(2) 調整所得金額

課税総所得金額＞(1)……課税総所得金額－(1)× $\dfrac{4}{5}$ （千円未満切捨）

課税総所得金額≦(1)……課税総所得金額× $\dfrac{1}{5}$ （千円未満切捨）

(3) 調整所得金額に対する税額　(2)×累進税率

(4) 平均税率　$\dfrac{(3)}{(2)}$（小数点3位以下切捨）

(5) 特別所得金額に対する税額　（課税総所得金額－(2)）×(4)

(6) 課税総所得金額に対する税額　(3)＋(5)

《計算Pattern》

項　　　目	金　　額	計　算　過　程
不 動 産 所 得 （臨時所得）	×××円	臨時所得の判定 ○○≧3年，かつ，○○≧2年
事 業 所 得 （変動所得）	×××	
雑　　所　　得 （変動所得）	×××	
課税総所得金額に 対 す る 税 額		(1) 平均課税の適用有無の判定 その年の 変動所得 ＞ $\left(\begin{array}{l}\text{前年分の}\\\text{変動所得}\end{array} + \begin{array}{l}\text{前前年分の}\\\text{変動所得}\end{array}\right) \times \dfrac{1}{2}$ 変動所得＋臨時所得≧ 総所得金額 ×20％ (2) 税額計算

第6節　開業医師の所得の計算

　開業医師の収入には，社会保険診療収入とそれ以外の自由診療収入及び付随収入（雑収入や貸倒引当金戻入等を含む）とがある。

　経費については，社会保険診療収入分に対してのみ，実額経費と概算経費（収入に一定の経費率を乗じる）とを選択できる。それ以外の自由診療収入及び付随収入に対しては，実額経費しか認められていない。

　上記の概算経費の特例は，社会保険診療報酬が5,000万円以下であり，しかも個人が営む医業，歯科医業から生ずる事業所得の総収入金額が7,000万円以下であることが要件である（措法26の2）。

　社会保険診療にも社会保険診療以外にも共通して発生する共通経費は，それぞれの分を延患者数等によって按分して計算する。

1　医師の事業所得の算定

(1) **総収入金額**

① 社会保険診療収入

② 自由診療の収入等

③ その他（雑収入や貸倒引当金戻入）

(2) **必 要 経 費**

Ⅰ　社会保険診療分の必要経費（実額経費と概算経費の多い方）

① 実額経費
　　　　　　共通経費合計×按分割合
　　　　　　　　　　↑
　直接経費＋ 共通経費

② 概算経費
　(A)×経費率

③ ①≧②　∴多い方(a)

Ⅱ 社会保険診療分以外（実額経費のみ）

① 実額経費
直接経費 + 共通経費 = b
（共通経費合計×按分割合）
概算経費はない

Ⅲ 必要経費

Ⅰ＋Ⅱ

(3) **事 業 所 得**

(1) − Ⅲ

2　医師の実額経費

(1) **直 接 経 費**

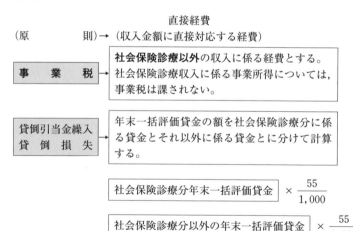

(2) **共通経費の按分**

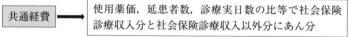

| 共通経費 | → | 使用薬価，延患者数，診療実日数の比等で社会保険診療収入分と社会保険診療収入以外分にあん分 |

（売上原価，減価償却費，給料，青色事業専従者給与，固定資産税等の社会保険診療収入にも社会保険診療以外収入にも発生する経費）

3 医師の概算経費 （措法26①）

(1) 適用要件

以下の要件の**すべて**を満たす場合に適用される。

① その年に支払を受けるべき**社会保険診療報酬の額が5,000万円以下**であること

② **医業又は歯科医業から生ずる事業所得に係る総収入金額**に算入すべき金額の合計額が**7,000万円以下**であること

〈概算経費の適用の判定〉

社会保険診療収入① ≦ 5,000万円 （5,000万円基準）

社会保険診療収入① ＋ 自由診療収入② ≦ 7,000万円 （7,000万円基準）

∴概算経費の適用あり
（社会保険診療収入分のみに概算経費の適用がある）

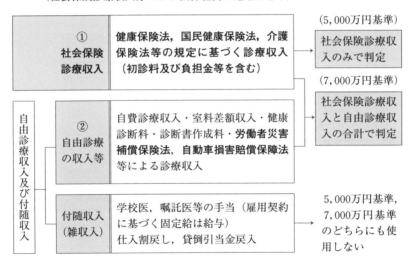

(2) 概算経費の判定

5,000万円基準，7,000万円基準を満たし，概算経費を適用した場合における事業所得の金額の計算上，その社会保険診療に係る費用として必要経費に算入する金額は，以下のその支払を受けるべき社会保険診療報酬の金額（税引前）に，以下の経費率を乗じて計算した金額とする。

社会保険診療収入（税引前） × 経費率⁽注⁾ = 概算必要経費

(注) 経費率

社会保険診療報酬の額(A)		概算必要経費の額
	2,500万円以下	(A)×72%
2,500万円超	3,000万円以下	(A)×70% ＋ 50万円
3,000万円超	4,000万円以下	(A)×62% ＋ 290万円
4,000万円超	5,000万円以下	(A)×57% ＋ 490万円

(3) **必要経費**

Ⅰ 社会保険診療分（実額経費と概算経費の多い方）

多い方 ｛ ① 実額経費
　　　　　　直接経費＋共通経費
　　　　② 概算経費

Ⅱ 社会保険診療分以外（実額経費のみ）

実額経費

　直接経費＋共通経費

4　開業医師の青色申告特別控除

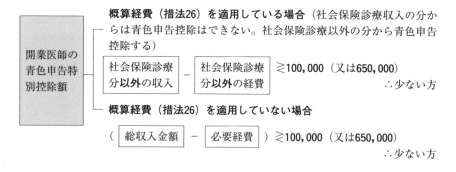

第Ⅷ編 税額計算　729

《計算Pattern》医師の事業所得

項　目	金　額	計　算　過　程
事業所得	円	(1) 総収入金額（×××） 　① 社会保険診療報酬 　② 自由診療の収入等 　③ その他収入　　雑収入＋**貸倒引当金戻入** (2) 必要経費 　① 売上原価 　② 営業費 　③ 減価償却費　　①～⑤の共通経費の合計 → 延患者数,診療日数,使用薬価等の比で按分 　④ 給料 　⑤ 固定資産税等 Ⅰ 《社会保険診療分》 　(i) 実額経費 　　① 共通経費　　共通経費の合計 ×按分割合 　　② 貸倒引当金繰入 　　　　社会保険診療に係る年末一括評価貸金 × $\dfrac{55}{1,000}$ 　　③ ①＋② 　(ii) 概算経費 　　＜判定＞ 　　　(1)① 　　　社会保険診療収入 ≦5,000万円 　　　(1)①　　　　(1)② 　　　社会保険診療収入＋自由診療の収入等 ≦7,000万円 　　　5,000万円基準と7,000万円基準の両方を満たす 　　　　∴概算経費を適用 　　　(1)① 　　　社会保険診療収入 × 経費率 　(iii) (i)≧(ii)　　∴多い方 Ⅱ 《社会保険診療分以外》 　① 共通経費　　共通経費の合計 × 按分割合 　② 事　業　税 　③ 貸倒引当金繰入 　　　社会保険診療**以外**に係る年末一括評価貸金 × $\dfrac{55}{1,000}$ 　④ ①～③の計

Ⅲ　Ⅰ＋Ⅱ
(3) **青色申告特別控除額**
（概算経費を適用している場合）　　（概算経費を適用していない場合）
① 100,000（650,000）　　　　　　① 100,000（650,000）
　（社会保険診療以外収入）（社会保険診療以外経費）　　　（総収入）（必要経費）
② (1)②③ － (2)Ⅱ　　　　　　② (1) － (2)
③ ①≧②　∴少ない方　　　　　　③ ①≧②　∴少ない方
(4) (1)－(2)－(3)

《計算例題》開業医の事業所得の計算

次に掲げる資料に基づき，開業医居住者ドクター福大太郎（青色申告者）の本年分の事業所得の金額を計算しなさい。

なお，ドクター福大太郎は，医業につき正規の簿記の原則に従って取引の内容を記録し，貸借対照表及び損益計算書を作成している。

(1) 福大太郎の収入金額は，社会保険診療分13,000,000円，自由診療分2,000,000円，その他雑収入300,000円である。

(2) 必要経費は，社会保険診療分1,000,000円，自由診療分200,000円，その他雑収入分100,000円である。

(3) 共通経費は7,000,000円であり，そのうち90％が社会保険診療収入に対応し，10％が社会保険診療分以外に対応する。

《解答欄》

事業所得	円	(1) 総収入金額　　　　　　　円
		① 社会保険診療収入　　　　　円
		② 自由診療の収入等　　　　　円
		③ ①及び②以外の収入　　　　円
		(2) 必要経費
		（共通経費）　　　　　円
		Ⅰ 《社会保険診療分》
		(i) 実額経費
		① 共通経費
		円 × 　％ = 　　　円
		② 直接経費　　　　　円
		③ ①+② = 　　　円
		(ii) 概算経費
		＜判定＞
		円 ≦ 　　　円
		社会保険診療収入　自由診療の収入
		円 + 　　　円
		= 　　　円 ≦ 　　　円 ∴適用あり
		円 × 　％ = 　　　円
		(iii) (i)＜(ii)　多い方 ∴ 　　　円
		Ⅱ 《社会保険診療分以外》
		① 共通経費
		円 × 　％ = 　　　円
		② 直接経費
		円 + 　　　円 = 　　　円
		③ ①+② = 　　　円
		Ⅲ　Ⅰ+Ⅱ = 　　　円
		(3) 青色申告特別控除額
		(1)②③-(2)Ⅱ ＞ 　　　円 ∴ 　　　円
		(4) (1)-(2)-(3) = 　　　円

《解 答》

| 事業所得 | 4,290,000円 | (1) 総収入金額　15,300,000円
　① 社会保険診療収入　13,000,000円
　② 自由診療の収入等　2,000,000円
　③ ①及び②以外の収入　300,000円
(2) 必要経費
　（共通経費）　7,000,000円
　Ⅰ 《社会保険診療分》
　　(i) 実額経費
　　　① 共通経費
　　　　7,000,000円 × 90% ＝ 6,300,000円
　　　② 直接経費　1,000,000円
　　　③ ①＋② ＝ 7,300,000円
　　(ii) 概算経費
　　　＜判定＞
　　　　社会保険診療収入
　　　　13,000,000円 ≦ 50,000,000円
　　　　　　　　　　　　　　　5,000万円基準
　　　　　社会保険診療収入　　自由診療の収入
　　　　　13,000,000円　＋　2,000,000円
　　　＝ 15,000,000円 ≦ 70,000,000円
　　　　　　　　　　　7,000万円基準　∴適用あり
　　　　13,000,000円 × 72% ＝ 9,360,000円
　　(iii) (i)＜(ii) 多い方 ∴ 9,360,000円
　Ⅱ 《社会保険診療分以外》
　　① 共通経費
　　　7,000,000円 × 10% ＝ 700,000円
　　② 直接経費
　　　200,000円 ＋ 100,000円 ＝ 300,000円
　　③ ①＋② ＝ 1,000,000円
　Ⅲ Ⅰ＋Ⅱ ＝ 10,360,000円
(3) 青色申告特別控除額
　　(1)②③－(2)Ⅱ＞ 650,000円 ∴ 650,000円
(4) (1)－(2)－(3) ＝ 4,290,000円 |

税額控除

【Point 28】

> 税額控除には，所得税と法人税の二重課税を調整するための「**配当控除**」制度と国外源泉所得に対する国際間の二重課税を調整するための「**外国税額控除**」制度と，住宅需要を促進するために設けられている「**住宅取得控除**」制度等がある。
>
> 法人は個人株主の集合体であるという**法人擬制説**をわが国はとっている。法人の利益には，既に法人税が課税され，課税後の利益のなかから個人株主への配当として分配される。個人株主の取得した配当金に課税すると法人擬制説の立場では二重課税が生じることになる。
>
> そこで，二重課税を防止するため，所得税では配当所得に対して，配当控除という税額控除が行われている。

第1節 配当控除

　居住者が，内国法人から受ける**利益の配当**（中間配当を含む），**剰余金の配当，剰余金の分配，みなし配当，特定株式投資信託の収益の分配及び証券投資信託**（特定株式投資信託を除く）の収益の分配（**公募証券投資信託の収益の分配，私募証券投資信託の収益の分配**）に係る配当所得を有する場合（**外国法人から受けるもの**（外

国法人の国内にある営業所等に信託された証券投資信託に係るものを除く）を除く）には，その年分の所得税額から以下の区分により次の(1)の金額（その年分の所得税額を限度とする）を**配当控除**として控除される（法92①・②，措法 9，28の 4 ⑥，28の 5 ③，31⑤，32⑤，37の10⑥）。なお，**公募証券投資信託の収益の分配，私募証券投資信託の収益の分配**についても，確定申告により総合課税の選択をした場合には，(2)の金額を配当控除として控除される。申告分離課税や申告不要を選択した上場株式等の配当所得には，配当控除の適用はない。

(1) 株式等及び特定株式投資信託に係る配当所得

① 課税総所得金額，上場株式等に係る課税配当所得の金額，土地等に係る課税事業所得等の金額，課税短期譲渡所得金額，課税長期譲渡所得金額，一般株式等に係る課税譲渡所得等の金額，上場株式等に係る課税譲渡所得の金額及び先物取引に係る課税雑所得等の金額の合計額（**所得控除後の課税総所得金額等**という）が1,000万円以下の場合

A　利益の配当，剰余金の配当，剰余金の分配及び特定株式投資信託に係る配当所得の金額　× 10％ ＝ 配当控除額

(注)　「特定株式投資信託」とは，証券投資信託のなかで，信託財産を特定銘柄の株式にのみ投資として運用することを目的とするもので，その受益証券は証券取引所に上場され，特定の株価指数に連動して運用する。

② 課税総所得金額等が1,000万円を超える場合

［配当所得の金額Aのうち，課税総所得金額等の金額から1,000万円を差し引いた金額に達するまでの部分の金額……ア］× 5％ ＋ ［配当所得の金額のうち，ア以外の部分の金額］× 10％ ＝ 配当控除額

(2) 特定株式投資信託以外の証券投資信託の収益の分配に係る配当所得（公募証券投資信託の収益の分配及び私募証券投資信託の収益の分配に係る配当所得）と一般外貨建等証券投資信託の収益の分配に係る配当所得（公募証券投資信託の収益の分配，私募証券投資信託の収益の分配に係る配当所得）

① 課税総所得金額等が1,000万円以下の場合

$$\left[\begin{array}{l}\text{一般外貨建等証券投資}\\ \text{信託の配当所得}\\ \quad\quad\text{B}\end{array}\right] \times 2.5\% + \left[\begin{array}{l}\text{B以外の証券投資}\\ \text{信託の配当所得}\\ \quad\quad\text{C}\end{array}\right] \times 5\% = \text{配当控除額}$$

↓ （公募証券投資信託及び私募証券投資信託の配当所得）

② 課税総所得金額等が1,000万円を超える場合

$$\left[\begin{array}{l}\text{Bの配当所得のうち}\\ \text{1,000万円を超える部分}\end{array}\right] \times 1.25\% + \left[\begin{array}{l}\text{Bの配当所得のうち超}\\ \text{える部分以外の金額}\end{array}\right] \times 2.5\%$$

$$+ \left[\begin{array}{l}\text{Cの証券投資信託の配}\\ \text{当所得のうち1,000万}\\ \text{円を超える部分}\end{array}\right] \times 2.5\% + \left[\begin{array}{l}\text{Cの証券投資信託の}\\ \text{配当所得のうち超え}\\ \text{る部分以外の金額}\end{array}\right] \times 5\%$$

＝配当控除額

（注）1 以下の配当所得については，**配当控除の適用がない。**
  (ア) 公募公社債等運用信託以外の公社債等運用投資信託（法92，措法9）の収益の分配に係る配当（私募公社債運用投資信託の収益分配に係る配当所得）
  (イ) 国外私募公社債等運用信託等の配当，外国投資信託，国外公社債等運用投資信託の受益権及び社債的受益権の収益の分配に係る配当所得
  (ウ) **特定目的信託の収益の分配に係る配当**及び投資信託のうち機関投資家私募に係る法人課税信託の配当所得
  (エ) 特定目的会社から支払を受けるべき配当等
  (オ) 投資法人から支払を受けるべき配当（**投資法人の投資口の配当所得**）
  (カ) **外国法人から受ける配当**（外国法人の国内における営業所・事務所その他これらに準ずるものに信託された証券投資信託もしくは特定投資信託の収益の分配又は特定目的信託の収益の分配に係るものを除く）
  (キ) **源泉分離課税とされる配当所得**
  (ク) **確定申告を要しない配当所得**（申告不要を選択した配当）
  (ケ) 外国株価指数連動型特定株式投資信託の収益の分配
  (コ) 特定外貨建証券投資信託の収益の分配
  (サ) **基金利息等**
  (シ) **特定受益証券発行信託の収益の分配**

㈱　**申告分離課税を選択した上場株式等の配当所得**
　2　一般外貨建等証券投資信託とは，証券投資信託のうち，信託財産の外貨建資産割合及び非株式割合のいずれもが75％以下のものをいう。
　　しかし，外貨建資産割合又は非株式割合が75％超の特定**外貨建等証券投資信託に係る配当所得**等については，配当控除はない。
　3　みなし配当については，配当控除の適用がある。

　配当控除は，課税総所得金額に係る所得税額，上場株式等に係る課税配当所得の金額に係る所得税額，土地等に係る課税事業所得等の金額に係る所得税額，課税短期譲渡所得金額に係る所得税額，課税長期譲渡所得金額に係る所得税額，一般株式等に係る課税譲渡所得等の金額に係る所得税額，上場株式等に係る課税譲渡所得等の金額に係る所得税額，先物取引に係る課税雑所得等に係る所得税額，課税山林所得金額に係る所得税額，課税退職所得金額に係る所得税額から順次控除する（法92②，措法28の4⑥，28の5③，31⑤，32⑤，37の10⑥）。

　なお，配当控除は，他の税額控除に優先して行う（法92②）。

第Ⅷ編 税額計算 737

〈図表2－1〉配当控除（証券投資信託がない場合）

課税総所得金額等が1,000万円以下のケース

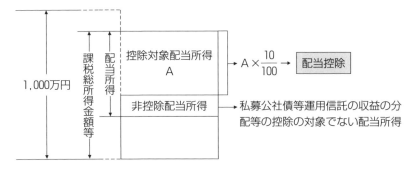

課税総所得金額等が1,000万円超のケース

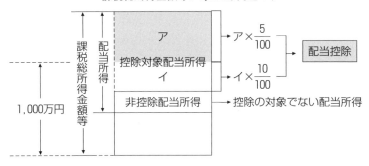

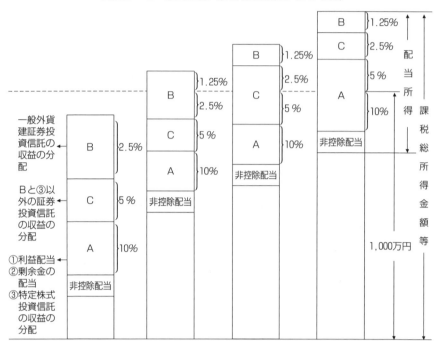

〈図表2-2〉配当控除(証券投資信託がある場合)

株式投資信託の収益の分配に係る配当所得については,配当控除率はその外貨建資産割合と非株式割合によって下記のように配当控除率が異なる。

(注)株式投資信託(特定証券投資信託)とは,公社債投資信託以外の証券投資信託(特定株式投資信託を除く)のうち,特定外貨建等証券投資信託以外のものをいう。

国内株式投資信託(特定株式投資信託を除く)の収益分配金と配当控除率

		非株式割合		
		50%以下	50%超75%以下	75%超
外貨建資産割合	50%以下	所得税5%(2.5%) 住民税1.4%(0.7%)	所得税2.5%(1.25%) 住民税0.7%(0.35%)	控除なし
	50%超75%以下	所得税2.5%(1.25%) 住民税0.7%(0.35%)	所得税2.5%(1.25%) 住民税0.7%(0.35%)	控除なし
	75%超	控除なし	控除なし	控除なし

(注)( )内は,課税総所得金額1,000円を超える場合の配当控除率

《計算Pattern 1》配当控除（課税総所得金額等＞1,000万円）

Ⅴ納付税額の計算	
算 出 税 額	×××
配 当 控 除	△△△
源 泉 徴 収 税 額	×××
申 告 納 税 額	×××
予 定 納 税 額	×××
納付すべき税額	×××

〈配当控除の計算〉

課税総所得金額等 ＞ 1,000万円

剰余金の配当等 ×5％ ＋ 公募証券投資信託・私募証券投資信託の収益の分配 × 2.5％

＝ △△△

（注1） 公募証券投資・私募証券投資以外に係る配当所得の金額で1,000万円以下の部分の金額に対しての控除率は10％であり、また、公募証券投資・私募証券投資に係る配当所得の金額で1,000万円以下の部分の金額に対しての控除率は5％となる。

（注2） 課税総所得金額等とは，課税総所得金額，上場株式等に係る課税配当所得の金額，課税短期譲渡所得金額，課税長期譲渡所得金額，一般株式等に係る課税譲渡所得等の金額，上場株式等に係る課税譲渡所得等の金額及び先物取引に係る課税所得等の金額の合計額

《計算Pattern 2》配当控除（課税総所得金額等≦1,000万円）

Ⅴ納付税額の計算	
算 出 税 額	×××
配 当 控 除	△△△
源 泉 徴 収 税 額	×××
申 告 納 税 額	×××
予 定 納 税 額	×××
納付すべき税額	×××

〈配当控除の計算〉

課税総所得金額等 ≦ 1,000万円

剰余金の配当等 ×10％ ＋ 公募証券投資信託・私募証券投資信託の収益の分配 × 5％

＝ △△△

《計算例題》 配当控除の計算のケース

次の資料に基づき，配当所得，配当控除額，源泉徴収税額を計算しなさい。

1 本年における配当等の収入金額（源泉所得税15％，復興特別所得税0.315％税引後）

　　A　上場されている株式等の剰余金の配当　　1,693,700円
　　B　公募証券投資信託の収益の分配　　　　　　254,055円

2 本年分の課税総所得金額等は9,500,000円である。

《解答欄》

Ⅰ　各種所得金額の計算

Ⅱ　納付税額の計算

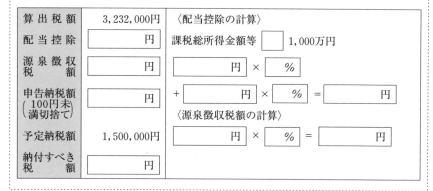

《解　答》
Ⅰ　各種所得金額の計算

Ⅱ　納付税額の計算

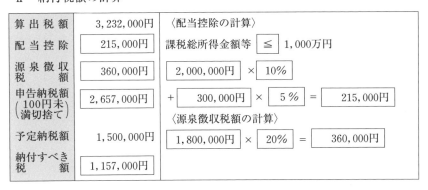

《分配時調整外国税相当額控除》

以下に掲げる株式等に係る配当等については，国外投信などが納付した外国所得税等がある場合には，令和2年分から，その外国所得税等の額のうち所定の金額を所得税の額から控除する**分配時調整外国税相当額控除**が創設された（所法93，措法9の6，9の6の2，9の6の3，9の6の4）。

① 集団投資信託（株式等証券投資信託，公社債投資信託，公募の公社債等運用投資信託，公募の非公社債等投資信託，特定受益証券発行信託及び合同運用信託（貸付信託等））の収益の分配
② 特定目的会社の利益の配当
③ 投資法人の投資口の配当等
④ 特定目的信託の受益権の剰余金の配当

⑤ 投資信託のうち法人課税信託に該当するものの受益権の剰余金の配当

　令和2年分からその年に集団投資信託の収益の分配の支払を受ける場合，集団投資信託の収益の分配に係る源泉徴収の特例によりその収益の分配に係る**源泉徴収所得税の額から控除**して**二重課税調整**が行われた外国所得税の額については，以下の算式で計算したその収益の分配に係る**分配時調整外国税相当額**は，一般の外国税額控除とは別にその年分の所得税から控除する（所法93①，所令220の2）。

算　式

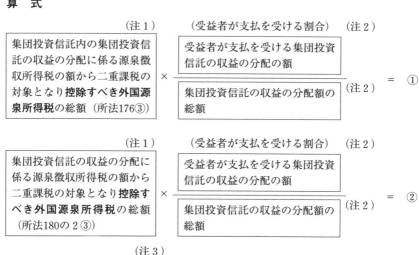

① ＋ ② ＝ 分配時調整外国税相当額　（注3）

（注1）復興特別所得税から控除された外国源泉所得税も含む（所令220の2）。
（注2）集団投資信託の収益の分配は，源泉徴収所得税を課される部分（特別分配金のみに対応する部分を除く）に限る。
（注3）分配時における外国所得税控除前の所得税額に集団投資信託の外貨建資産割合を乗じて計算した金額が限度（所令220の2）。**外貨建資産割合**は，集団投資信託の信託財産において運用する外貨建資産（外国通貨で表示される株式，債権その他の資産）の額がその信託財産の総額のうちに占める割合（所令220の2）。

《分配時調整外国税相当額控除の理解》

第2節　一般の住宅借入金等特別控除（措法41）

　居住者が国内において一定の居住用家屋の新築をし，もしくは新築後使用されたことのない居住用家屋もしくは一定の中古住宅の取得（配偶者その他その者と特別の関係のある者からの中古住宅の取得で一定のもの及び贈与によるものを除く）又は現に居住している一定の家屋の増改築等（以下「住宅の取得等」といい，増改築等については，その工事費用の額が100万円を超えるものに限る）をして平成11年1月1日から令和3年（2021年）12月31日までの間に居住の用に供している場合には（住宅の取得等の日から6か月以内にその居住の用に供した場合に限る），その者がその住宅又はその敷地の用に供されていた土地，土地の上に存する権利の取得等に係る控除の対象となる下記に掲げる❷の借入金又は債務（利息に対応するものを除く）を有するときは，その居住の用に供した日の属する年以後10年間（特別控除）又は15年間（特例）各年（同日以後その年の12月31日まで引続きその居住の用に供している年に限る）のうち，**合計所得金額**（純損失，雑損失の繰越控除適用前のその年分の課税標準の合計額）が**3,000万円以下**である年については，その年分の所得税の額から以下の算式により計算した金額（**100円未満の端数切捨て**）を控除することができる（措法41）。

　なお，平成19年1月1日から平成20年12月31日までの間においては，住宅の取得等をし，6か月以内にその者の居住用に供した場合は，措法41①・②・⑤の住宅借入金等特別控除又は措法41③の控除額の特例を選択適用できる（図表2-3A・B）。居住用住宅の取得等の資金の一部を親又は祖父母から贈与を受けたとしても，取得に際して❷の借入金があるならば適用される。居住用住宅（土地及び家屋）ないしは住宅資金（土地及び家屋）の全てを贈与で取得した場合は，借入金が発生せず，住宅借入金等特別控除の適用はない。

　住宅を取得した年の12月31日までの間に転勤等のやむを得ない事由によって自己の居住の用に供しなくなった後，その事由の解消により再度居住した場合には，当初居住年において居住の用に供していたことを証明する書類の提出等

を要件とし，再入居年以降の各適用年において，住宅借入金等特別控除の適用を受けることができる。

〈図表2－3〉住宅借入金等特別控除額と特例の控除額

A　居住開始年が平成19年1月1日から平成19年12月31日までの間

① 1年目から6年目　　特別控除（措法41①・②・⑤）

$$\begin{bmatrix}\text{年末借入金残のうち2,500}\\ \text{万円以下の部分の金額}\end{bmatrix} \times 1\% \quad \text{（最高限度25万円）}$$

② 7年目から10年目

$$\begin{bmatrix}\text{年末借入金残のうち2,500}\\ \text{万円以下の部分の金額}\end{bmatrix} \times 0.5\% \quad \text{（最高限度12万5千円）}$$

〈選択〉

① 1年目から10年目　　特例の控除額（措法41③）

$$\begin{bmatrix}\text{年末借入金残のうち2,500}\\ \text{万円以下の部分の金額}\end{bmatrix} \times 0.6\% \quad \text{（最高15万円）}$$

② 11年目から15年目

$$\begin{bmatrix}\text{年末借入金残のうち2,500}\\ \text{万円以下の部分の金額}\end{bmatrix} \times 0.4\% \quad \text{（最高10万円）}$$

B　居住開始年が平成20年1月1日から平成20年12月31日までの間

① 1年目から6年目　　特別控除

$$\begin{bmatrix}\text{年末借入金残のうち2,000}\\ \text{万円以下の部分の金額}\end{bmatrix} \times 1\% \quad \text{（最高限度20万円）}$$

② 7年目から10年目

$$\begin{bmatrix}\text{年末借入金残のうち2,000}\\ \text{万円以下の部分の金額}\end{bmatrix} \times 0.5\% \quad \text{（最高限度10万円）}$$

〈選択〉

① 1年目から10年目　　特例の控除額

$$\begin{bmatrix}\text{年末借入金残のうち2,000}\\ \text{万円以下の部分の金額}\end{bmatrix} \times 0.6\% \quad \text{（最高12万円）}$$

② 11年目から15年目

$$\begin{bmatrix}\text{年末借入金残のうち2,000}\\ \text{万円以下の部分の金額}\end{bmatrix} \times 0.4\% \quad \text{（最高8万円）}$$

C 居住開始年が平成21年1月1日から平成22年12月31日までの間

1年目から10年目　　　　特別控除

$\left[\begin{array}{l}\text{年末借入金残のうち5,000}\\\text{万円以下の部分の金額}\end{array}\right] \times 1\%$　　（最高限度50万円）

D 居住開始年が平成23年1月1日から平成23年12月31日までの間

1年目から10年目　　　　特別控除

$\left[\begin{array}{l}\text{年末借入金残のうち4,000}\\\text{万円以下の部分の金額}\end{array}\right] \times 1\%$　　（最高限度40万円）

E 居住開始年が平成24年1月1日から平成24年12月31日までの間

1年目から10年目　　　　特別控除

$\left[\begin{array}{l}\text{年末借入金残のうち3,000}\\\text{万円以下の部分の金額}\end{array}\right] \times 1\%$　　（最高限度30万円）

F 居住開始年が平成25年1月1日から平成26年3月31日までの間

1年目から10年目　　　　特別控除

$\left[\begin{array}{l}\text{年末借入金残のうち2,000}\\\text{万円以下の部分の金額}\end{array}\right] \times 1\%$　　（最高限度20万円）

G 居住開始年が平成26年4月1日から平成元年9月30日までの間

1年目から10年目　　　　特別控除

$\left[\begin{array}{l}\text{年末借入金残のうち4,000}\\\text{万円以下の部分の金額}\end{array}\right] \times 1\%$　　（最高限度40万円）　→特定取得（消費税額8％）

1年目から10年目　　　　特別控除

$\left[\begin{array}{l}\text{年末借入金残のうち2,000}\\\text{万円以下の部分の金額}\end{array}\right] \times 1\%$　　（最高限度20万円）　→特定取得以外（個人間の売買契約で消費税額がない場合）

※ 特定取得は，消費税額等が8％又は10％の税率の場合の住宅の取得等。

H 居住開始年が令和元年10月1日から令和2年12月31日

少ない方
- 1年目から10年目　特別控除
  [年末借入金残のうち4,000万円以下の部分の金額] × 1% （最高40万円）

- 11年目から13年目　特別控除
  [年末借入金残のうち4,000万円以下の部分の金額] × 1% （最高40万円）

  [住宅の取得等の対価の額 − 住宅の取得等の対価の額に含まれる消費税額等] × 2% ÷ 3年
  （最高4,000万円）

→ 特別特定取得（消費税額10%）

※ 特別特定取得とは，消費税額等が10%の税率の場合の住宅の取得等。
※ 11〜13年目も所得税から控除しきれない金額は，控除限度額（課税総所得金額等の7%（最高13.65万円））住民税額から控除する。

- 1年目から10年目　特別控除
  [年末借入金残のうち4,000万円以下の部分の金額] × 1% （最高限度40万円）

→ 特定取得（消費税額8%）

- 1年目から10年目　特別控除
  [年末借入金残のうち2,000万円以下の部分の金額] × 1% （最高限度20万円）

→ 上記以外
（個人間の売買契約で消費税額がない場合）

I 居住開始年が令和3年1月1日から令和4年12月31日（平成3年度税制改正大綱）

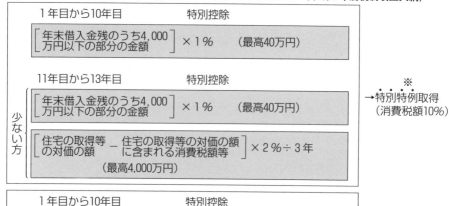

→特別特例取得
（消費税額10%）

→上記以外
（個人間の売買契約で消費税額がない場合）

※ **特別特例取得**に該当する住宅の取得等した個人が，その取得した家屋を**令和3年1月1日から令和4年12月31日**までの間に**居住**の用に供した場合に，**13年間の住宅ローン控除特例**が**適用**できる（措法41）。特別特例取得とは，消費税が10%である場合の住宅取得等で，しかも以下に掲げる区分に応じ契約がなされているもの。入居時期は令和3年1月1日から令和4年12月31日までの期間。
　イ　居住用家屋の新築は，令和2年10月1日から令和3年9月30日までの期間
　ロ　居住用家屋で建築後使用されたことのないもの，もしくは既存住宅の取得又はその者の居住の用に供する家屋の増改築等は，令和2年12月1日から令和3年11月30日までの期間

〈図表2－4〉特別特例取得に該当するケース

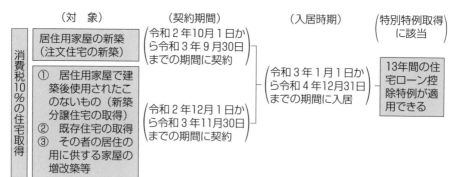

※ 令和3年度税制改正大綱では，上記の住宅借入金等の特別控除の特例は，個人が取得した床面積が40㎡以上50㎡未満である住宅の用に供する家屋についても適用できる。この40㎡以上50㎡未満の家屋についてはこの者の13年間の控除期間のうち，その年分の所得税に係る合計所得金額が1,000万円を超える年には適用しない。

	所得要件（適用年分ごと）
一般の住宅借入金 （面積50㎡以上）	合計所得金額　3,000万円以下
（面積40㎡以上50㎡未満）	合計所得金額　1,000万円以下

（注） 次に掲げる場合には，住宅借入金等特別控除の適用がない。
　　イ　居住年又は居住年の2年以内もしくはその後8年以内において，次に掲げる特例の適用を受ける場合
　　（イ）居住用財産を譲渡した場合の長期譲渡所得の課税の特例（措法31の3）
　　（ロ）居住用財産を譲渡した場合の3,000万円控除の特例（措法35）
　　（ハ）特定の居住用財産の買換え又は交換の特例（措法36の2，36の5）
　　（ニ）既成市街地等内にある土地等の中高層耐火建築物等の建設のための買換え及び交換の場合の特例（措法37の5）等
　　ロ　次の年も控除されない。
　　（イ）その者の居住の用に供しないこととなった日の属する年以後の年
　　（ロ）合計所得金額が3,000万円を超える年

　平成21年以降に入居した人は，所得税において住宅借入金等特別控除を受けるときに，特別控除の最高限度額まで引ききれない残額があるときは，個人住民税から控除されることとなった。なお，この控除額は，その年分の所得税の課税総所得金額等の5％（最高9.75万円，消費税8％ないしは10％で取得した場合は，課税総所得金額等の7％，最高13.65万円）が限度となる。

1　控除対象となる住宅要件

一般の住宅借入金等特別控除	（適用要件）	①　国内において住宅の取得等 ②　取得等の日から6月以内に居住 ③　借入金（10年以上）を有すること ④　合計所得金額3,000万円以下
	（住宅要件）	①　**新築住宅**の取得もしくは**居住用家屋**で建築後使用されたことのないもの ②　**中古住宅**（**既存住宅の取得**） ③　居住用家屋に対する**増改築**（工事費用が100万円を超えるもの）

（注） 建物の床面積は，50㎡以上であること（床面積要件）
　　　増築の場合は，増築後の床面積が50㎡以上

① 新築住宅の取得（新築）の場合

(イ) その家屋（マンションなどの場合は，その人の区分所有する部分）の床面積が**50m²以上であること**

(ロ) その家屋の床面積の50％以上が専らその人の居住用のものであること

　(注)　店舗併用住宅の場合，居住用部分の借入金のみに対して住宅取得控除が適用できるため，床面積により按分が必要となる（措令26①）。

② 中古住宅（既存住宅）の取得の場合

使用済みの家屋で次のいずれの要件にもあてはまるものであること

(イ) 上記①の(イ)及び(ロ)の要件にあてはまるものであること

(ロ) 耐火建築物以外の建築物は，**取得日以前20年以内（経過年数基準）**（耐火建築物の建物であるものについては25年以内）に新築されたものであること（措令26②）

(ハ) 築25年超の耐火建築物，築20年超の非耐火建築物であっても，「地震に対する安全上必要な構造方法に関する技術的基準等」（**耐震基準**）に該当すれば，中古住宅（既存住宅）として適用対象となる。

　(注)　平成26年4月1日以後に，**耐震基準**や**経過年数基準**に適合しない既存住宅を取得した場合（**要耐震改修住宅**という）でも，既存住宅の取得の日までに，耐震改修工事の申請等をし，かつ，その者の**居住の用に供する日までに耐震改修工事を完了している**等の一定の要件を満たすときは，耐震基準に適合する住宅とみなし，**中古住宅（既存住宅）**とみなされ住宅借入金等の特別控除の適用を受けることができる（措法41㉔）

中古住宅（既存住宅）とみなされるもの（措法41㉚）
耐震基準又は経過年数基準に適合するもの以外のもので，下記の要件を満たす一定のもの（**要耐震改修住宅**）
（要　件）
①　個人が**要耐震改修住宅**の取得をすること ②　要耐震改修住宅の取得の日までに同日以後**耐震改修を行うことにつき一定の手続きをし，かつ，その住宅の用に供する日までに，その耐震改修**（既存住宅の耐震改修をした場合の所得税額の特別控除の適用を受けるものを除く）により**その要耐震改修住宅が耐震基準に適合することとなったことにつき一定の証明がされること** ③　要耐震改修住宅の取得の日から**6月以内**に居住の用に供すること

③ 増改築等の場合

増改築をした後のその家屋の床面積が**50m²以上**であり，その床面積の**50％以上**がその人の居住用であること

対象となる増改築は，増築，改築，大規模修繕，大規模模様替え，家屋について行う国土交通大臣が財務大臣と協議して定める高齢者が自立した日常生活を営むのに必要な構造及び設備の基準に適合させるための修繕又は模様替・家屋のうち居室，調理室，浴室などについて行う一定の修繕又は模様替え，**地震に対する安全上必要な修繕等**又はマンションなど区分された建物のその区分所有する部分の床，壁などの過半について行う一定の修繕又は模様替え，マンションリフォームに係る工事で，工事費用が**100万円を超えるもの**等に限られる（措令26）。

2　控除額の対象となる借入金等の範囲

住宅借入金等特別控除の対象となる借入金又は債務とは，上記 1 の要件を満たす住宅の取得（新築住宅，中古住宅，増改築），住宅の取得とともにする敷地の用に供される土地の取得又は土地の上に存する権利の取得等に係る償還期間（賦払期間）が**10年以上の借入金又は債務**で，以下に掲げるものである。

(イ)　**銀行等の民間金融機関からの借入金**
(ロ)　建設業者や宅地建物取引業者に対する債務
(ハ)　一定の住宅金融会社に対する債務
(ニ)　**住宅金融支援機構**，地方公共団体，国家公務員共済組合等からの借入金
(ホ)　一般社員が勤務先から受ける社内住宅融資（年利3％以上のものに限る）
(ヘ)　**財形融資，年金融資**
(ト)　その他政令で定める借入金又は債務

住宅借入金等特別控除の適用を受けていた居住者が，給与等の支払をする者から転任の命令に伴う転居その他これに準ずるやむを得ない事由に基因してその家屋をその者の居住の用に供しなくなったことにより，その控除を受けられなくなった後，その家屋を再び居住の用に供した場合，一定の要件の下で，そ

の住宅借入金等特別控除の適用年のうち,再び居住の用に供した年以後の各適用年について,住宅借入金等特別控除の再適用を受けることができる(措法41)。

3 住宅借入金等特別控除の適用要件

　この規定は,確定申告書に,この控除を受ける金額に関する記載があり,かつ,その金額の計算に関する明細書,登記簿の抄本,借入金の年末残高証明書その他の書類の添付がある場合に限り適用される(措法41⑫・⑬)。

　なお,給与所得者で,年末調整の行われる者の2年目以後の住宅取得の特別税額控除については,給与等の支払者に対し,控除額等についての税務署長の証明書を添付した所要の申請書を提出したときは,確定申告書によらず,その年末調整の際に控除を受けることができる(措法41の2)。

　このように給与所得者は,2年目以後は勤務先の年末調整で控除されるので,確定申告は必要がない。

　ただし,以下の場合は,住宅借入金控除は適用できない。

居住年又はその前年、その前々年に右記の特例を受けたときは	① 居住用財産譲渡についての3,000万円の特別控除 ② 軽減税率の適用 ③ 買換え・交換の特例	⇒	住宅借入金控除適用できない

1　住宅借入金等特別控除を受けるための添付書類等

① 金融機関からの住宅取得資金に係る借入金の年末残高証明書（原本）（銀行等で交付）
② 住宅の登記事項証明書（原本げんぽん）（法務局で交付）
③ 土地の登記事項証明書（原本）（法務局で交付）
④ 住宅の売買契約書（写し）又は住宅の工事請負契約書（写し）
⑤ 土地の売買契約書（写し）
⑥ 確定申告書に記載したマイナンバー（個人番号）の本人確認書類（マイナンバーカード（個人番号カード）の写し等）
⑦ サラリーマンの場合は給与の源泉徴収票（勤務先で交付）添付はしない
⑧ （特定増改築等）住宅借入金等特別控除額の計算明細書（税務署で交付）

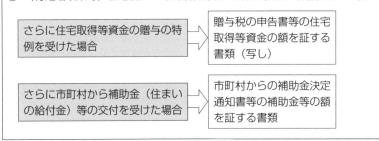

| さらに住宅取得等資金の贈与の特例を受けた場合 | → | 贈与税の申告書等の住宅取得等資金の額を証する書類（写し） |

| さらに市町村から補助金（住まいの給付金）等の交付を受けた場合 | → | 市町村からの補助金決定通知書等の補助金等の額を証する書類 |

2　一般の増改築等に係る住宅借入金等特別控除を受けるための添付書類等

① 金融機関から交付された住宅取得資金に係る借入金の年末残高証明書（原本）（銀行等で交付）
② 住宅の登記事項証明書（原本）（法務局で交付）
③ 住宅の工事請負契約書（写し）（法務局で交付）
④ **建築士等が発行する増改築等工事証明書**
⑤ 確定申告書に記載したマイナンバー（個人番号）の本人確認書類（マイナンバーカード（個人番号カード）の写し等）
⑥ サラリーマンの場合は給与の源泉徴収票（勤務先で交付）添付はしない
⑦ （特定増改築等）住宅借入金等特別控除額の計算明細書（税務署で交付）

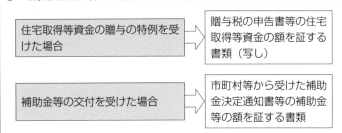

| 住宅取得等資金の贈与の特例を受けた場合 | → | 贈与税の申告書等の住宅取得等資金の額を証する書類（写し） |

| 補助金等の交付を受けた場合 | → | 市町村等から受けた補助金決定通知書等の補助金等の額を証する書類 |

3 中古住宅（既存住宅）に係る住宅借入金等特別控除を受けるための添付類等

① 金融機関からの住宅取得資金に係る借入金の年末残高証明書（原本）（銀行等で交付）
② 住宅の登記事項証明書（原本）（法務局で交付）
③ 土地の登記事項証明書（原本）（法務局で交付）
④ 住宅の売買契約書（写し）又は住宅の工事請負契約書（写し）
⑤ 土地の売買契約書（写し）
⑥ 確定申告書に記載したマイナンバー（個人番号）の本人確認書類（マイナンバーカード（個人番号カード）の写し等）
⑦ サラリーマンの場合は給与の源泉徴収票（勤務先で交付）添付はしない
⑧ （特定増改築等）住宅借入金等特別控除額の計算明細書（税務署で交付）

中古住宅が耐震基準を満たすとき	以下のいずれかの書類 ① 建築士等の耐震基準適合証明書（原本） ② 既存住宅売買瑕疵担保責任保険契約に係る付保証明書（原本） ③ 登録住宅性能評価機関の建設住宅性能評価書（写し）
中古住宅が要耐震改修住宅に当たるとき	以下のいずれかの書類 ① 建築物の耐震改修計画の認定申請書（写し）及び耐震基準適合証明書（原本） ② 耐震基準適合証明書（写し）及び耐震基準適合証明書（原本） ③ 建設住宅性能評価申請書（写し）及び建設住宅性能評価書（写し） ④ 既存住宅売買瑕疵担保責任保険契約の申込書（コピー）及び既存住宅売買瑕疵担保責任保険契約に係る付保証明書（原本）

《計算Pattern》住宅借入金等特別控除

Ⅳ 課税所得金額の計算

課税総所得金額	×××	総所得金額－所得控除合計＝（1,000円未満切捨）
〜	〜	
課税短期譲渡所得金額	×××	
課税長期譲渡所得金額	×××	長期譲渡所得の金額
株式等に係る課税譲渡所得等の金額	×××	
先物取引に係る課税雑所得の金額		
課税山林所得金額	×××	
課税退職所得金額	×××	

→残額があれば下の所得金額から引く

※ 居住用財産については，所有期間にかかわりなく3,000万円の特別控除がある。

Ⅴ 納付税額の計算

① 算 出 税 額	×××	
② 配 当 控 除	×××	
③ 住宅借入金等特別控除	×××	(1) 床面積基準 　　50m² ≦ 建物床面積 (2) 合計所得基準 　　合計所得金額 ≦ 3,000万円 (3) 住宅借入金年末残高 　　4,000万（借入限度）｝少ない方 (4) 住宅借入金等特別控除 　　(3)×1％（100円未満切捨）
④ 外 国 税 額 控 除	×××	
⑤ 差 引 所 得 税 額	×××	①－②－③－④
⑥ 源 泉 徴 収 税 額	×××	
⑦ 申 告 納 税 額	×××	⑤－⑥ （100円未満切捨て）（赤字は切捨てなし）
⑧ 予 定 納 税 額	×××	
納付すべき税額 （還付されるべき税額）	×××	⑦－⑧

《計算例題》 住宅借入金等特別控除

慶応　進は，令和3年5月5日に早稲田建設(株)から土地付きの建売住宅を取得した。取得後は直ちに住居の用に供している。なお，取得資金は以下のとおりである。住宅借入金等特別控除は，令和3年居住分で住宅借入金残4,000万円以下の部分について1％を適用する。

 1　居住用建物及びその敷地の取得価額　　5,000万円
 2　取得資金　　自己資金　　　　　　　　2,000万円
      住宅金融公庫からの借入金　4,200万円
      銀行からの借入金　　　　　　800万円
      勤務先からの借入金　　　　　200万円
      （年利2％）
 3　床面積　　　　　　　　　　　　　　　（180m²）
 4　合計所得金額　　　　　　　　　　　　1,500万円

以上の資料により，進の住宅借入金等特別控除を計算せよ。

《解答欄》

Ⅰ　納付税額の計算

算出税額		〈住宅取得控除の計算〉
配当控除		① 床面積基準　50m² ≦ □
住宅借入金等特別控除	□ 円	② 合計所得基準　□ 万円 ≦ □ 万円　∴適用
差引所得税額		③ 住宅取得控除対象借入額　□ 万円 ＋ □ 万円 ＋ □ 万円
源泉徴収税額		借入金合計
申告納税額		＝ □ 万円 ＞3,000万円　∴ □ 万円
予定納税額		④ 住宅借入金等特別控除
納付すべき税額		□ 万円 × □ ％ ＝ □ 万円

《解答》

Ⅰ 納付税額の計算

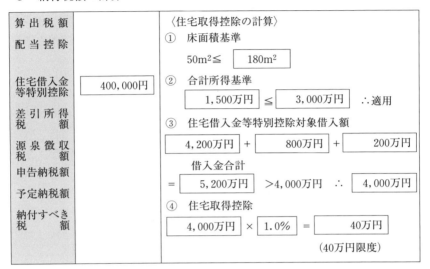

《実務上のPoint》

(1) 住宅借入金等特別控除の対象となるのは，建物と土地についての借入金である。夫婦の共有名義でマイホームを購入した場合には，夫婦それぞれに条件が満たされていれば，それぞれに住宅借入金等特別控除が受けられる。また，サラリーマンは1年目に住宅借入金等特別控除の申告をすれば，2年目からは年末調整で控除を受けることができる。

(2) 課税総所得金額等が330万円超695万円以下の人は所得税の税率20％であり，配当金の源泉税率20％と同じだが配当控除分の税金は還付可能であり，申告した方が有利となる。課税総所得金額が900万円超の人は税率が33％以上となり，配当控除10％を差し引いても，源泉税率20％より高く，総合課税の申告をすると得策でない。

(3) マイホームの取得には印紙税，不動産取得税，登録免許税がかかり，合計で価額の5％〜10％かかると思っておいた方がよいといえる。

(4) 住宅借入金等特別控除の適用を受けるためには，「借入金の年末残高等証

明書」,「家屋の登記簿謄本」,「増改築等工事証明書」,「住民票」などの一定の書類を添付する。

(5) 婚姻期間が20年以上である配偶者から居住用不動産（その取得のための金銭を含む）の贈与を受けた場合の贈与税については，基礎控除110万円のほか，最高2,000万円の控除が認められています。

(6) マンション等の購入は建物部分と土地部分を一緒にして代金を支払いますので，建物部分の対価がわかりにくいときがあります。そこで，以下のように建物部分の対価を計算します。

土地部分には消費税がかからないため，建物部分については消費税から逆算して建物部分の対価を求めます。

本体価格　　　18,000,000円
消費税額　　　 1,000,000円
売買代金　合計　19,000,000円

$1,000,000円$（消費税） $\times \dfrac{1+0.1}{0.1} = 11,000,000円$（建物部分の取得対価）

19,000,000円 − 11,000,000円 = 8,000,000円
　　　　　　　　　　　　　（土地部分の取得対価）

この計算は，住宅借入金等特別控除額計算明細書の家屋や土地等の取得対価の計算で使用します。また，家屋の減価償却費の計算にも使用されます。

《マイホーム取得にかかる税金》

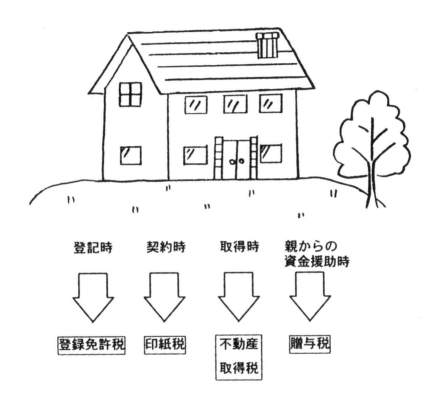

第3節 認定長期優良住宅・認定低炭素住宅の住宅借入金等特別控除（措法41⑩）

　居住者が新築の**認定長期優良住宅**又は**認定低炭素住宅**を平成21年6月4日から令和3年12月31日までの間に居住の用に供した場合，認定長期優良住宅又は認定低炭素住宅の新築等に係る住宅借入金等特別控除額は，その者の選択により住宅借入金等の特別控除に代えて，以下の**認定長期優良住宅の新築等に係る住宅借入金等特別控除**の表により計算した金額（100円未満切捨）にすることができる（措法41⑩）。建物の床面積は50m²以上であること。認定住宅の新築等をすること。新築等の日から6月以内にその者の居住用に供すること。認定住宅の借入金等の金額を有すること。居住年以後の10年間の各年の合計所得金額が3,000万円以下の年であること。

　平成26年4月1日より居住する認定低炭素住宅にも適用される。

　なお，消費税率10％が適用される認定住宅を新築等をして，令和元年10月1日から令和2年12月31日までに自己の居住の用に供した場合（認定住宅の新築の日から6か月以内）には，控除期間は3年延長され13年となる（措法41⑯）。

　認定長期優良住宅とは，長期優良住宅の普及の促進に関する法律に規定する住宅で，①腐食の防止，地震に対する安全性の確保，②住宅の利用の状況の変化に対応した構造・設備の変更が容易であること，③維持保全を容易にするための措置が国土交通省令で定めるもの，誘導基準に適合するものである。

　認定低炭素住宅とは，都市の低炭素化の促進に関する法律に基づく認定を受けた租税特別措置法施行令に定める認定省エネ住宅をいう。

〈図表2-4〉

居住年	控除期間	控除額
平成21年6月4日から 平成23年12月31日	入居年から 10年間	年末長期優良住宅 借入金等残高 ×1.2%（最高60万円）
平成24年	入居年から 10年間	年末長期優良住宅 借入金等残高 ×1.0%（最高40万円）
平成25年	入居年から 10年間	年末長期優良住宅 借入金等残高 ×1.0%（最高30万円）
平成26年1月1日から 平成26年3月31日 （認定長期優良住宅 認定低炭素住宅）	入居年から 10年間	年末長期優良住宅 借入金等残高 ×1.0%（最高30万円）
平成26年4月1日から 令和3年12月31日	入居年から 10年間	年末長期優良住宅（特定取得にあたる場合） 借入金残高　　×1.0%（最高50万円） （最高5,000万円） ※個人間売買などで取得し消費税の対象と 　ならない人（特定取得にあたらない場合） 　（最高30万円）

(注)　令和元年10月1日から令和2年12月31日までに居住用に供した住宅で，消費税額が10%である特別特定取得にあたるものは，延長される3年間の特別控除額（入居年の11年目から13年目）

（11年目から13年目）

少ない方
① 年末長期優良住宅
　借入金残高　　×1.0%（最高50万円）
　（最高5,000万円）

② （長期優良住宅の取得等の対価の額 － 住宅の取得等の対価の額に含まれる消費税額等）×2%÷3年
　（最高5,000万円）

第4節 特定の増改築等（特定断熱改修工事・省エネ改修工事）に係る住宅借入金等特別控除（措法41の3の2⑤・⑥）

居住者が住宅の増改築をし，住宅の増改築等をした日から6か月以内にその者の居住の用に供し（平成21年6月4日から令和3年12月31日までの間に居住の用に供する場合に限る），増改築等の住宅借入金を有している時は，合計所得金額が3,000万円以下であることを要件に，居住日の属する年以後5年間，その年分の所得税額から住宅借入金等特別控除及び特定居住者以外の居住者の既存住宅の一般断熱改修工事等の特別控除に代えて以下の算式により計算した金額を控除できる（措法41の3の2④・⑤）。

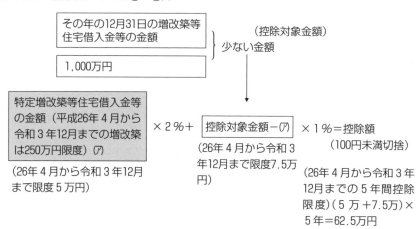

（注） 平成26年4月から令和3年12月までの金額は，平成26年4月1日から令和3年12月31日までに居住の用に供した場合で，特定の増改築等に要した費用に含まれる消費税の税率が8％又は10％である場合の金額である。

住宅増改築等とは，居住者が所有している**家屋の増築，改築**その他の**工事**（その工事と併せて，家屋に**特定断熱改修工事**又は特定断熱改修工事以外の**エネルギー使用の合理化に資する改修工事**）で，50万円を超えるもの（措法41の3の2⑤）。

〈図表2－6〉居住者が増改築した場合の法規定

居住者が増改築を借入金でした場合（いずれかを選択）

- 住宅借入金等特別控除（措法41）
  借入金×1.0%

- 特定増改築（特定断熱改修工事，省エネ改修工事）住宅借入金等特別控除（措法41の3の2④・⑤・⑥）
  $\boxed{\text{特定増改築等住宅借入金㋐}} \times 2\% - \boxed{\text{控除対象金額}-㋐} \times 1\%$
  （注）㋐は平成26年4月から令和3年12月までの増改築には250万円限度。

- 特定居住者以外の既存住宅の居住者の一般断熱改修工事等の特別控除（措法41の19の3②）
  $\left.\begin{array}{l}\text{工事費用の額}\\\text{標準的工事費}\end{array}\right\}$ 少ない金額×10%

第5節 特定居住者の増改築等（バリアフリー改修工事）住宅借入金等特別控除（措法41の3の2）

特定居住者（特定居住者と同じ）が，住宅の**増改築**をし，増改築等をした日から6か月以内に居住の用に供した場合（平成28年4月1日から令和3年12月31日までの間に居住の用に供している者に限る）においては，その居住年以後5年間の各年のうち，合計所得金額が3,000万円以下である年において，増改築住宅借入金等の金額を有するときは，住宅借入金等特別控除及び特定居住者の既存住宅の改修工事等の特別控除に代えて以下の算式で計算した金額を，居住年以後5年間にわたる年分の所得税額から控除できる（措法41の3の2）。

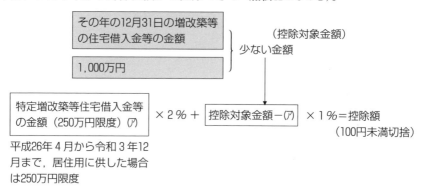

（**注**） 平成26年4月1日以後令和3年12月31日までに居住の用に供した場合の金額は，住宅の増改築等に係る費用に含まれる消費税の税率が8％又は10％である場合である。

住宅の増改築等とは，**特定居住者**が所有している家屋につき行う増築，改築その他の工事やエネルギー使用の合理化に著しく資する**改修工事**で特定断熱改修工事等（この改修工事は，これらの改修工事とともに行う高齢者等居住改修工事，すなわちバリアフリー工事等）をさし，50万円（平成26年3月31日以前に行った工事の

場合は工事費用が30万円)を超えるもの(措法41の3の2②)。

特定居住者とは,居住者で以下のいずれかに該当する者である。
① 年齢は50歳以上である者
② 介護保険法に規定する要介護認定を受けている者等
③ 障害者に該当する者
④ 居住者の親族で,年齢65歳以上である者,要介護認定を受けている者,所得税法の障害者に該当する親族等,これらの者と同居を常況としている者

〈図表2-7〉省エネ改修工事に係る諸規定

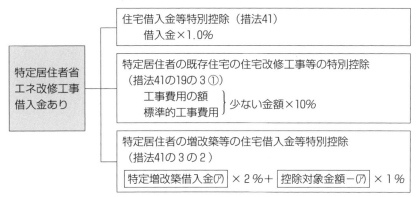

第6節 認定長期優良住宅・低炭素住宅新築等特別控除（措法41の19の4）

居住者が，国内で**認定住宅（認定長期優良住宅）**，**認定低炭素住宅**の新築をして，又は認定長期優良住宅又は認定低炭素住宅で建築後使用されたことのないものを取得して，その取得の日から6か月以内にその者の居住の用に供した場合には，その居住の用に供した年分の所得税額から，認定長期優良住宅についての**構造及び設備**に係る**標準的な性能強化費用相当額**（平成26年3月までは500万円，平成26年4月から令和3年12月までは650万円が限度）の10％（その年分の所得税額が限度）を，その年分の所得税額から控除できる（措法41の19の4①）。ただし，その年分の**合計所得金額**が**3,000万円**以下であること。建物の床面積が**50㎡**以上であること。

平成26年4月1日以後に，居住の用に供する認定低炭素住宅にも適用される。

＜下記以外の場合＞

　　　長期優良住宅のための性能強化費用相当額　× 10％ ＝ 特別控除
　　　　　　　（500万円限度）　　　　　　　　　　　　（100円未満切捨）
　　　　　　　　　　　　　　　　　　　　　　　　　　　（50万円限度）

＜認定住宅の新築又は取得に係る対価の額又は費用の額に含まれる消費税率が8％又は10％の場合＞

（平成26年4月～令和3年12月）　長期優良住宅のための性能強化費用相当額　× 10％ ＝ 特別控除
　　　　　　　　　　　　　　　（注）④（650万円限度）　　　　　　　　（65万円限度）

（注）① 認定長期優良住宅につき住宅借入金等特別控除の適用を受ける場合は，**認定長期優良住宅新築等特別控除**は適用できない。
　　② 認定長期優良住宅を居住の用に供した年分の合計所得金額が**3,000万円を超える場合**も**認定長期優良住宅新築等特別控除**は適用できない。
　　③ 認定長期優良住宅の居住の用に供した年分，その前年分，その前々年分において，居住用財産の3,000万円の控除，居住用財産の軽減税率の特例を受

けた場合も**認定長期優良住宅新築等特別控除**は適用できない。
④ 平成26年4月から令和3年12月までの金額は，住宅の対価の額又は費用の額に含まれる消費税の税率が8％又は10％である場合の金額である。それ以外の場合は，長期優良住宅のための性能強化費用相当額は500万円を限度とする。
⑤ 建物の床面積は，50m²以上であること。

〈図表2－5〉選択できる諸規定

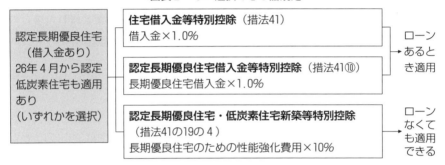

第7節 既存住宅の耐震改修に係る特別控除（措法41の19の2）

居住者が、平成18年4月1日から令和3年12月31日までの間に、その居住者の居住用家屋（昭和56年5月31日以前に建築された居住用家屋に限る）について、住宅の**耐震改修**を行った場合には、以下の金額を既存住宅を耐震改修した場合の**住宅耐震改修特別控除**として、所得税額から控除できる（措法41の19の2）。

① 住宅耐震改修に要した費用の額（補助金を控除した金額）

② 住宅耐震改修に係る標準的な工事費用相当額
　特定耐震改修工事限度250万円、特定耐震改修工事以外のときの限度200万円

いずれか少ない金額 ×10％＝控除額

平成26年4月～令和3年12月までの工事は特定耐震改修のときは、最高25万円、特定耐震改修以外のときは、最高20万円

（注） ① 特定耐震改修とは、耐震改修工事に要した費用の額に含まれる消費税の税率が8％又は10％である場合の金額で、そのときの**耐震改修工事限度額**は250万円。それ以外のときは耐震改修工事限度額は200万円。
　　② 平成26年4月1日以後に、既存住宅の改修をした場合で、上記の既存住宅の耐震改修に係る特別控除（措法41の19の2）の適用を受ける場合には、**要耐震改修住宅**に係る**住宅借入金等の特別控除**の適用はできない（措法41㉔カッコ書き）。

①の住宅耐震改修に要した費用の額は、国又は地方公共団体等から交付される補助金又は給付金の交付を受ける場合は、その費用の額からこれらの補助金等の額を控除した金額である。

第Ⅷ編 税額計算 769

```
地震に対する増改築      耐震改修費100万円超で借入金あり
住宅の耐震改修（増  ─── 住宅借入金等特別控除（措法41）
改築）                借入金×1％
  （併 用 可）         増改築の工事の中に，家屋について行う建築基準法施行
                       令第3条及び第5条の4の規定又は国土交通大臣が財務
                       大臣と協議して定める地震に対する安全性に係る基準に
                       適合させるための修繕又は模様替が含まれる
```

昭和56年5月31日以前建築家屋

既存住宅の耐震改修（措法41の19の2）に係る特別控除
① 住宅耐震改修費用（補助金を控除）
② 住宅耐震改修に係る標準的費用相当額
｝少ない方の金額×10％

第8節 特定居住者の既存住宅の住宅改修工事等（バリアフリー改修・省エネ改修工事）の特別控除（措法41の19の3①）

　特定居住者（下記の50歳以上の者等）が，**バリアフリー改修工事**（30万円を超えるもの）又は**省エネ改修工事**（30万円を超えるもの）をし，平成26年4月1日から令和3年12月31日までの間に改修工事の日から6か月以内に居住の用に供した場合には，年分の合計所得金額が3,000万円以下であることを要件に，以下の金額を既存住宅に係る特定の改修工事をした場合の**特定居住者の住宅改修工事特別控除**として，所得税額から控除できる（措法41の19の3①）。

① バリアフリー改修工事（高齢者等居住改修工事等）

（平成26年4月～令和3年12月）

工事費用の額（補助金を控除）
標準的な工事費用に係る控除限度（200万円）

いずれか少ない金額 ×10％＝控除額（最高20万円）

② 省エネ改修工事（一般断熱工事等）

（平成26年4月～令和3年12月）

工事費用の額（補助金を控除）
標準的な工事費用に係る控除限度（250万円）（省エネ工事に併せて太陽光発電装置を設置する場合は350万円）

いずれか少ない金額 ×10％＝控除額（最高25万円）（省エネ工事に併せて太陽光発電装置を設置する場合は35万円）

（注）　平成26年4月から令和3年12月の金額は，バリアフリー改修工事，省エネ改修工事費用に含まれる消費税の税率が8％又は10％である場合の金額である。

特定居住者とは，居住者で以下のいずれかに該当する者である。
① 年齢は50歳以上である者
② 介護保険法に規定する要介護認定を受けている者等
③ 障害者に該当する者
④ 居住者の親族で，年齢65歳以上である者，要介護認定を受けている者，所得税法の障害者に該当する親族等，これらの者と同居を常況としている者

第9節 特定居住者以外の居住者の既存住宅の一般断熱改修工事等（省エネ改修工事）の特別控除（措法41の19の3②）

　特定居住者以外の居住者が，居住用の家屋について**一般断熱改修工事等**（30万円を超えるもの）をし，平成21年4月1日から令和3年12月31日までの間に，改修工事の日から6か月以内にその者の居住の用に供する場合には，年分の合計所得金額が3,000万円以下であることを要件に，以下の金額を既存住宅に係る特定の改修工事をした場合の**特定居住者以外の居住者の一般断熱改修工事等の特別控除**として，所得税額から控除できる（措法41の19の3②）。

```
┌─────────────────────┐
│一般断熱改修工事等の工事│
│費用の額（補助金を控除）│ ┐
└─────────────────────┘ │ いずれか    ┌最高25万円又35万円 ┐
                        ├         ×10％＝控除額 │太陽光工事を含む  │
┌─────────────────────┐ │ 少ない金額   └場合は35万円      ┘
│標準的な工事費用の額   │ ┘
└─────────────────────┘           太陽光発電設備は30万円限度
```
　平成26年4月1日から令和3年12月31日までの断熱改修工事限度額は最高250万円（太陽光発電工事を含む場合は最高　350万円）

　一般断熱改修工事等とは，居住者が所有している家屋につきエネルギー使用の合理化に資する改修工事で一定のもの及びその工事と併せて行う太陽光発電設備の取替え又は取付けに係る工事で30万円を超えるもの（措法41の19の3④）。

（注1）　**特定居住者の既存住宅の住宅改修工事等特別控除**と**特定居住者以外の居住者の既存住宅の一般断熱改修工事等特別控除**は，その年の前年分において，同一居住用家屋について**特定居住者の既存住宅の住宅改修工事等の特別控除**又は**特定居住者以外の居住者の既存住宅の一般断熱改修工事等の特別控除**の適用を受けている場合は適用できない。

（注2）　平成26年4月1日から令和3年12月31日までに，その者の居住の用に供した場合の標準的費用の額は，その標準的な工事費用の額が断熱改修工事限度額を超える場合は，断熱改修工事限度額をさす。

　　　断熱改修工事限度額とは，太陽光発電装置の工事を行う場合で消費税率が8％又は10％である場合は350万円，太陽光発電装置の工事を行わない場合で消費税率が8％又は10％である場合は250万円。

平成26年4月1日以後令和3年12月31日までの工事から耐震工事，省エネ・バリアフリー工事を併用した場合の限度額計算

耐震工事	25万	（控除限度）
（特定居住者）バリアフリー	20万	（控除限度）
（特定居住者）省エネ	25万	（控除限度）
合計	70万	（控除限度）

第10節 政党等寄附金の所得税額の特別控除

　個人が支出した政党又は政党の政治資金団体に対する**政治活動に関する寄附金**（政治資金規正法に違反することとなるもの及びその寄附をした者に特別の利益が及ぶと認められるものを除く）で，政治資金規正法による報告書により報告されたもの（「**政党等寄附金**」）については，その者の選択により，所得控除の寄附金控除の適用に代えて，以下の①・②の区分に応ずるそれぞれの算式により計算した金額（100円未満の端数切捨て）を**政党等寄附金特別控除**として**その年分の所得税額**から控除することができる（措法41の18②）。

　この場合において，**控除する金額**はその支出年分の所得税額（税額控除前の算出税額）の**100分の25**を限度とする。

① その年の特定寄附金が**政党等寄附金のみの場合**

　ア　$\left\{ \text{少ない方} \begin{bmatrix} \text{政党等寄附金} \\ \text{課税標準} \times 40\% \end{bmatrix} - 2{,}000\text{円} \right\} \times 30\%$

　イ　税額控除前の算出税額×25%

　ウ　(ア)と(イ)　∴少ない方（100円未満切捨）

② その年の特定寄附金に政党等寄附金とその他の特定寄附金がある場合

　ア　$\left\{ \text{少ない方} \begin{bmatrix} \text{政党等寄附金と} \\ \text{その他の特定寄} \\ \text{附金の合計額} \\ \text{課税標準} \times 40\% \end{bmatrix} - \begin{bmatrix} \text{その他} \\ \text{の特定} \\ \text{寄附金} \end{bmatrix} - \begin{pmatrix} 2{,}000\text{円} - \begin{matrix} \text{その他} \\ \text{の特定} \\ \text{寄附金} \end{matrix} \\ (0 < \therefore 0) \end{pmatrix} \right\} \times 30\%$（100円未満切捨て）

　イ　税額控除前の算出税額×25%

　ウ　(ア)と(イ)　∴少ない方（100円未満切捨）

（注）1　上記の課税標準とは，支出年分の総所得金額，上場株式等に係る配当所得の金額（分離課税を選択），土地等に係る事業所得等の金額，短期譲渡所得の金額，長期譲渡所得の金額，一般株式等に係る譲渡所得等の金額，上場株式等に係る譲渡所得等の金額，先物取引に係る雑所得等の金額，退職所得金額及び山林所

得金額の合計額をいう（特定非営利活動寄附金特別控除，公益社団法人等寄附金特別控除も同様）。
2　特定寄附金のうちに，寄附金控除（所得控除）又は政党等寄附金特別控除，特定非営利活動寄附金特別控除，公益社団法人等寄附金特別控除（税額控除）の**適用を受けられるものが2以上**含まれていて，その特定寄附金のすべてについて，これらの控除の適用を受けるとした場合に，その特定寄附金の合計額が**課税標準の40％相当額を超える**こととなるときは，その特定寄附金についてこれらの控除のいずれかを適用するかは**任意に選択**できる。

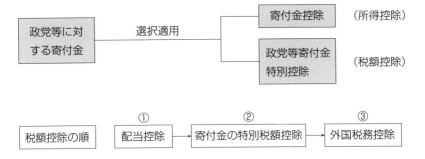

《計算例題1》 政党等寄附金特別控除

以下の資料により，福大太郎の政党等寄附金の特別控除額を計算しなさい。

福大太郎が政党に寄附した寄附金の額の合計額は200,000円であった。課税標準の合計額は8,500,000円，算出税額は700,000円である。

《解答欄》

摘　要	金　額	計　算　過　程
算出税額	円	
配当控除	×××	
政党等寄附金特別控除	円	(1) （　　　円 － 2,000円）× 30%　(注) 　　　＝ 　　　円 　　　　(注) 　　　円 × 40% 　　　　　＝ 　　　円 ≧ 　　　円 　　　　　　∴ 　　　円 (2) 　　　円 × 25% ＝ 　　　円 (3) (1)と(2)少ない金額　∴ 　　　円

《解答》

摘要	金額	計算過程
算出税額	700,000円	
配当控除	×××	
政党等寄附金特別控除	59,400円	(1) (200,000円 (注) － 2,000円) × 30% 　　＝ 59,400円 　　(注) 8,500,000円 × 40% 　　　　＝ 3,400,000円 ≧ 200,000円 　　　　∴ 200,000円 (2) 700,000円 × 25% ＝ 175,000円 (3) (1)と(2)少ない金額 ∴ 59,400円

《計算例題2》 寄附金控除，政党等寄附金特別控除

以下の資料により，福大太郎の寄附金控除額（所得控除）と政党等寄附金特別控除額（税額控除）を計算しなさい。政党等に対する寄附金は，特別税額控除を適用するものとする。

福大太郎が政党に寄附した寄附金の額の合計額は300,000円，日本赤十字社に寄附した寄附金は6,000円であった。本年の課税標準合計額は700,000円，算出税額は150,000円である。

《解答欄》

（寄附金控除の計算）所得控除

(政党等寄附金控除の計算）税額控除

(1)
$$(\boxed{}\text{円} - \boxed{}\text{円}) \times 30\% = \boxed{}\text{円}$$

(注1) $\boxed{}$円 + $\boxed{}$円 = $\boxed{}$円 > $\boxed{}$円 ×40%

$\boxed{}$円 × 40% － $\boxed{}$円 = $\boxed{}$円

(注2) 2,000円 － $\boxed{}$円 = $\boxed{}$円 < 0

∴ $\boxed{}$円

(2) $\boxed{}$円 × 25% = $\boxed{}$円

(3) (1)と(2)少ない金額 ∴ $\boxed{}$円

《解　答》

(寄附金控除の計算）所得控除

(注) $\boxed{6,000\text{円}}$ － 2,000円 ＝ $\boxed{4,000\text{円}}$

(注) $\boxed{700,000\text{円}}$ × 40% ＝ $\boxed{280,000\text{円}}$ ≧ $\boxed{6,000\text{円}}$

∴ $\boxed{6,000\text{円}}$

(政党等寄附金控除の計算）税額控除

(1)
$$(\boxed{274,000\text{円}} - \boxed{0\text{円}}) \times 30\% = \boxed{82,200\text{円}}$$

(注1) $\boxed{300,000\text{円}}$ ＋ $\boxed{6,000\text{円}}$ ＝ $\boxed{306,000\text{円}}$ ＞ $\boxed{700,000\text{円}}$ ×40%

$\boxed{700,000\text{円}}$ × 40% － $\boxed{6,000\text{円}}$ ＝ $\boxed{274,000\text{円}}$

(注2) 2,000円 － $\boxed{6,000\text{円}}$ ＝ $\boxed{-4,000\text{円}}$ ＜ 0

∴ $\boxed{0\text{円}}$

(2) $\boxed{150,000\text{円}}$ × 25% ＝ $\boxed{37,500\text{円}}$

(3) (1)と(2)少ない金額 ∴ $\boxed{37,500\text{円}}$

第11節　公益社団法人等寄附金特別控除

　個人が支出した特定寄附金のうち，以下の①に掲げる**公益社団法人等**で特定の法人（その運営組織および事業活動が適正であること，市民から支援を受けていることなど一定の要件を満たすものに限る）に対する寄附金（その寄附をした者に特別の利益が及ぶと認められるものを除く。「公益社団法人等寄附金」という）については，その者の選択により，所得控除の寄附金控除の適用に代えて，以下の②の区分に応ずるそれぞれの算式により計算した金額（100円未満の端数切捨て）を**公益社団法人等寄附金特別控除**として**その年分の所得税額から控除**することができる（措法41の18の3①）。

　この場合において，控除する金額はその支出年分の所得税額（税額控除前の算出税額）の**100分の25を限度**とする。

① 公益社団法人等で次に掲げる法人
　(イ) 公益社団法人及び公益財団法人
　(ロ) 私立学校法第3条に定める学校法人及び同法第64条第4項（私立専修学校等）により設立された法人，国立大学法人，公立大学法人等
　(ハ) 社会福祉法人，更生保護法人等

② 特別控除額
　(イ) その年の特定寄附金が公益社団法人等寄附金のみである場合

$$\text{ア}\left[\text{少ない方}\begin{cases}\text{公益社団法人等寄附金}\\ \text{課税標準}\times 40\%\end{cases}-2{,}000\text{円}\right]\times 40\%$$

　　イ　税額控除前の算出税額×25%
　　ウ　(ア)と(イ)　∴少ない方（100円未満切捨）

(ロ) その年の特定寄附金に公益社団法人等寄附金とその他の特定寄附金とがある場合

$$\text{ア}\left\{\begin{array}{l}\text{少ない方}\left\{\begin{array}{l}\text{公益社団法人等}\\\text{寄附金とその他}\\\text{の特定寄附金の}\\\text{合計額}\\\text{課税標準×40\%}\end{array}\right.-\left\{\begin{array}{l}\text{その他}\\\text{の特定}\\\text{寄附金}\end{array}\right.-\left\{\begin{array}{l}2{,}000円-\begin{array}{l}\text{その他}\\\text{の特定}\\\text{寄附金}\end{array}\\(<0\therefore 0)\end{array}\right.\end{array}\right\}\times 40\%$$

イ 税額控除前の算出税額×25%

ウ (ア)と(イ) ∴少ない方（100円未満切捨）

(注) 特定寄附金のうちに、寄附金控除（所得控除）又は政党等寄附金特別控除、特定非営利活動寄附金特別控除、公益社団法人等寄附金特別控除（税額控除）の適用を受けられるものが2以上含まれていて、その特定寄附金のすべてについて、これらの控除の適用を受けるとした場合、その特定寄附金の合計額が**課税標準の40％相当額を超えることとなるとき**は、その特定寄附金について、これらの控除のいずれかを適用するかは**任意に選択**できる。

第12節 認定特定非営利活動法人等への寄附金（認定NPO法人等）の所得税額の特別控除

　個人が支出した**認定特定非営利活動法人（認定NPO法人）**に対する特定非営利活動に関する寄附金（その寄附をした者に特別の利益が及ぶと認められるものを除く）については，その者の選択により，所得控除の寄附金控除の適用に代えて，以下の①・②の区分に応ずるそれぞれの算式により計算した金額（100円未満の端数切捨て）を**特定非営利活動寄附金特別控除**としてその年分の**所得税額から控除**することができる（措法41の18の2②）。

　この場合において，**控除する金額**はその支出**年分の所得税額**（税額控除前の算出税額）の**100分の25に相当する金額**（公益社団法人等寄附金特別控除の適用がある場合は，当該100分の25に相当する金額から**公益社団法人等寄附金特別控除額を控除した残額**）**を限度**とする。

① その年の特定寄附金が特定非営利活動寄附金のみ（認定NPO法人への寄付金のみ）である場合

　ア $\left[\text{少ない方} \left\{ \begin{array}{l} \text{特定非営利活動等寄附金} \\ \text{課税標準} \times 40\% \end{array} \right\} - 2{,}000\text{円} \right] \times 40\%$

　イ　税額控除前の算出税額×25％

　ウ　(ア)と(イ)　∴少ない方（100円未満切捨）

② その年の特定寄附金に特定非営利活動等寄附金とその他の特定寄附金とがある場合

　ア $\left[\text{少ない方} \left\{ \begin{array}{l} \text{特定非営利活動等寄附金とその他の特定寄附金の合計額} \\ \text{課税標準} \times 40\% \end{array} \right\} - \left\{ \begin{array}{l} \text{その他の特定寄附金} \end{array} \right\} - \left\{ \begin{array}{c} 2{,}000\text{円} - \text{その他の特定寄附金} \\ (<0 \ \therefore 0) \end{array} \right\} \right] \times 40\%$

　イ　税額控除前の算出税額×25％

ウ (ア)と(イ) ∴少ない方（100円未満切捨）

(注)①　認定特定非営利活動法人とは，特定非営利活動促進法第2条第2項に規定する特定非営利活動法人のうち，その運営組織及び事業活動が適正であること並びに公益の増進に資することにつき政令で定める要件を満たすものとして，国税庁長官の認定を受けたもの（その認定の有効期間が終了したものを除く）をいう（措法66の11の2③）。

②　特定寄附金のうちに，寄附金控除（所得控除）又は政党等寄附金特別控除，特定非営利活動寄附金特別控除，公益社団法人等寄附金特別控除（税額控除）の適用を受けられるものが2以上含まれていて，その特定寄附金のすべてについて，これらの控除の適用を受けるとした場合に，その特定寄附金の合計額が課税標準の40％相当額を超えることとなるときは，その特定寄附金について，これらの控除のいずれかを適用するかは任意に選択できる。

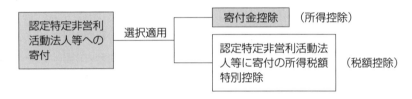

第13節　外国税額控除

1　外国税額控除の意義

居住者は，国内源泉所得のみならず，国外源泉所得にも日本の所得税が課税される。国外源泉所得については，外国所得税も課税されている。国外源泉所得は，日本の所得税と外国の所得税が二重に課税されている。この**二重課税を排除**するのが**外国税額控除**である。

居住者が，各年において外国所得税を納付することとなる場合，その年分の所得税額のうち，以下の算式で計算した国外源泉所得に対応する部分の金額を限度として，その外国所得税額を，その年分の所得税額から控除する。これを外国税額控除という（法95①，令226）。

2　控除対象外国所得税の範囲

外国税額控除の対象となる控除対象外国所得税とは，外国の法令により，外国又はその地方公共団体により個人の所得を課税標準として課される税（令221条3項各号に定める税及び通常行われる取引と認められない令222条の2に定める取引に基因して生ずる所得に対して課される特定の税を除く）をいう（法95①，令221①～⑤）。ただし，国外一般公社債等の利子に係る外国税額については，その利子等に対する国内源泉徴収の段階で控除されることとされ，この「外国税額控除」の適用上はないものとみなされる（措法3の3④）。

3　控除限度額

外国税額控除の控除限度額は，その年分の所得税額に，その年分の所得総額のうちにその年分の国外所得総額の占める割合を乗じて計算した金額とされる（令222①）。この場合，その年分の所得総額は，損失の繰越控除をしないところにより計算する（同②）。また，**国外所得総額**とは，原則として，その年分の国内源泉所得以外の所得のみについて所得税を課することとした場合に課税標準

となるべき総所得金額等の合計額に相当する金額をいう（同③）。

<外国税額控除>

(1) 控除対象外国所得税額
(2) 控除限度額

配当控除及び措置法による税額控除適用後のその年分の所得税額 × その年分の国外源泉所得金額 / その年分の合計所得金額 （$\frac{100}{100}$を限度）

(3) (1)と(2)少ない金額

《計算Pattern》

区　分	金　額	計　算　の　過　程
Ⅴ　納付税額の計算 　　算出税額	①	
配当控除	②	
外国税額控除	③	(1) 控除対象外国所得税額　　×× (2) 控除限度額 　　（①－②）× その年の国外所得金額 / その年の合計所得金額 (3) (1)と(2)少ない金額③
源泉徴収税額	④	
申告納税額	×××	①－②－③－④（100円未満切捨）

《計算例題１》　外国税額控除

以下の資料により、福大商事の外国税額控除を計算しなさい。

令和3年分の国外所得金額1,500,000円、合計所得金額30,000,000円、控除対象外国所得税額900,000円、算出税額7,300,000円、配当控除300,000円である。

《解答欄》

(1) 控除対象外国所得税額　　　　　　　円

(2) 控除限度額

(□円 − □円) × □円/□円

= □円

(3) (1)と(2)少ない金額 ∴ □円

《解　答》

(1) 控除対象外国所得税額　900,000円

(2) 控除限度額

(7,300,000円 − 300,000円) × 1,500,000円/30,000,000円

= 350,000円

(3) (1)と(2)少ない金額 ∴ 350,000円

《計算例題2》外国税額控除

以下の資料に基づき，居住者福大太郎の本年分の利子所得の金額，配当所得の金額及び外国税額控除額を求めなさい。

申告不要を選択できる配当等は，すべて申告不要を選択するものとする。

［資料1］

甲は，本年中，次の利子・配当等の収入を得ている。

種　類	取得年月日	利子・配当の額	支払確定日	外国所得税
B外国利付債（非上場）	平30．8．3	110,000円	令和3．7．10	11,000円
A外国株式（非上場）	令和元.10.20	90,000円	令和3．9．20	18,000円
C外国株式（非上場）	令和2.11.15	700,000円	令和3.10.28	70,000円

(**注1**) 利子・配当の額は，すべて徴収された所得税等の額を含む金額である。
(**注2**) A外国株式及びC外国株式の剰余金の配当，B外国利付債に係る利子は，国内における支払の取扱者から支払を受けたものである。
(**注3**) 株式の剰余金の配当の配当計算期間は，すべて1年である。

［資料2］

甲の本年分の合計所得金額は35,628,588円，算出税額は9,892,615円である。
(税理士試験)

《解答欄》

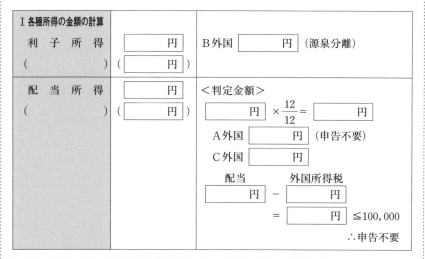

《解 答》

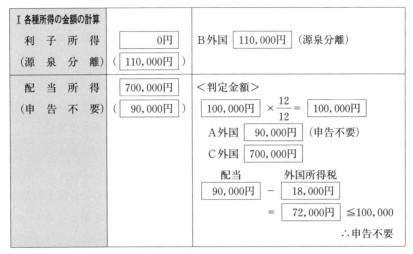

（注）総合課税，申告分離課税の適用を受けるものについてのみ，外国税額控除の適用のある外国株式に係る配当等の申告不要の判定は，外国所得税を控除した後の金額で行う。

4 国外公社債等の利子等

　国外公社債等の利子等（平成28年以後は国外一般公社債等の利子等）に係る外国税額については，国内源泉徴収の段階で控除され，外国税額控除の適用はない（措法3の3④）。

　なお，平成29年分以後は，外国税額控除の計算の基礎となる国外源泉所得の一つである国外事業所得とは，国外事業所等帰属所得とされる。

この国外事業所等帰属所得とは、国外事業所等がその居住者から独立して事業を行う事業者であるとした場合、その国外事業所等が果たす機能、その国外事業所等とその居住者の事業所等との間の内部取引その他の状況を勘案して、その国外事業所等に帰せられるべき所得をいう（所法95④一）。

5 控除対象外国税額の繰越控除

① その年の控除対象外国税額がその年の控除限度額を超える場合

居住者がその年において納付することとなる控除対象外国税額の額が、その年の控除限度額と地方税控除限度額の合計額を超える場合において、その前3年内の各年の控除限度額のうち、その年に繰り越される部分の金額があるときは、その繰越控除限度額を限度として、その超える部分の金額をその年分の所得税の額から控除する（法95②，令223、224）。控除しきれない外国税額控除は、還付を受けることができる。

② その年の控除対象外国税額がその年の控除限度額に満たない場合

居住者がその年において納付することとなる控除対象外国税額の額が、その年の控除限度額に満たない場合において、その前3年内の各年において納付することとなった所得税のうち、その年に繰り越された金額（繰越外国所得税額）があるときは、その繰越控除限度額からその年に納付することとなる控除対象外国税額を控除した残額を限度として、その繰越外国所得税額をその年分の所得税の額から控除する（法95③，令225）。

第Ⅷ編 税額計算

第14節 復興特別所得税

1 復興特別所得税

平成25年1月1日から平成49年12月31日までの間は，各年分の所得税に対する基準所得税額（算出税額から外国税額控除以外の配当控除や措置法の各税額控除を控除した税額）に対して，2.1％の復興特別所得税が課税される（復興財源確保法10，12，13）。

$$\boxed{基準所得税額}（算出税額－外国税額控除以外の税額控除）× \boxed{2.1\%}$$
$$= \boxed{復興特別所得税} \;Ⓔ$$

《計算Pattern》

区　　　分	金額	計　算　の　過　程
Ⅴ　納付税額の計算 　　算　出　税　額	Ⓐ	(1) 課税総所得金額に対する税額 (2) 課税短期譲渡所得金額に対する税額 (9) (1)〜(8)の合計＝×××　Ⓐ
配　当　控　除	Ⓑ	
措置法の税額控除	Ⓒ	
差　引　所　得　税　額 （基準所得税額）	Ⓓ	Ⓐ－Ⓑ－Ⓒ＝Ⓓ
復興特別所得税	Ⓔ	(Ⓓ)×2.1％＝×××　Ⓔ　　1
外　国　税　額　控　除	Ⓕ	
所得税及び復興特別 所得税の源泉徴収税額	Ⓖ	① 源泉徴収税額 ② ①×2.1％＝源泉徴収特別税額　　2 ③ ①＋②＝Ⓖ
所得税及び復興特別 所得税の申告納税額	Ⓗ	Ⓓ＋Ⓔ－Ⓕ－Ⓖ＝×××　Ⓗ　　2 （100円未満切捨）
所得税及び復興特別 所得税の予定納税額	Ⓘ	
納付すべき税額 （還付される税額）	Ⓙ	Ⓗ－Ⓘ＝Ⓙ

2 源泉徴収特別税 （源泉徴収すべき復興特別所得税）（復興財源確保法17①三，28①・②）

① 源泉徴収すべき所得税

② 源泉徴収すべき所得税 × 2.1％ ＝ 源泉徴収すべき復興特別所得税額 （源泉徴収特別税額）
（源泉徴収税額）

③ ①＋② ＝ 源泉徴収税額及び源泉徴収特別税額の合計

（別解）
収入金額 × 源泉所得税率 ×102.1％ ＝ 源泉徴収すべき所得税額及び源泉徴収すべき復興特別所得税額の合計
（源泉徴収税額及び源泉徴収特別税額の合計）

第Ⅸ編

所得税の申告

第1章 予定納税制度

第1節 予定納税の通知

　所得税は，**1暦年**（その年1月1日から12月31日まで）を課税期間とし，その課税期間内に生じた所得について課税されるが，納付すべき所得税額は，その課税期間経過後において，納税者が自主的に申告納付する申告納税制度を原則とする。

　しかし，国の租税収入の平準化，徴税技術などの理由及び納税者側の納税の便宜を考慮し，その年分の所得税額が確定する前に，前年分の所得を基として計算した所得税額を予納する制度を採用している。これを**予定納税制度**という。

(1) **予定納税額の納付**

　予定納税基準額が**15万円以上**である居住者は，第1期納期限（その年7月1日から7月31日までの期間）及び第2期納期限（その年11月1日から11月30日までの期間）において，それぞれ**予定納税基準額の3分の1に相当する金額**（100円未満の端数は切り捨てる）の所得税を国に納付しなければならない（法104）（ただし，特別農業所得者は除く）。**特別農業所得者**は予定納税基準額の2分の1に相当する金額の所得税を納付しなければならない。

(2) **予定納税基準額**

　予定納税基準額とは，以下の①の金額から②の金額を控除した金額をいう（法104①）。

　① 前年分の課税総所得金額，上場株式等に係る課税配当所得の金額及び土

地等に係る課税事業所得等の金額に係る所得税の額（この課税総所得金額などの計算の基礎となった各種所得の金額のうちに，①譲渡所得の金額，②一時所得の金額，③雑所得の金額又は④雑所得に該当しない臨時所得の金額がある場合には，これらの金額がなかったものとみなして計算した金額とする。前年分の所得税について，災害被害者に対する租税の減免，徴収猶予等に関する所得税の軽減，免除の適用を受けていた場合には，適用がなかったものとみなして計算した金額とする）

② 前年分の課税総所得金額及び上場株式等に係る課税配当所得の金額の計算の基礎となった各種所得について源泉徴収をされた又はされるべきであった所得税の額（その各種所得のうちに一時所得，雑所得又は雑所得に該当しない臨時所得がある場合には，これらの所得について源泉徴収をされ又はされるべきであった所得税の額を控除した額）

(3) **予定納税基準額の計算の基準日等**

予定納税基準額の計算はその年**5月15日**，特別農業所得者にあっては，その年9月15日において確定しているところにより，また，居住者があるかどうかの判定は**その年6月30日**（特別農業所得者にあっては，その年10月31日）の現況による。

(4) **予定納税額等の通知**

税務署長は，予定納税額を納付すべき者に対し，その年**6月15日**までに，その予定納税基準額並びに第1期及び第2期において納付すべき予定納税額を書面により通知する（法106①）（特別農業所得者は除く）。

(5) **災害等に係る納期限等の延長の場合の予定納税額**

災害等に係る国税通則法による納期限等の延長により，その年分の所得税につき納付すべき予定納税額の納期限がその年12月31日後となる場合には，その納期限の延長の対象となった予定納税額はないものとされる。

(6) **災害等に係る納期限等の延長の場合の予定納税額等の通知**

災害等に係る国税通則法による納期限等の延長により，その年6月15日において申告等の期限が延長されている場合には，同日までに税務署長が行うこととされているその年分の所得税に係る予定納税額等の通知は，納期限等の延長

により，延長された第1期分の予定納税額の納期限の1月前までに行う。
　ただし，延長後の納期限がその年12月31日後となる場合には，その通知は要しないものとされる。

第2節　予定納税額の減額

1　予定納税額の減額承認申請

　予定納税額を納付すべき居住者は，その年分の申告納税見積額が予定納税基準額に満たないと見込まれる場合には，次により**予定納税額の減額の承認の申請をすることができる**（法111）。

(1)　6月30日の現況による減額承認申請

　予定納税額を納付すべき者（特別農業所得者を除く）は，その年6月30日の現況による**申告納税見積額**が**予定納税基準額**に満たないと見込まれる場合には，その年7月15日までに，納税地の所轄税務署長に対し，第1期及び第2期において納付すべき**予定納税額の減額に係る承認を申請することができる**。

(2)　10月31日の現況による減額承認申請

　次に掲げる居住者は，その年10月31日の現況による申告納税見積額が次に掲げる金額に満たないと見込まれる場合には，その年11月15日までに，納税地の所轄税務署長に対し，第2期において納付すべき**予定納税額の減額に係る承認を申請することができる**。

　予定納税額を納付すべき者……予定納税基準額（上記(1)の申請による減額承認を受けた者については，その承認に係る申告納税見積額）（特別農業所得者を除く）

2　減額承認申請に対する処分

　税務署長は，予定納税額の減額の承認申請書の提出があった場合には，その調査により，その申請に係る申告納税見積額を認め，もしくは申告納税見積額を定めてその承認をし，又はその申請を却下する（法113①）。

　この場合，次のいずれか一に該当するときは，税務署長は，減額の承認をしなければならない。

　(1)　その申請に係る申告納税見積額の計算の基準となる日までに生じた事業の全部もしくは一部の廃止，休止もしくは転換，失業，災害，盗難，もし

くは横領による損害又は医療費の支払により，同日の現況による申告納税見積額がその承認により減額されるべき予定納税額の計算の基礎となった予定納税基準額又は申告納税見積額に満たなくなると認められる場合

(2) (1)に掲げる場合のほか，その申請に係る申告納税見積額の計算の基礎となる日の現況における申告納税見積額がその承認により減額されるべき予定納税額の計算の基礎となった予定納税基準額又は申告納税見積額の10分の7に相当する金額以下となると認められる場合

3 申告納税見積額

申告納税見積額とは，以下の①の金額から②の金額を控除した金額である（法111④，令261）。

① その年分の課税総所得金額及び上場株式等に係る課税配当所得の金額（分離課税を選択するもの），土地等に係る課税事業所得等の金額，課税短期譲渡所得の金額，課税長期譲渡所得の金額，一般株式等に係る課税譲渡所得等の金額，上場株式等に係る課税譲渡所得等の金額，先物取引に係る課税雑所得等の金額，及び課税山林所得金額の見積額に，税率を適用して計算した場合の所得税の額

② ①の課税総所得金額及び上場株式等に係る課税配当所得の金額及び上場株式等に係る課税譲渡所得等の金額の計算の基礎となった各種所得につき源泉徴収される所得税の額の見積額

4 減額の承認があった場合の予定納税額

(1) 6月30日の現況による承認

6月30日の現況による承認を受けた者の納付すべき第1期及び第2期分の予定納税額は，その承認された**申告納税見積額の3分の1**に相当する金額とされる（法114①）。

(2) 10月31日の現況による承認

10月31日の現況による承認を受けた者の納付すべき第2期分の予定納税額は，

次に掲げる金額とされる（法114②・③）。

その承認された申告納税見積額から第1期分の予定納税額を控除した残額の2分の1に相当する金額（特別農業所得者は除く）。

5　災害減免法による減額承認申請の特例

第1期分の予定納税額を納付すべき者が，その年7月1日以後に災害を受け，その被害のあった日においてその年分の合計所得金額の見積額を計算した場合において，災害減免法第2条に規定する所得税の軽減免除を受けることができることとなり，かつ，その計算した合計所得金額の見積額を基礎として同法第2条の規定を適用して計算した所得税額が，第1期分の予定納税の計算の基礎となった予定納税基準額又は申告納税見積額に比し減少することとなったときは，その災害のあった日から2月以内に，納税地の所轄税務署長に対し，第1期又は第2期の予定納税額の減額に係る承認の申請をすることができる（災免法3①）。

〈図表1－1〉予定納税制度

```
                    ┌─────────────────────────┐
                    │ 第1期及び第2期         │
              ┌───→│ 予定納税基準額の 1/3 を納付 │
┌──────────┐  │    │ （予定納税）            │
│ 予定納税基  │  │    └─────────────────────────┘
│ 準額が15万  ├──┤
│ 円以上      │  │    ┌─────────────────────────┐    ┌─────────────────────────┐
└──────────┘  └───→│ 申告納税見積額＜予定納税基準額 │──→│ 第1期及び第2期         │
                    │ （予定納税額の減額承認申請）  │    │ 申告納税見積額の 1/3 を納付 │
                    └─────────────────────────┘    └─────────────────────────┘
```

第2章 確定申告

【Point 29】

確定申告には，①確定申告義務のある者がすべき「**確定所得申告**」，②源泉徴収税額，予定納税額等の還付を受けるために行う「**還付等を受けるための申告**」及び③純損失又は雑損失の繰越控除もしくは純損失の繰戻し等による還付を受けるために行う「**確定損失申告**」の3つがある。さらに，これらの申告には，納税者自身が通常の申告期限において行うもののほか，死亡又は出国をする場合に相続人等が特別の時期に行うという特則がある。所得税法では，これらにより提出する申告書（期限後申告書を含む）を「**確定申告書**」と総称している（法2①三十七）。

第1節 確定申告の意義

確定申告は，納税者がその年分の所得のそれに対する税額を確定するための申告手続であると同時に，予定納税額，源泉徴収により納付した**税額の精算**をも意味している（通法15）。

第IX編 所得税の申告

所得の種類と使用する確定申告書

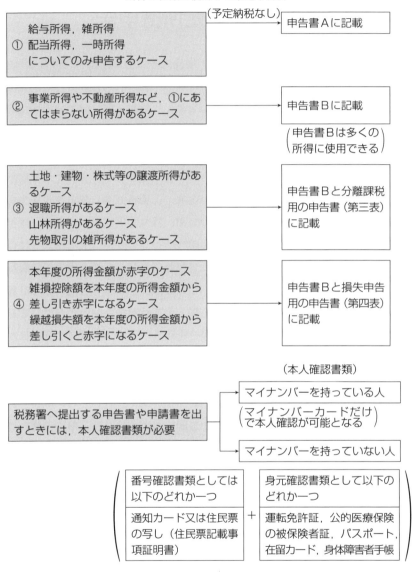

第2節　確定所得申告

　居住者は，その年分の総所得金額，上場株式等に係る配当所得の金額（分離課税を選択したもの）土地等に係る事業所得等の金額，特別控除後の短期譲渡所得の金額，特別控除後の長期譲渡所得の金額，一般株式等に係る譲渡所得等の金額，上場株式等に係る譲渡所得等の金額，先物取引に係る雑所得等の金額，退職所得金額並びに山林所得金額の合計額が，雑損控除その他の所得控除の額の合計額を超える場合において，これらの所得金額からこれらの所得控除額を控除した後の金額をそれぞれ課税総所得金額，上場株式等に係る課税配当所得の金額，土地等に係る課税事業所得等の金額，課税短期譲渡所得金額，課税長期譲渡所得金額，一般株式等に係る課税譲渡所得等の金額，上場株式等に係る課税譲渡所得等の金額，先物取引に係る課税雑所得等の金額，課税退職所得金額，課税山林所得金額とみなして，これらの金額に基本税率を適用して計算した所得税額の合計額が配当控除額と住宅借入金等特別控除額との合計額を超えるときは，確定損失申告書を提出する場合を除き，**その年の翌年2月16日から3月15日までの間**（第3期）において，一定の事項を記載した申告書（確定申告書）を，**納税地（原則として住所地）の所轄税務署長**に対して提出しなければならない（法120）。

　ただし，給与所得又は退職所得を有する者については，確定申告義務について次の特例が設けられている。

(1) 給与所得を有する者の確定申告

　その年において給与所得を有する居住者で，その年中に支払を受けるべき給与所得の収入金額が**2,000万円以下**であるものは，次のいずれかに該当する場合には，確定申告書を提出することを要しない（法121①）。

　ただし，①同族会社の役員，②その役員の親族であり又は親族であった者，③その役員と内縁関係にあり又はあった者，及び④その役員から受ける金銭その他の資産によって生計を維持している者が，その法人から給与等のほかに，

貸付金の利子又は不動産その他の資産の使用料等の対価の支払を受ける場合は除かれる（法121①，令262の2）。

① 一の給与等の支払者から給与等の支払を受け，かつ，その給与等の全部について所得税の源泉徴収をされ，又はされるべき場合において，その年分の利子所得の金額，配当所得の金額，不動産所得の金額，事業所得の金額，山林所得の金額，譲渡所得の金額（分離課税とされる土地建物等の譲渡所得については，特別控除後の短期譲渡所得の金額又は特別控除後の長期譲渡所得の金額），一時所得の金額及び雑所得の金額の合計額（以下「給与所得及び退職所得以外の所得金額」という）が**20万円以下**であるとき

② 二以上の給与等の支払者から給与等の支払を受け，かつ，その給与等の全部について所得税の源泉徴収をされ，又はされるべき場合において，次の(イ)又は(ロ)に該当するとき

　(イ) 従たる給与等の支払者から支払を受けるその年分の給与所得の収入金額と給与所得及び退職所得以外の所得金額との合計額が**20万円以下**であるとき

　(ロ) (イ)に該当する場合を除き，その年分の給与所得の収入金額が150万円と社会保険料控除額，小規模企業共済等掛金控除額，生命保険料控除額，地震保険料控除額，障害者控除額，寡婦（寡夫）控除額，勤労学生控除額，配偶者控除額，配偶者特別控除額及び扶養控除額との合計額以下で，かつ，その年分の「給与所得及び退職所得以外の所得金額」が**20万円以下**であるとき

(2) 退職所得を有する者の確定申告

その年において退職所得を有する居住者は，以下のいずれかに該当する場合には，退職所得に係る確定申告書は提出することを要しない（法121②）。

① その年分の退職所得に係る退職手当等の全部について**「退職所得の受給に関する申告書」**を提出して所得税（復興特別所得税を含む）の源泉徴収をされた又はされるべき場合

② ①に該当する場合を除き，その年分の課税退職所得金額につき基本税率

又は簡易税額表を適用して計算した所得税の額が，その年分の退職所得に係る退職手当等につき源泉徴収をされた又はされるべき所得税の額以下である場合

〈図表2－1〉給与所得者と確定申告

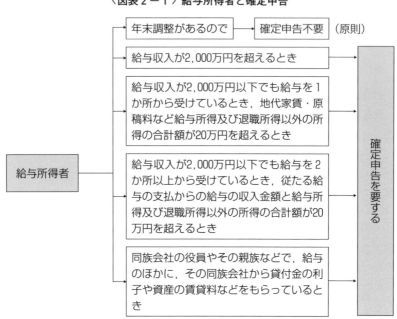

(3) **公的年金所得者の確定申告**

その年において公的年金等に係る雑所得を有する居住者で，その年中の公的年金等の収入金額が400万円以下である者が，その年分の公的年金等に係る雑所得以外の所得金額が20万円以下であるときは，その年分の所得税について確定申告書を提出することは要しない（法121, 203の3, 203の5）。

平成26年度改正で，確定申告を要しない範囲から，以下の「源泉徴収の対象とならない公的年金等の支給を受ける者」が除かれる。

「源泉徴収の対象とならない公的年金等」とは，以下の場合においてその年中に支払を受けるべき公的年金等の額が，以下の金額未満のものをいう。

① 受給者の年齢が65歳未満の場合　　　108万円

②　受給者の年齢が65歳以上の場合　　　158万円
　　　（いわゆる2階建て部分に対しては80万円）
　外国年金のように，国外において支払を受ける公的年金等は源泉徴収の対象外とされているため，国外において支払を受ける公的年金等を受給する者については，申告不要制度は適用しない。

〈図表2－2〉年金受給者と確定申告

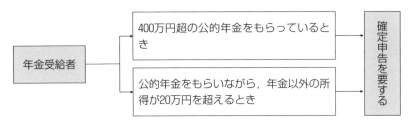

(4)　**所得税の確定申告書における一定の添付書類の提出不要**

　以下の書類について，確定申告書等に添付し，又は確定申告書等の提出の際に提示することを要しない。

　①　給与所得，退職所得及び公的年金等の源泉徴収票
　②　オープン型証券投資信託の収益の分配の支払通知書
　③　配当等とみなす金額に関する支払通知書
　④　上場株式配当等の支払通知書
　⑤　特定口座年間取引報告書
　⑥　未成年者口座等につき契約不履行等事由が生じた場合の報告書
　⑦　特定割引債の償還金の支払通知書
　⑧　相続財産に係る譲渡所得の課税の特例を適用する際の相続税額等を記載した書類

(5)　**年末調整を受けた人の確定申告における記載方法の簡便化**

　平成31年度税制改正大綱では，その年において年末調整の適用を受けた給与所得がある居住者が，その年の確定申告書を提出する場合の確定申告書の記載事項について，その年末調整で適用を受けた所得控除の額と確定申告で適用を

受ける所得控除の額とが同額である場合には，これらの所得控除に関する事項については，その年末調整で適用を受けた所得控除の額の合計額の記載のみで足りることになる。

第3節 還付等を受けるための申告

　居住者は，その年分の所得税につき，①所得税額の計算上控除しきれない外国税額控除額，又は②確定申告により納付すべき税額の計算上控除しきれない源泉徴収税額もしくは予定納税額がある場合には，確定所得申告をすべき場合又は確定損失申告をすることができる場合を除き，これらの**税額の還付を受けるため**，納税地の所轄税務署長に対し，一定の事項を記載した申告書を提出することができる（法122①）。

　また，居住者は，**確定所得申告をすべき場合**又は**還付を受けるための申告**あるいは**確定損失申告**をすることができる場合に該当しない場合においても，その年の翌年分以後の各年分の所得税について**外国税額の控除不足額等の繰越の規定**（法95②・③）の適用を受けるための必要があるときは，納税地の所轄税務署長に対し，一定の事項を記載した申告書を提出することができる（法122②）。

　なお，還付等を受けるための申告は，申告期限の規定がないため，還付金に対する国への請求権は5年間行使しない場合は時効により消滅する。したがって，翌年1月1日から5年間に還付を受けるための申告ができる（通法74①）。

第4節　確定損失申告

　居住者は，次のいずれかに該当する場合において，その年の翌年以後において**純損失の繰越控除**，特定の居住用財産の譲渡損失の繰越控除，特定の上場株式等の譲渡損失の繰越控除，先物取引による損失の繰越控除もしくは**雑損失の繰越控除**等の適用を受け，又は**純損失の繰戻しによる所得税の還付**を受けようとするときは，その年の**翌年2月16日から3月15日までの間**（第3期）において，納税地の所轄税務署長に対し，一定の事項を記載した申告書を提出することができる（法123①）。

① その年において生じた純損失の金額がある場合

② その年において生じた居住用財産の買換え等の場合の譲渡損失の金額（特定居住用財産の譲渡損失の金額を含む）がある場合

③ その年において生じた特定の上場株式等の譲渡損失の金額がある場合

④ その年において生じた先物取引による損失の金額がある場合

⑤ その年において生じた雑損失の金額がその年分の総所得金額，上場株式等に係る配当所得等の金額，土地等に係る事業所得等の金額，特別控除後の短期譲渡所得の金額，特別控除後の長期譲渡所得の金額，一般株式等に係る譲渡所得等の金額，上場株式等に係る譲渡所得等の金額，先物取引に係る雑所得等の金額，退職所得金額及び山林所得金額の合計額を超える場合

⑥ その年の前年以前3年内の各年において生じた純損失の金額及び雑損失の金額（すでに前年以前において控除されたもの及び純損失の繰戻しにより還付を受けるべき金額の計算の基礎となったものを除く）の合計額が，これらの金額を控除しないで計算したその年分の総所得金額，上場株式等に係る配当所得の金額（特定譲渡した上場株式等に係る譲渡損失の金額及び雑損失の金額がある場合にのみ適用），土地等に係る事業所得等の金額，短期譲渡所得の金額，長期譲渡所得の金額，一般株式等に係る譲渡所得等の金額，上場株式等に

係る譲渡所得等の金額，先物取引に係る雑所得等の金額，退職所得金額及び山林所得金額の合計額を超える場合

⑦ その年の前年以前3年内の各年において生じた上場株式等の譲渡損失の金額（上場株式等に係る配当所得の金額から控除されたもの。すでに前年以前において控除されたものを除く）が上場株式等に係る譲渡所得等の金額を超える場合

⑧ その年の前年以前3年内の各年において生じた特定株式に係る譲渡損失の金額が，その年の一般株式等の譲渡所得等の金額及び上場株式等の譲渡所得等の金額を超える場合

⑨ その年の前年以前3年内の各年において生じた先物取引による損失の金額（すでに前年以前において控除されたものを除く）が先物取引に係る雑所得等の金額を超える場合

この**確定損失申告**は期限後においてもすることができるが，居住用財産の買換え等の場合の譲渡損失の繰越控除，純損失の繰戻しによる還付は，原則として，その損失の生じた年分については，**期限内申告を要件**としているからその確定損失申告が期限後にされたことにつき税務署長がやむをえない事情があると認める場合を除き，その繰越控除等は認められない（法70④，71②，140④，141③）。

第5節 死亡又は出国の場合の確定申告

(1) 死亡の場合の確定申告

確定所得申告書を提出すべき居住者がその年の翌年1月1日からその申告書の提出期限までの間に申告書を提出しないで**死亡した場合**には，その相続人は，次の確定損失申告書を提出する場合を除き，**その相続の開始があったことを知った日の翌日から4月を経過した日の前日**（同日前にその相続人が出国をする場合には，その出国の時）までに，所轄税務署長に対し確定申告書（準確定申告）を提出することを要する（法124①）。

(2) 出国の場合の確定申告

居住者が**出国する場合**には，**出国する時**までに確定所得申告書を税務署長に提出することを要し（法126, 127），又は確定損失申告書を所轄税務署長に提出することができる（法126, 127）。

〈図表2-2〉確定申告書の提出期限

①	通常の場合	その年の翌年2月16日から3月15日までの間（第3期）に納税地（原則として住所地）の所轄税務署長に確定申告書を提出し，納税する（法120, 128）。
②	確定申告義務のある者が死亡した場合（準確定申告）	相続人が，死亡した者に代わって，相続開始を知った日の翌日から4か月を経過した日の前日までに，死亡した者の納税地の所轄税務署長に確定申告書を提出し，納税する（法124, 125, 126）。
③	確定申告義務のある者が出国する場合	納税管理人の届出をした場合（この場合は①と同様になる）を除き，出国の日までに納税地の所轄税務署長に確定申告書を提出し，納税する（法126, 130）。

死亡した者の令和3年分の所得税及び復興特別所得税の確定申告書付表
(兼相続人の代表者指定届出書)

1	死亡した者の住所・氏名等						
住所	(〒 -) 福岡市城南区		氏名	フリガナ 福大太郎		死亡年月日	平成・令和 年 月 日

2	死亡した者の納める税金又は還付される税金	[第3期分の税額] 還付される税金のときは頭部に△印を付けてください。	円…A
3	相続人等の代表者の指定	代表者を指定されるときは、右にその代表者の氏名を書いてください。	相続人等の代表者の氏名
4	限定承認の有無	相続人等が限定承認をしているときは、右の「限定承認」の文字を○で囲んでください。	限定承認

5 相続人等に関する事項

		相続人1	相続人2	相続人3	相続人4
(1)	住所	(〒 -) 南区○○	(〒 -) 城南区○○	(〒 -)	(〒 -)
(2)	氏名	フリガナ 福大丸 ㊞	フリガナ 福大花子 ㊞	フリガナ ㊞	フリガナ ㊞
(3)	個人番号				
(4)	職業及び被相続人との続柄	職業 なし / 続柄 子	職業 なし / 続柄 妻	職業 / 続柄	職業 / 続柄
(5)	生年月日	明・大・昭・平・令 年 月 日	明・大・昭・平・令 年 月 日	明・大・昭・平・令 年 月 日	明・大・昭・平・令 年 月 日
(6)	電話番号	- -	- -	- -	- -
(7)	相続分…B	法定・指定 1/2	法定・指定 1/2	法定・指定	法定・指定
(8)	相続財産の価額	20,000,000 円	20,000,000 円	円	円

6 納める税金等

	相続人1	相続人2	相続人3	相続人4
各人の納付税額 A×B (各人の100円未満の端数切捨て)	00 円	00 円	00 円	00 円
各人の還付金額 (注) (各人の1円未満の端数切捨て)	33,555 円	0 円	円	円

7 還付される税金の受取場所

	相続人1	相続人2	相続人3	相続人4
銀行名等	○○ 銀行・金庫・組合・農協・漁協	銀行・金庫・組合・農協・漁協	銀行・金庫・組合・農協・漁協	銀行・金庫・組合・農協・漁協
支店名等	片江 本店・支店・出張所・本所・支所	本店・支店・出張所・本所・支所	本店・支店・出張所・本所・支所	本店・支店・出張所・本所・支所
預金の種類	普通 預金	預金	預金	預金
口座番号	56789			
貯金口座の記号番号	-	-	-	-
郵便局名等				

(注) 「5 相続人等に関する事項」以降については、相続を放棄した人は記入の必要はありません。

○この付表は、申告書と一緒に提出してください。

(注) 主たる相続人である福大丸が、被相続人である福大太郎(亡くなった人)の所得税申告(準確定申告)をし税金が還付となった。

第6節 期限後申告

　確定申告書は，還付等を受けるための申告書を除き，その提出期限までに納税地の所轄税務署長に対して提出しなければならないが，その**提出期限後においても，税務署長の決定が**あるまでは確定申告書を提出することができる。この提出期限後に提出された確定申告書を**期限後申告書**という。

　なお，期限後申告書には，その申告に係る所得税の期限内申告書に記載すべきものとされている事項を記載し，その期限内申告書に添付すべきものとされている書類を添付しなければならない（通法18③）。

修正申告と更正の請求
（確定申告に誤りがある場合の是正手続）

【Point 30】

　確定申告に誤りがある場合に税額等を変更するための手続としては，**修正申告書の提出**と**更正の請求**がある。

　修正申告書の提出は，確定申告書等に係る税額等が過少である場合に認められる手続であるのに対し，**更正の請求**は，修正申告と反対に，確定申告等に係る税額等が過大である場合に認められる手続である。

　修正申告書の提出があった場合には，その提出により，確定申告等によりすでに確定している税額等は自動的に変更される。しかし，更正の請求の場合には，その請求に基づく税務署長の**更正の処分**により，はじめて税額等が変更される。

第1節 修正申告の通則

　確定申告書を提出した者は，次に掲げる場合には，その確定申告に対して更正があるまでは，国税通則法第19条の規定により，その申告に係る課税標準等又は税額等を修正する**修正申告書**を提出することができる（通法19①・②）。

① 　さきの確定所得申告書に記載した**納税額に不足額**があるとき

② 　さきの確定損失申告書に記載した**純損失等の金額が過大**であるとき

③ 　さきの還付を受けるための確定申告書に記載した**還付金に相当する税額が過大**であるとき

④ 　さきの確定所得申告書に**納税額を記載しなかった場合**において，その納付すべき**税額があるとき**

第2節 更正の請求の通則

　納税申告書を提出した者は，次のいずれかに該当する場合には，その申告書に係る所得税の法定申告期限から**5年以内**（平成23年旧国税通則法改正施行日前に到来した法定申告期限にかかる所得税については**1年以内**）に限り，所轄税務署長に対し，その申告に係る課税標準等又は税額等（申告後更正があった場合にはその更正後の金額。以下同じ）について更正をすべき旨の請求（これを以下「**更正の請求**」という）をすることができる（通法23①）。

(1)　申告書に記載した課税標準又は税額等の計算が国税に関する法律の規定に従っていなかったこと又はその計算に誤りがあったことにより，その申告書の提出により**納付すべき税額が過大**であるとき
(2)　(1)の理由により，その申告書に記載した**純損失等の金額が過少**であるとき，又はその申告書に純損失等の金額を記載しなかったとき
(3)　その申告書に記載した**還付金の額に相当する税額が過少**であるとき，又はその申告書に**還付金の額に相当する税額を記載しなかったとき**

第4章 更正及び決定

納税者の申告に係る税額等の計算に誤りがある場合又はその申告がない場合には、課税の適正を期するため、税務署長は、その税額を正当なものに是正し、又はその納付すべき税額を確定する処分を行う。この処分を**更正又は決定**という。

第1節 更正の通則

税務署長は、納税申告書の提出があった場合において、その納税申告書に記載された課税標準等又は税額等の計算が、所得税に関する法律の規定に従っていなかったとき、その他その課税標準額又は税額等がその調査したところと異なるときは、その調査により、その申告書に係る課税標準等又は税額等を**更正**する（通法24）。

青色申告者に対する更正通知書には、理由の附記が要求されている（所法155②）。

第2節 決定の通則

　税務署長は，納税申告書を提出する義務があると認められる者がその**申告書を提出しなかった場合**には，その調査により，その申告書に係る課税標準等及び税額等を**決定**する。ただし，決定により納付すべき税額及び還付金の額に相当する税額が生じない場合には，その実益がないので決定を行わない（通法25）。

第3節 再更正の通則

税務署長は、更正又は決定をした後、その更正又は決定をした課税標準等又は税額等が過大又は過少であることを知ったときは、その調査により、その更正又は決定に係る課税標準等又は税額等を更正する（通法26）。

〈図表4－1〉更正請求・修正申告・更正・決定

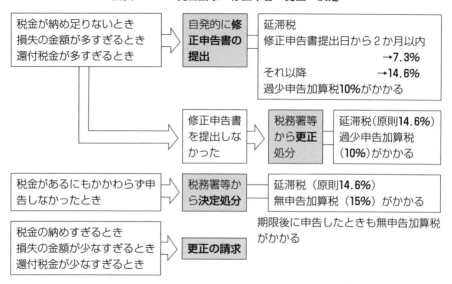

（注） 年7.3％は**特例基準割合**（各年の前々年の10月から前年の9月までの各月の短期貸付けの平均利率の合計を12で除した割合として各年の前年の12月15日までに**財務大臣が告示する割合**（平成29年中は0.7％、平成30年から令和2年は0.6％）に**年1％を加算した割合**をいう。平成29年中は1.7％、平成30年から令和2年は1.6％が7.3％に満たない場合は、年7.3％は**特例基準割合に年1％を加算した割合**（平成29年中は2.7％、平成30年から令和2年は2.6％）（最高7.3％）である。
　14.6％は、特例基準割合が年7.3％に満たない場合は特例基準割合に年7.3％を加算した割合である（通法60②、措法94）。
　延納や申告期限の延長が認められた場合の、本来の納期限から納付日までの**利子税**と異なり、**延滞税**とは、法定納期限を経過したことに対する延滞利息としてとらえられる。申告しなかった場合や税金に不足があった場合に、本来支払うべき税金に対する利息部分をいう。延滞税は、費用にならないものである。

延滞税

納期限の翌日から2か月を経過するまでの期間	→	低い方	7.3% 特例基準割合＋1％ ↓ 前年12月15日に財務大臣が告示する割合＋1％
納期限の翌日から2か月を経過する翌日以後の期間	→	低い方	14.6% 特例基準割合＋7.3％ ↓ 前年12月15日に財務大臣が告示する割合＋1％

第4節 所得税等の税務調査

1 所得税等に関する調査に係る質問検査権等

(1) 税務署等の当該職員は，所得税等に関する調査について必要があるときは，納税義務者等（納税義務者等に金銭等の給付をする権利もしくは義務があったもしくはあると認められる者又は納税義務者等から金銭の給付を受ける権利があったもしくはあると認められる者を含む）に質問し，その者の事業に関する帳簿書類その他の物件を検査し，又はその物件（その写しを含む）の提示もしくは提出を求めることができる（通法74の2）。

(2) 税務署等の当該職員は，所得税等の調査について必要があるときは，その調査において提出された物件を留め置くことができる（通法74の7）。

2 納税義務者に対する調査の事前通知等

(1) 税務署長等は，税務署等の当該職員に納税義務者に対し実施の調査において質問，検査又は提示もしくは提出の要求（質問検査権等）を行わせる場合には， 3 の事前通知を要しない場合に該当する場合を除き，あらかじめ，その納税義務者（その納税義務者について税務代理人がある場合には，その税務代理人を含む）に対し，その旨及び次に掲げる事項の通知を要する（通法74の9①）。

この事前通知の場合，納税義務者の同意があれば，納税義務者への通知はその税務代理人（代表する税務代理人の定めがある場合には，その代表する税務代理人）に対してすれば足りる（通法74の9⑤・⑥）。

① 質問検査権等を行う実施の調査
② 調査を行う場所
③ 調査の目的
④ 調査の対象となる税目
⑤ 調査の対象となる期間

⑥　調査の対象となる帳簿書類その他の物件
　⑦　その他調査の適正かつ円滑な実施に必要な事項
(2)　税務署長等は，調査の通知を受けた納税義務者から合理的な理由を付して調査日時又は調査を行う場所について変更するよう求めがあった場合には，これらの事項について協議するよう努めるものとされている（通法74の9②）。

3　事前通知を要しない場合

　税務署長等が調査の相手方である納税義務者の申告もしくは過去の調査結果の内容又はその営む事業内容に関する情報その他税務署等が保有する情報に鑑み，違法又は不当な行為を容易にし，正確な課税標準等又は税額等の把握を困難にするおそれその他所得税等に関する調査の適正な遂行に支障を及ぼすおそれがあると認める場合には，通知を要しない（通法74の10）。

4　調査終了の通知

(1)　税務署長等は，所得税等に関する実地の調査を行った結果，更正決定等（納税の告知を含む）をすべきと認められない場合には，その調査において質問検査権等の相手方となった納税義務者に対し，その時点において更正決定等をすべきと認められない旨を書面により通知する（通法74の11①）。
(2)　所得税等に関する調査の結果，更正決定等をすべきと認める場合には，当該職員は納税義務者に対し，その調査結果の内容（更正決定等をすべきと認めた額及びその理由を含む）を説明することを要する（通法74の11②）。
　　調査結果の説明をする場合において，当該職員は，その納税義務者に対し修正申告又は期限後申告を勧奨することができる。この場合において，その調査の結果に関しその納税義務者が納税申告書を提出した場合には不服申立てをすることはできないが更正の請求をすることはできる旨を説明するとともに，その旨を記載した書面を交付しなければならない（通法74の11③）。
(3)　実地の調査により質問検査権等を行った納税義務者について税務代理人（税理士，税理士法人など特定の者）がある場合において，その納税義務者の同

意がある場合には，その納税義務者への上記(1)・(2)の通知等に代えて，その税務代理人への通知等を行うことができる（通法74の11⑤）。

5　当該職員の団体に対する諮問及び官公署等への協力要請

　税務署等の当該職員は，所得税に関する調査について必要があるときは，事業を行う者の組織する団体に，その団体員の所得の調査に関し参考となるべき事項（団体員の個人ごとの所得の金額及び団体が団体員から特に報告を求めることを必要とする事項を除く）を諮問することができる（通法74の12）。

6　身分証明書の携帯等

　税務署等の当該職員は，質問，検査，提示もしくは提出の要求，閲覧の要求，採取，移動の禁止もしくは封かんの実施をする場合又は上記 5 の職務を執行する場合には，その身分を示す証明書を携帯し，関係人の請求があったときは，これを提示しなければならない（通法74の13）。

第5章 所得税の納付

第1節 一般の確定申告による納付

　確定申告書を提出した居住者は，その確定申告書の提出によって，第3期分について納付すべき税額があるときは，暦年経過後の**翌年2月16日から3月15日**までにその**税額に相当する金額を納付**しなければならない（法128）。

第2節 延　　納

1　延納の要件

確定申告書を提出した居住者が第3期分において納付すべき税額の**2分の1**に相当する金額以上の税額を期限内に納付し，かつ，その期限内に一定の事項を記載した**延納届出書**を納税地の所轄税務署長に提出した場合には，残りの税額については，**その年の5月31日**までその**納付を延期**することができる（法131①・②，規50）。

2　利子税の納付（納税が遅れたとき）

この延納の適用を受ける者は，その延納に係る所得税について，その延納の期間に応じ，**年利7.3％**に相当する**利子税**をその延納に係る所得税にあわせて納付しなければならない（法131③）。利子税年7.3％の割合は，各年の特例基準割合（平成29年中は1.7％，平成30年から令和2年は1.6％）が，年7.3％に満たない場合には，年中においてはその特例基準割合で利子税を計算する。**利子税**とは，延納や申告期限の延長が認められた場合の，本来の納期限から納付日までの納税延期に対する利息のような性格ものである。利子税は，費用となる。

(注)　各年の前々年の10月から前年の9月までの各月における短期貸付けの平均利率の合計を12で除した割合として，各年の前年12月15日までに財務大臣が告示する割合に1％を加算した割合を特例基準割合といい，この特例基準割合が7.3％に満たない場合は，この特例基準割合で利子税が課税される（措法93，通法34）。

　　例として，銀行の短期貸付平均金利が0.4％のとき，年1％を加算された1.4％の特例基準割合は7.3％に満たないため，年1.4％の利子税となる。

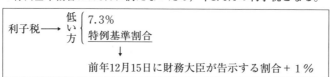

第3節 還付

1 所得税の還付

確定申告書の提出があった場合において，その申告書に次に掲げる金額の記載があるときは，税務署長は，その申告書を提出した者に対し，その金額に相当する**所得税を還付する**（法138①，139①）。

① 源泉徴収税額の控除不足額
② 予定納税額の控除不足額
③ 外国税額控除額の控除不足額

ただし，確定申告書に記載された源泉徴収税額のうちにまだ納付されていないものがあるときは，還付金の額のうちその納付されていない部分の金額に相当する金額については，その納付があるまで還付されない（法138②）。

〈図表5－1〉還付を受けるケース

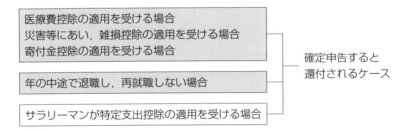

2 純損失の繰戻しによる還付

青色申告書を提出する居住者は，その年において生じた**純損失の金額がある場合**には，青色申告書の提出と同時に，納税地の所轄税務署長に対し，次の①の金額から②の金額を控除した金額に相当する**所得税の還付を請求**することができる（法140①）。

① その年の前年分の課税総所得金額，課税事業所得等の金額，課税退職所得金額及び課税山林所得金額につき税率を適用して計算した所得税の額

② その年の前年分の課税総所得金額，課税事業所得等の金額，課税退職所得金額及び課税山林所得金額から，その年において生じた**純損失の金額の全部又は一部を控除した金額**につき税率を適用して計算した所得税の額

第4節　国外転出をする場合の特例

1　国外転出の場合の特例（出国税）

　国外転出（国内に住所及び居所を有しないこととなることをいう）をする居住者が，所得税法に規定する有価証券もしくは匿名組合契約の出資の持分（有価証券等）又は決済をしていないデリバティブ取引，信用取引もしくは発行日取引（未決済デリバティブ取引等）に係る契約を締結している場合には，その国外転出のときに，以下に掲げる場合の区分に応じそれぞれ以下に定める金額によりその有価証券等の譲渡又はその未決済デリバティブ取引等の決済をしたものとみなして，事業所得の金額，譲渡所得の金額又は雑所得の金額を計算する（法60の2①・②・③）。

① その国外転出の日の属する年分の確定申告書の提出時までに納税管理人の届出をした場合，納税管理人の届出をしないでその国外転出をした日以後にその年分の確定申告書を提出する場合又はその年分の所得税につき決定がされる場合……その国外転出のときにおけるその有価証券等の価額に相当する金額又はその未決済デリバティブ取引等の決済をしたものとみなして算出した利益の額もしくは損失の額

② 上記①に掲げる場合以外の場合……その国外転出の予定日の3か月前の日におけるその有価証券等の価額に相当する金額又はその未決済デリバティブ取引等の決済をしたものとみなして算出した利益の額もしくは損失の額

2　特例の対象者

本特例は，次の①及び②に掲げる要件を満たす居住者について，適用される（法60の2⑤）。

① 上記　1　①及び②に定める金額の合計額が**1億円以上**である者
② 国外転出の日前10年以内に，国内に住所又は居所を有していた期間の合

計が5年超である者

3 納税猶予

(1) 国外転出をする居住者でその国外転出のときにおいて有する有価証券等又は契約を締結している未決済デリバティブ取引等につきこの特例の適用を受けたものが、その国外転出の日の属する年分の確定申告書に納税猶予を受けようとする旨の記載をした場合には、その国外転出の日の属する年分の所得税のうち、この特例によりその有価証券等の譲渡又は未決済デリバティブ取引等の決済があったものとされた所得に係る部分については、その**国外転出の日から5年を経過する日**（同日前に帰国等をする場合には、同日とその者の帰国の日から4か月を経過する日のいずれか早い日）まで、その納税が猶予される（法137の2①）。

(2) この納税猶予は、国外転出のときまでに**納税管理人の届出**をし、かつ、その所得税に係る確定申告書の提出期限までに、納税猶予分の**所得税額に相当する担保を供した場合**に適用される（法137の2①）。

納税猶予の期限は、納税猶予に係る期限の延長を受けたい旨を記載した届出書を納税地の所轄税務署長に提出したときは、国外転出の日から10年を経過する日までとすることができる（法137の2②）。

(3) 納税猶予を受ける者は、国外転出の日の属する年分の所得税に係る確定申告期限から納税猶予に係る期限までの間の各年の12月31日（基準日）におけるその納税猶予に係る有価証券等の所有及び未決済デリバティブ取引等に係る契約に関する届出書を、基準日の属する年の翌年3月15日までに、税務署長に提出しなければならない（法137の2⑥）。その届出書を提出期限までに提出しなかった場合には、その提出期限の翌日から4か月を経過する日が納税猶予の期限となる（法137の2⑧）。

第5節　財産債務調書と国外財産調書

1　財産債務調書

　所得税の確定申告書を提出すべき者は，その年分の総所得金額，土地等に係る事業所得等の金額，特別控除後の短期譲渡所得の金額ならびに特別控除後長期譲渡所得の金額，一般株式等に係る譲渡所得等の金額，上場株式等に係る譲渡所得等の金額，先物取引に係る雑所得等の金額及び山林所得金額の合計額が2,000万円を超え，かつ，その年の12月31日においてその有する財産の価額の合計額が3億円以上，又は国外転出が税の対象となる有価証券等の資産の合計額が1億円以上である者は，その年12月31日において有する財産の種類，数量，価額，債務の金額その他必要事項を記載（次の国外財産調書を提出する場合は，国外財産については記載を要しない）した財産債務調書をその年の翌年3月15日までに，所轄税務署長に提出しなければならない（国外送金等に係る調書提出法6の2（平成28年1月1日以後の提出から適用））。ただし，同日までにその財産債務調書を提出せずに死亡した場合は，提出の必要はない。

2　国外財産調書

　居住者（非永住者を除く）は，その年の12月31日においてその価額の合計額が5,000万円を超える国外財産を有する場合には，その氏名及び住所又は居所ならびにその国外財産の種類，数量及び価額その他必要な事項を記載した国外財産提出調書をその年の翌年3月15日までに，所轄税務署長に提出しなければならない（国外送金等に係る調書提出法5）。

　ただし，同日までの間に国外財産調書を提出しないで死亡し，又は出国し非居住者となったときは，提出の必要はない。

その年の12月31日に5,000万円を超える国外財産を有する個人は、翌年3月15日までに国外財産調書を税務署に提出しなければならない

国外財産調書
海外の財産のみを記載

（その年12月31日 海外財産）
- 預金　××
- 土地
- 建物
- 自動車
- 有価証券

合計5,000万円超

翌年3月15日までに財産債務調書を税務署に提出しなければならない

財産債務調書
国内・海外の関係なく、全ての財産や債務を記載

（その年分の所得が2,000万円超　かつ　その年12月31日において有する総資産3億円以上又は有価証券等1億円以上である個人）

国外転出時課税
① 有価証券等を譲渡したとみなして課税（国外転出時課税（出国税））
② 贈与時に1億円以上の有価証券等を所有等している一定の者から非居住者へ贈与があった時に、これらの資産の譲渡等があったとみなし、含み益に対して贈与者に所得税が課せられる（国外転出時課税（贈与））
③ 相続又は贈与時に1億円以上の有価証券を所有等している一定の者から非居住者へこれらの資産の相続又は遺贈があった時に、これらの資産の譲渡等があったものとみなし、含み益に対して被相続人等に所得税が課せられる（国外転出時課税（相続又は遺贈））

日本から海外転出時に1億円以上の有価証券等を保有している場合

第Ⅹ編
青色申告制度

第1章 青色申告制度の趣旨

【Point 31】

> 一定の帳簿を備え付ければ，種々の特典を利用することができ，申告は青色の申告書によって行うことができる。これを**青色申告制度**という。
>
> 青色申告制度の特典として，①棚卸資産評価について低価法選択，②青色申告控除，③引当金，準備金の繰入，④純損失の繰越控除及び繰戻還付，⑤更正に対する異議申立て等がある。

青色申告制度は記帳慣習を確立させ，それにより**申告納税制度**を実現させるため，昭和24年シャウプ勧告により導入されたものである。この制度は，不動産所得，事業所得，山林所得を生ずべき業務を有する者が一定の要件を備えた記帳を行い，自主的に所得と，税額を計算し，自主的に**青色申告書**を提出することについて税務署長の承認を受けている場合には，その者は，他の納税者と区別して，青色申告書で申告することができる。青色申告者は，税務署長がその者の帳簿記録を調査し，その調査により誤りがあったことがわかった場合でなければ更正を受けないことを骨子とする制度である（法143，155）。

納税者の権利を，**申告納税制度**（青色申告制度）により保証しようとするものである。

第2章 青色申告の要件

不動産所得，事業所得又は**山林所得**を生ずべき業務を行う居住者は，納税地の所轄税務署長の承認を受けた場合には，その年以降の各年における**確定申告書**及びその申告書に係る**修正申告書**を，青色の申告書により提出することができる。この申告書を青色申告書という（法143）。

第1節 青色申告の承認申請

青色申告の提出につき承認を受けようとする者は，その年分以後につき青色申告書を提出しようとする年の**3月15日**まで（その年の1月16日以後あらたに業務を開始した場合には，その業務開始の日から2月以内）に，その業務に係る所得の種類その他所定の事項を記載した**青色申告の承認申請書**を納税地の所轄税務署長に提出しなければならない（法144，規55）。

1月16日以後に新たに業務開始した場合とは，1月16日前には不動産所得，事業所得，山林所得のいずれの業務を行っていないものが，1月16日以後に新たに業務を開始した場合をさす。

《青色申告申請の提出期限》

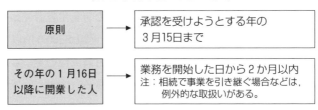

第2節 備付帳簿

青色申告しようとする者は，1月1日（又は開業の日）から所定の記帳をして，所定の帳簿を備える必要がある。

1 帳簿書類

青色申告書の提出の承認を受けている者（以下「**青色申告者**」という）は，財務省令の定めるところにより，不動産所得，事業所得又は山林所得を生ずべき業務につき，帳簿書類を備え付けてこれにこれらの所得の金額に係る取引を記録し，かつ，その帳簿書類を**7年間保存**（現金預金取引書類以外の書類は**5年間保存**）しなければならない（法148①，規56，57，63）。

(1) 正規の簿記の原則による方法

青色申告者は，原則として，不動産所得の金額，事業所得の金額及び山林所得の金額が正確に計算できるよう，これらの所得を生ずべき業務に係る資産，負債及び資本に影響を及ぼすいっさいの取引を，**正規の簿記の原則**に従い，整然と，かつ，明りょうに記録し，その記録に基づいて，貸借対照表及び損益計算書を作成しなければならない（法148①，規57①）。

(2) 簡易簿記による方法

青色申告は，(1)によらず，財務大臣の定める簡易な記録の方法及び記載事項によることができる（規56②）。簡易な方法とは，最低，現金出納帳，売掛帳，買掛帳，固定資産台帳，経費帳の5つの帳簿の記載が必要である。

なお，この方法による場合は，貸借対照表の作成は要しない。

(3) 現金主義による記録の方法

「不動産所得又は事業所得を生ずべき事業を営む青色申告者で，その年の前前年分のこれらの所得の金額（専従者控除前）の合計額が**300万円以下のもの**」は，届出を条件として，(1)，(2)の方法によらず，財務大臣の定めるいわゆる現金主義の記録の方法及び記載事項によることができる（法67の2，令195）。この

現金主義による所得金額を計算することができる青色小規模事業者については，最低，**現金出納帳**と**固定資産台帳**を備え付けて，取引等を記録（現金式簡易簿記の方法）することが認められている（規56②）。

従来，その年の前々年の所得金額が300万円以下である等により，記帳義務及び記帳保存義務のなかった事業所得者等に対して，平成26年1月1日以後新たに記帳義務及び記帳保存義務を課すこととなる（法231の2）。

なお，この方法による場合も，貸借対照表の作成は要しない。この場合の青色申告控除額は10万円である。

2 帳簿書類についての指示

税務署長は，青色申告者の備え付けるべき帳簿書類について，必要な指示をすることができる（法148②）。

3 添付書類

青色申告者は，確定申告書に，財務省令で定めるところにより，貸借対照表，損益計算書，その他不動産所得の金額，事業所得の金額もしくは山林所得の金額又は純損失の金額に関する明細書を添付しなければならない。ただし，**1**の(2)，(3)による場合は貸借対照表の添付は要しない（法149，規65）。つまり，決算書のうち，貸借対照表の申告書への添付は所得が比較的少額な人については義務づけられてはいない。しかし，青色申告特別控除額として**65万円**の控除を受けようとする場合には貸借対照表を添付しなければならない。

〈図表2－1〉青色申告者の帳簿

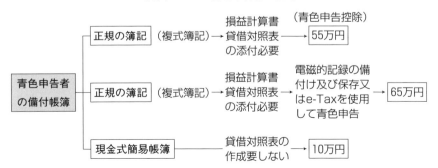

第3章 青色申告の承認申請に対する処分

第1節 承認等の通知

　税務署長は，青色申告承認申請書の提出があった場合には，これを調査して，その申請の承認又は却下を書面で通知する（法146）。

第2節 承認申請の却下

以下に該当するときは，税務署長はその**申請を却下**することができる（法145）。

(1) 申請者の帳簿書類の備付け，記録又は保存が，財務省令で定めるところに従って行われていないこと
(2) 帳簿書類に取引の全部又は一部を隠ぺいし又は仮装して記載していることその他不実の記載があると認められる相当の理由があること
(3) 承認申請書を，承認取消の通知を受け，又は青色申告の取りやめの届出書を提出した日から1年以内に提出したこと

第3節 みなす承認

　青色申告書を提出することの承認申請書の提出があった場合において，その年分以後につき青色申告書を提出しようとする年の12月31日（その年の11月1日以後新たに業務を開始した場合には，その年の翌年の2月15日）までに，その申請の承認又は却下の処分がなかったときは，その日においてその承認があったものとみなされる（法147）。

青色申告の承認の取消し・取りやめ

第1節 承認の取消し

　青色申告を提出することについて税務署長の承認を受けた者について，次のいずれかに該当する事実があるときは，税務署長はそれぞれに掲げる年までさかのぼってその**承認を取り消す**ことができる（法150①）。この場合において，取消しがあった年分以後すでに提出されている青色申告書は，白色申告書とみなされる。

① その年の業務に係る帳簿書類の備付け，記録又は保存が，財務省令（規56）で定めるところに従って行われていないこと……その年

② その年の帳簿書類について税務署長の指示に従わなかったこと……その年

③ その年の帳簿書類に取引の全部もしくは一部を隠ぺい又は仮装して記載し，その他その記載事項の全体についてその真実性を疑うに足りる相当の理由があること……その年

第2節 承認の取消しの通知

　税務署長は、**青色申告の承認の取消しの処分**をする場合には、承認を受けていた者に対して書面によりその旨を通知する。この場合において、その通知には、その取消しの基因となった事実が上記第1節の①から③までの事実のいずれに該当するかを附記しなければならない（法150②）。

第3節 青色申告の取りやめ等

　青色申告者は，その年分以後の各年分の所得税につき**青色申告書の提出をやめようとするとき**は，その年の翌年3月15日までに，その申告をやめようとする年その他一定の事実を記載した届出書を納税地の所轄税務署長に提出しなければならない。その届出書の提出があったときは，その年分以後の各年分の所得税については，その承認はその効力を失う（法151①，規66）。

　また，業務の全部を譲渡し又は廃止する場合は，その日の属する年の翌年以後は青色申告承認の効力は失われる（法151①）。

第5章 青色申告の特典

青色申告者には，以下のような特典がある。

第1節 所得計算上の特典

1 青色専従者給与額の必要経費算入

あらかじめ，税務署長に青色専従者に対して支給する給与額を記載した届出書を提出している場合には，その届出書に記載されている範囲内の金額で労務の対価として相当な**青色専従者給与額**は，必要経費に算入することができる（法57①）。

2 各種引当金・準備金

貸倒引当金，返品調整引当金，退職給与引当金，金属鉱業等鉱害防止準備金などを一定の計算方式に従って繰入れ又は積立て，その旨を確定申告書に記載した場合には，その繰り入れた又は積み立てた金額を必要経費に算入することができる（法52，53，54，措法20）。

3 棚卸資産の評価

年末に有する**棚卸資産の評価**を行う場合，原価法によるもののほか，**低価法**によって評価することができる（令99①二）。

4 減価償却資産に関する減価償却費等の特例

① 減価償却資産の耐用年数の短縮の特例（令130）
② 通常の使用時間を超えて使用される機械装置のいわゆる増加償却の特例（令133）
③ 陳腐化した減価償却資産のいわゆる承認に係る使用可能期間を基として計算した償却不足額の一時償却の特例（令133の2）
④ その他租税特別措置法に規定する特定設備等，中小企業者の機械等の特別償却又は割増償却などの特例（措法10の2以下）
⑤ 青色申告者の取得価額30万円未満の減価償却資産の必要経費算入

　青色申告書を提出する中小企業者（常時従業員1,000人以下の青色事業者（措令5の3⑥））が，平成18年4月1日から平成30年3月31日までの間に取得し，又は製作し，もしくは建設し，かつ，その個人の業務用に供した減価償却資産で取得価格が30万円未満のものは，取得価額の全額を必要経費に算入できる（措法28の2）。一個又は一組当たりの取得価額の合計額のうち300万円に達するまでの取得価額を限度とする。取得価額の合計額が300万円を超える場合には，超える部分の資産は通常の減価償却の計算をする。

5 家事関連費の必要経費算入

家事上の関連費のうち，取引の記録等により，業務の遂行上直接必要であったことが明らかにされる部分は必要経費に算入することができる（令96）。

6 現金主義による所得計算の特例

その年の前々年分の事業所得の金額及び不動産所得の金額（専従者給与額等算入前の金額）が**300万円以下の小規模事業者**は所得金額を計算するにあたり，売上，費用について現金主義により収入金額を計上し又は必要経費に算入することができる（法67）。

7 青色申告特別控除

不動産所得の金額，事業所得の金額，山林所得の金額から順次，**一般の青色申告者は10万円**，正規の簿記の原則に従って**損益計算書と貸借対照表を添付している青色申告者は55万円**（これらの所得金額の合計額を限度），正規の簿記の原則により記帳し電磁的記録の備付け及び保存を行っているか，e-Taxを使用して行っている青色申告者は65万円を控除することができる（措法25の２）。

青色申告特別控除の改正

令和２年（2020年）分以後の所得税の申告について，青色申告特別控除の見直しが行われている。

① 取引を正規の簿記の原則により記帳している者が適用を受けることができる青色申告特別控除の控除額が，65万円から55万円に引き下げられた。

② 上記①にかかわらず，正規の簿記の原則により記帳している者で，次のいずれかに該当する者については，65万円の青色申告特別控除額の適用を受けることができる。

・その年分の事業に係る仕訳帳及び総勘定元帳について，電子計算機を使用して作成する国税関係書類の保存方法等の特例に関する法律に定めるところにより電磁的記録の備付け及び保存を行っていること。

・その年分の所得税の確定申告書，貸借対照表及び損益計算書の提出を，その提出期限までにe-Taxを使用して行うこと。

第2節 手続上の特典

1 更正の制限

税務署長は，課税標準又は純損失の金額を更正をする場合には，原則として，帳簿書類を調査し，その調査によりこれらの金額の計算に誤りがあったことがわかった場合でなければ，**更正**することができない（法155①）。

2 更正の理由の附記

税務署長は，課税標準又は純損失の金額を更正をする場合は，原則として，**更正の理由を附記**しなければならない。更正の理由を附記しない更正処分は法律上その効果を生じない（法155②）。

第3節 純損失の繰越し・繰戻しの特典

　その年に生じた純損失の金額について，一定の要件を充たせばその**純損失の金額を翌年以降3年間にわたって繰り越す**ことができる。また，純損失の金額が生じた前年分に青色申告書を提出している場合は，その純損失の金額を前年分の所得金額に**繰り戻**して，所得税額の還付を受けることができる（法141）。

第4節 税額控除の特典

　試験研究費が増加した場合等の所得税額の特別控除又はエネルギー環境負荷低減推進設備もしくは中小事業者が機械等を取得した場合などで一定要件に該当するときは，税額控除の特例の適用を受けることができる（措法10，10の2，10の3）。

〈図表5－1〉青色申告と白色申告の特典

	青 色 申 告	白 色 申 告
専従者給与	青色事業専従者給与の全額必要経費	事業専従者控除
申告控除	青色申告控除10万円（簡易簿記）令和2年分（2020年分）以後の所得税申告から正規の簿記記帳者で損益計算書と貸借対照表を添付しているときは55万円，正規の簿記記帳者で損益計算書と賃借対照表を添付し，しかも電磁的記録の保存又はe-Taxを使用しているときは65万円	青色申告控除なし
引当金	貸倒引当金，退職給与引当金等の繰入れができる	引当金の繰入れができず
減価償却の特例	特別償却等の特例あり　青色申告書を提出する中小企業者は30万円未満の減価償却資産の必要経費算入	特例なし，30万円未満の特例なし
純損失	純損失の3年間の繰越し控除あり　純損失の繰戻し還付あり	純損失の一部のみ3年間の繰越し控除あり　純損失の繰戻し還付なし
更正	帳簿を調査しなければ更正できない	推定課税が行われることがある

《例 題》 次の制度のうち青色申告者にだけ認められている特典に○をつけなさい。

① 寄付金控除　② 青色申告特別控除　③ 貸倒引当金の設定
④ 純損失の繰越控除　⑤ 減価償却方法の定額法と定率法の選択
⑥ 中小企業者の機械の特別償却制度　⑦ 住宅借入金の控除
⑧ たな卸資産の評価について低価法の選択　⑨ 増加償却の特例
⑩ 貸倒損失の設定　⑪ 公的年金等控除
⑫ 純損失の繰戻しによる還付請求
⑬ 青色事業専従者給与の必要経費の算入
⑭ 割賦販売取引における割賦基準による損益計算，長期請負工事における工事進行基準による損益計算

《解答欄》

①		②		③		④		⑤		⑥		⑦	
⑧		⑨		⑩		⑪		⑫		⑬		⑭	

《解　答》

①	×	②	○	③	○	④	○	⑤	×	⑥	○	⑦	×
⑧	○	⑨	○	⑩	×	⑪	×	⑫	○	⑬	○	⑭	×

《実務上のPoint》

青色申告ではいくつかの特典があるので，生かした方が得である。

1　赤字が出た場合には3年間繰越しが認められ，以後3年間の所得から差し引くことができる。
2　売掛金等の一部が貸倒引当金繰入れとして必要経費と認められる。
3　家事関連費は原則的に経費にはならないが，青色申告の場合には取引記録に基づき必要なものは経費となる。

4 青色申告控除，中小企業者の機械の特別償却等がある。
5 青色申告の場合，生計を一にする15歳以上の親族で，1年のうち6か月を超える期間，事業に専従する者に対し支払う給与は，その金額が適正であれば適正額が必要経費として認められる。

第XI編
源泉徴収

第1章 源泉徴収制度の趣旨

【Point 32】

> **源泉徴収制度**とは，所得の支払者が所得の支払の際に支払を受ける者から一定の金額の所得税を徴収する制度である。この源泉徴収の対象となる所得は，以下の特定の所得である。
> ① 利子所得
> ② 配当所得
> ③ 給与所得
> ④ 退職所得
> ⑤ 特定の事業所得，譲渡所得，一時所得及び雑所得
> ⑥ 非居住者に支払う国内源泉所得
> ⑦ 外国法人に支払う国内源泉所得

源泉徴収制度は，確定申告による納付税額の予納的性格を有しており，この制度は，歳入の確保，歳入の平準化，徴税事務の能率性及び便宜性等を考慮して設けられた制度である。

源泉徴収される所得

第1節 利子所得及び配当所得に対する源泉徴収

1 源泉徴収義務

居住者に対して利子等（法23）又は配当等（法24）の支払をする者は、その支払の際、所定の税率により計算した所得税を徴収し、**その徴収の日の属する月の翌月10日までに**、これを国に納付しなければならない（法181，212，措法3の4，9の2）。

この場合，配当等（投資信託又は特定目的信託の収益の分配に係るものを除く）については、支払の確定した日から1年を経過した日までにその支払がされない場合には、その1年を経過した日において支払があったものとみなして、その1年を経過した日において源泉徴収をしなければならない（法181）。

2 源泉徴収税額

利子等に対する源泉徴収税額は、利子等については100分の15の税率を乗じて計算した金額である（法182，213，措法3の3）。

平成25年1月1日から平成49年12月31日までの間において、支払うべき利子等について所得税が源泉徴収される場合には、所得税の源泉徴収に併せて復興特別所得税を源泉徴収し、国に納付することとされている（復興財源確保法28）。

源泉徴収される復興特別所得税の額は、利子等の所得税の源泉徴収税額に

2.1％を乗じて計算した金額である。

　配当等に対する源泉徴収税額は，①上場株式等（公募証券投資信託の受益権及び特定投資法人の投資口を含む）の配当等（株式等所有割合が3％以上である個人の大口株主のものを除く）については100分の15，②その他の配当等については100分の20（私募公社債等運用投資信託及び社債的受益権に係る特定目的信託の配当は100分の15）の税率を乗じて計算した金額である（法182，213，措法8の2，8の3，8の4，9の2，9の3，9の3の2，平成20年措法附則33）。

　平成25年1月1日から平成49年12月31日までの間において，支払うべき配当等について所得税が源泉徴収される場合には，所得税の源泉徴収に併せて復興特別所得税を源泉徴収し，国に納付することとされている（復興財源確保法28）。

　源泉徴収される復興特別所得税の額は，配当等の所得税の源泉徴収税額に2.1％を乗じて計算した金額である。

3　源泉徴収の不適用

　利子等及び配当等に対する源泉徴収に関しては，以下のような特例がある。
① 　障害者等の郵便貯金，障害者等の少額預金の利子所得等の非課税（法10）
② 　公共法人等に支払う利子等及び配当等に対する非課税（公社債等の利子又は収益分配金にあってはその法人の所有期間に対応する部分に限る）（法11）
③ 　信託会社（信託業務を兼営する銀行を含む）が引き受けた特定の公社債等について支払を受ける利子等又は配当等に係る特定の場合の源泉徴収の不適用（法176①）。
④ 　特定投資法人の運用財産に係る配当等の源泉所得税の不適用（措法9の4）
⑤ 　内国法人等が上場証券投資信託の終了又は一部の解約により支払を受ける収益の分配に係る配当所得の源泉徴収の不適用（措法9の4の2）
⑥ 　公募株式等証券投資信託の受益権等を買い取った証券業者等（金融商品取引業者等）が支払を受ける収益の分配に係る配当所得の源泉徴収の不適用（措法9の5）

⑦ 非課税口座内上場株式等に係る配当等（非課税口座に非課税管理勘定を設けた年の1月1日から5年以内に生じたものに限る）に対する非課税（措法9の8）

⑧ 未成年口座内上場株式等に係る配当等（未成年口座に非課税管理勘定を設けた年の1月1日から5年以内（年齢が20歳に達した年を除く）に生じたものに限る）に対する非課税（措法9の9）

⑨ 公募株式等証券投資信託及び上場特定証券発行信託の終了又は一部の解約により金銭等の交付を受けた場合のみなし配当の不適用（株式等の譲渡所得等課税）（措法37の10，37の11）

第2節 給与所得に対する源泉徴収

1 源泉徴収義務

居住者に対し国内において給与等（法28①）の支払をする者は，その支払の際，その給与等について所定の所得税を徴収し，その徴収の日の属する月の翌月までに，これを国に納付しなければならない（法183①）。

この場合，役員に対する賞与については，支払の確定した日から1年を経過した日までにその支払がなされないときは，その1年を経過した日において源泉徴収をしなければならない（法183②）。

平成25年1月1日から平成49年12月31日までの間において，支払うべき給与等について所得税が源泉徴収される場合には，所得税の源泉徴収に併せて復興特別所得税を源泉徴収し，国に納付することとされている（復興財源確保法28）。

源泉徴収される復興特別所得税の額は，給与等の所得税の源泉徴収税額に2.1％を乗じて計算した金額である。

2 源泉徴収税額

(1) 通常の給与による徴収税額

通常の給与に対する徴収税額は，以下に掲げる給与の区分に応じ，次の税額表により求める（法185）。

① 給与所得の源泉徴収税額表（月額表）（法別表第二）
② 給与所得の源泉徴収税額表（日額表）（法別表第三）

また，同税額表は，甲欄，乙欄，丙欄（日額表のみ）に区分されているが，甲欄は，「**給与所得者の扶養控除等申告書**」を提出した者に対し，その提出のさい経由した給与等の支払者が支払う給与について適用し，乙欄は，同申告書を提出しなかった者に対し支払う給与について適用し丙欄は労働した日又は時間によって算出され，かつ労働した日ごとに支払を受ける給与について適用する（法185①）。

(2) **賞与に対する徴収税額**

賞与に対する源泉徴収税額は，前月中に支払った又は支払うべき通常の給与等がある場合は，**「賞与に対する源泉徴収税額の算出率の表」**（法別表第四）により求めた賞与の金額に乗ずべき率を賞与の金額に乗じて計算する。なお，この表に設けられている甲欄と乙欄の区分は，「給与所得の源泉徴収税額表」（別表第二）の場合と同様である。

3 年末調整

給与所得に対する源泉徴収税額については，年末において正当税額を計算し，すでに徴収された税額の合計額との過不足を精算する仕組みをとっている。この手続が**年末調整**である。

ただし，年末調整を行う給与は，その年最後に給与を支払うときにおいて**「給与所得者の扶養控除等申告書」**を提出している者に対してその年中に支払うべきことが確定した給与で，その金額が**2,000万円以下**であるものである（法190）。

> (注) 年の中途で再就職した者が，その就職前に給与の支払者（「給与所得者の扶養控除等申告書」の提出を経由した支払者に限る）からその年中に給与の支払を受けている場合には，その給与の金額は再就職後の給与の金額に含めて年末調整を行う（法190一，令311）。
> 　年の中途で退職した者（死亡退職者を除く）に支払う給与については，原則として，年末調整は行わない。

なお，年税額の計算方法と過不足税額の精算は，以下による。

(1) **年税額の計算**

年末調整を行う場合の**年税額**（いわゆる正当税額）は，その年中に支払うべきことが確定した給与の総額について**「年末調整のための給与所得の源泉徴収税額表」**（別表第五）により求めた給与所得控除後の金額から，①社会保険料控除額，②小規模企業共済等掛金控除額，③生命保険料控除額，④地震保険料控除額，⑤障害者控除額，⑥寡婦（寡夫）控除額，⑦勤労学生控除額，⑧配偶者控除額，⑨配偶者特別控除額，⑩扶養控除額及び⑪基礎控除額に相当する額の合

計額を控除した金額（1,000円未満の端数切捨て）を課税総所得金額とみなして基本税率（法89）を適用して計算した場合の税額である（法190二）。

なお，年末調整による控除を選択された住宅借入金等特別税額控除額があるときは，さらにこれを控除する（措法41の2）。

年税額の計算にあたっては，所得税の年税額と復興特別所得税額（所得税の年税額に2.1％を乗じて計算した金額）とを合計したところにより行い（復興財源確保法30），その合計額に100円未満の端数が生じたときは，その端数は切り捨てる（同法31）。

(2) 過不足額の精算

上記(1)により求めた年税額と，給与の支払のつど徴収された又は徴収されるべき所得税の額の合計額とを比較し，年税額に対する過不足があるときは，①その超過額は，その年最後に給与等の支払をするさい徴収すべき所得税に充当し，②その不足額は，その年最後に給与等の支払をするさい徴収してその徴収の日の属する月の翌月10日までに国に納付する。

この場合，上記により超過額を充当してもなお充当しきれない超過額（その超過額のうちまだ徴収されていないものがあるときは，その徴収されていない部分の金額に相当する金額を控除した金額。以下「**過納額**」という）があるときは，給与等の支払者は，その過納額を還付する（法191）。

4 給与所得者の源泉徴収に関する申告

給与等の支払を受ける者は，以下に掲げる申告書を提出しなければならない。

(1) 給与所得者の扶養控除等申告者

給与等の支払を受ける居住者は，その給与等の支払者（その支払者が二以上ある場合には，主たる給与の支払者。以下同じ）から毎年最初に給与等の支払を受ける日の前日までに控除対象配偶者，控除対象扶養親族の氏名，扶養親族，成年扶養親族又は老人扶養親族がある場合はその旨及び該当する事実を記載した「**給与所得者の扶養控除等申告書**」を，その給与等の支払者を経由して源泉所得税の納税地の所轄税務署長に提出しなければならない（法194①）。

なお，この記載事項がその後異動した場合には，異動後最初に給与の支払を受ける日の前日までに，異動内容等を記載した申告書を提出しなければならない（法194②）。

(2) 従たる給与についての扶養控除等申告書

国内において**二以上の給与等の支払者**から給与等の支払を受ける者は，主たる給与の支払者から支払を受ける給与等からだけでは，障害者控除，寡婦（寡夫）控除，勤労学生控除，配偶者控除及び扶養控除並びに基礎控除の額を控除しきれないと見込まれる場合には，主たる給与の支払者以外の給与等の支払者（「従たる給与の支払者」という）を経由して，控除対象配偶者，扶養親族の氏名などを記載した「**従たる給与についての扶養控除等申告書**」をその源泉所得税の納税地の所轄税務署長に提出することができる（法195①）。

(3) 給与所得者の配偶者特別控除申告書

国内において給与等の支払を受ける居住者は，年末調整にあたり配偶者特別控除の額の控除を受けようとする場合には，その給与の支払者（二以上の給与等の支払者から給与等の支払を受ける場合には，主たる給与等の支払者）からその年最後に給与等の支払を受ける日の前日までに，「**給与所得者の配偶者特別控除申告書**」を給与等の支払者を経由して，源泉所得税の納税地の所轄税務署長に提出しなければならない（法195の2）。

(4) 給与所得者の保険料控除申告書

国内において給与等の支払を受ける居住者は，年末調整にあたり給与等から控除されたもの以外の社会保険料，小規模企業共済等掛金，生命保険料，介護医療保険料及び個人年金保険料又は地震保険料に係る控除を受けようとする場合には，その給与等の支払者（二以上の給与等の支払者から給与等の支払を受ける場合には，主たる給与等の支払者）からその年最後に給与等の支払を受ける日の前日までに，その年中に支払った社会保険料等を記載した「**給与所得者の保険料控除申告書**」をその給与等の支払者を経由して，源泉所得税の納税地の所轄税務署長に提出しなければならない（法196①）。

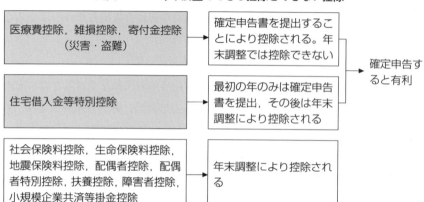

〈図表2-1〉年末調整でできる控除とできない控除

(5) その他

　令和2年(2020年)1月1日以後に支払われる給与等及び公的年金等並びに令和2年(2020年)分以後の所得税については，夫婦双方が源泉控除対象配偶者に該当する場合があっても，夫婦のいずれか一方しか源泉控除対象配偶者に該当しないこととする。

　また，夫婦の一方の者（A）が年金の源泉徴収段階において他方の者（B）を源泉控除対象配偶者として配偶者に係る控除を適用し，申告不要の適用を受ける場合には，その他方の者（B）は確定申告段階等で配偶者に係る控除の適用ができないこととする。

第3節　退職所得に対する源泉徴収

1　源泉徴収義務

　居住者に対して国内において退職手当等（法30①）の支払をする者は，その支払のさい，その退職手当等について，所定の所得税を徴収し，**その徴収の日の属する月の翌月10日までに，これを国に納付しなければならない**（法199）。

　ただし，常時2人以下の家事使用人のみに対し「給与等」の支払をする者は，その退職手当等についての源泉徴収を要しない（法200）。

　平成25年1月1日から平成49年12月31日までの間において，支払うべき退職手当等について所得税が源泉徴収される場合には，所得税の源泉徴収に併せて復興特別所得税を源泉徴収し，国に納付することとされている（復興財源確保法28）。

　源泉徴収される復興特別所得税の額は，退職手当等の所得税の源泉徴収税額に2.1％を乗じて計算した金額である。

2　退職所得の受給に関する申告書

　国内において退職手当等の支払を受ける居住者は，その支払を受けるときまでに，所要の事項を記載した**「退職所得の受給に関する申告書」**をその退職手当等の支払者を経由して，その源泉所得税の納税地の所轄税務署長に提出しなければならない（法203）。

3　源泉徴収税額

　退職手当等に対する源泉徴収税額は，次の区分に応じ，以下により計算した税額である（法201）。

(1)　**退職所得の受給に関する申告書を提出している場合**

　　①　退職所得の受給に関する申告書に，その支払うべきことが確定した年において支払うべきことが確定した他の退職手当等で既に支払がされたもの

（「支払済みの他の退職手当等」という）がない旨の記載がある場合は，次に掲げる場合の区分に応じ，それぞれ以下に定める金額を課税退職所得金額とみなして基本税率を適用して計算した税額である。

　ア　その支払う退職手当等が**特定役員退職手当等以外**の退職手当等（**一般退職手当等**）に該当する場合……その支払う退職手当等の金額から退職所得控除額を控除した残額の2分の1に相当する金額（1,000円未満の端数は切り捨てる）

　イ　その支払う退職手当等が**特定役員退職手当等**に該当する場合……その支払う退職手当等の金額から退職所得控除額を控除した残額に相当する金額（1,000円未満の端数は切り捨てる）

② 退職手当等の支払を受ける居住者が提出した退職所得の受給に関する申告書に，**支払済みの他の退職手当等**がある旨の記載がある場合は，以下に掲げる場合の区分に応じそれぞれ次に定める金額を課税退職所得金額とみなして法89条1項の規定を適用して計算した場合の税額から，その支払済みの他の退職手当等につき源泉徴収された又は源泉徴収されるべき所得税の額を控除した残額に相当する税額である。

　ア　その支払う退職手当等とその支払済みの他の退職手当等がいずれも**一般退職手当等**に該当する場合……その支払う退職手当等の金額とその支払済みの他の退職手当等の金額との合計額から退職所得控除額を控除した残額の2分の1に相当する金額（1,000円未満の端数は切り捨てる）

　イ　その支払う退職手当等とその支払済みの他の退職手当等がいずれも**特定役員退職手当等**に該当する場合……その支払う退職手当等とその支払済みの他の退職手当等の金額との合計額から退職所得控除額を控除した残額に相当する金額（1,000円未満の端数は切り捨てる）

　ウ　その支払う退職手当等とその支払済みの他の退職手当等が**一般退職手当等及び特定役員退職手当等**に該当する場合……政令で定めるところにより計算した金額

(2) **退職所得の受給に関する申告書を提出していない場合**

「退職所得の受給に関する申告書」を提出していない場合には，その支払う退職手当等の金額に100分の20の税率を乗じて計算する（法201③）。

　源泉徴収には，その他公的年金等の源泉徴収，報酬，料金，給付補塡金等に対する源泉徴収，非居住者に支払う国内源泉所得に対する源泉徴収，法人の所得に対する源泉徴収，割引債の償還差益に対する源泉徴収がある。

第4節 報酬，料金，給付補塡金等に対する源泉徴収

1 源泉徴収義務

居住者に対して国内において，①報酬もしくは料金，契約金又は賞金，②生命保険契約に基づく年金，③定期積金の給付補塡金等，④懸賞金付預貯金等の賞金品，及び⑤匿名組合契約等の利益の分配の支払をする者は，その支払の際，その報酬もしくは料金，契約金又は賞金，年金，給付補塡金等，懸賞金又は利益の分配について所得税を徴収し，その徴収の日の属する月の翌月10日までに，これを国に納付しなければならない（所法204①，207，210）。

平成25年1月1日から令和19年12月31日までの間において，支払うべき報酬，料金，給付補塡金等について所得税が源泉徴収される場合には，所得税の源泉徴収に併せて復興特別所得税を源泉徴収し，国に納付することとされている（復興財源確保法28）。

源泉徴収される復興特別所得税の額は，報酬，料金，給付補塡金等の所得税の源泉徴収税額に2.1％を乗じて計算した金額である。

2 源泉徴収税額

源泉徴収となる報酬料金等の範囲及びその税額を算定する場合の所得税の源泉徴収税率は，次表の(1)〜(4)のとおりである。

(1) 報酬，料金，契約金又は賞金

所得の種類による区分	源泉徴収の対象となる所得金額	税　率（注）
① 原稿，さし絵，作曲，レコード吹き込み又はデザインの報酬，放送謝金，著作権又は工業所有権の使用料及び講演料等の報酬等（所法204①一）	1回の支払金額	同一人に対する1回の支払金額が100万円までのものは10%（10.21%）100万円を超える部分は20%（20.42%）（所法205一）
② 弁護士，公認会計士，税理士，社会保険労務士，弁理士，測量士等の業務に関する報酬又は料金	1回の支払金額	

③ 司法書士，土地家屋調査士等の業務に関する報酬又は料金	同一人に対する1回の支払金額から1万円を控除した残額（所法205二，所令322）	10%（10.21%）（所法205二）
④ 社会保険診療支払基金法の規定により支払われる診療報酬（所法204①三）	同一人に対するその月分の支払金額から20万円を控除した残額	10%（20.21%）（所法205二）
⑤ 職業野球選手，競馬騎手，モデル，プロレスラー（所令320③）の業務に関する報酬又は料金	1回の支払金額	10%（10.21%）100万円を超える部分は20%（20.42%）（所法205一）
⑥ 職業拳闘家（プロボクサー等）の業務に関する報酬又は料金	同一人に対する1回の支払額から5万円を控除した残額	10%（10.21%）（所法205二）
⑦ 外交員，集金人，電力量計の検針人の業務に関する報酬又は料金	同一人に対するその月中に支払われる金額から12万円（別に給与所得の支払いがあるときは，12万円からその月中に支払われる給与の金額を控除した金額）を控除した残額	10%（12.21%）（所法205二）
⑧ 映画，演劇その他の芸能又はラジオ放送もしくはテレビジョン放送にかかる出演もしくは演出又は企画の報酬又は料金その他の芸能人の役務の提供を内容とする事業に対する報酬又は料金	1回の支払金額。源泉徴収免除証明書の交付を受けた人に支払う報酬又は料金については不徴収	10%（10.21%）100万円を超える部分は20%（20.42%）（所法206）
⑨(ｱ) ホステス等のその業務に関する報酬又は料金 (ｲ) ホステス等を旅館等に派遣してお客に接待させる業務に関する報酬又は料金	同一人に対する1回の支払金額から5,000円にその支払金額の計算期間の日数を乗じて計算した金額（別に給与所得の支払いがあるときは，当該金額からその計算期間にかかる給与等の額を控除した金額）を控除した残額	10%（10.21%）（所法205二）

⑩ 事業の広告宣伝のための賞金	同一人に対する1回の支払金額から50万円を控除した残額（所法205二）	10%（10.21%）（所法205二）
⑪ 馬主が受ける競馬の賞金	同一人に対する1回の支払金額からその支払金額の20%に相当する金額と60万円との合計額を控除した残額	

（注）　（　）内の税率は，所得税と復興特別所得税を合わせた合計税率（所得税率×102.1%）。

(2) 生命保険契約等に基づく年金

生命保険契約等に基づく年金及び所得税法施行令第69条第2項1号に掲げる給付で年金として支払われるもの	年金の額から，その契約に基づいて払い込まれた保険料又は掛金の額のうちその支払われる年金の額に対応する金額を控除した金額 その金額が25万円未満の場合の保険年金及び保険年金の受取人と保険年金契約者が異なる場合の保険年金は，源泉徴収を要しない	10%（10.21%）（所法207，209）

(3) 定期積金の給付補塡金等及び懸賞金付預貯金等の懸賞金

定期積金の給付補塡金，相互掛金の給付補塡金，懸賞金付預貯金等の懸賞金等	給付補塡金，利息，利益，差益の額又は懸賞金	15%（15.315%）（所法209の3，措法41の9）

(4) 匿名組合契約等の利益の分配

匿名組合契約に基づく利益の分配	支払金額	20%（20.42%）（所法211）

《所得税法の判例研究》 ちょっと気楽にコーヒーブレイク（ホステス報酬に対する源泉徴収税額計算の計算期間）

　所得税法205条1項2号及び施行令322条によれば，徴収すべきホステスの源泉所得税額は（ホステス報酬額－5,000円×支払金額の計算期間の日数）×10％と規定されている。

　この支払金額の計算期内の日数とは，当該期間内における実際の出勤日数か，それとも当該支払金額の計算期内における全日数なのかが争われた判例がある。

　パブクラブでは，各ホステスの報酬額から5,000円に支払額の計算期間（集計期間の全日数）を乗じて計算した金額に10％の税率を乗じて計算した源泉徴収所得税額を徴収していたが，課税庁は，支払金額の計算期間は実際の出勤日数であるとして，源泉所得税の納税告知及び不納付加算税の賦課決定を行った事件である。

　最高裁判決（第三小法廷，平成22年3月2日）では，施行令322条の当該支払金額の計算期間は支払金額の計算の基礎となった期間の初日から末日までの時的連続性を持った概念であると解するのが自然である。

　また，源泉徴収税額において基礎控除方式が採られた趣旨は，できる限り源泉徴収税額の還付の手数を省くことになったことがうかがわれる。

　以上から，当該支払金額の計算期間の日数とは，ホステスの実際の稼働日数ではなく，当該期間に含まれるすべての日数を指すものと解するのが相当であると判示した。

　最高裁判決は，租税法律主義のもと，解釈された判決であるといえる。

《計算Pattern》

V 納付税額の計算

源泉徴収税額及び源泉徴収特別税額	×××	① 配当所得の収入金額×20%　(注) 　＋原稿料の収入金額×10% 　＋給与収入の源泉所得税額＝○○○　（所得税の源泉徴収税額） ② ○○○×2.1%＝△△△　（復興特別所得税の源泉徴収特別税額） ③ ○○○×△△△＝××× 　　①　　　②

(注) 上場株式等の配当（個人の大口株主を除く），公募証券投資信託の収益の分配等に係る源泉所得税額は15%である。大口株主がもつ上場株式等の配当，未上場株式等に係る源泉所得税率は20%である。

《実務上のPoint》

　年末調整でできる控除は，社会保険料控除，小規模企業共済等掛金控除，生命保険料控除，地震保険料控除，配偶者控除，配偶者特別控除，扶養控除，障害者控除，住宅借入金等特別控除である。

　しかし，**医療費控除，雑損控除，寄付金控除**は，年末調整ではできない。これらは，確定申告書を提出することにより税金を戻すことができる。

第XII編

不服申立てと訴訟

第1章 異議申立て（再調査請求）

　所得税に関する法律に基づく処分又は不作為について認められている不服申立てには，**異議申立て（再調査の請求）**及び**審査請求**がある。

　平成26年6月に行政不服審査法が改正され，それを受けて国税通則法における不服審査制度も改正がなされた。異議申立てと審査請求という2段階の申立前置制度を見直し，処分に不服がある者は直接審査請求できることとなった。異議申立ては，**再調査の請求**に改められた。改正行政不服審査法の公布の日（平成26年6月13日）から2年以内に施行される。

(1) **方　　　式**

　異議申立て（改正法では**再調査請求**）は，原則としてその対象となる処分をした行政庁（原処分庁）に対して行う（通法75①）。

(2) **異議申立て（再調査申立て）期間**

　異議申立て（改正法では再調査請求）は，その対象となる**処分があったことを知った日**（その処分に係る通知を受けたときは，その受けた日）の**翌日から起算して2月以内**（改正法施行後は3月以内）にしなければならない（通法75①）。ただし，天災その他この期間内に異議申立てをしなかったことについてやむを得ない理由があるときは，その理由がやんだ日の翌日から起算して7日以内にすることができる。

　なお，**不服申立て**は，処分があった日の翌日から起算して1年を経過したときは，正当な理由がある場合を除き，することができない（通法77③）。

(3) 申立て先（再調査の申立て先）

　国税に関する法律に基づき税務署長がした処分で，その処分に係る事項に関する調査が次に掲げる職員によってされた旨の記載がある書面により通知されたものに不服がある者は，次に定める国税局長又は国税庁長官がその処分をしたものとそれぞれみなして，国税局長がしたものとみなされた処分についてはその国税局長に対する**再調査請求**ができる。

　① 国税局のその職員　　その処分をした税務署長の管轄区域を所轄する国税局長
　② 国税庁のその職員　　国税庁長官

(4) 決　　　定

　① 決定の手続

　再調査審理庁は，再調査の請求人又は参加人（国税通則法109条3項に規定する参加人）から申立てがあった場合には，その申立てをした者（申立人）に口頭で再調査の請求に係る事件に関する意見を述べる機会を与えなければならない。ただし，その申立人の所在その他の事情によりその意見を述べる機会を与えることが困難であると認められる場合には，この限りでない（通法84①～⑥）。

　口頭意見の陳述は，再調査審理庁が期日及び場所を指定し，再調査の請求人又は参加人を招集してさせるものとする。口頭意見陳述において，申立人は，再調査審理庁の許可を得て，補佐人とともに出頭することができる。

　再調査審理庁は，必要があると認める場合には，その行政機関の職員に口頭意見陳述を聴かせることができる。

　口頭意見陳述において，再調査審理庁又はこの職員は，申立人のする陳述が事件に関係のない事項にわたる場合その他相当でない場合には，これを制限することができる。

　再調査の請求人又は参加人は，証拠書類又は証拠物を提出することができる。この場合において，再調査審理庁が，証拠書類又は証拠物を提出すべき相当の期間を定めたときは，その期間内にこれを提出しなければならない。

② 再調査についての決定

再調査の請求についての決定は，主文又は理由を記載し，再調査審理庁が記名押印した再調査決定書によりしなければならない。

再調査の請求についての決定でその再調査の請求に係る処分の全部又は一部を維持する場合におけるこの理由においては，その維持される処分を正当化とする理由が明らかにされていなければならない。

再調査審理庁は，上記の再調査決定書（再調査の請求に係る処分の全部を取り消す決定に係るものを除く）に，再調査の請求に係る処分につき国税不服審判所に対して審査請求をすることができる旨（却下の決定である場合にあっては，その却下の決定が違法な場合に限り審査請求をすることができる旨）及び審査請求期間を記載して，これらを教示しなければならない。

再調査の請求についての決定は，再調査の請求人（その再調査の請求が処分の相手方以外の者のしたものである場合における決定にあっては，再調査の請求人及び処分の相手方）に再調査決定書の謄本が送達された時に，その効力を生ずる。

再調査審理庁は，再調査決定書の謄本を参加人に送付しなければならない。また，再調査の請求についての決定をしたときは，速やかに，提出された証拠書類又は証拠物をその提出人に返還しなければならない（通法84⑦～⑫）。

審査請求

　平成26年度改正により，不服審査請求における異議申立前置主義が廃止され，納税者は，直接，国税不服審判所長に対して審査請求をすることができるようになった（通法75①二ロ）。

(1) 審査請求ができる場合等

　審査請求をすることができるのは，①再調査の請求に対して決定がなされた場合，②国税局長による処分，青色申告書類に係る更正などで，**直接審査請求をする方法を選択した場合**，③**再調査の請求をしてから３月を経過しても決定がないときに限られている**（通法75③～⑤）。

　なお，改正法施行後は，原処分庁に対する再調査の請求に代えて，処分があったことを知った日の翌日から３か月以内に国税不服審判所長に対して**直接審査請求**をすることもできる。

　審査請求の審理を担当するのは，国税不服審判所である。

　①　再調査に対して決定がなされた場合の審査請求

　再調査の請求（再調査請求期間経過後にされたものその他請求が適法にされていないものを除く）**についての決定があった場合**で，その再調査の請求をした者がその**決定を経た後の処分になお不服があるとき**は，その者は，国税不服審判所に対して**審査請求をすることができる**（通法75③）。

　②　再調査の請求をして決定がない場合の審査請求

　再調査の請求をしている者は，次のいずれかに該当する場合には，**再調査の請求に係る処分について，決定を経ないで，国税不服審判所長へ審査請求**をす

ることができる（通法75④）。

　　イ　その他再調査の請求についての決定を経ないことにつき**正当な理由が**あるとき

　　ロ　再調査の請求をした日の翌日から起算して３月を経過してもその再調査の請求についての決定がないとき（通法75⑤）。

　③　直接審査請求を選択

　国税に関する法律に基づく処分で以下に掲げるものに不服がある者は、それらに定める審査請求をすることができる（通法75①）。

　　イ　**税務署長，国税局長又は税関長がした処分**　　国税不服審判所長に対する審査請求

　　ロ　**国税庁長官がした処分**　　国税庁長官に対する**審査請求**

　　ハ　**国税庁，国税局，税務署及び税関以外の行政機関の長又はその職員がした処分**　　国税不服審判所長に対する**審査請求**

(2)　方　　　式

　審査請求は、一定の事項を記載した**審査請求書**を、正副２通を最寄りの国税不服審判所又は処分を行った税務署に提出してしなければならない（通法87）。

　審査請求書を書面により提出する方法に代えて、電子情報処理組織を使用する方法により審査請求を行う場合には、審査請求書の正副２通の提出があったものとみなされ（通法87⑥）、かつ、その審査請求に係る展示的記録が審査請求書の正本又は副本とみなされる（同法87⑦）。

(3)　審査請求期間

　国税に関する法律に基づく処分についての審査請求は、原則として処分があったことを知った日の翌日から３か月以内又は再調査申告書謄本の送達があった日の翌日から１か月以内に国税不服審判所長に対して行うこととされている（通法77③・④）。

(4)　標準審理期間

　国税庁長官，国税不服審判所長，国税局長，税務署長又は税関長は、不服申立てがその事務所に到達してからその不服申立てについての決定又は裁決をす

るまでに通常要すべき標準的な期間を定めるよう努めるとともに，これを定めたときは，その事務所における備付けその他の適当な方法により公にしておかなければならない（通法77の2）。

(5) **審査請求先**

審査請求は，**国税不服審判所長**又は**国税庁長官**に対してしなければならない（通法75①）。

(6) **審理関係人による物件の閲覧及び謄写（コピー）等**

審理関係人は，審理手続が終結するまでの間，担当審判官に対し，証拠書類の提出又は審理のための質問，検査等の規定により提出された書類その他の閲覧（電磁的記録にあっては，記録された事項を財務省令で定めるところにより表示したものの閲覧）又はその書類の写しもしくはその電磁的記録に記録された事項を記載した書面の交付を求めることができる。

担当審判官は，閲覧をさせ，又は交付をしようとするときは，その閲覧又は交付に係る書類その他の物件の提出人の意見を聴かなければならない。ただし，担当審判官がその必要がないと認めるときは，この限りでない（通法97の3）。

また，担当審判官は，閲覧について，日時及び場所を指定することができる。

(7) **審理手続の計画的遂行**

担当審判官は，審査請求に係る事件について，審理すべき事項が多数であり又は錯綜しているなど事件が複雑であることその他の事情により，迅速かつ公正な審理を行うため，口頭意見陳述等に定める**審理手続を計画的に遂行する必要**があると認める場合には，期日及び場所を指定して，審理関係人を招集し，あらかじめ，これらの審理手続の申立てに関する意見の聴取を行うことができる（通法97の2①～③）。

担当審判官は，審理関係人が遠隔の地に居住している場合その他相当と認める場合には，政令で定めるところにより，担当審判官及び審理関係人が音声の送受信により通話をすることができる方法によって，意見の聴取を行うことができる。

また，担当審判官は，上記の意見の聴取を行ったときは，遅滞なく，**審理手**

続の期日及び場所並びに**審理手続の終結**の規定による**審理手続の終結の予定時期**を決定し，これらを審理関係人に通知するものとする。その予定時期を変更したときも，同様とする。

(8) **裁　　決**

　審査請求が法定の期間経過後にされたものであるときその他不適法であるときは，**国税不服審判所長**は，裁決でその審査請求を却下する（通法92）。

　国税不服審判所長は，所定の審理を行ったうえ，担当審判官及び参加審判官の議決に基づき，審査請求の理由がないときは，**裁決**でその審査請求を棄却し，審査請求の理由があるときは，**裁決**でその審査請求に係る処分の全部もしくは一部を解消し，又はこれを変更する。ただし，審査請求人の不利益にその処分を変更することはできない（通法92，98）。

　なお，裁決は，関係行政庁を拘束し，申請もしくは請求に基づいてした処分が裁決で取り消され，又は申請もしくは請求を却下もしくは棄却した処分が裁決で取り消されたときは，税務署長等は，裁決の趣旨に従い，あらためて申請又は請求に対する処分をしなければならない（通法102）。

　国税不服審判所長は，国税庁長官が発した通達に示されている法令の解釈により裁決をするとき，又は他の国税に係る処分を行う際における法令の解釈の重要な先例となると認められる裁決をするときは，あらかじめその意見を国税庁長官に通知しなければならない（通法99）。

　国税庁長官は，上記の通知があった場合において，国税不服審判所長の意見が審査請求人の主張を容認するものであり，かつ，国税庁長官がその意見を相当と認める場合を除き，国税不服審判所長と共同してその意見について国税審議会に諮問しなければならない。

　国税不服審判所長は，国税庁長官と共同して国税審議会に諮問した場合には，その国税審議会の議決に基づいて採決をしなければならない。

第XII編　不服申立てと訴訟　875

〈図表2−1〉不服申立ての手順

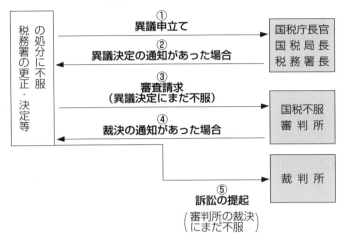

〈図表2−2〉不服申立ての手順の改正（新国税通則法）

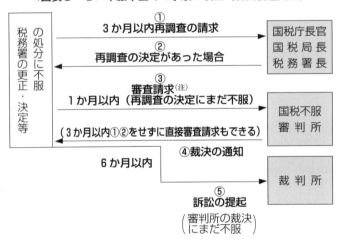

（注）　審理関係人（審査請求人，参加人及び処分庁）は，証拠物件の閲覧及び謄写を求めることができる。
　　また，審査請求人の処分庁（税務署長等）に対する質問，審理手続の計画的遂行，例えば審査請求を受け裁決までの標準的審理期間を定めるなどの計画的審理手続の遂行の整備がなされる。

(9) 訴　　訟

　審査請求についての裁決があった場合において，その国税不服審判所長の裁決になお不服があるときは，その者はその裁決があったことを知った翌日から起算して6か月以内に地方裁判所に取消訴訟を提起して，その裁決に係る更正等の是正を求めることができる（行政事件訴訟法14）。

第XIII編

総合問題

878

次の資料により，物品販売業を営む居住者慶応　進（50歳）の令和3年分の申告納税額を，慶応　進に最も有利になるよう計算過程を明らかにして計算しなさい。なお，解答にあたっては，消費税について考慮する必要はない。

〈資　料1〉

損　益　計　算　書
自令和3年1月1日　至令和3年12月31日　（単位：円）

科　目	金　額	科　目	金　額
年初商品棚卸高	4,883,000	当年商品売上高	38,277,000
当年商品仕入高	28,797,000	年末商品棚卸高	5,143,000
営　業　費	5,175,000	雑　収　入	2,176,400
当　年　利　益	6,922,700	貸倒引当金戻入	181,300
	45,777,700		45,777,700

1　慶応　進は開業以来青色申告書の提出の承認を受けているが，棚卸資産の評価方法及び減価償却資産の償却方法については届出をしていない。なお，正規の簿記の原則に従っている。

2　年末商品棚卸高は総平均法により評価しているが，最終仕入原価法によると5,247,000円，後入先出法によると5,049,000円である。なお，年末商品棚卸高の中には，次のような著しく陳腐化した商品が含まれている。

	原　価	年末処分可能価額
著しく陳腐化した商品	総平均法………31,200円 最終仕入原価法…31,800円 後入先出法………30,600円	6,500円

3　当年商品売上高のうちに，次のものが含まれている。
（1）自家消費高　　　　　　　　　　　　　　　　　　150,000円
　　この金額は仕入価額であり，通常の販売価額は225,000円である。
（2）親類への売上高　　　　　　　　　　　　　　　　37,500円
　　この商品の通常の販売価額は75,000円であり，仕入価額は50,000円である。

4　雑収入の内訳は，次のとおりである。

 (1)　損害保険金　　　　　　　　　　　　　　　　　　　135,000円

　　　この金額は，商品運送中の事故による商品の損害について受け取ったものである。

 (2)　生命保険の満期

　　　保険金収入　　　　　　　　　　　　　　　　　　1,730,000円

　　　この保険期間は10年であり，収入のうち210,000円は剰余金の分配で，保険金額と同時に受け取ったものである。なお，支払った保険料の総額は870,000円であり，全額慶応　進が負担している。

 (3)　仕　入　割　引　　　　　　　　　　　　　　　　　70,000円

 (4)　Y株式会社からの配当金　　　　　　　　　　　　　159,160円

　　　この金額は，20%の源泉徴収税額40,000円と0.42%の源泉徴収特別税額840円を控除後の手取額である。未上場株式の配当である。

 (5)　寄宿舎の使用料　　　　　　　　　　　　　　　　　87,000円

　　　これは，従業員に寄宿舎を利用させて受け取った使用料である。

5　営業費のうちに，次のものが含まれている。

 (1)　店舗に対する損害保険料（1年契約）　　　　　　　33,000円

 (2)　事業に関連しない友人に対する中元の費用　　　　126,000円

 (3)　商品配達中に起こした駐車違反による交通反則金　 10,000円

 (4)　店舗・事業用備品及び車両に対する減価償却費　 1,590,000円

　　　これは定率法により計算したものであり，定額法によると1,410,000円である。

6　年末事業債権は次のとおりであり，貸倒引当金を税法の限度額まで繰り入れる。

　　　売　掛　金（C商店に対するもの）　　　　　　　2,931,000円

　　　　なお，C商店に対して買掛金が171,000円である。

　　　立　替　金（従業員の概算払旅費）　　　　　　　　50,000円

　　　前　渡　金（商品仕入の内金）　　　　　　　　　208,000円

〈資料2〉 慶応　進は，本年中に次のような支出をしている。

1　慶応　進の歯の治療費　　　　　　　　　　　　230,000円
2　国民健康保険料及び国民年金保険料　　　　　　312,000円
3　妻佑美を受取人とする一般の生命保険料　　　　109,200円
4　本人を受取人とする個人年金保険料　　　　　　 87,000円
5　慶応　進の家財に対する地震損害保険料（1年契約）　3,000円

　　なお，一般の生命保険料も個人年金保険料も平成21年度に契約したものである。

〈資料3〉 本年末現在，慶応　進と生計を一にし，かつ同居している家族は次のとおりである。

1　妻（48歳）　佑美　　無職・無収入
2　長　男（22歳）　清　　大学生・アルバイトによる給与収入300,000円
3　二　男（18歳）　栄　　専門学校生・無収入
4　長　女（17歳）　初乃　高校生
5　慶応　進の母（70歳）　春子　無職・無収入

〈資料4〉 参考資料は，次のとおりである。

税　額　速　算　表

課税総所得金額	税率	控　除　額
超　　　　　　　　以下		
～ 1,950,000円	5%	———
1,950,000円～ 3,300,000円	10%	97,500円
3,300,000円～ 6,950,000円	20%	427,500円
6,950,000円～ 9,000,000円	23%	636,000円
9,000,000円～18,000,000円	33%	1,536,000円
18,000,000円～40,000,000円	40%	2,796,000円
40,000,000円～	45%	4,796,000円

（税務検定）

《解答欄》

1　各種所得の金額の計算

区　分	金　額	計　算　の　過　程
（　）所得	円	円 ÷ 0.　　 = 　　　円
事業所得	円	1　総収入金額 　　　円 + 　　　円(注1) + 　　　円(注2) 　+ (　　　円 + 　　　円 　+ 　　　円) + 　　　円 　= 　　　円 （注1）自家消費高修正額計算 　　　円 × 0.　　 - 　　　円 　　　　　　　　　　　= 　　　円 （注2）低額譲渡高修正額計算 　　　円 × 0.　　 - 　　　円 　　　　　　　　　　　= 　　　円 2　必要経費 　(1)　売上原価 　　　　円 + 　　　円 　- (　　　円 - 　　　円 　+ 　　　円) = 　　　円 　(2)　営業費 　　　　円 - 　　　円 　- 　　　円 - 　　　円 　+ 　　　円 = 　　　円 　(3)　貸倒引当金 　　(　　　円 - 　　　円) 　　× —— = 　　　円

		3 事業所得の金額
		必要経費(1)〜(3)の合計額
		□円 − □円
		− □円 = □円
（　）所得	□円	□円 − □円
		− □円 = □円

2　課税所得金額の計算

区　　分	金　　額	計　算　の　過　程
総所得金額	□円	□円 ＋ □円
		＋ □円 × □/□
		＝ □円
所得控除額　医療費控除	□円	□円 − □円
		× 5 % = □円 ①
		□円 ②
		①・②のうちいずれか少ない方の金額
		＝ □円
社会保険料控除	□円	
生命保険料控除	□円	1　一般の生命保険料控除額
		□円 ＞ □円
		∴ □円
		2　個人年金保険料控除額
		□円 × $\frac{1}{4}$ ＋25,000円
		＝ □円

第XIII編 総合問題

所得控除額			3 生命保険料控除額 ☐円 + ☐円 = ☐円	
	地震保険料控除	☐円	1 地震保険限度	☐円
			2 長期保険限度	☐円
			3 控除額	☐円
	配偶者控除	☐円		
	配偶者特別控除	☐円		
	扶養控除	☐円	☐円 + ☐円 + ☐円 + ☐円 = ☐円	
	基礎控除	☐円		
	所得控除額合計	☐円		
課税総所得金額		☐円	☐円 未満切捨て	

3 納付税額の計算

区　分	金　額	計算の過程
算 出 税 額	☐円	☐円 × ☐% = ☐円
配 当 控 除	☐円	☐円 × ☐% = ☐円
差引所得税額 (基準所得税額)	☐円	☐円 − ☐円 = ☐円
復興特別所得税額	☐円	☐円 × 2.1% = ☐円
合計税額	☐円	☐円 + ☐円 = ☐円
源泉徴収税額	☐円	☐円 × ☐% = ☐円
申告納税額	☐円	☐円 未満切捨て

《解　答》

1　各種所得の金額の計算

区　　分	金　　額	計　算　の　過　程
（配当）所得	200,000円	159,160円 ÷ 0.7958 = 200,000円
事 業 所 得	4,653,700円	1　総収入金額 　　38,277,000円 + 7,500円（注1） + 15,000円（注2） 　　+ (135,000円 + 70,000円 　　+ 87,000円) + 181,300円 　　= 38,772,800円 　（注1）自家消費高修正額計算 　　225,000円 × 0.7 - 150,000円 　　　　　　　　　　　= 7,500円 　（注2）低額譲渡高修正額計算 　　75,000円 × 0.7 - 37,500円 　　　　　　　　　　　= 15,000円 　2　必要経費 　（1）売上原価 　　4,883,000円 + 28,797,000円 　　- (5,247,000円 - 31,800円 　　+ 6,500円) = 28,458,300円 　（2）営業費 　　5,175,000円 - 126,000円 　　- 10,000円 - 1,590,000円 　　+ 1,410,000円 = 4,859,000円 　（3）貸倒引当金 　　(2,931,000円 - 171,000円) 　　× $\dfrac{55}{1,000}$ = 151,800円

　　　　　　　　　　3　事業所得の金額
　　　　　　　　　　　　　　必要経費(1)～(3)の合計額
　　　　　　　　　　　　38,772,800円 － 33,469,100円
　　　　　　　　　　　　－ 650,000円 ＝ 4,653,700円

区　　　分	金　　額	計　算　の　過　程
（一時）所得	360,000円	1,730,000円 － 870,000円 － 500,000円 ＝ 360,000円

2　課税所得金額の計算

区　　　分	金　　額	計　算　の　過　程
総　所　得　金　額	5,033,700円	200,000円 ＋ 4,653,700円 ＋ 360,000円 × $\dfrac{1}{2}$ ＝ 5,033,700円
所得控除額　医療費控除	130,000円	230,000円 － ┌ 5,033,700円 　　　　　　　　× 5 ％ ＝ ┌ 100,000円　① 　　　　　　　　　　　　└ 251,685円　② ①・②のうちいずれか少ない方の金額 ＝ 130,000円
社会保険料控除	312,000円	
生命保険料控除	96,750円	1　一般の生命保険料控除額 　109,200円 ＞ 100,000円 　　　　　　　∴ 50,000円 2　個人年金保険料控除額 　87,000円 × $\dfrac{1}{4}$ ＋ 25,000円 　　　＝ 46,750円

所得控除額			3 生命保険料控除額 50,000円 + 46,750円 = 96,750円
	地震保険料控除	3,000円	1 地震保険限度　3,000円 2 長期保険限度　0円 3 控除額　1+2=　3,000円
	配偶者控除	380,000円	居住者の合計所得金額が900万円以下なので38万円
	配偶者特別控除	0円	
	扶養控除	1,970,000円	長男　　　　　　二男 630,000円 + 380,000円 　長女　　　　　　母 + 380,000円 + 580,000円 = 1,970,000円
	基礎控除	480,000円	居住者の合計所得金額が2,400万円以下なので48万円
	所得控除額合計	3,371,750円	
課税総所得金額		1,661,000円	1,000円　未満切捨て

3　納付税額の計算

区　分	金　額	計算の過程
算出税額	83,050円	1,661,000円 × 5％ = 83,050円
配当控除	20,000円	200,000円 × 10％ = 20,000円
差引所得税額 （基準所得税額）	63,050円	83,050円 − 20,000円 = 63,050円
復興特別所得税額	1,324円	63,050円 × 2.1％ = 1,324円
合計税額	64,374円	63,050円 + 1,324円 = 64,374円
源泉徴収税額	40,840円	200,000円 × 20.42％ = 40,840円
申告納税額	23,500円	100円　未満切捨て

《総括　Point》所得税の計算例

区　分	金　額	計　算　の　過　程
I 各種所得の金額の計算		
利　子　所　得	×××	収入金額
配　当　所　得	×××	(1) 収入金額 (2) 元本取得に要した負債の利子 (3) (1)−(2)=×××
不　動　産　所　得	×××	(1) 総収入金額 (2) 必要経費 (3) (1)−(2)=×××
事　業　所　得	×××	(1) 総収入金額 (2) 必要経費 (3) (1)−(2)=×××
給　与　所　得	×××	(1) 収入金額 (2) 給与所得控除額 (3) (1)−(2)=×××
退　職　所　得	×××	(1) 総収入金額 (2) 退職所得控除額 (3) $\{(1)-(2)\} \times \dfrac{1}{2} = \times\times\times$
山　林　所　得	×××	(1) 総収入金額 (2) 必要経費 (3) 特別控除額 　　$\{(1)-(2)\} \gtreqless 500,000$　∴少ない金額 (4) (1)−(2)−(3)=×××
譲　渡　所　得 　総　合　短　期 　総　合　長　期 　分　離　短　期 　分　離　長　期 　一般株式分離 　上場株式分離	 ××× ××× ××× ××× ××× ×××	総合 (1) 譲渡損益 　総短(資産名)　総収入金額−(取得費+譲渡費用)=××× 　総長(資産名)　総収入金額−(取得費+譲渡費用)=××× (2) 特別控除 　総短→総長の順に 　　(最高) 500,000を控除 土地等・建物等 譲渡損益 　分短(資産名)　総収入金額−(取得費+譲渡費用)=××× 　分長(資産名)　総収入金額−(取得費+譲渡費用)=×××

		一般株式等 譲渡損益 　A株　総収入金額 −(取得費＋譲渡費用)＝××× 上場株式等 譲渡損益 　B株　総収入金額 −(取得費＋譲渡費用)＝×××	
一　時　所　得	×××	(1)　総収入金額 (2)　その収入を得るために支出した金額 (3)　特別控除額 　　　｜(1)−(2)｜≧500,000　∴少ない金額 (4)　(1)−(2)−(3)＝×××	
雑　　所　　得	×××	(1)　総収入金額 (2)　必要経費 (3)　(1)−(2)＝×××	
Ⅱ　課税標準の計算		利＋配＋不＋事＋給＋総短＋雑 ＋(総長＋一時)×$\dfrac{1}{2}$＝Ⓐ	
総　所　得　金　額	×××		
上場株式等に係る配当所得の金額	×××		
短期譲渡所得の金額	×××		
長期譲渡所得の金額	×××		
一般株式等に係る譲渡所得等の金額	×××		
上場株式等に係る譲渡所得等の金額	×××		
先物取引に係る雑所得等の金額	×××		
山　林　所　得　金　額	×××		
退　職　所　得　金　額	×××		
合　　　　計	×××Ⓐ		
Ⅲ　所得控除額の計算			
雑　　損　　控　　除	××		
医　療　費　控　除	××		
社　会　保　険　料　控　除	××		
生　命　保　険　料　控　除	××		
地　震　保　険　料　控　除	××		
配　偶　者　控　除	××		
扶　　養　　控　　除	××		
基　　礎　　控　　除	××		
合　　　　計	×××Ⓑ		

Ⅳ	課税所得金額の計算		
	課税総所得金額	×××	Ⓐ－Ⓑ＝×××（1,000円未満切捨）
	上場株式等に係る課税配当所得の金額	×××	（　〃　）
	課税短期譲渡所得の金額	×××	（　〃　）
	課税長期譲渡所得の金額	×××	（　〃　）
	一般株式等に係る課税譲渡所得等の金額	×××	（　〃　）
	上場株式等に係る課税譲渡所得等の金額	×××	（　〃　）
	先物取引に係る課税雑所得等の金額	×××	（　〃　）
	課税山林所得金額	×××	（　〃　）
	課税退職所得金額	×××	（　〃　）
Ⅴ	納付税額の計算		
	算　出　税　額	Ⓒ	① 課総に対する税額（超過累進税率） ② 上場株式等に係る課配に対する税額（15%） ③ 課短に対する税額（30%） ④ 課長に対する税額（15%） ⑤ 一般株式に係る課譲に対する税額（15%） ⑥ 上場株式に係る課譲に対する税額（15%） ⑦ 課先に対する税額（15%） ⑧ 課山に対する税額（超過累進5分5乗） ⑨ 課退に対する税額（超過累進税率） ⑩ ①～⑨の計＝Ⓒ
	配　当　控　除　額	Ⓓ	
	措置法上の税額控除額	Ⓔ	
	差引所得税額 （基準所得税額）	Ⓕ	Ⓒ－Ⓓ－Ⓔ＝Ⓕ
	復興特別所得税額	Ⓖ	（Ⓕ）×2.1%＝Ⓖ
	外国税額控除額	Ⓗ	
	所得税及び復興特別 所得税の源泉徴収税額	Ⓘ	収入金額×源泉所得税率×102.1%＝Ⓘ
	所得税及び復興特別 所得税の申告納税額	Ⓙ	Ⓕ＋Ⓖ－Ⓗ－Ⓘ＝Ⓙ（100円未満切捨）
	所得税及び復興特別 所得税の予定納税額	Ⓚ	
	納付すべき税額	Ⓛ	Ⓙ－Ⓚ＝Ⓛ

《著者紹介》

山内　ススム（本名　進）　商学博士（慶応義塾大学）
Susumu Yamauchi

1982年	税理士試験合格，その後，会計事務所に勤務し
1986年	慶応義塾大学大学院修士課程修了
1992年	慶応義塾大学大学院博士課程修了
1997年	商学博士（慶応義塾大学）
1997年	工業経営学会研究奨励賞受賞
2000年	日税研研究賞受賞
2002年	オックスフォード大学客員研究員
2003年	ケンブリッジ大学客員研究員
2005年	公認会計士二次試験合格
2006年	公認会計士協会実務補習所西日本地区優秀論文賞受賞，九州地区成績優秀賞受賞

現在／福岡大学商学部教授
　　　商学博士，税理士，会計士補，ＭＢＡ

《主たる著書》

法人税法要説，税務経理協会（単著）
相続税法要説，税務経理協会（単著）
税務会計要説，税務経理協会（単著）
消費税法要説，税務経理協会（単著）
所得税法要説，税務経理協会（単著）
租税特別措置と産業成長，税務経理協会（単著）
簿記原理，共栄出版（単著）
実践簿記原理，共栄出版（単著）
応用簿記原理，共栄出版（編著）　他

《主たる論文》

租税特別措置に関する一考察（三田商学研究）
Ｍ＆Ａ税務に関する一考察（産業経理）

著者との契約により検印省略

平成 6 年 9 月20日	初 版 発 行
平成10年12月10日	改訂版発行
平成12年12月 1 日	三訂版発行
平成15年12月15日	四訂版発行
平成18年 6 月 1 日	五訂版発行
平成20年 2 月 1 日	六訂版発行
平成24年 3 月20日	七訂版発行
平成28年 6 月 1 日	八訂版発行
令和 3 年 6 月15日	九訂版発行

所得税法要説〔九訂版〕

著　者	山　内　ス　ス　ム
発　行　者	大　坪　嘉　春
整　版　所	株式会社ムサシプロセス
印　刷　所	税経印刷株式会社
製　本　所	牧製本印刷株式会社

発　行　所　　東京都新宿区　　株式会社　税務経理協会
郵便番号　　下落合 2 丁目 5 番13号
161-0033　　振替　00190-2-187408　　電話 (03) 3953-3301（大代表）
　　　　　　FAX (03) 3565-3391　　　　　　(03) 3953-3325（営業部）
URL http://www.zeikei.co.jp/
乱丁・落丁の場合はお取り替えいたします。

Ⓒ　山内ススム　2021　　　Printed in Japan

本書の無断複製は著作権法上での例外を除き禁じられています。複製される場合は，そのつど事前に，出版者著作権管理機構（電話 03-5244-5088，FAX 03-5244-5089，e-mail：info@jcopy.or.jp）の許諾を得てください。

JCOPY ＜出版者著作権管理機構　委託出版物＞

ISBN978-4-419-06792-2　C 3032